노무현과 바보들

| 1권 |

영화 〈노무현과 바보들〉에서 못다 한 말들

노무현과 바보들

| 1권 |

손현욱 기획 (주)바보들 엮음

싱긋

"제가 생각하는 이상적인 사회는
더불어 사는 사람 모두가 먹는 것,
입는 것 이런 걱정 좀 안 하고
더럽고 아니꼬운 꼬라지 좀 안 보고
그래서 하루하루가 신명나게 이어지는
그런 세상이라고 생각합니다.
만일 이런 세상이 좀 지나친 욕심이라면
적어도 살기가 힘이 들어서
아니면 분하고 서러워서 스스로 목숨을 끊는
그런 일 좀 없는 세상,
이런 것이라고 생각합니다."

_노무현 국회의원의 첫 대정부질문(1988년 7월 8일)

현재의 우리 애비 에미들이 앞장서서 장차 우리 자식들이 겪어야 할 고통을 대신하여 자식들에게 이 불의가 판치는 세상, 이 세상에서 겪어야 할 고통과 절망을 그대로 물려줘서는 안 된다는 생각이 나를 사로잡았다. 그리하여 나는 결단을 하기에 이르렀다.

_「내가 걸어온 길」(1988년 4월 19일)

서민들이 정치적 발언권을 가지고
그들의 삶을 위해서 당당하게 주장을 하고
잘못된 제도를 뜯어고칠 수 있는
그런 서민의 시대를 열어야합니다. 제가 하겠습니다.
저는 서민이었습니다. 그러나 출세했습니다.
출세하면 모두들 서민을 버립니다.
자기의 과거를 버리고 서민을 모르는 척하는 것이
이 나라의 출세한 사람들의 형태이지만
저는 그렇게 하지 않았습니다.
저는 서민들과 함께 싸웠고
국회의원이 되고 난 뒤에도 서민의 고통이 있는 곳을
어느 곳이나 마다하지 않고 찾아다녔습니다.
그곳이 아무리 어려운 곳이라도
저는 서민들을 위해서 찾아갔습니다.
그리고 열심히 일했습니다.
앞으로도 그렇게 할 것입니다.
다시 한번 서민들이 빛 보는,
다시 한번 서민들이 빛 보는,
서민들의 대접받는 서민의 시대를 열겠습니다.

_ '제16대 국회의원 선거 거리 유세 연설'에서(2000년)

저는 김해에서 10대를 살았고, 진영에서 태어나서 진영에서 중학교 나오고, 부산에서 부산상고 나오고, 그리고 부산에서 밥 먹고 살고 부산에서 싸움하고 부산에서 국회의원 하고, 부산에 또 왔습니다. 진짜 부산사람 아닙니까. 여러분이 이곳에서 당선시켜주시면, 저는 반드시 이다음의 지도자가 되겠습니다.

_'제16대 국회의원 선거 합동유세 연설'에서(2000년 2월)

사람을 위해 법이 있는 것이지 법을 위해 사람이 있는 것은 아닙니다. 따라서 사람을 잘살 게 하는 법이라야 법이지 사람을 못살게 하는 법은 법이 아닙니다. 그것도 우리 모두가 다 함께 잘살 게 하는 것이라야지 권력 있고 돈 있는 사람 몇 사람만 잘 먹고 잘 살도록 만들어놓은 법은 법이 아닙니다. 여러분, 지금도 사람 못살게 구는 법은 많습니다. (…)

여러분, 법은 국민 모두에게 이익이 될 때에만 정당한 법이고, 돈 있고 힘있는 사람들 자기들만 좋도록 만들어놓은 법은 악법입니다. 여러분은 정당한 법만 지킬 의무가 있지 악법은 지킬 의무가 없습니다. 아니, 오히려 악법은 따르지 않는 것이 국민의 의무입니다. 그러니까 여러분이 파업을 하고 있는 것 아닙니까? 파업은 여러분의 정당한 권리입니다. 어떤 중상모략에도 흔들리지 마십시오. 지금 여러분은 정당한 권리를 행사하고 있습니다.

_'현대중공업 집회 연설'에서(1988년 12월 16일)

프롤로그

"원래 정치에 관심이 많으셨나요? 당시 30대 초반의 나이였다면 겨우 직장에서 자리를 잡아가는 시기이거나, 결혼을 했다면 자제분이 3, 4살 정도밖에 안 되는, 그래서 더욱 가정에 충실해야 하는 나이가 아니었나요?"

지금부터 약 4~5년 전, 용인에서 작은 개인 사업을 하시는 50대의 남자분을 만났습니다.

점심을 먹으며 이런저런 살아가는 이야기를 하다 우연히 그분이 젊은 시절 노사모 회원인 것을 알게 되었지요. 대통령의 이야기를 나누다 문득 이따위 쓸데없는 질문을 던졌습니다.

그러자 그분의 말씀이 "뉴스를 보다 옆에 있는 딸내미 눈동자를 물끄러미 바라보니 아, 내 딸이 살아갈 세상은 내가 살아온 세상과는 다르면 정말 좋겠다. 그분 말처럼 '원칙과 상식'이 통하는 사회가 되면 얼마나 좋겠나?"라는 생각이 들었더랍니다. 그날 이후 너무나도 평범했던 한 가장은 노사모가 되었습니다.

촬영 시작 1개월 전, 봉하마을에서 명계남 선생님과 점심을 먹고 마을로 돌아올 때, "그분이 왜 그렇게 좋으셨어요?"라고 묻자 "속은 거지, 뭐…… '원칙과 상식'이 통하는 세상? 그딴 게 있을 것 같냐? 그런 세상이 되면 그게 유토피아지……" "그런데 왜 그렇게 모든 걸 내던지고 응원하셨어요?"라고 묻자 "그 사람이라면 해줄 것 같았어. 이상하게도 그 사람 말이라면 믿고 싶었다"라고 하시는 물기 어린 목소리에는 아직도 못다 한 아쉬움과, 먼저 떠나신 분에 대한 안타까움과, 남아 있는 사람의 미안함이 다 묻어 있는 듯했습니다.

영화를 시작하게 된 계기였습니다. 유명한 정치학자나 정치가들, 소위 TV에서 입으로 떠드는 정치평론가들의 말들은 다 껍데기 같다는 생각이 들었습니다.

1년간, 서울, 대전, 대구, 부산, 전주, 진주, 광주, 순천, 김해에서 다시 인천, 강원, 동해, 그리고 다시 서울…… 전국을 3바퀴가량 돌아다녔습니다.

저희가 만난, 소위 노사모라 불리는 분들은 정치에 관심이 있는 사람들이 1%도 없었습니다. 너무나도 평범한 소시민들, 지금도 소위 '갑'보다는 '을' 쪽에 훨씬 많이 서 있는 사람들이었습니다.

불쌍하고, 안타깝고, 바보 같아서 나라도 좀 도와주고 싶어서…… 이것이 참여의 동기였고 시작이었습니다. 노사모 활동을 하면서 사업을 시원하게 말아 드신 분, 5개의 대형 학원을 운영하다 노사모 활동 때문에 전부 문 닫으신 분, 젊은 날 크게 제빵업을 하시다 지금은 지리산에서 암 투병 중이신 분, 이혼하고 가족이 해체되신 분…… 후회하지 않느냐는 질문에

"절대! 내 젊은 날, 가장 빛나는 날이었다"라고 말씀해주신 분들

이런 분들을 우리가 또 만날 수 있을까요? 아니, 이런 분들을 또 만날 수 있는 정치인이 대한민국에 다시 나올 수 있을까요? 기록으로 남겨두고 싶었습니다. 누구의 말대로 조직도, 돈도, 비전도 없는 너무나도 평범한 사람들이 모여 지지도가 아닌, 인지도 3%의 후보를 대통령으로 만든 기적. 전 세계적으로도 유례가 없는 사건. 물론 100% 노사모의 힘만으로는 아니었겠지만, 아무런 사심 없이 자기의 시간과 개인의 쌈짓돈을 써가며 같은 꿈을 꾸고 응원할 수 있는 사람이 우리에게 또 있을까요?

저희가 만난 분들은 전국 노사모의 10,000분의 일, 아니 100,000분의 1도 안 됩니다. 이분들의 생각이 전국 노사모의 목소리라는 생각도 안 합니다. 하지만 평범한 시민이 '원칙과 상식'이라는 깃발 아래 모여 대한민국 정치 역사에 기적 같은 놀라운 결과를 만들어냈다면 이것 또한, 우리가 기억하고, 기록해야 하는 역사의 한 부분이 되리라 믿어 의심치 않았습니다.

20여 년 전의 기억에 의존하기에 노사모 개개인의 기억과 팩트, 날짜가 조금씩 다를 수도 있습니다. 이는 나태함에서 비롯되었지만 이 기억조차 담고 싶었습니다. 무에서 유를 만들었던 뜨거운 시절, 동시대 같은 공간에서의 이야기여서 중복된 부분 또한 있습니다. 일부 덜어내긴 했지만 이 역시 소중한 부분이라는 판단이 들었습니다.

비록 영화 속에서 1,000분의 1도 못 담은 이야기를 제법 두터운 두 권의 책에 나누어 담았다고 하지만, 2만 매가 넘는 녹취록을 줄일 수밖에 없었습니다. 인터뷰 시간도 모두 달랐고, 영화 노출도 달랐기에 개인에 따라 분량의 차이도 있습니다. 하지만 분량이 중요도의 차이는 결코 아닙니다.

중요한 기억의 일부, 말들이 기획자와 편집자의 무딘 눈에 의해 지워

졌을 수 있습니다. 그렇다고 우리가 만든 역사가 사라진 것은 아닙니다. 지금도 공기처럼 함께하고 있고, 역사의 시계는 앞으로 향하고 있으니까요.

또한 故 노무현 대통령께서 평생토록 추구하고자 했던 가치를 좀더 널리 알리고자 인터뷰 사이사이에 연설문 일부와 사진을 추가하였습니다. 연설과 사진의 시점이 꼭 일치하지는 않습니다.

바쁜 시간 속에서도 기꺼이 인터뷰에 응해주신 모든 분들, 전국의 노사모와 아직도 노무현 대통령을 그리워하며 일상의 정치를 실현하고 계시는 분들, 사람 사는 세상 노무현 재단의 고재순 사무총장님, 방긋 김선혜님, 조곤조곤 진혜정님, 바쁜 와중에도 모든 자료를 챙겨준 까칠 이대희 팀장님께도 진심으로 감사하다는 말을 전하고 싶습니다. 개인적으로 끝까지 투닥거린 이쌍규 형님께도 감사를 전합니다. 마지막으로 2만 매가 넘는 녹취록을 책으로 만들자는 제안에 선뜻 허락한 바보 같은 싱긋 출판사의 신정민 대표님께도, 진심으로 당신도 만만치 않은 "바보"라는 애정 어린 말을 전하고 싶습니다.

변변치 않지만 저희의 영화로 묻고 싶었습니다.

지금도 당신은 "깨어 있는 시민"으로 살고 계십니까?

고맙습니다.

2019년 3월

우리들의 영원한 대통령 노무현 10주기에 부쳐

영화 〈노무현과 바보들〉 기획자 손현욱 배상

차 례

2부 당선當選

1부

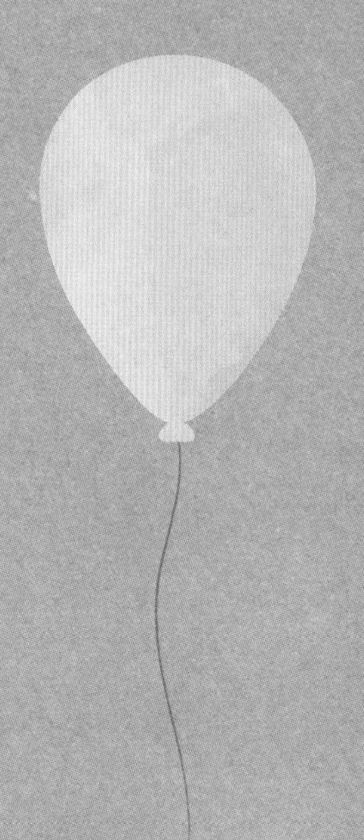

낙선

落選

대공분실에 끌려가 무려 57일간이나 가족들에게 아무 연락도 못하고 짐승처럼 지내야 했던 청년들, 매를 얼마나 맞았던지 온몸이 시퍼렇게 멍이 들고 발톱이 새까맣게 죽어버린 몸을 내보이면서도 얼마나 고문에 시달렸던지 변호사마저도 정보기관의 첩자가 아닌가 눈치를 살피던 파리한 몰골의 청년들, 그들의 모습을 보면서 나의 죽었던 가슴은 서서히 분노가 끓어오르기 시작했다.

_「내가 걸어온 길」(1988년 4월 19일)

ⓒ김종구

이게 회의입니까.
이것이 어찌 회의입니까.
이의가 있으면 반대토론을 해야 합니다.
토론과 설득이 없는 회의가 어디 있습니까.
토론과 설득이 없는 회의도 있습니까.
_3당합당 결의 전당대회에서 항의하며(1990년 1월 30일)

모두들 고생했어요. 고생했고, 결과가 좋았으면 참 좋은데, 결과가 안 좋은 건 할 수 없고. 우리보다, 우리가 겪은 이런 거보다 더 참담한 일을 많이 겪으면서들 살아요. 훨씬 더 참담한 일들을 다 겪고 또 일어서고 그렇게 하는 게. (…) 사람의 힘으로 어쩔 수 없는 일은 시간이 약이에요. 시간만큼 확실한 게 없어요. 개인적으로나 사회적으로나 시간은, 시간만큼 확실한 대책은 없어요. 고생 좀 더하고 갑시다. 개인적으로도 이제 가슴에 상처를 입은 것은 시간이 흐르면, 시간이 가면 잊어버려지고. 그다음에 세상이 바뀌는 것도 시간이 걸려요.

_국회의원 선거 낙선 후 선거운동원들에게(2000년)

제13대 국회의원 선거
(1988년, 부산 동구)

제14대 국회의원 선거
(1992년 , 부산 동구)

제1회 전국동시지방선거
(1995년, 부산광역시장)

제15대 국회의원 선거
(1996년, 서울 종로)

국회의원 재보궐선거
(1998년, 서울 종로)

제13대 국회의원 선거
(2000년, 부산 북구강서을)

제16대 대통령 선거
(2002년)

병신,
무슨 수로 대통령을
만든단 말이야

미키루크 이상호

노찾사를 찾다가 노사모로 들어왔다, 이런 이야기가 있던데.

양말업을 하다가 월급쟁이보다는 훨씬 나은 수입을 벌게 됐습니다. '인터넷 쇼핑몰을 좀 해봐야지' 이렇게 생각하고 처음으로 컴퓨터라는 걸 사무실에다가 설치했습니다. 신문을 보는데 당시 소리바다 저작권 문제가 있었습니다. '소리바다' 이건 또 뭐야? 검색해봐야겠다고 생각하고 사무실로 들어와서 컴퓨터를 켜서 찾아보려고 하니까 소리바다 이름이 생각이 안 나는 겁니다. 분명히 노래 사이트인데 노래 사이트를 찾는다고 이제 '노래'라고 치면 소리바다 비슷한 게 나올 거라고 생각하고 노래도 쳐보고 노찾사도 쳐보고 노사모도 쳐보고 이렇게 여러 가지를 쳐봤는데 홈페이지가 있는 게 노사모 하나밖에 없었어요. 2000년 말이었습니다. 그냥 클릭하니 창이 열리는데 정치인 노무현 얼굴이 턱 나오는 겁니다. 그냥 메뉴를 다 한 번 눌러보고 창을 닫았습니다.

근데 인터넷 익스플로러를 탁 여니까 야후가 나와야 되는데 노사모가 나오는 겁니다. 거기에 나온 기사 하나를 보게 된 겁니다, 우연히. 그 기사 제목이 뭐냐면 '이회창·문부식·김현장의 아이러니한 인연'이라는 장문의 기사였습니다. 그게 아마 〈신동아〉 기사였을 거예요. 정치인의 기사를 잘 안 보는데 문부식씨가 제 고등학교 선배입니다. 우리 고등학교 선배 중에서 미국 문화원에 불 지른 빨갱이가 있다, 이렇게 들었던 적이 있어서 읽게 됐습니다. 아마 그 기사를 클릭하지 않았다면 이 자리에 있지 않았을 거라고 봅니다. 그 기사를 대충 요약하면 이렇습니다. 미 문화원 방화 사건을 저지른 고신대 2학년생 김현장과 문부식이 있었습니다. 그 1심 무료 변론인이 누구였냐 그러면 노무현 변호사입니다. 무료 인권 변론 첫번째 한 게 그 사건입니다. 근데 그 사건이 원래 김광일 변호사가 하기로 했던 사건이었는데 그 기사에 그렇게 나와요. '신참 30대, 당시 노무현 변호사가 그 처음으로 무료 변론을 맡게 된다.' 거기에서 재판장에게 훈계를 하는 겁니다. "오늘 이 판결이 훗날 후손들에게 어떤 평가를 받을지 역사의 무거움으로 판결해주시면 고맙겠습니다." 그랬더니 재판장 표정이 붉으락푸르락하면서 속전속결로 사형 선고를 합니다. 그런데 2심 재판장이 누구였냐? 이회창 판사였습니다. 기자가 당시 대세론에 있는 이회창 후보에 연결이 안 돼서 주변 가까운 측근들에게 그때 그 사건을 기억하느냐고 물었더니 왜 지난 일을 이제 와서 따지느냐고 불쾌한 듯이 전화를 끊었습니다. 이렇게 또 한 단락의 기사가 있습니다. 다음 기사에서 김대중·이회창 97년도 대통령 선거 때 사형 선고를 당시 받았던 문부식, 김현장 두 학생이 무기징역, 그다음에 사면 복권이 됩니다. 그러고는 대세론이었던 이회창 지지 선언을 합니다. 그 제목이 '아이러니한 인연'이었습니다.

참을 수가 없었습니다. 자기를 위해서 무료 변론을 했던 노무현 후보는 지지율이 낮다고 거들떠보지도 않고 이회창에게 줄을 설 수 있냐? 저는 속으로 정말 욕이 나왔습니다. 왜 이렇게 세상은 모순의 반복일까? 이회창도 모르겠고 노무현도 잘 모르겠고. 근데 이렇게 비겁한 사람들이 지지하는 사람이 돼선 안 된다. 그리고 힘없다고 이렇게 무시당하는 노무현을 내가 좀 도와줘야 되겠다. 이런 마음이 들어서 내가 그날 노사모에 가입하게 됩니다.

내가 뭘 도와줄 수 있을까? 생각을 해보니 정치인이니까 사람을 좀 많이 모아줘야지. 주변에 아는 사람 전부를 회원 가입을 시켜야 되겠다. 우리 직원들부터 회원 가입을 하라고 하고 거래처에 다 회원 가입을 하라고 하고 제 고등학교 동기들, 그다음에 아는 동생들, 전부 노사모 회원 가입을 하라고 제가 술을 사고 다니면서 가입을 하라고 했습니다. 노사모가 뭐냐고 물어서 "노사모 알 필요가 없다. 노사모는 니 알아서 뭐할래? 그냥 내를 좀 도와도" 그랬더니 300명 가까이가 가입했을 거예요. 당시 천 명이 안 될 땐데. 그리고 게시판이 거의 죽어 있을 때였어요.

처음 제게 전화를 건 사람이 차상호였습니다. 하도 전화가 와서 번개인가 뭔가 한번 나가봤습니다. 정치인들 모임이니까 대충 이래 요릿집에서 모이고 이러는 줄 알았습니다. 그래서 머리 올백을 쫙 하고 넥타이를 딱 매고 쫙 붙는 걸 입고 우리 직원보고 운전하라고 하고 폼 빡 잡고 그 식당에 딱 들어갔더니 삼겹살집인데 6명 모여 있는 겁니다. 근데 제가 딱 보니까…… '밥은 먹고 사나?' 걱정스러울 정도의 옷차림새를 하고 앉아가지고 제가 잘 모르는 단어를 중심으로 계속 한국 사회의 개혁이 어떻고 젊은이가 필요하고 이런 이야기들을 한참 하길래 내가 어디 단란주점이나 좀 데리고 가려고 "노래나 한 곡 하러 갑시다" 했더니 진짜 노래방을 간 겁니다. 거기서도 노래는 안 부르고 계속 토론만 하는 겁니다. 그래서 제가 저 혼자서 나가서 이 토론을 방해할 목적으로 노래를 연달아서 막 한 서너 곡을 계속 불렀어요, 춤도 추고. 그래가지고 딱 들어오니까 장형철이가 딱 제 옆에 앉더니 "몇 학번이세요?" 이러는 거예요. 대학 안 간 사람들은 학번 잘 모르거든요. 그런 말을 아예 입에 올리질 않습니다. "그게 무슨 말이냐?" 몇 학번이시냐고 몇 번 물어보는 거예요. 그래서 "아니, 그게 무슨 말이냐고? 그러니까 도대체 학교 다닐 때 번호냐, 뭐냐?" 그랬더니 대학 언제 갔느냐고. "대학을 안 갔다. 우리끼리는 '무슨 띠요?' 이래 물어보지, 그렇게 물어보지 않는다" 그랬더니 저리 가더니 수군수군하다가 다시 와. 오더니 "노동운동 하셨어요?" 그러는 거예요. "또 그건 무슨 말이냐?" 내가 이랬더니 저리 가더니 "프락치다, 프락치"라고 귀에 들리는 거예요. (웃음) 근데 프락치란 말을 몰랐어요. 프락치다. 이렇게 장형철이가 가서 이야기를 하니까 옆에서 "야, 한나라당 알바냐?" 근데 알바라는 소리를 내가 이제

아니까 얘들이 내를 놓고 수군거리고 욕을 하는구나, 이렇게 이해한 거죠. 그래서 장형철이 뒤통수를 때렸습니다. "이 새끼가 내 귀에 안 들리게 욕을 하든지, 응? 웃긴 새끼들이네" 하고 내가 뒤통수를 때렸더니 내하고 멱살 잡고 싸웠거든요.

집에 갔는데 속이 부글부글 끓는 겁니다. 걔가 노사모 사이트에 글을 하나 올린 게 있던데 전국에 회원들 다 모이라고 해가지고 고작 그 일일호프 티켓 발매한 게 100매밖에 안 되는 거예요. 한 장당 만 원이야. 근데 내일모레가 일일호프인데 지금 80몇 장이 남아 있다는 겁니다. 그래서 내가 속으로 돈 백만 원도 없는 것들이 모여가지고 열몇 장 팔고. (웃음) 그래서 내가 처음으로 노사모 게시판에다 글을 적었습니다. 그 밑에 댓글로. 치고 자버렸어요. 자고 일어나니까 이것들이 고상한 운동권들인데 일본말 썼다고 지랄하겠더라고. 그래가지고 우리 직원보고 빨리 좀 수정 좀 해라, 티켓 다 산다고. 그래가지고 80몇 장을 다 내가 산 거예요. 그리고 일일호프 티켓을 그대로 둔 채로 노무현씨 얼굴을 보려고 일일호프장을 갔습니다. 그 장형철이란 놈이 누구 도와주는 사람도 없이 혼자서 진짜 땀을

뻘뻘 흘리면서 뛰어다니고 있더라고요. 아이고, 저 병신 같은 게 일머리도 없는 게. 나도 금마가 하는 게 다 미웠어요. 나는 수백 명이 올 줄 알았어. 근데 30명도 안 모였기에 내가 물었어요, 자유인 형한테. "아니, 노무현씨가 올 때 다 됐는데 오늘 사람 누가 동원 안 했어요?" 이래 물었어. 말대꾸도 안 하고 가버리는 거야. 큰일났다 싶어가지고 우리 직원들보고 연락해서 다 오라 그랬습니다. 그리고 이제 내 아는 사람들은 전부 연락해서 다 오라 그러니 한 백여 명이 온 거예요, 한 시간 사이에. 내가 술 산다니까. 앉을 데가 없어가지고 신문지 깔아놓고 앉고 막 이랬거든. 근데 맥주를 시키는데 갖다주는 사람이 없어. 전부 다 셀프야. 안주도 과자, 과자 부스러기 몇 개. 그래서 내가 '아, 여기는…… 참 개판이구나. 뭘 해보자고 준비를 하면서 서빙하는 놈도 없고 책임지는 놈도 없고 뭐, 도대체 주인도 없고 손님도 없고 누가 손님인지 누가 주인인지 알 수도 없는 곳이고 정말 개판이다'.

우리가 맥주를 갖다 먹고 있을 때 "노무현, 노짱님께서 들어오십니다" 하고 일으켜가지고 그때 뭐 노무현, 명계남, 이기명 이런 사람들 처음 본 거예요, 제가. 그 뭐 저는 사실 노무현 관심 없었습니다. 진짜 없었어요. 아니, 뭐 내 먹고사는 데 아무 상관 없고. (웃음) 술을 먹고 있는데 이기명 고문께서 당시 노무현 해수부 장관을 우리 자리에 모시고 온 겁니다. "아이고, 장관님. 이 사람이 이상호입니다." 그래서 내가 '어우, 내가 유명한가?' 이런 생각을 하고 있는데 "아이고, 고생하십니다" 이런 인사를 했던 것 같아요. 그래서 뭐라고 불러야 될지 모르겠는데 "노무현씨, 정치를 좀 잘하셔야 될 것 같아요" 그랬어요. 그랬더니 "아, 예. 뭐 어떻게 하면 되겠습니까? 좋은 말씀 좀 해주시죠" 그러더라고요. 제가 노사모 회원 가입 운동을 저 혼자서 했는데 내 돈을 들여서 택시 타기 운동을 해가지고 그래도 하루에 택시 기사를 한두 명씩 노사모 회원으로 가입을 시키는 운동을 했는데 별 감흥이 없어. 대꾸가 있어야 되는데. '내 돈을 들여서' 한번 더 강조를 했어. 그 말은 빼고 이래뿌는 거야, 얘기중인데. "그 말은 빼고 본론부터 이야기하시죠." "아, 예. 개인택시 조합 좀 관리 좀 해야 되겠습니다." 내가 그랬어요. "왜요?" "아니, 회사 택시 운전하는 사람들은 노무현씨에 대해서 별로 거부감이 없는데, 개인택시 조합은 내가 볼 때는 거의 이회창 사조직 같더군요. 오로지 이회창입니다. 노무현 이러면 빨갱이입니다. 전라도 욕을 얼마나 하는지, 거기에 가서 좀 잘하셔야 되겠습니다." 내가 이런 이야기를 했어요. 그랬더니 "그럼 어떻게 하면 됩니까?" 묻길래 "아니, 좀 있지 않습니까. 봉투에 금일봉 좀 넣어가지고 뿌리시죠" 제가 그랬어요. 그랬더니 갑자기 "노사모 맞아요? 노사모 아닌데?" 가뿌는 거예요. 그래서 이제 우리 직원들이 내한테 좀 잘 보일라고 "저 새끼가 어디서 우리 사장님한테, 이 새끼가 막 (웃음) 노사모인데 노사모 아니라고 막 하고" 이렇게 된 거야.

그날 저는 두 가지 다 한 대 맞은 거예요, 제가. 뭔가 좀 독특한 사람이다. 아니, 일반 사람 같으면 "아이고, 고생 많으시네요" 이렇게 하고 끝날 일을, 나한테 무안 주다시피 하고 그 자리에서 가버렸단 말이에요. 그때부터 제가 멍했어요. 내가 언론을 통해서 알고 있던 그런 막 튀고 이런 사람이 아니라 뭔가 독특한 사람이다. 내가 좀 궁금하다. 알아봐야 되겠다. 그 호프 준비했던 애들이 뒤풀이하니까. 그런데 걔들이 보니까 뭐 누구한테도 돈을 안 받고 월급도 없고 그리고 자원봉사를 하고 있는 게 난 이해가 안 되는 겁니다. 또하나 알게 된 건 뭐냐면 이 친구들이 사회 고민을 너무 많이 하는 거예요. 임마들이 가식적이거나 또는 꾸며대거나 또는 멋있는 척하려고 이 세상을 고민하나? 진짜로 이렇게 세상을 고민하나? 이 사람들 진짜 어처구니가 없다는 생각이 들면서 내가 좀 만들어주고 싶더라고. 그래서 저는 그 친구들이 너무 좋았어요. 장형철이란 놈이 내한테 그렇게 싸가지 없이 대들고 했지만 금마가 술에 취해가지고 주먹을 불끈 쥐면서 꼭 대통령 만들어야 된다고 막 이럴 때. (웃음) 내가 속으로 '병신, 무슨 수로 대통령을 만든단 말이야? 병신, 지랄하네' 하면서도 금마가 웃는 거 한번 보고 싶더라고. 저렇게 고생을 하는데 아무도 안 알아주고 그러니까 내가 쟤들 보기에 너무 부끄럽고 쪽팔리는 겁니다. 나는 내 살고 내 돈 벌고 내 돈 많이 벌어가 우리 아한테 돈 많이 물려주믄 애비 노릇 다하는 거라고 이렇게 나는 생각하면서 살아왔는데, 그 친구들은 내하고는 완전 다른 세상의 이야기를 하는 거예요. 그래서 그날 밤에 사실은 제가 큰 충격을 받았습니다. 이 친구들한테 좀 잘 보여야 되겠다는 생각이 들었어요. 인정받고 싶었습니다.

노무현이 아니라?

네. 노무현이라는 사람은 저에게 크게 없었어요. 그래서 새롭게 뽑힌 대표, 자유인 형한테 "거기 보니까 관리비도 못 내고 월급도 한 푼도 안 주고 그래 하지 말고 그냥 이거 저 가서 맛있는 거 좀 사주소" 하면서 내가 백만 원을 줬어요. 특별 회비니까 백만 원 주면서 내가 열심히 하고 싶은데 내 자리 하나 달라고, 내 명함 하나 파주라고. 자유인 형이 앞뒤 전후로 생각이 별로 없거든요. 온라인 팀장을 시키는 겁니다. 내가 고맙다고 하고 우리 직원한테 전화해서 온라인 팀장으로 명함 좀 폼나는 걸로 해갖고 좀 파라. 팠더니 이제 장형철이 전화가 온 거야. "온라인 팀장이 되셨다면서요." "예." "그럼 회원들한테 메일을 좀 보내야 되니까 온라인 팀장께서 메일 주소 좀 알려주시고 그쪽으로 메일을 좀 보내십시오" 그러는 거야. 그래서 메일 주소가 있는지도 모르겠는데, 메일 한 번도 보낸 적이 없는데, 내가. "전화번호 알려줄 테니까 우리 직원 보고 좀 보내라 하세요. 나는 그런 거 한 번도 해본 적이 없습니다" 그랬더만 "메일을 못 보내세요?" 그러는 거야. "네." 전화를 끊어. 좀 이따 자유인 형이 전화가 온 거야. "메일을 못 보냅니까?" "요새 메일 보내고 사는 사람이 어디 있어요? 그런 거 다 직원 시키지. 뭐 직원들이 다 알아서 하지" 그랬더니 "잠깐만요" 그러더니만 좀 이따 전화가 와가지고 "온라인 팀장은 안 되겠습니다". 아니, 명함 다 팠다니까. (웃음) 온라인 팀장, 그래가지고 한 두 시간 만에 잘려버렸어요. 그러고는 조금 이따가 내보고 오프라인 팀장을 좀 해보면 어떻겠냐고. 오프라인 팀장이라는 직책은 없어요. 근데 자유인 형이 자기 혼자 마음대로 지어내가지고, 그라믄 오프라인 요거 내가 잘할 수 있겠다고. 알았어요. 그럼 온라인 팀장을 오프라인 팀장으로 바꿔라 해가지고 이제 내가 오프라인 팀장으로 명함을 파고 사무실을 물어서 찾아간 거예요. 이제 간부니까. (웃음)

그래가지고 부산 노사모 사무실을 찾아갔더니 4층인가 있는데 에어컨도 없고 막 더운 데 그 정말 열악하게 있더라고요. 그래가지고 엘리베이터도 없이 이제 걸어서 딱 올라갔는데 내가 들어갔더니 무슨 회의 하다가 입을 딱 닫아, 걔들이. 장형철이 걔는 계속 내를 프락치로 생각하고 있는 거야. 그러더니 저기 자기들끼리 모여가 있어. 근데 들리는 얘기가 뭐냐 그러면 "야, 우리 대학가를 누비자. 우리는 20대가 필요하다. 일단은 젊은 대학생들을 빨리 잡아야 된다". 그래서 내가 "20대 회원 확보를 하려면 여기서 회의를 할 게 아니라 그 대학에 나가서 해야지, 계속 회의만 하면 뭐하냐?" 하고 "내가 한다" 하고 나가분 거야. '대학교에 있는 사람들을 어떻게 만나지? 아무나 보고 '가입하세요' 이렇게 '도를 믿으세요' 할 수도 없고 이거 어떻게 하지?'라고 하면서 이제 내 주변 지인이나 누구보고 "니 무슨 대학 나왔냐? 니 무슨 동아리 했냐? 응?" 그래서 신방과, 정치외교학과, 철학과, 사회학, 이 계통 소개를 받아서 이쪽의 학생들을 만나러 다닙니다. 그래가지고 계속 술 샀어요. 그래서 이제 그 학생들이 내보고 뭐라고 하느냐면, 가면 내가 양주를 사거든. 그럼 임마들이 한 번 얻어먹으니까 계속 즈그 친구들 데리고 와가지고 호구 나타났다고. (웃음) 내만 가면 친구가 계속 늘어나. PSB에 피디로 있는 열이라는 친구가 있었는데 여자 친구가 부산교대를 다녔어요. 그것도 학생운동권이에요. 그 친구의 또 친구, 친구, 친구 이렇게 막 연결이 되다보니까 이게 막 꼬리에 꼬리를 물고 막 친구 찾기를 시작한 거예요.

노란 손수건에 얽힌 이야기도 해주시죠.

문성근 강연에, 사실은 그때만 해도 인기 없어가지고 사람들 잘 안 모일 때예요. 그래서 내가 200석 자리를 계약해버린 겁니다. 부산에서만 신규 회원으로만 내가 200명을 모으겠다, 그것도 오프라인으로. 장형철이 걔는 저더러 되지도 않는 일을 한다. 아무도 안 도와줘요. 내가 말만 하면 시끄럽다 그래요. 내가 이제 자유인 형한테 '데려올 자신 있는데 사람들 불러놓고 공짜로 그냥 보낼 거냐? 우산이라도 하나 만들어야 되지 않겠냐? 그래서 내가 내 돈으로 답례품을 만들겠다' 이랬더니 장형철이 임마가 "절대 그런 짓 하면 안 됩니다, 절대. 불법입니다" 하고 난리를 치는 거야. 그러더니 임마가 앞전에 내가 준 100만 원 중에서 예산을 20만 원인가를 줘. 20만 원인가를 주면서 이걸로 알아서 하라는 거예요.

뭘 사지? 그래서 제가 한 명에 천 원꼴로 손수건을 만듭니다. 노란 손수건. 그 노란 손수건도 사실은 노란색을 하려고 한 것도 아니고 부산진시장 원단 가게를 갔어요. 원단 가게를 갔더니 아니 뭐 인쇄도 하고 가봉도

하고 이래야 되는데 20만 원 가지고는 도저히 할 수가 없어, 손수건을. 그래가지고 최고 안 팔리는 원단 있으면 좀 달라고, 수건으로 쓸 만한 거. 그랬더니 그 당시만 하더라도 앞에 김대중 대통령이 황색 물결 이래가지고 부산에서 노란색이 진짜 안 팔릴 때야. 창고에 노란색이 꽉 차 있는 거야. 그래가지고 내가 노란 원단을 들고 이 인쇄 어디서 해야 되냐 해가지고 명짱님이 '노무현을 사랑하는 사람들' 그 글씨 된 걸 메일로 서로 주고받아라 해갖고 엄청 어려웠어요. 난 내가 메일을 받을 줄 모르니까. 아무튼 메일 주고받고 해가지고 노란 손수건을 만든 거야.

노란 손수건을 만들고 가만히 생각해보니까 사람들이 강연만 한다 오라고 하면 누가 오냐고, 재미가 없는데. 밴드를 만들어야 되겠더라고. 콘서트한다고 오라 이래야지. 그래서 내가 자유인 형한테 "노사모 밴드를 만들자" 그랬더니 "아니, 갑자기 회원들한테 밴드 어떻게 만드냐?" "아니, 회원들 사이에서 밴드를 만들 수가 없지. 밴드 하고 있는 애들을 찾아서 노사모를 가입시켜야지. 응?" 그래가지고 내가 밴드 하는 애들 수소문해서 찾아다닙니다. 자유인 형이 뭐 한둘 확보하고 해가지고 내가 이제 '아기물고기'라는 친구보고 연습실 만들라 그랬더니 임마가 하루 사이에 연습실을 만든 거지. 지 돈으로. 지가 공사 다 해버렸어요. 깜짝 놀랐어요. 그래가지고 악기 사주고 뭐, 사실 이런 말 하면 재미도 없는데 사실만 말하면 그래요. 이름만 노사모 밴드지, 그냥 걔들 (웃음) 술 사 먹이고 꼬셔서 밴드를 만들어가지고 이제 전화를 한 겁니다. 목표 세우기를 내가 200명 좌석 무조건 채운다. 그리고 그때부터 하루종일 전화를 한 겁니다. 온다고 딱 약속한 사람들이 대충 한 250명 되는 거예요. 안 올 수가 없어. 계속 확인했으니까. 그래가지고 한 250명 가까이를 내가 딱 체크해놓고 절대 거부 못하게 한 명 한 명 통화 내역을 다 기록했어요.

그다음날 됐는데 와, 조마조마한 거예요. 엘리베이터가 한 대인가 두 대밖에 없는데 시간은 다가오지. 노란 손수건은 깔아놨지. 이제 밴드는 준비시켜놓고. 행사 시간이 7시 정시였는데 7시 다 돼가는데 엘리베이터가 뻥뻥 터져뿐 거야. 사람이 막 진짜 펑펑 나오는 거야, 엘리베이터 안에서. 어떤 사람은 올라오더니 "이상호씨가 누구요? 전화하지 마세요, 진짜. 내 여기 왔다갑니다. 전화하지 마세요, 앞으로요" 이렇게. (웃음) 그러니까 대박 쳐버린 겁니다. 그런데 이제 노란 손수건을 쫙 나눠주는 거야. 그래서 내가 이제 올라가 손수건 흔드는 연습을 시키고 이러니까 그림이 너무 좋아. 노란 손수건이.

사람들이 막 딱 분위기 좋고 음악도 나오고 이래 되니까 내가 딱 떠오른 게 '이거 그냥, 이거 어떻게 모은 사람들인데 이걸 하루 행사로 보낼 수가 없다'는 생각이 든 거야. 그래서 내가 200명 모으니까 이제 사무국도 내를 보는 이제 표정이나 달라진 거예요. "잠깐만, 식당 잡아놔. 이 강연 끝나고 식당 잡아서 식당을 통으로 다 빌려라. 다 빌려서 이 사람 한 사람도 못 보낸다. 이 사람들 오늘 밤새도록 먹고 마신다. 내랑 논다" 이렇게 된 거야. 가만히 보니 오늘 조직을 해버려야 되겠단 욕심이 생기는 거야. 그래서 몇 명이 짰어요. 이리로 불러버렸어요. 일어나면 뭐라고 하느냐면요. "안녕하십니까. 저는 사상구에 살고 있습니다. 사상구에 노무현은 제가 책임지겠습니다." 아시겠습니까? "부산진구에 살고 있습니다. 부산진구는 제가 책임지겠습니다." 연달아서 한 대여섯 명이 해버린 겁니다. 여섯번째 이런 놈도 뭔가 책임을 져야 되는데 "저는 뭐 크게 책임은 못 지고 우리 동네에 무슨 동이라도 책임을 지겠습니다", "저는 저기 우리 회사에 가서 우리 회사라도 책임지겠습니다" 이래가지고 그날 임명을 다 해버린 거예요. 하루 아침에 부산 조직이 백몇십 명이 전부 다 간부가 되어버린 거예요. 그래가

지고 그날 노란 손수건이 데뷔하고 노사모 밴드가 나오고 그날 부산 노사모 조직이 완전히 묵직하게 조직이 다 건설돼분 것 같아요.

국민 경선과 관련된 에피소드 부탁드립니다.

그 당시 명짱한테 전화 와가지고 보자고 하더니 국민 경선 대책위원장을 맡으라는 거예요. 그래서 내가 "그거 뭐하는 건데요?" 그랬더니 "당으로 치면 당 대표가 있는데 선거 기간 중에는 당 대표의 권한과 똑같은 권한을 가지는 선거 대책위원장이다. 근데 내가 노사모 대표인데 이 국민 경선을 치르는 기간 동안은 미키루크 네가 대장이다. 네가 우리 대표다. 그래서 이때는 회의도 하지 말고 니 하고 싶은 대로 해라" 그러고 나한테 '국민 경선 대책위원장' 이런 직책을 주는 겁니다. "그래요? 그거 하지, 뭐." 이래 된 겁니다.

국민 경선이라는 것이 저는 이게 선거에 있어서 지금도 매우 유의미한 관점이라고. 국민 경선은 참여 경선이잖아요. 그 당시에는 국민 참여 경선이었거든요. 이름은 국민 참여 경선인데 시민의 참여의식이 없습니다. 당시에는 대한민국 역사에서 처음으로 진행되는 국민 참여 경선이었는데 참여 인식도 참여 의식도 있을 수가 없는 게 선거의 맥이었습니다. 그렇기 때문에 노무현, 노무현…… 국회의원도 못한 노무현 후보, 지지율 2%인 노무현은 대통령 후보가 될 수 있었던 겁니다. 그 키를…… 외람되지만 노사모는 좀 알고 있었습니다. 처음에는 알지 못했는데 경선 준비를 하면서 이기겠다는 확신이 있었습니다. 왜 있었느냐? 인간의 욕구 때문에 그렇습니다. 정치권에 있는 사람들은 '내가 많이 기여했다'를 중심으로 공을 세워야 되는. 내가 가장 많이 공을 세웠다, 이걸로 그들의 정치 생명이 걸려 있습니다. 선거가 끝난 이후에 논공행상을 하려고 하면 '내가 선거인단을 많이 모았소' 이거 갖고 그들은 장사를 해야 되기 때문입니다. 근데 노사모는 '내가 많이 모았소' 이거 해봤자 게시판에서 댓글 몇 개 받는 게 전부였습니다.

당시에는 선거인단을 그냥 아무렇게나 이름하고 주민등록번호만 있으면 집어넣으면 됩니다. 선거인단이 되는 시절이었습니다. 그래서 명부 떼기죠. 동창회 명부, 무슨 노조 명부, 그다음에 명부가 있으면 회원 명부, 관변 단체 명부, 이 명부를 온 사람들이 베껴가지고 그걸 집어넣던 시절이었습니다. 그런데 저희들은 그렇게 하지 않았거든요. 그걸 애초부터 못하게 했습니다. 국민 경선의 핵심은 거짓 명부와 진실 명부의 싸움이에요. 진실 명부가 숫자가 작아도 철저하게 잘 관리하면 이깁니다. 그게 국민 경선의 핵심이에요. 노무현 바람이 불어서 노무현 후보가 된 게 아니라 이겨서 노무현 바람이 불었어요. 그건 한국 정치에서 언론에서 다루지를 않아요. 왜냐하면 그렇게 다루려고 하면 저것들이 골치 아프거든요. 뭐 설명하려면 복잡해. 내가 가능하면 좀 쉽게 설명해볼게요.

선거를 하려고 하면 선거에는 3가지 요인이 있어야 됩니다. 이건 지나고 나서 알게 된 건데. 첫번째는 분노. 못 참겠다. 두번째는 연민. 하이고, 도와줘야 되겠다. 세번째는 저기 줄 서면 되겠네. 가능성이 3개가 있어야 됩니다. 이 3개가 있어야 사람들은 참여하고 행동합니다. 노사모는 분노도 있었고 떨어진 노무현에 대한 불쌍함도 있었는데 노사모에는 뭐가 필요했느냐, 그러면? 가능성. 하면 된다. 이게 있어야 돼요. 노사모가 늘 듣는 질문은 뭐냐? "야, 느그 하는 말은 맞는데 노무현이가 되겠나?" (웃음) 이거 극복이 안 되는 거예요. 근데 이것은 상대를 설득하는 힘보다 내 스스로의 확신이 더 중요하거든요. '내가 이걸 하면 된다'라는 확신이 있어야 되거든요. 그걸 만들어내는 게 국민 경선 대책위원장의 몫이었습니다.

그러니까 이제 선거인단을 모으는 방식, 그리고 이렇게 모으면 된다는 것을 주요 핵심 사람들한테만 알려주고 그것을 실행하기 위해서 이 방법을 쓰면 이긴다는 것을 설명하기 시작했습니다. 그게 필승 카드였습니다. 필승 카드. 저는 백화점 유통을 했기 때문에 보통 백화점에서 당시만 하더라도 백화점 마켓 쉐어 확보, 시장 확보를 위해서 백화점 카드를 다 발급했잖아요. 그래서 백화점 카드를 많이 발급하기 또는 카드 모집 캠페인을 무지하게 해버려요. 그때 보면 직원들이 모아온 걸 나는 내가 사장이라고 그들의 공을 내 공으로 다 해서 올렸거든요. 가끔씩 그 사람이 글을 잘못 적어가지고 숫자가 틀렸다거나 주소가 안 맞는다거나 번호가 틀렸다고 연락이 오면 그 사람에게 다시 연락해야 되는데 이걸 직원들이 모아오거나 다른 사람들이 모아온 걸 내가 가지고 있다보니까 이 사람에게 연락할 방법이 없어. 그렇잖아요. 그래가지고 처음부터 이게 열 장 정도면 찾을 수 있는데 몇백 장을 모으면 그…… 전화번호를 잘못 적었던 그 카드 모집 신청서는 폐기할 수밖에 없습니다. 제가 거기에서 국민 경선의 맥을…… 짚었던 겁니다.

국민 경선에 그 룰이 어떤 룰이었냐 하면…… 국민들이 무작위로 참여할 수 있게끔 문을 개방해놓고 선거인단을 랜덤으로 추출하는 방식이었습니다. 랜덤으로 추출하는 방식. 그래서 가만히 보니까…… 노무현 후보 캠프 사람들이 선거인단을 딱 모집하는 걸 보니까 완전히 가라예요. 가짜 명부예요. 같이 다니니까 전부 노조 명부, 동창회 명부 가지고 베끼고 있는 거야. 그래서 이걸 베껴가지고 접수해서 "이 사람이 다음에 선거인단이 되면 어떻게 투표시킬 거냐?" 물으니 아무런 답을 하는 사람이 없었어. 그래가지고 필승 카드라는 걸 만들어서 한꺼번에 1번부터 10만 번까지 인쇄를 해가지고. 그래서 A라는 우리 회원 한 명이 처음에 선거인단 모집하기 위해서 가져가게 되면 이 사람이 10번부터 29번까지, 그럼 20장이죠. 10번부터 29번까지를 이 사람이 가져갔다고 다 기록해놓은 겁니다. 그럼 다음에 이 팩스로, 그때는 메일로 안 받을 때니까 팩스로 이 선거인 모집이 쭉 들어오면 그 번호만 보면 누가 가져갔는지 바로 다 나오잖아요. 그렇죠? 그걸 제가 시작합니다. 처음에 반대가 무지하게 많았어요. 어떻게 사람한테 실적을. 그렇게 경쟁 사회, 안 그래도 힘든데, 직장 생활하는데. 반대가 많았어요. 이렇게 우리 내부의 경쟁을 통해서 그러면 막 그래프 그려놓고 1등 이런 거 한 거예요, 욕하든지 말든지. 그랬더니 팩스가 막 들어오는데 이 선거인단이 누가 모집했는지를 다 알고 있었습니다. 그래서 나는 엑셀이라는 걸 모를 때였는데 장형철이가 그걸 엑셀로 또 다 정리해놓은 거예요.

제주, 울산이, 제주, 울산이 첫번째 주에 합니다. 토요일, 일요일. 일주일 있다가 광주 하고 광주 다음에 강원도, 강원도예요. 올라가는 겁니다. 대전인가 강원도인가 그랬을 거야. 근데 1, 2라운드에서 1라운드 그러니까 토요일, 일요일 끝장 안 보면 우리는 진다고 생각했습니다. 제주도는 우리가 갈 수가 없으니 울산을 승부처로 본 거예요. 울산에서 1등 딱 때리면 제주도보다 선거인단 수가 훨씬 많으니까 종합 점수 1위가 된단 말입니다. 그러면 초반에 노무현 1위 딱 뜨는 순간에 판 뒤집어엎을 수 있다고 판단한 거예요. 그게 가능성이에요. 그걸 설명하고 다닌 겁니다. 그래가지고 이제 울산에 명부가 부산, 부산 사람들도 울산 지원하고 경남도 지원하고 울산 쪽에 총력을 낸 거예요. 부산보다 울산에 다 집중한 겁니다. 울산을 딱 넘어갔는데 똑같은 짓을 하고 있는 거야. 노조 명부, 가짜 명부 놔놓고 그거 같이 좀 베끼자는 거야. 근데 "우린 이거 안 한다. 느그 해라" 하고 저는 이제 롯데백화점, 현대백화점, 거기 가가지고 직원들 다 완전히 다 쓸어담아뿐 거예요. 집단으로 있잖아요. 그래가지고 그거 뭐 울산에서 엄청나게 모집한 거예요.

이제 선거인 명부 발표가 있었던 겁니다. 선거 명부 발표가 있었는데 랜덤으로 발표를 해. 누가 될지 몰라. 그러니까 참여하고 싶은 의욕이 훨씬 더 줄어. 투표권이 생길지도 안 생길지도 모르고 확률이 엄청 떨어지는데 근데 100만 명 들어왔다고 했거든요. 그리고 우리가 명부가 딱 떴어. 명부가 딱 뜨는 순간에 장형철이가 엑셀로 이름을 쳐보는 거야, 파바바박. 이름하고 전화번호하고 딱 치면…… 우리가 추천한 사람들이 나와. 그러면서 추천한 사람 중에 이걸 다 하는 거야. 누구 됐다, 누구 됐다. 근데 이게 국민 참여의식이 없다보니까 여론조사 업체에서 선거인단 추출을 했는데 전화를 걸면 죽은 사람도 나오고. 명부는 다 베꼈으니까. (웃음) 전부 다 안 한다 하지, 누가 한다 그러겠어요? "안녕하세요." 특히나 광주에서면 몰라도 울산에서 "안녕하세요. 저 민주당" 이러면 그 당시에만 해도 "전라도?" 이럴 땐데. "민주당 국민 경선 인단에 참여하십니까?" "야, 이 개새끼야. 누가, 내 전화번호 어떻게 알았어? 어떤 놈이 누가 참여했단 말이야. 이 새끼들 봐라" 하고 난리가 난 거예요.

그러니까 어떻게 했냐면, 전화가 들어갔는데 못 받은 사람은 다시 연락해서 "내 선거인단 하겠소" 하면 하게끔 중간에 룰을 살짝 바꿔어뿐 거야. 그래 됐더라도 다른 캠프나 노무현 캠프까지 "나 선거인단 하고 싶소" 하고 명단을 정리를 안 해놨기 때문에 전화를 걸 수가 없었어요. 근데 우리는 우리 사람들이 이 사람이 15명 모집했고 이 사람이 20명 모집했고 이 사람이 30명 모집했고 그걸 딱 정리를 해놨기 때문에 추천인 관리를, 그 룰이 딱 나오는 순간에 전화번호 바로 알려주고 지금 선거인단 참여할 사람들 빨리 참여시키라고 전화해. 해가지고 전화를 못 받았다거나 뭐 또는 참여하고 싶은 사람은 전화를 해가지고 참여하겠다고 전화한 겁니다. 이거는 완전히 우리를 위한 제도였어요. 그래가지고 울산에서 선거인단을 우리가 엄청 확보합니다. 내 혼자서 도저히 이 선거인단을 데려갈 수가 없을 정도로 많이 된 겁니다. 그 상태에서 우리가 또 얼마나 머리가 좋았냐 그러면요, 핸드폰 번호를 갖다가 선거인단 참여하는데 다 빼버렸습니다. 엑셀 정리할 때는 핸드폰 번호를 집어넣고 민주당 참여 경선 하는 쪽에는 핸드폰 번호를 다 빼버리고 집 전화번호만 집어넣어버린 겁니다. 우리가 추천한 사람들에는 다른 후보가 접근할 방법이 없었습니다. 하여튼 이 작은 것 하나에 있어서도 엄청 섬세하게 그 선거를 대응했던 겁니다.

울산 경선 당시 상황은 어땠지요?

우리도 한 백몇 명 갔는데 저기는 몇백 명이 모여 있는 거야. 이거 완전히 우리 숫자가 너무 적은 거야. 근데 잠깐, 들어가지 말자. 이 상태로 들어가서는 안 되겠다. 이쪽 모여보소. 싹 모였어. 어쩜 좋겠노? 박수를 칠 때 우리 이렇게 쳐가지고는 약하니까 이렇게 치면 안 된다. 박수 똑같이 쳐야 되고, 그래야지 우리 소리가 딱딱 들리니까 노, 무, 현! 이렇게 이제 연습을 시키면서 그래도 작다. 왼발을 굴러라. 발 구르면서 쳐라. 그러면 소리가 더 커지니까. 그래가지고 이제 지금부터 할 때 왼발, 왼발! 그래 박수를 이래 친 거야. 아스팔트 구르면서 박수를 쳐가지고 들어갈 때도 그렇게 "들어간다, 지금부터. 빡, 빡, 이렇게 들어가자" 그래가지고 '왼발! 왼발!' 하고 우리가 줄 서가지고 쫙 들어간 거예요. 그러니 (웃음) 전부 사람들이 뭐, 뭐, "이인제!" "한화갑!" 이러다가 갑자기 '왼발! 왼발!' 이러니까 당에서 나온 사람들인 줄 알고 자리를 싹 다 비켜주는 거야. 싹 다 비켜줘. 딱 들어가서 이제 왼발! 왼발! 빰빰빰빰빰빰 하니까 뭐 소리가 빡 하잖아요. 그러니까 빡, 빰빰빰빰빰~ 빠빠바바바 하고 나서 "단 하나의! 필승 카드! 노무현!" 이러니까 사람들이 노무현! 노무현인 줄 모르는데? 이제 노란 손수건 빡! 이러니까 노란 손수건 쫙 뺀 거야. 목에 둘러! 이마에 둘러! 손에 둘러.

노란색으로 칠갑을 한 거야. 다른 데는 기가 팍 죽어뿐 거지. 아줌마들이 "야, 저 젊은 사람들이 왜 저래 하노? 얼마 받고 하노? 우와, 이거 프로다, 프로". (웃음) 옆에서 이런 상태에서 노짱님이 들어온 거야. 그러니까 이제 "야, 노짱 나온다. 노짱 나온다, 노짱, 빰빰빰" 하고 있으니까 노무현 후보, 노짱님은 당연히 다른 데서 온 줄 알고 완전 불쾌하다는 식으로 해가지고 오다가 저쪽으로 가뿌는 거야. (웃음) 자기 지지자인 줄도 모르고. 내가 뛰어가서 손잡고 끌고 온 거야. "노사모입니다." "우와, 노사모가!" 그래가지고 딱 하고 나서 전부 선거인단들을 투표시키러 움직였던 겁니다. 우리는 다 알고 있었으니까. 근데 분위기가 김중권이 만만치 않더라고요. 김중권이 대의원 다 장악하고 지구당 위원장을 노무현 후보, 노짱님은 한 군데도 못 잡았던 거예요. 대의원이 50%야. 일반 50%인데. 그럼 우리가 일반 국민이 대의원을 엎어야 돼요. 그런데 발표 빡 하는데 엎어뿐 거에요.

그다음날 사진 한 장을 만들어야 되겠다 생각한 거야. 진짜로. 그래가지고 이제 만세! 만세! 부르는데 내가 노무현을 사랑하는 사람들 손수건을 들고 만세 부르는 데다가 팍 뛰어들어가 사진을 찍어요. 그게 조간신문 1면을 다 먹어뿐 거야. 노무현을 사랑하는 사람들. 첫번째 데뷔를 한 거야. 노사모에 대해서 관심이 없었던 거예요. 그러니까 이제 기자가 그 기사 찾아보면 나옵니다. 기자가 뭐라고 묻느냐면 "오늘 승리의 원동력이 뭐라고 생각하십니까?" 이렇게 물어봐요. 그랬더니 당시 승리한 노무현 후보가 뭐라고 이야기하느냐면 "저기 있지 않습니까, 노사모" 딱. 그러니까 울산, 제주 울산 국민 경선의 원동력. 1등 공신. 노사모, 노사모 무엇인가? 쫙 나오는 거. 그때 이제 노사모가 울산 경선에서 빡 등장하는 거예요. 그전에 뭐 노사모 이렇게 얘기가 나오긴 했지만 그냥 '노무현 떨어져가지고 불쌍해서 모였다' 뭐 이런 거였는데 말 그대로 이 대한민국 경선 판에서 노무현의, 노무현 대통령이 진짜 순발력이 있는 거야. 사실은 노사모가 다 한 거 아니거든요. 뭐 정말 많은 것들이 모여서 거기에다가 노사모가 얹어진 거잖아요. 그래가지고 내가 이제 광주 경선을 딱 넘어갔어요.

광주 경선이 드디어 등장하는군요.

광주를 딱 넘어갔는데 분위기 너무 안 좋은 거야. 한 3등, 4등 하기 어렵다. 처음에 그렇게 판단했습니다. 캠프에서 분석도 잘하면 이인제랑 큰 차이 없는 3등 할 수 있다. 이인제랑 너무 벌어지지 않게 1등 한화갑이 먹는 거고 2등은 이인제고 우리가 3등, 그런데 격차를 좁힐 방법이 없는 거예요. 그래서 명짱님하고 우리가 긴급회의 해가지고 "야, 이거 상당히 안 좋다. 여기 지금 한화갑이 다 먹었고 나머지는 이인제가 거의 다 먹었다. 지금 우리 게 없다" 그래가지고, 그 당시에 연청이 거의 뭐 대의원들하고 선거인단을 다 장악하고 있을 때니까 연청 모임을 간 거예요. "부산에서 왔습니다. 불쌍한 노무현이 손 좀 잡아주세요." 막 울어불고 그 일을 막 한 거야. 자기들 모임 하는 데 가가지고. 그러니까 이제 그 사람들 다 한화갑인데, 이인제인데 우리가 무릎 꿇고 운다고 봐주겠습니까? 그거 한 이틀 정도 하고 나니까 성질이 엄청 나더라고 비는 죽죽죽 내리고. 광주 사람들이 원망스러워지는 게 아니고 광주 캠프가 원망스러운 거야. 뭐 어떻게 해놓은 거야, 도대체? 솔직하게 광주 노사모도 밉고 막 그렇더라고요.

국밥집에서 혼자 밥을 먹고 있는데…… 오늘 뭐 딱 첫번째 뉴스. 대선후보 여론조사를 했는데 이인제 후보와 이회창 후보가 붙으면 이회창이 이겨. 노무현 후보는 이회창 후보한테 1% 이긴다고 딱 뜨는데 광주, 이 식당이 "와!" 하는 거야. 깜짝 놀란 거야. 격려 전화가 엄청 터지길래 나는 어떻게 생각했냐? '그러면 야, 2등 하겠네.' 워낙에 한화갑이 꽉 잡고 있어서

도저히 엎을 수가 없다고 생각했기 때문에 잘하면 이인제를 이기겠다 생각하고. "갑자기 분위기가 좋아졌다. 전국 다 모여라." 긴급 때려뿐 거야. 전국에 이제 모여라 할 방법도 없고 하니까 이제 '복주'하고, 복주 형이라고 있어요, 광주 노사모에. 머리 벗어진 형하고 내하고 막 키스하는 장면을 찍어가지고 동성 키스 뭐 이래가지고 사진 찍어 올려서 전국 다 모이라 한 거예요. 이런 말도 안 되는 소리 막 올려가지고 내려온나 하니까 광주 경선 전날 밤에 몇백 명 모인 거야.

이겼는데 그때 내가 또 한 가지가 뭐냐면…… 갑자기 노무현 후보가 이겼다. 노무현 후보 590몇 표. 우와! 울고불고 난리가 났어. 난리가 났는데 전부 무대 위로 올라가가지고 막 그 노무현 후보하고 서로 막 안고 사진 찍으려고 하고 딱 이럴 때였는데 갑자기 태풍이 생각이 딱 나는 거야. 태풍이 생각이 나. 내 둘째 놈이 태풍이야. 태풍이를 안고 부산에서 빡 찍으면 이걸로 바로 경부선 상행선 타고 가서 서울에서 끝장내자. 이게 내 기본 전략이었던 거야. 태풍이를 안고 사진 찍게 하려고 다섯 살짜리를 손가락으로 브이 자 하는 걸 계속 연습을 시킨 거야. 무조건 "태풍아!" 이러면 2번. (웃음). 바로 애가 완전 자동적으로 나오게끔 연습을 딱 시켜놓은 거야. 시켜놨는데 갑자기 광주에서 끝장났단 생각이 드는 거야. 광주에서 끝나뿌따. 이걸로 그냥 끝내야 되겠다 싶으니까 갑자기 부산에서 안고 찍어야 될 사진을 여기서 찍어야 되겠다 생각이 든 거야, 그 와중에도. 그래가지고 태풍이를 찾으러 막 뛰어다닌 거야. 태풍이 자고 있는데, 즈그 엄마하고 즈그 형하고 다 자고 있는데 하루종일 피곤해갖고 막…… 그건 아들도 계속 이거 했으니까. 얼른 애들, 태풍이를 이제 안고 뛴 거야. 노무현 후보가 막 들어가려고 하는 거야. 그래서 내가 "노짱님! 노짱님!" 이러니까 무슨 큰일이 난 줄 알고 아들이, 사람들이 비켜줬어. "받으세요" 하고 던져

분 거야. (웃음) 태풍이 막 뭔지도 모르고. (웃음) 바로 내가 "태풍아!" 이러니까 걔가 딱! 손가락 2개 펴 보이고 이걸로 CNN하고 막…… 일주일 내내 이 사진만 나오는 거야, 태풍이 사진. 그러니까 지지율이 막 59%…… 그 사진이 청와대에 5년 내내 걸려 있었어요.

그러고 나서 저는 사실은 노사모 탈퇴해버렸습니다. 힘들어서 못하겠더라고. 근데 노사모를 내가 탈퇴하고 나면…… 내를 좀 찾을 줄 알았어요, 사람들이. 내 어디 갔는지. 아무도 내를 찾는 사람이 없는 거야. 그래가지고 3일 있다가 다시 가입했어요, 3일 있다가. 할 일이 없는 거야. (웃음). 나는 바로 부산 가버렸다니까, 전부 강원도 갈 동안에. 내는 핸드폰 꺼불고 "내는 이제 노사모 탈퇴다. 안 한다, 이거. 내 이거는 완전히 이런 사람들하고 도저히 못하겠다. 이렇게 지 맘대로 말도 안 듣고 툭하면 싸우고 내 이런 사람들하고 같이 못한다". 내가 이렇게 하다가 이거 경선 한 번만 더 했다가는 죽겠더라고. 몸무게가 70kg 나갔는데 그때쯤 53kg 나갔거든요. 경선 이거 준비한다고. 한 몇 달 사이에 몸무게가 17kg가 빠져뿐 거야. 헛구역질 나고 밥도 안 넘어가고 몬 살겠더라고. 그래서 탈퇴를 하고 이제 탈퇴하면서 엄청 울었어. 나는 이제 떠난다, 노사모를. 이렇게 하고 혼자 탈퇴를 하고 부산에 가가 있었는데 아니, 전부 기쁨에 사로잡혀가지고 내를 아무도 안 찾는 거야. 그래가지고 내가 한 3일인가? 3일 있다가 안 되겠다, 다시 가입해야 되겠다 해가지고 내 혼자 살짝 가입해서, 내가 탈퇴했는지는 아무도 모르고 재가입했는지도 아무도 몰라.

나는…… 열정의 힘이 이겼다고 봅니다. 열정의 힘, 시민들의 열정의 힘이 이겼다. 그 시민들의 열정의 힘이라는 것은 나는 그래서 사람을 조직하려 하지 마라. 열정을 조직하라. 이것이 아웃사이더가 주류를 이길 수 있는 힘이다. 비주류는 열정을 조직해내라. 열정을 조직해서 가슴에 불을 질러라. 나는 시민의 그 열정이 이겼다고 봅니다.

탄핵 때는 어떤 일을 하셨죠?

탄핵 이야기를 제가 잘 안 해요. 인터뷰나 이런 데서도 안 하고 별로 뭐 지나간 사진도 잘 안 올려요. 왜 그러냐 그러면…… 그 당시 급하게 모였던 2,500명? 한 3,000명의 자원봉사자가 있었습니다. 근데 그 자원봉사자들이 한 300개 조로 10명씩 나누어서 그분들과 문자로 다 주고받으면서 그 집회의 수십만 명, 100만 가까이 되나? 컨트롤했어요. 컨트롤이라기보다 질서를 유지했었거든요. 고생한 사람들이 있는데 그 고생한 3,000명을 내가 광 파는 것 같아서 말하기 불편하더라고요. 그래서 '나는 그 3,000명의 이름 다음에 알려졌으면 좋겠다' 이런 생각을 하고 탄핵 이야기를 합니다.

저보고 존경하는 사람이 누구냐고 가끔 묻습니다. 어떤 사람들은 노무현 대통령, 김대중 대통령, 어떤 사람은 이순신 장군 뭐 그러는데 저는 좀 개인적으로 불만이 좀 있습니다. 이순신 장군 혼자서 다 한 게 아니지 않습니까? 이순신 장군과 함께한 이름은 왜 역사책에는 기록해주지 않는 건가. 이순신 장군도 목숨이고 그 수많은 사람도 목숨인데. (웃음) 그런 것에 대한 제 개인적으로 혼자 느끼는 불만인지는 모르겠지만 저는 불만이 있습니다. 역사책에 한두 명이 역사를 만들 수는 없다. 그것도 다 엘리트주의다. 수천, 수만 명의 피와 땀이 모여가지고 한 명의 영웅이 탄생할 수 있다. 그 영웅이 세상사 모두를 만든 것은 아니다. 물론 리드가 필요한 거지만. 그것도 나는 기득권들이 만든 엘리트주의다. 역사적으로 평등하지 못하다. 그래서 저는 정말 존경하는 사람들은 처리, 물고기, 브루스, 멀리 보기. 난 그 사람들이 웃는 게 더 보고 싶었지, 노무현 대통령 당선되더라도 5년밖에 못하잖아요. 내 앞에서 땀 흘렸던 그 사람들이 그냥 활짝 웃는 세상. 그 세상이 보고 싶어서 참여했습니다. 더 열심히 했어요. 노무현 대통령은 저멀리 있는 사람이고.

저보고 노무현 대통령이 누구냐고 물어요. 언론에서 나와 있는 것 이상 내가 어떻게 아느냐고. 내가 술도 한 잔 안 먹어봤는데 내가 어떻게 아느냐고. 나는 정말로 내 눈으로 본 사람들이 존경스럽기 때문에. 노무현 대통령이 얼마만큼 대단한 사람이면 (웃음) 저렇게 이틀간 잠도 안 자고 굶어가면서, 아무도 댓글 달아주고 칭찬해주는 사람도 없는데 저렇게 최선을 다해서, 누가 보든 누가 알아주든 알아주지 않든, 돈이 생기든 돈이 생기지 않든, 집에 가서 잘했다는 칭찬 한마디 못 들으면서 저렇게 할까? 내 옆에서 정말 주변 사람들을 위해서 뛰는 훌륭한 인격자들, 나이는 비록 20대 초중반 친구들이었지만 그 친구들이 활짝 웃는 세상을 만드는 그게 정의라고 생각했습니다. 그래서 내보다 훨씬 뛰어나고 내보다 훨씬 훌륭한 친구들이 정말 빛났으면 좋겠다는 생각으로 저는 뛰었습니다. 노무현 대통령 이야기하다보니까 저 혼자서 오버해가지고 질문도 안 했던 걸 이야기하네. (웃음)

개인의 삶이 있지 않습니까? 태양이도 있고 사모님도 계시고 개인의 삶을 돌아보기가 아무래도 힘들어지잖아요.

내가 좀 이기적이었죠. 내 좋은 것만 하고 다녔으니까…… 그러니까 저는 뭐 헌신했다, 고생했다 이렇게 생각 안 합니다. 내가 좋아서, 재밌어서 한 거니까. 내가 이기적이라고 하는 거는 나는 내 재밌는 일만 해서 미안하다는 거죠. 우리 와이프, 소위 이야기하면 집사람은 재미없어하거든요. 제발 정치 좀 관여하지 마라. 집사람 입장에서는 잘 이해가 안 되기도 하겠죠. 아니, 그거 사업이나 멀쩡하게 잘하면 될 사람이 왜 17년간 돈도 안 되는

(웃음) 돈도 안 되는 그런 일 하면서 매일 검찰 수사나 받고 (웃음) 그러다 압수수색 받고 인터넷에서 욕이란 욕은 다 먹고 그거 왜 하냐. 정치 이야기하면 진저리를 쳐요. 내가 이제 정치 막 이렇게 관여되니까 처음에는 좋아했어요. 왜 좋아했냐면 사람이 착한 일 하는 것 같거든. (웃음) 입에 다는 게 뭐 우리 아이들의 미래를 위해서 열심히 살아야 된다. (웃음) 막 이런 일, 이렇게 하니까 처음에는 좋아했어. 근데 하는 게 너무 자기가 생각하는 정도를 완전 벗어나서 하니까⋯⋯ 아니, 왜 이렇게까지 하냐.

그리고 정말 노사모 활동하다보면 옷도 그렇고 작업복 비슷한 거 늘 입고 다니면서⋯⋯ 일부러 회원들한테 위화감 조성할까 싶어서 차도 안 가지고 다녔어요. 차가 좀 컸거든요. 차도 안 가지고 다니면서 막 그 뭐야, 택시 타고 다니고⋯⋯ 그 일꾼이라는 사람이 늘 일어서서 폼 잡는 자리가 아니고 소위 이야기하면 따까리 하는 자리입니다. (웃음) 온갖 따까리는 다 시다바리죠. 시다바리 하고 다니니까 "아니, 무엇이 아쉬워서 저 사람들한테 저렇게. 태양이 아빠는 뭐가 아쉬워서 저 사람들한테 쩔쩔매냐? 저 사람들 와가지고 그냥 잘 먹고 그냥 가는데 왜 저기 가서 혼자 미리 다 준비해야 되고, 저 사람들은 가족끼리 와가지고 대화하면서 노사모 활동 저렇게 하고 있는데 우리는 가족끼리 왔는데 왜 태양이 아빠는 혼자서 우리 자리에 한 번도 오지도 않고 저기 심부름하고 따까리 다 한다고. 그거 왜 하냐? 뭘 그리 잘못했냐?" 이렇게 막 울면서 따졌어요. 태양이, 태풍이야 뭐 어려서 몰랐고⋯⋯

근데 제가 이제 막 인터넷에서 욕도 많이 먹고 세상이 내 맘대로 안 되더라고요. 그러니까 사람도 만나기도 싫고 막 술을 마셔도 잘 안 취하고 이럴 때도 있잖아요. 그런데⋯⋯ 그럴 때는 사실은 뭐 태양이, 태풍이, 아들내미랑 이렇게 좀 지내고 싶어요. 지내고 싶은데 태양이, 태풍이가 어릴 때부터 내하고 같이 안 있는 습관이 들어 그런지, "내하고 어울리자" 이러면 "갑자기 왜 이럽니까?" 이런 거. 그래서 사춘기 들어가버리고 지금은 다 커버렸지만 내가 항상 나도 외롭고 막 이러는데 그 아들내미들하고 막 이야기도 좀 하고 싶고 어울리고 싶은데 아들내미들이 그냥 자기들 바쁘다고 막 저를 또 외면해버리니까 이야, 세상은 돌고 돈다. 저렇게 가족들이 내 필요하고 할 때는 내가 막 밖으로 다녔더니. 내가 여기저기서 욕 많이 먹고, 막 욕이 그냥 수십만 건이 그 인터넷에서 쏟아질 때도 있었어요. 그런 욕 듣고 하니까 뭐 술도 먹기 싫고 그냥 가족들한테 가가지고 그냥 밥이나 한 그릇 된장찌개 놓고 먹고 싶은데 바깥에서 밥도 사 먹기도 싫고 집사람은 바쁘다고 어디 가야 된다고, 애들은 다 약속 있다 그러고. 그래서 내가 옛날에 잘못한 것에 대한 확실한 그 값은 치르는구나. 저는 그렇게 생각을 했어요.

그런데 지금은 커서 이제 대화를 자주 합니다. 술도 좀 먹고 웬만한 이야기 다 해요. 성적인 이야기부터 시작해서 싹 다 합니다. 큰놈하고는 의견 충돌이 가끔 있었어요. 내하고 스타일이 좀 다르고, 작은놈은 저하고 스타일이 잘 맞고요. 일베 사이트를 좀 자주 가거든요. 여혐이 강하고. 그래서 내랑 여혐에 대해서 막 토론을 해요. 남녀의 문제는 일단은 우리 사회가 남성 우월주의가 아니라 남성 중심 사회였다. 이게 변화되는 시간이다보니까 이게 보통 보면 우리가 빙상 경기를 보더라도 장거리를 뛸 때는 아웃코스에 뛰는 사람은 앞에 가 있고 인코스에 뛰는 사람은 좀 뒤에서 출발하지 않느냐. 남성은 덩치도 좀 크고 여태껏 남성 중심으로 되어 있는 사회이기 때문에 자네가 보기에는, 우리 태양이 당신이 보기에는 '너무 여성을 우대하는 거 아닌가?' 이래 생각이 들지만 이게 세상을 같이 살아 빙 돌면 다 같이 합쳐지잖아. 그렇게 이렇게 평등해지려고 하면 좀 조금 약해

보이고 조금 사회에서 여태껏 소외됐던 사람이 좀 먼저 앞서 챙겨줘야 되는 거다. 그래야지 이게 공평해진다. 남성이 여태껏 인코스 계속 달려왔거든. 똑같이 출발하면 남성이 무조건 우월적으로 앞설 수밖에 없어. 왜냐하면 남성 중심 사회였기 때문에. 그렇게 대화를 나눠요.

언제 한번은 영화를 봤어요. MBC 노조 문제를 다큐멘터리로 했던 영화를 보고 나서 큰놈이 그때 휴가를 나왔어요. 그래서 가족끼리 영화를 보러 갔습니다. 정말 오랜만에 영화를 보러 갔는데 저녁에 내가 보드카를 좀 사가지고 칵테일도 만들고 막 애교를 엄청 떨고 있는데 갑자기 짜증을 팍 내는 거예요. "아빠, 아빠는 영화 보자고 하지 마십시오" 이러는 거예요. "왜?" "아니, 아빠만 좋아하는 영화를 보잖아요." 영화를 보는데 왜 '무슨 영화를 볼래?' 물어보지도 않고 영화를 보러 가느냐고. 미안하다. 그러면 앞으로 영화 볼 때는 의논을 해서 가자고 말했어요. 이렇게 이야기했더니 "앞으로 그런 징징 짜는 영화는 안 볼 겁니다. 힘이 없어가지고 징징 짜는 그런 영화." "왜 징징 짜는데?" '공범자들'이죠, 그 영화 제목이. "저는 힘있는 사람하고 가까이 지내면서 살아갈 것이지, 힘없이 저렇게 짓밟히고 징징거리면서 살지 않을 겁니다." "그래, 좋은 얘기다. 그런데 아버지도 똑같은 심정이다. 아버지도 힘있는 사람하고 잘 붙어서 잘 지내고 싶지, 힘없이 살아가고 싶지 않다. 근데 내가 하나 물어보자. 니 힘있는 사람하고 어떻게 붙어서 지낼 건데? 니 힘있는 사람들이 니를 알아줄 것 같냐? 힘있는 사람들은 어떤 습성과 형태를 갖고 있냐? 힘없는 사람을 개돼지 취급해. 알아? 네가 힘있는 사람 주변에 갈 수는 있어. 개돼지 역할 하러 갈 거야. 그렇잖아. 그래서 나는 힘있는 사람 옆에 가는 것보다는 힘을 가지겠다"고. "힘을 어떻게 가져요?" "힘없는 사람들끼리 모이면 그게 힘이 되는 거야. 세상은 그렇게 살아갔으면 좋겠다. 힘없는 사람들끼리 모여서 힘을 갖는 것. 그것이 뭐냐면 그게 민주주의의 힘이야. 이해되나?" 그랬더니 동의하더라고요. 그래서 요즘에 그런 대화로 맞춰서 가고 있죠. 내가 말해놓고도 좀 말 잘했더라고요. (웃음)

서거 소식 듣는 순간부터.

제가 외국을 왔다갔다했던 시절이었으니까. 볼리비아에 광산을 간다고 왔다갔다하던 시절이었어요. 근데…… 우연히 어디서 봤는지 잘 기억은 안 나는데 티비를 봤는데 검찰에 출두하는 장면이 나오는 겁니다. 확 드는 생각이 '와…… 저거 대통령 못 참을 건데' 이런 생각이 확 드는 겁니다. 그냥 걸어가는 장면에. 그랬는데 〈오마이뉴스〉에…… '적막이 흐르는 봉하마을' 이렇게 사진이 한 장 뜬 겁니다. 아무도 안 온다는 거지. 바깥에 기자들만 바글바글. (웃음) 그래서 내가…… 봉하마을에 전화를 했습니다. 전화를 했더니, 봉하마을 전화를 여기저기 알아가지고 일반 전화로 전화를 했어요. 그랬더니 김경수 당시 비서관이 받더라고요. 김경수 비서관하고 그냥 데면데면한 사이여서 별로 가깝지 않았어요. "김경수입니다" 그래서 "아유, 비서관님. 대통령님 좀 바꿔주세요" 전화를 한 거예요. 어떤 일이시냐고. "아니, 목소리 듣고 싶어서. 바꿔주세요" 이렇게 했어요. 그랬더니 "예. 전해드리겠습니다." "언제요?" 그랬더니 "한 시간 뒤쯤 통화하시면 어떨까요?" "그럴게요." 한 시간 뒤에 전화했더니 전화를 안 받아. 계속 전화를 한 거예요. 전화를 했더니 김경수 비서관이 전화를 받더니 "대통령께 말씀을 드렸습니다. 그러니까 선배님 너무 보고 싶어하십니다. 지금은 너무 시끄러우니까 조금 조용해지면 막걸리 한잔 하고 싶다고, 대포 한잔 하고 싶다고 하십니다." "아니, 조용해지면 또 정치인들 많이 왔다갔다하고 시간도 별로 없어요. 내 만날 시간도 없을 건데. 지금 사람들 아무도 안 온다며. 내 갈게" 이렇게 그랬더니 진짜 오시지 말라고 그랬었어요. 그리고 그다음날 돌아가셨고……

느낌이라는 게 있잖아요. 그래서 봉하마을에 내려갔어요. 저는 봉하마을에 들어가 있었어요. 정동영 의원을 만나서 같이 들어갔었어요. 나는 그게 또 제 원인도 있다고 봐요. 저 혼자 걸어왔으면 사람들이 좀 덜 미워했을 거예요. 근데 내가 정동영 의원하고 같이 들어오니까 (웃음) 옆에 사람이 "야! 이 배신자! 미키루크 이 새끼, 이 자리가 어디라고 여기 온 거야?" 욕이 막 들리는 거야. 그래가지고 "내가 뭘 배신했는데, 임마" 그래가지고 싸움이 붙은 거죠. 욕이 날아오고 하는 사이에 막…… "내가 뭘 배신했는데? 니는 뭔데 임마, 내한테 함부로 배신이라고 하는 거야?" 지금 같으면 그냥 듣고 지나가면 될 일을 그걸 내가 귀에 들렸다고 또 일일이, 나도 막 상황이 정상적이지 않은 상태였기 때문에…… 그래서 막 몸싸움이 있었어요. 사람들이 구경하게 되고 그러다보니까 이제 "정동영 물러가" 이래. (웃음) "미키 물러가" 이래가지고 쫓겨났거든요. 다시 들어가니까 안희정 선배랑 이호철 선배가 왜 저를 보고 상주 안 하느냐고. 이호철 선배는 하루이틀인가 늦게 왔죠.

그러고 이제…… 잠시 나갔어요, 외국에. 광산을 하고 있으니까. 가서 앉아 있는데 아니 지금 뭐하는 건지 모르겠더라고요. 멍한 거예요. 그냥 내가 절벽에서 떨어진 것 같은 거야. 내 지난 시간 모두가 절벽으로 떨어진 것 같은 거야. 대통령께서 그런 선택을 할 수밖에 없지. 없었나? 싸웠으면 안 됐나? 그래. 뭐…… 힘들었지. 야, 저 새끼들 진짜 나쁜 새끼들이네. 내가 여기 앉아가지고 이런 생각만 하고 있어서 되겠나? 하루아침에 어떤 일이 벌어지진 않을 거고 누가 해도 해야 되는데, 솔직한 이야기로 누가 이 일을 좀 해주지? 이런 생각이 많았어요. 물론 내가 선거와 관련해서 지지 지원 운동, 지지하고 지원 운동은 저도 뭐 한 20년 사이에 놓고 보면 저만큼 많이 한 사람도 별로 없을 거라고 봅니다. 그런데 노무현 대통령 이제 돌아가시고 나머지 지지, 지원 운동 해봐도 내 마음대로 안 되더라고요. 되고 나면 지 마음대로 해버리고. 열심히 뛴 사람들 땀방울을, 그냥 땀방울을 진주, 보석 빛나게 만들어주는 게 아니라 그 땀방울이 눈물로 되게끔 하는 경우가 너무 많더라고요. 그래서 누구한테 이걸 내가 저기 저 이 한국 사회를, 아니 뭐 한국 사회가 어떻게 돌아가든지 말든지 내 그냥 여기서만 잘 먹고 잘살고 외면하지. 그럼 안 되지. 그래도 내가, 그래도 내가 십수 년을 했는데 그 정말 많은 사람 땀을 흘리고 땀이 눈물로 바뀐 사람들, 그 사람 인생은 또 어떻게 되는 거지? 도대체 문제가 뭐야? 모순이다, 모순. 전부 다 모순이다. 이 사회를 조금 정상화하는 데, 이 모순의 사회를 좀 합리적으로 될 수 있는 사회로 바꿔내야 되는데 도대체 누가 좀 할 수 있을까? 내가 하자. 내가 하자. 이렇게 결심하게 된 겁니다.

2010년도 말이었습니다. 대통령 돌아가시고. 저는…… 정치…… 는, 정치는…… 법을 만드는 과정이고 그 법은 힘있는 자에게는 불편하고 약한 자를 보호하는 것이다. 그렇게 되려고 하면 결국은 다수가 행복해지고 소수가 조금 양보하는 그런 사회, 그게 합리적 사회 아닙니까? 그런 사회의 지향을 저는 노무현, 그 위에 김대중, 노무현, 문재인, 또 쭉 이어서 가야 된다고 봅니다. 남북문제 풀리면 다른 사람이 좀 열심히 정치해서 남북문제 더 풀어줬으면 좋겠습니다. 그럼 정치 안 해도 돼요. 국민, 국민들의 의사가.

그때 그분들한테 영상 편지를 쓰는 걸로 인터뷰를 마무리하겠습니다.

노사모 회원 전체 이름을 그냥 딱…… 닉네임 하나로 축약하면 그냥 철이라고 축약해서, 노사모 회원 전체를 대표해서 철이에게 제가 다짐 같은 걸 그냥 하고 싶습니다. 좀 잘됐으면 좋겠는데 잘되지 못해서 미안하고…… 다들 박수 받고 좀 좋은 자리 가고…… 그랬던 시절에 철이 네가 그런 거 하면 나쁜 거라 그래서 안 하고. 그렇게 지낸 시절들이 겉으로는 우리의 자랑이라고, 우리는 자부심이라고 이야기했지만 사실 나도 좀 좋은 자리 가고 싶었거든. 가고 싶었는데…… 철이 네가 하도 그런 것에 대해서 그 노사모 정신에 위배된다 그래서 10년 이상을 사실은 꿈도 못 꾸고 살았었다. 내가 지금 정치를 한다고 하면 세상은 한자리한다는 인식이 훨씬 많고 그런 시선으로 내를 볼 것인데 우리 함께 뛰었던 노사모 전체, 특히 철이는 누가 해도 해야 될 일인데 우리 이익 따지지 말고 우리 이해관계 먼저 앞세우지 말고 그 일을 하라고 할 사람이고. 나에게 내가 그것을 하려고 하면 아무도 안 보는 데서 내 이익을 따지지 않아야 되는데, 아무도 안 보는 데서는 내 편한 걸 찾는 스타일이라는 걸 내가 잘 알거든. 그래서 비록 우리가 지금 노사모 회원들 전부가 가까이 보고 있지는 못하지만 제가 제 혼자 있으면서 내 속에 있는 비겁함과 싸우지 않고. 그리고 우리 동지들이 내 옆에 있음으로 해서 내 속에는 겁이 상실되어서 아예 겁 자체가 없어져서 '겁을 이기는 정의로운 사람이다'라는 이야기를 들을 수 있게끔 늘 함께했으면, 좋겠습니다. 제가……

다짐을 하면 제가 가장 좋아하는 일이 뭔지 생각해보니 제가 웃기는 이야기를 할 때 앞에서 웃어주는 것이더라고요. 노사모는 저에게 딱 맞는 곳이었어요. 앞에 서서 제가 웃기려고 막 우스꽝스러운 행동을 하면 사실 별로 우습지도 않았는데 가장 크게 웃어줬던 곳이 노사모였습니다. 빵빵 터질 때는 너무 행복했습니다. 노사모 회원들뿐만 아니라 대한민국을 살아가는 많은 사람들이 우리를 보면서 노무현을 기억하고 또 노사모 회원들을 기억하고 그리고 우리 노사모 이름도, 노사모 출신이라는 말을 하면 그냥 입가에 미소가 지어지는 그런 일들을 지금도 앞으로도 끝까지 하고 싶습니다. 내 눈앞에 펼쳐진 부당함을 놓고 내가, 제가 개인적으로 편하기 위해서 그 부당함과 싸우지 않고 부딪히지 않고 도망가는 일이 없도록 하겠습니다. 그러려면 저에게 내 속의 비겁함을 이기는 용기가 필요하다고 생각합니다. 여러분들이 함께할 때 제가 가장 용기 있었다고 기억합니다. 죽을 때까지 함께했으면 좋겠습니다. 이제는 눈물 흘리는 시간보다 빵빵 터지며 활짝 웃는 그런 시간이 훨씬 많았으면 좋겠습니다. 저도 부족하지만 웃기는 일 만들어보기 위해서, 웃을 수 있는 일 만들어보기 위해서 최선을 다하겠습니다. 사랑합니다. 사랑해.

“영남과 호남 모두에서 지지를 받을 수 있고
그래서 동과 서를 하나로 합쳐서
광주에서도 콩이면 부산에서도 콩이고 대구에서도 콩인
옳고 그름을 중심으로해서,
인물과 정책을 중심으로 해서
그렇게 정치를 해나갈 수 있는
그래서 국민들에게 봉사할 수 있는 새로운 정치를
이 노무현이 열겠습니다. 도와주십시오.”

_‘제16대 국회의원선거 거리유세 연설’에서(2000년 4월 1일)

이건 아니다.
끝까지 무죄여야 한다

고호석 부림사건 피해자

2014년 8월, 9월쯤 대법원에서 최종 무죄로 판결 났는데 새삼스럽지 않으셨어요?

사건이 발생하고 30년이 지났는데, 개인사적으로도 그렇고, 부림사건이란 것이 가지고 있는 역사적인 의미에 대해서 전혀 정리되지 않은 채 흘러왔기 때문에. 우리도 60을 바라보는 나이가 되었고 당시 전두환 정권이 했던 짓에서 대단히 중요한 일인데 이것에 대한 역사적 평가를 반드시 해야 된다고 생각해서 30년 만에 저희들이 문제 제기하고 재심을 시작하기로 한 거예요. 일단 재심을 한 번도 신청하지 않았던 사람 다섯 명이 모여서 국가보안법까지 전부 무죄 요구하면서 재심하자고 했고. 부림사건이 발생한 때로부터 33년 만에 완전 무죄 판결 났죠. 무죄 받자마자 봉하마을로 갔죠. 우리뿐만 아니라 부림사건에 관련되었던 10여 명의 사람들까지. 지각생들이 선생님에게 (웃음) 아주 오래 밀린 숙제를 갖다 내는 심정으로 봉하 묘역에 가서 보고를 했다 하나요? 그런 절차를 치렀죠. (웃음)

5공 사건을 노무현 변호사가 억지로 떠맡아서 무죄 받으려고 했다는 이야기가 있었다고 하셨는데 어떤 의미인가요?

70년, 80년대는 아시다시피 박정희 유신 정권, 전두환 정권이 사회 민주화를 위해 노력하는 수많은 사람들에게 국가보안법이나 반공법 굴레를 씌우면서 자기 정권을 정당화하던 시기잖아요. 집회 및 시위에 관한 법률 위반, 국가보안법으로 잡혀 들어가는 사람들이 너무 많았기 때문에, 인권변호사라고 하시는 분들 대부분은 아무리 노력해도 무죄를 받을 수 없다, 자기 하고 싶은 이야기를 하게 해주고 형량이라도 깎을 수 있으면 그나마 다행이라고 한 거죠. 노무현 변호사님은 그때까지 공안 사건을 단 한 번도 맡아보신 적 없고 그때도 특별한 목적의식으로 맡았던 게 아니에요. 선배

변호사들이 처리하려고 하는데 열여덟 명이나 되고, 맡을 변호사는 김광일 변호사님 있는데 경찰 쪽에서 그분이 범죄자가 되도록, 만약 부림사건을 변호하겠다고 하면 당신도 공범으로 잡아넣겠다고 해놨기 때문에 인권변호사라고는 이흥록 변호사님 한 분밖에 없었고, 김광일 변호사님이 볼 때 그나마 순수하고 괜찮겠다 싶은 변호사가 개업한 지 얼마 안 되는 노무현 변호사님인데 그렇게 부탁하게 된 거죠. 공안 사건의 성격이라든지 지금까지의 관례라든지 잘 모르고 선배님들 힘들다니까 몇 개 도와주자는 정도로 시작하셨단 말이에요.

노무현 변호사님은 당시에 자유민주주의에 대한 철저한 신봉자였어요. 권력은 삼권분립이 되어야 하고 법은 철저히 지켜져야 하고. 자기는 법을 지키는 수호자이면서 돈도 잘 버는 멋진 공화주의자라는 자부심이 확실히 있던 분이죠. 그런데 보니까 자기가 수호하고 있다는 민주공화국 대한민국이 아닌 거예요. 아무 죄가 없으면 48시간 이내에 석방해야 되는데 480시간도 넘게 훨씬 긴 기간 동안 사람들을 불법 감금하고 불법 폭행하고 불법 구금하고. 마음대로 압수 수색하고 두들겨패고 고문해서 범죄를 있는 대로 만들어놓은 사건이라는 걸 저희들 만나면서 하나하나 보게 된 거거든요. 제가 고문을 당하다가 왼쪽 엄지발톱이 죽어버렸단 말이에요. 노변호사님을 만났을 때 이게 빠지고 없었어요. 민발톱인 셈이었죠. 한 60일 이상이 지난 후였기 때문에 몸에 있던 멍자국은 없어진 후예요. 그런데 양말을 딱 벗어 보이는데 엄지발톱이 없는 거죠. 그거 보고 저희 얘기 들으면서 노변호사님이 충격을 받았고요. 그리고 불온서적이라는 것을 읽어보니까 당연히 민주주의 국가에서 인정되어야 할 책이고. 자기가 정말 지키려고 하는 대한민국의 헌법 체계, 법률 체계라는 게 도대체 뭔가, 근본적인 회의를 가지셨어요.

대단한 고민을 하신 걸로 알아요. 저희들 1심 사건 준비하고 진행하는 과정에서 명백하게 드러나죠. 처절할 정도로 싸우니까요. 다른 변호사님이 다섯 분 정도 있었는데 그분들은 아주 조용하게 본인들 할 일만 하시고 말았다면 노무현 변호사님은 이거는 아니다. 이 사건을 맡을 때는 별생각 없이 맡았지만, 처음에는 철없는 대학생들이 사회 현실 모르고 정의만 외치다가 잡혀들어왔구나 생각했는데 모든 것들이 불법으로 점철되어 있다는 것을 깨닫고 무죄여야 된다고 판단하신 거예요. 주변에서는 무죄 안 된다고 아무리 얘기해도 자신이 대한민국의 법을 수호하는 변호사인 한 무죄여야 한다고. 그런 마음 가지고 법정에서 싸우는데 진짜 계란으로 바위 치기 이상이죠. 저희들한테 와서 무력감을 호소하기도 하셨는데 사건이 고등법원, 대법원으로 올라갈 때까지 노무현 변호사님은 끝까지 이 사건은 무죄여야 한다는 신념을 잃지 않으셨어요.

부림사건이라는 게 뭔가요?

1979년에 부마항쟁이 일어나요. 부마항쟁은 박정희 18년, 그중에서도 특히 유신 정권 87년이죠? 7년 동안의 유신 정권에서 폭압에 시달렸던 국민들, 대학생들이 도저히 참을 수 없어서 들고일어난 항쟁이지만, 경찰이 볼 때는 부산에 있는 양서협동조합과 부산대학에 있는 학생운동 조직이 핵심 주동이라고 판단한 거예요. 호남 지방도 아니고 자기들 정권의 고향이라 할 수 있는 부산과 마산에서 시민들이 대규모로 들고일어나서 며칠에 걸쳐 시위를 했으니 도저히 말로 설명할 수 없는 거잖아요. 북한과 관련해 조작하지 않으면 안 되는 상황이었어요. 중앙정보부에서 순 엉터리 조작도를 그려왔어요. 구속하려고 계엄사 합동수사본부에서 고문하고 있는데 유신의 수괴인 박정희가 갑자기 죽어버린 거예요. 유신을 정당화해야 할 이유가 없어진 거죠. 시위 현장에서 잡힌 몇몇 사람들만 구류시키고 당시 계엄사 합동수사본부에서 조사하고 있던 백 명이 넘는 사람들을 풀어줬어요.

그러고 나서 80년 광주를 짓밟고 이른바 5공 정권을 세웠잖아요. 5공 정권은 국민들이 정말 반대하던 군부독재 정권이란 말이에요. 거기다가 자기 나라 국민들을 수백 명인지 수천 명인지 죽이고 들어선 정권이란 말이에요. 정당성도 정통성도 없는 아주 불안한 정권이죠. 어딘가에서 들고일어나면 막을 자신이 없는 거예요. 그렇다면 그 들고일어날 수 있는 곳이 어딜까. 광주는 완전히 처참하게 죽여놓았기 때문에 별로 걱정을 안 해요. 그런데 바로 전에 부산, 마산에서 그렇게 많은 시민들이 들고일어났고 그 핵심이 양서협동조합과 부산대학의 운동권이라는 걸 알고 있는데 풀어줬단 말이에요. 그러니까 저것들 잡아서 족쳐야 안심하고 정권 유지할 수 있겠다 판단한 거죠.

공안검사들 통해서 그때 핵심 멤버를 추리는데 마침 당시 서울에서 학림사건이라는 사건이 생겨요. 학림사건에 이런저런 형태로 얽혀 있던 사람들을 먼저 잡아서 1차, 그와 관련해서 조사하다가 나온 양서협동조합과 부산대학교 학생운동 관련된 사람들 2차. 이렇게 묶어 부림사건이라는 걸 만든 거죠. 그런데 이 사람들은 조직적으로 묶여 있는 사람들이 아니에요. 지나가면서 한두 번 술자리에서 본 사람들도 있고 심지어는 법정에서 처음 보는 사람도 여러 명이 있던 거죠. 없는 것들을 끼워맞출 수밖에 없어서 돌잔치에 만나 얘기한 걸 범죄 사실로 엮어야 했고 송년회에서 이야기한 것도 전부 국가보안법, 집회 및 시위에 관한 법률 위반, 계엄령 위반, 심지어 다방에서 얘기한 것도 전부 집회 내지는 계엄법 위반으로 묶어서 이만한 책을 만들었어요, 공소사실이라고 해서. 한마디로 얘기하면 군부

독재 정권에 저항하는 국민들의 민의를 일부 몇몇 핵심 불순분자들이 주동한 것처럼 생각하고 자기들의 불안한 정권을 유지하기 위해 예비 검속한 사건이라고 보시면 돼요.

노무현 변호사를 처음 만났을 때 그날 상황이 어땠는지.

부림사건에서 제가 2번이었거든요, 이른바 수계급. (웃음) 노무현 변호사님이 2번인 저하고 5번이었던 송병곤 두 사람을 맡았어요. 처음 만났을 때는 정의감에 날뛰다가 잡혀들어온 가엾은 학생들 정도로 가볍게 봤어요. 그분도 양서협동조합의 조합원이기는 했어요. 그런데 회비만 내는. 이 양반이 우리를 위해서 뭘 해줄 수 있겠나, 진짜 아무것도 모르는 사람인데.

도움받을 수 있는 일은 별로 없겠다고 판단했죠. 그런데 송병곤하고 제 이야기 듣다보니까 이건 말이 안 된다. 고문 얘기를 들으면서 대단히 충격받았고 그다음에 책에 빠져들어가죠. 제가 그랬어요. "변호사님, 전혀 모르시는데 최소한 저희 사건 이해하려면 『전환시대의 논리』와 『후진국 경제론』 두 권은 꼭 읽어보시고 변론하시면 좋겠다"고. 『전환시대의 논리』를 읽고 충격에 빠졌던 걸로 기억해요. 『후진국 경제론』을 읽곤 이 책 진짜 재밌다 얘기하는 거예요. 당시 대학생들은 어려워했거든요. 불온도서 목록에서 구할 수 있는 것들 구해서 밤을 새워서 열심히 읽으신 걸로 기억해요. 읽고 범죄의 진실을 우리들한테서 듣고 고문당하는 과정도 듣고. 저희들의 절망감, 좌절감을 들으면서 인간 노무현이 변했다는 거죠.

각성인가요?

충격에 의한 각성, 학습, 그리고 결단. 열심히 노력했으나 본인의 생각과는 전혀 다르게 1심에서 구형 10년 받았거든요. 징역 10년, 자격정지 10년. 그랬는데 법원 1심에서 징역 7년을 때렸어요. 당시로 학생이나 공안 사건에서 징역 7년이면 큰 거거든요. 대단히 미안해했고. 변호사님이 여섯 분 계시는데 수석 변호사는 이흥록 변호사님이셨어요. 이분은 "이렇게 했지요?" 물으면 조용하게 "네" 하고 끝나요. 그런데 노무현 변호사님은 벌떡 일어나 왔다갔다하면서 이건 이렇고 저건 저렇다고 얘기하고 때로는 웅변조로 얘기해요. 그런데 재판정은 고문에 대해서 검사 말만 듣는 거예요. "변호인 조심하세요, 충실하세요." (웃음) 불온도서도 감정하는 사람들이 나오거든요. 말도 안 되는 소리를 해요. 일반 시민들이 읽어도 되는데 불순한 목적을 가지고 읽으면 몇몇 구절들이 불순할 수 있기 때문에 불온도서다. 심지어 대학 교재로 쓰이는 것들조차도 불순한 목적을 가지고 읽으면 위험할 수 있기 때문에 불온도서다. 변호사님이 읽은 책들에 대해서는 감정하러 나온 사람한테 얘기하는 거예요. "책 몇 쪽에 보면 사적 유물론을 반박하고 비판하는 구절 있는 거 아시냐?" "안다." "그런데 그게 어떻게 불온도서냐?" 감정인이 말을 못하는 거예요.

그래도 노변호사님 덕택에 하고 싶은 얘기를 참 많이 했죠. 다른 분들이 했으면 우리가 하고 싶은 얘기도 못했을 거예요. 그만큼 도움을 주신 셈이고, 형량에 큰 영향을 주지 않았지만. 가족들은 노변호사 저런 식으로 변론하다가 (웃음) 애들 형량만 더 뜨겠다. 검찰들이 변호사한테 그랬다고 하잖아요. "당신 그렇게 하면 애들이 더 많은 형을 받을 수 있다, 조심해라." 더 나빠질 수도 있다고 여기저기서 협박받았다고 나중에 얘기하시더라고요. 징역 6년 확정되어서 징역살이했죠.

노무현 변호사 외에 나서준 분들이 별로 없었나요?

당시 부산에 양서협동조합이 있었다가 부마항쟁이 일어나면서 강제 해산됩니다. 앰네스티나 산업선교회 같은 조직들이 있었는데 실무자들이 전부 구속되거나 억압받아서 아무것도 못하는 상황이었어요. 일을 할 만한 사람들은 다 부림사건으로 잡아넣어버린 거죠. 도와줄 수 있는 집단은 가족들밖에 없었어요. 다행히 우리 가족 중에 부인 두 분, 지금 아우성으로 유명한 구성애씨랑 최준영씨의 부인 홍정자씨 두 분이 나이도 젊고 운동을 아는 분이어서 가족들 조직해서 서울 인권위원회도 가고 국제 앰네스티에도 호소하면서, 그나마 가족들이 구명운동하고 했죠. 다른 조직은 있을 수 있는 상황이 못 됐습니다.

노무현 변호사가 조금 이상했다는 느낌을 받으시진 않았나요?

전혀 안 이상하죠. 매력적인 사람이었죠. 당시 노무현 변호사는 30대 후반입니다. 돈 잘 버는 세무회계 변호사였거든요. 그런 사람이 한 사건을 접하고 그 사건을 통해서 자기를 확 바꾸어내는 모습을 1심 변론하는 과정에서 본단 말이에요. 인간 노무현이라는 사람 정말 대단한 사람이다. 이후의 인생 역정, 정치 과정을 봐도 대단한 사람이긴 하지만, 우리 변론하는 과정에서 보였던 열정이나 변신. 정말 놀라운 과정이라고 할 수밖에 없죠. 그걸 이상하다고 표현하면 안 되죠.

노무현 대통령은 누군가의 변호인으로서 많이 활동하신 거 같아요. 우리는 그분한테 어떤 의미였을까요?

보통 미안함이 기본으로 깔려 있는 것 같아요. 부림사건을 겪고 이후 사회에 나와서 인권위원회 간사를 한단 말이에요. 부산민주시민협의회의 실무자로 일을 하게 돼요. 87년에는 국민운동본부에서 사무처장 했어요. 이런 역할들 하면서 노무현 변호사님에게 많이 부탁했죠. 우리 사건에서도, 1심에서는 인권위원회 같은 데서 지원받아 돈을 드렸는지는 모르겠는데 항소심은 무료로 해주셨어요. 그것부터 시작해서 이후에 사건만 생기면 "변호사님 한번 봐주십시오, 어떤 상태에 있는지 봐주십시오" 부탁을 수도 없이 했단 말이에요. 나중에는 길거리에 투사로 나설 때 같이 싸우기도 하고. 고맙다는 생각을 참 많이 했어요. 그때는 변호사가 얼마 없었어요. 그렇게 존중받던 변호사가 수익을 포기하면서. 심지어 86년경에는 같은 변호사 사무실에 있던 문재인 변호사님한테 얘기합니다. 나는 이름만 걸어놓겠다, 당신이 살림을 책임져라. 86년 이후에는 거의 투쟁 현장에 나선 거예요. 변호사를 포기하다시피 하고.

놀랍고 정말 고맙긴 했지만 그런 과정에서 이분이 얼마나 힘들었을까. 우리의 변론을 위해서, 우리가 하는 일들에 동참하기 위해 겪어야 했던 고통, 어려움이 많이 있었을 텐데 그것에 대해 단 한 번도 생각 못해본 거예요. 대통령이 되고 나서는 이제 다 가지고 있는 분이었으니까 더 생각을 안 했고요. 그런데 〈변호인〉이라는 영화를 보면 개인적인 고뇌 장면이 나와요. 그 기간에 그분이 겪었던 고뇌에 비하면 정말 10분의 1, 100분의 1 될까 말까 하단 말이에요. 저는 당시에 만신창이 떡이 돼서 교도소에 내팽개쳐진 하나의 피고인이었기 때문에, 우리를 위해 저렇게 헌신해주는 변호사님이 고맙기는 해도 '저 사람 변호사니까'라고만 생각했거든요. 그런데 여기저기서 협박당하고, 일에서 쫓겨나고 밀려나가고, 심지어 구속의 위험까지 당하면서 인간적으로 얼마나 고뇌했을까. 너무 미안한 거예요. 그 장면에 대한 얘기를 하면 저절로 눈물이 나요. 살아 계실 때 청와대에도 가서 만났고 봉하에 내려왔을 때도 뵌 적이 있는데 '저희들 때문에 미안합니다'라고 얘기할 수 있었을 텐데 그때도 그런 생각을 미처 못하고 돌아가시고 영화 보고 겨우. 산소에 가서 사모님한테 겨우 얘기하는데 바보 같은 짓을 했죠. 회한이랄까? 그 부분이 가장 커요. ■

세상을 안 바꾸고
어떻게 활동을 하나

송병곤 부림사건 피해자

체포될 때 몇 살이셨어요?

58년생이고 81년도 사건이니까 스물네 살이었네요. 대학교 2학년 말일 거예요. 겨울방학이었는데 법대 다니는 친구가 공부하자는 거예요. 고시 공부가 아니라 인간에 대한 공부라는 거예요. 부산 남포동 백조다방으로 오라고 했어요. 길을 못 찾아서 한 시간 늦게 갔는데 아직도 사람들이 있더라고요. 어떤 책 볼지 얘기하는데 재밌어요. 전혀 생각지 못했던 처음 보는 책들이에요. 『서양경제사론』이 있었는데 다 불온도서 목록에 올라가 있던 거죠. 책들 보니까 사람이 살아온 게 보이는 거예요. 나중에 보니까 공부하는 그룹이 학생운동 조직인 거예요. 학교 안에 서클이 있을 수 없었죠. 자연히 비밀 서클이 될 수밖에 없고. 집에는 이야기 못했죠. 찬성할 리가 없으니까. 부모님이 제게 기대하는 바도 컸고요. 탈 없이 대학 다니는 줄 아셨죠. 79년에 아버지 돌아가시고 어머니와 사는데 부끄럽고 미안하잖아요. 자연스럽게 멀어질 수밖에 없었어요. 그런데 어느 순간 아들이 없어진 거예요. 행방을 모르는 거예요. 그렇게 어머니는 아들이 무엇을 해왔는지 알게 되신 거죠. 제가 7월 6일 잡혀가고 9월 7일에 구속영장이 발부돼요. 아무런 근거 없이 감금하고 체포해서 영장 같은 건 없죠. 60일 동안 어머님께 알릴 방법도 없고 두 달 동안 아무것도 모르셨어요. 어머님이 그때 안 가본 데가 없다고 하셔요. 친구들 연락처도 모르니까 무조건 부산대학교로 가서 학생들한테 못 봤냐고 묻고 뒷산 금정산에도 가고. 영도다리 밑은 4·19 때 김주열 열사가 시체로 떠오른 게 있으니까 영도다리 밑도 오만 데 찾아다니신 거예요. 동지들이 여러 명 같이 잡혀 들어가니까 그때부터 알음알음 알게 되신 거예요. 면회는 절대 안 됐고요. 조사 마치고 대공분실에 있다가 중부경찰서로 유치되고 구치소로 넘어가는데 어머니가 어찌어찌 알게 되셨나봐요. 누가 제 앞을 막아서요. 어머님이신 거예요. 한두 달 사이에 몰라보게 살이 빠진 거예요. 어머니도 처음 봤을 때 저를 몰라보셨다고 하더라고요. 구치소로 넘어가니까 하루에 한 번씩 면회가 돼요. 매일 오셨어요. 이제는 살 거 같다, 어디 있는지 알고 여기 오면 볼 수 있으니까 좋다고 하셔요. 모친 생각에 똑똑하고 조선에 없는 그런 아들인데 어느 날 갑자기 쇠고랑 차고 죄수복 입고 갇혀 있는데도 면회 와서 좋다고 하셔요.

보수적인 가정이었나요?

크면서 정치 이야기나 사회에 대한 비판을 한 번도 들은 적이 없어요. 그렇다고 출세해야 된다, 남자가 사회생활하려면 나가서 성공해야 된다는 말도 없으셨습니다. 아들이 공부 잘하면 잘하는 대로, 못하면 못하는 대로 특히 모친이 자식에 대한 사랑이 컸죠. 그런데 조금 변명해보자면 어머니도 제가 사고를 치니까 여태껏 보아오던 사회가 다르게 보이는 거죠. 구속된 피고인들 많으니까 가족들끼리 인권위원회든 정부든 검찰이든 다 다니셨어요. 항의하고 탄원하면서 세상을 보게 되는 거죠. 어머니도 그러면서 사회를 보는 눈이 생기는 계기가 됐을 거라 생각합니다. 어머님들의 활동이 결국 나중에는 민가협을 만들게 되는 거죠, 민주화실천가족운동협의회.

그때 노변호사님이 변론을 맡으셨죠.

네. 이흥록, 이돈명, 김광일 변호사님도 계시고 운동했던 선배들도 챙겨주시고 한 번씩 술도 사주시고 밥도 사주시고 운동하는 데 필요한 경제적인 비용도 지원해주셨지만 노변호사님은 그 영역을 뛰어넘으셨어요. 스스로 활동가가 되신 분이에요. 선 그어놓고 변호사는 변호사의 일만 하셔도 돼요. 그런데 노변호사님은 당신 스스로 완전히 변하신 거예요. 세상을 안 바꾸고 어떻게 활동을 하냐, 세상을 바꿔야 한다. 83년 8월 광복절 특사로 몇 명 나오고 3년 6개월 이상 선고받은 사람들은 성탄절 특사로 최종적으로 모두 석방됐는데 호철이가 노무현 변호사님한테 인사하러 가자고 해요. 호철이하고 재일이하고 저까지 세 명이서 변호사님한테 고맙다고 인사하러 가는데 너무 반갑게 맞이해주시는 거예요. 인사하고 차 한 잔 마시고 나오는 게 통상적인데 업무를 접으시더니 반가워하시면서 이야기하다가 저희를 데리고 사우나를 가셨어요. 그날 석방 환영회 겸 송년회가 있었어요. 운동권 친구들, 선후배들이 모이는 거였어요. 빨갱이들 잔치죠. 노변호사님이 그걸 어찌 아시고는 자기도 같이 가자는 거예요. 저는 이상하다고 생각했어요. 변호사가 왜 우리 잔치에 참석하려고 하는 거야? 그런데 오셔서 마치 자기가 석방된 것처럼 아주 즐겁게 노시고 젓가락 꽂고 춤추고 난리가 난 거예요. 원래 1차면 끝나는데 기분이 좋으셨는지 2차 가자고 하셔서 나이트클럽을 하나 통째로 빌려서 모였어요. 빨갱이들이 전부 나이트클럽 가서. 처음에 인사하러 갔을 때 노변호사님이 저한테 그러셨어요. 병곤씨 법대 나왔으니까 자기하고 일 같이 안 해보겠느냐고. 그때 어머니하고 둘이 살았는데 돈 벌어서 어머니 책임지고 살아야겠다는 생각이 없었어요. 운동 단체에 가서 일해야겠다는 생각만 했죠. 변호사님 말이 너무 뜻밖이고 가서 내가 무슨 운동을 할 수 있을까 생각이 드는 거예요. 친구들과 의논하니 가서 한번 해보라는 거예요. 변호사님은 변호사 사무실만 아니라 YMCA에서 시민들 위한 무료 상담도 하시니까 나중에 지식이나 상담 사례를 책자로 만들어서 낼 수도 있다고 하는 거예요.

그래서 84년 4월에 변호사 사무실로 입사했습니다. 변호사 사무실에서는 양복을 입어야 하는데 대학 졸업식 때 입었던 거 하나 있었어요. 입고 갔죠. 첫날 근무하고 퇴근하려는데 사무장이 부르는 거예요. 자기 따라오라고. 사무장이 저보다 열 살 많았거든요. 양복점을 데리고 가더라고요. 남포동에서 가장 최고급 양복점이었어요. 가서 옷감 고르고 치수 재고 양복 한 벌 해주시는 거예요. 변호사님이 한 벌 해 입히라고 했다고. 입사 첫날 양복 한 벌 얻어 입고 그뒤로 계속 출근했죠. 아침 9시 출근이면 8시까지 오라고 하셨어요. 1시간 동안 노변호사님이 직접 민법부터 공부시키는 거예요. 그러니까 아침 7시에 출근해야 돼요. 8시 맞춰서 출근해서 앉아 있으면 잠이 와요. 대부분 조는 직원들이 많고요. 민법 강의 마치고 민사소송법 하고 형법 하다가 그만뒀어요. 2년 가까이 노변호사님이 직접 강의하신 거죠.

처음에는 법원에 서류 접수하고 서류 만들다가 나중에는 글도 쓰고 상담도 하는데 재미가 없는 거예요. 전부 이혼시켜달라, 내 돈 빌려준 거 받아달라는 거예요. 그리고 법원에 서류를 접수하려면 무조건 5천 원씩 서류 안에 넣어야 됐어요. 접수비인 거죠. 안 주면 하나라도 찾아서 시비를 걸어요. 접수 안 해주는 거죠. 세상을 바꾸자고 했던 사람인데 5천 원씩 넣어야 되니까 적응이 안 되는 거예요. 갈 때마다 싸웠죠. 나중에는 법원 사무관과도 싸웠어요. 법원은 도루묵 천지 같고 사무실에 온 사건도 재미없고. 한번은 해상선원인데 퇴직금 못 받아서 소송을 저희가 맡았어요. 그거는 재밌더라고요. 소송 기초안 잡아서 글 써서 올리거든요. 원래는 깨알같이 수정하시는데 이번 거는 바로 오케이하시더라고요, 수정 없이. 퇴직금 소송은 재미있었어요.

얼마 안 있어 노변호사님이 노동법률사무소를 만들자고 하셔서 알겠다고 했는데 상담 실무자를 저를 시키셨어요. 노동법률사무소가 한국에서 처음입니다. 노변호사님이 사회를 보는 눈이 있었던 거죠. 사회를 바꾸는 데 가장 중요한 문제가 노동 문제이고 노동조합운동과 같이 노동자들의 의식 변화가 중요하죠. 노변호사님이 생각하시기에 앞으로 노동조합운동과 노동 문제가 크게 대두될 거라는 거죠. 그런데 알릴 방법이 없잖아요. 그때는 변호사 광고가 금지되어 있었어요. 노동법률상담소를 안내하는 명함만한 전단지를 만들었어요. 퇴근하고 사상공단, 사하공단같이 공단 많은 데 가서 직접 배부했어요. 처음에는 많이 오지 않았어요. 상담료도 무료인데 사람들이 모르는 거예요. 와도 관리자들이 잡으러 왔어요, 알리지 못하게 하려고. 84년, 85년 되면서 부산에서 학생운동 하던 출신들이 현장으로 들어가서 노동조합운동을 열심히 합니다. 그 과정에서 해고되고 임금·수당도 제대로 못 받으면서 문제가 터져나오죠. 그러면서 해고 미확인 소송이나 수당 관련 소송이 활성화돼요. 부산, 경남, 울산까지 노동 사건을 모두 맡게 됩니다. 이후에는 문변호사님이 맡아서 꾸려가시고요.

노무현 대통령의 부산 시절은 어떠셨나요?

입사하고 노동법률상담소 만들기 전에 변호사 사무실을 3층 다 썼는데 상당히 넓었어요. 당시 천주교인권위원회한테 저희 사무실 한쪽에 공간을 줬어요. 공해문제연구소한테도 그랬고요. 현재 환경연합의 토대가 되는 단체죠. 단체 두 개가 같이 있었어요. 재야 단체이고 시민단체이니까 경찰이 수시로 와서 탄압할 수 있는데 변호사 사무실에 있으니까 형사들이더라도 함부로 못 오는 거예요. 노변호사님도 단체에 관여하게 되다보니 부산민주시민협의회 만들어지면서 의원으로 참여하게 되시죠. 그게 87운동 때 국민운동본부가 됩니다. 학생운동 했던 사람들이 읽었던 모든 교재들을 부림사건 때 다 독파하신 거죠. 스스로 의식화가 되신 거예요.

노무현 대통령 처음 보셨을 때 어떠셨나요?

구치소에서 처음 봤어요. 주름이 많으셨던 것 같고 얼굴이 나처럼 시커멓고, 미남형이나 호남형은 아니고 촌스럽다는 생각도 들었어요. 처음 만나서 제가 그랬습니다, 변호사 필요 없다고. 당연히 저희 사건도 김광일이나 이흥록 변호사님이 하실 거라고 생각했는데 처음 듣는 변호사님이 오신 거예요. 또 변호사보다 우리가 더 잘하겠다는 건방진 면도 있었고요. 나중에 말씀하시길, 너무 고문을 당해서 변호사도 믿지 못하는 거 아닌가 생각하셨대요. 저는 제 눈빛이 당당했을 거라고 생각했는데 불안한 눈빛이었나봐요. 구치소로 넘어오고 나서는 고문이 없다는 게 확실해지니까 조금 편안해졌죠. 면회 오면 구치소에서 한 명씩 내보내는데 노변호사님은 공범들 같이 부르라고 해요. 그래서 다 같이 접견실로 갔고 거기서 친구들을 볼 수 있었죠. 너무 좋고 반갑고. 그걸 아시고 노변호사님이 같이 불러달라고 하신 거예요. 재판정에서 흥분해서 열정적으로 소리치는 경우들 많았고요. 저쪽에서 저희가 북한을 이롭게 한다고 하니까 변호사님이 '북한과 미국이 축구하는데 북한 응원하면 그게 이롭게 하는 거냐'는 식으로 이야기하시기도 했고요.

부림사건의 주역들과 변호인 노무현에 의해 사회운동의 토대가 만들어졌다고도 할 수 있을까요?

그렇게 볼 수 있죠. 사회운동 기구를 만들어서 끌어나갈 수 있는 역량은 부림사건 사람들이 나오면서 토대를 마련하게 되는 거죠. 거기에 노변호사님, 문변호사님의 대폭 지원이 있고 직접 활동에도 참여해주셨고요. 노변호사님은 사회가 계속 이러면 자기 자식도 나중에 운동하다가 잡혀갈 수 있으니 그러느니 자기가 하겠다고 하시더라고요. 오히려 변호사 사무실에 있으면서 노변호사님과 말을 많이 못했어요. 직장 상사와 직원의 관계죠. 어쩌다 한 번씩 댁으로 같이 가자고 하셔요. 변호사님은 가서도 업무 보시고 저는 저녁 얻어먹고. 저를 많이 데리고 다니셨어요. 한번은 중보교회에 기도회가 있었는데 사무실 직원이 같이 가자고 해서 갔거든요. 교회에서 기도하는데 닭장차들이 쫙 배치가 되는 거예요. 경찰 둘이 나타나더니 책가방을 보자는 거예요. 가까운 파출소로 연행해서 가방을 열어보라고 해요. 서울민주화운동청년회가 만든 〈민주화의 길〉이라는 기관지가 있었어요. 불온서적이죠. 직원은 여자였는데 풀어주라 하고 저를 조사하려는 거예요. 그런데 변호사님이 팍 문을 열고 들어오시더니 어떤 근거로 연행했느냐고 큰소리치는데 그렇게 흥분하시는 거 처음 봤어요. 직원이 나가서 전화하니까 바로 오신 거예요. 그런데 경찰들이 책은 못 주겠다고 하니까 변호사님이 또 구하면 되니까 주고 가자고 해서 나왔어요. 변호사님이 화가 너무 나셔서 차를 타고 가다가 바로 돌린 거예요. 사무실 쪽으로 유턴한 건데 경찰이 왔어요, 딱지 끊으러. 딱지 끊었죠. 다음날 경찰들이 찾아와서 변호사 차인 줄 모르고 끊었다고 미안하다고.

변호사님은 사무실에 있으면 천진난만하다고 해야 하나 권위가 전혀 없었어요. 직원들과 등산도 자주 가고. 특히 지리산을 자주 갔는데 변호사님 가족들과도 같이 갔어요. 산에 가면 여사님이 변호사님한테 당신은 왜 등산만 하면 매번 방귀를 뀌냐고 하셨죠. 산에 좋은 공기 다 버린다고 막 그래 타박을 하셨어요. (웃음) 그리고 그 파출소 같이 갔던 직원이 권양숙 여사님 고종사촌 동생이고 지금은 제 아내입니다. (웃음)

그때부터 연애하신 건가요?

연애라니요. 저보다 일곱 살이 어려요. 제가 4월에 입사하고 아내는 7월에 입사했죠. 웬 꼬맹이가 온 거예요. 보니까 눈도 맑고 초롱초롱하고 참 예뻤어요. 당시에는 사회운동 하던 다른 사람을 좋아해서 전혀 마음에 없었죠. 다만 맑고 순수하니까 계속 더 맑고 순수하게 살도록 하라고 했죠. 그래서 같이 밥 먹으면서 이야기도 많이 했어요. 영화, 소설, 예수, 사회 등 머릿속에 든 거는 다 얘기했어요. 하필 동향이라 집 가려고 버스 타면 30분을 같이 가거든요. 버스 타고 다니면서 이야기한 거죠. 그러다가 세월이 흐르니까 어느 순간 여자로 보이더라고요. 사무실에서 결혼도 하게 됐죠. 노변호사님이 주례하셨죠. 90년도 노변호사님이 국회의원 할 때입니다. 이미 청문회 스타 되고 나서입니다.

저는 85년 말에 사무실을 나왔어요. 노동법률상담 하고 있고 어느 정도 기반이 올라갈 때인데 날이 갈수록 전두환 정권을 꼭 무너트려야겠다는 마음이 들었고 그럴 가능성이 충분히 보이기도 했어요. 사무실에 더이상 못 있겠는 거예요. 변호사님도 잡지 못하시더라고요. 20대 후반인데 어머니 생각은 안 하고 어떻게든 되겠다고 생각하고 전두환 정권을 타도하자는 생각만 했어요. 철이 없었죠. 그후로 노변호사님 뵌 적이 많지 않아요. 87년 항쟁 때 제가 또 구속되어서. 노동운동 현장 주변에 있었는데 미행이 붙은 거죠. 5개월 징역 받고 나왔어요. 석방되고 나왔는데 노변호사님은 문변호사님한테 사무실 넘긴 후였고요. 저는 87년도에 노동법률상담소 복귀하고요. 노변호사님은 정치 쪽으로 가신 후죠.

어떻게 보면 변호사님을 의식화한 주범이시네요. 그전의 노무현은 전혀 다른 사람이었으니까. 여사님은 뭐라고 안 하세요?

가끔 처가 쪽 일로 한 번씩 뵙는데 '송서방'이라고 부르세요. 여태까지는 '병곤씨'라고 하셨는데 '송서방' 그러니까 친척이구나 했죠. 처음에는 너무 어색했어요. 여사님은 반대 많이 하셨다고 하더라고요. 노변호사님이 운동할 때부터, 정치로 가실 때도. 볼멘소리로 당신들 때문이라고 한 번씩 하세요, 농담 반 진담 반으로. 정치인 노무현이 청문회 스타이긴 했지만 부산 가서 계속 낙선하잖아요. 마지막에는 서울 종로 갔다가 부산 강서을에 나오시는 거예요. 너무 미운 거야. 미친 짓이죠. 호철이가 선거 참모였는데 성질나서 자원봉사 못 간다고 했어요. 아니나 다를까 또 떨어지는 거예요. 그런데 변호사님이 농부는 밭을 탓하면 안 된다고 하시는데 그 순간에 우리가 잘못했구나 생각이 들었죠. 그때를 계기로 노사모가 만들어지기도 하고. 국민 경선은 드라마였죠. 초심을 잃지 않고 쭉 밀고나가는, 국회의원으로서 가장 모범적인 것을 보여준 거죠. 그렇게 대통령까지 가셨고요.

2014년 9월에 대법원은 부림사건 피해자 다섯 명에게 무죄를 확정했죠. 30년이 넘었고 최초 사건의 변호인은 돌아가셨고요.

2014년 9월에 무죄 받은 사람들이 전원이 아니에요. 5명만 무죄 받았죠. 〈변호인〉이라는 영화가 나오고 더 알려지게 됐고요. 2008년에도 재심 신청했어요. 다만 국가보안법은 재심 대상이 안 된다고 해서 국가보안법은 재심 받을 문턱도 못 넘었고. 나머지 사람들은 작년에 전원 무죄 받았습니다. 30년이 넘은 세월이지만 개인적으로는 법원의 판결이 무슨 의미가 있나 생각해요. 바른 사회를 만들자고 민주화운동 한 거고 그게 역사적 사실이고. 판결도 그렇고 영화도 그렇고 대통령과 같이 봤으면 얼마나 좋았을까, 대통령은 무슨 말씀을 하셨을까 생각하죠. 지못미, 지켜주지 못해서 미안하다는 분들이 참 많을 거예요.

우리는 자랑스러운 바보들이니까요

늙은여우 이정기

노사모에서 '늙은여우'를 뜻하는 '올드폭스'라는 닉네임을 사용한 이정기라고 합니다. 지금은 정당의 지역위원회에서 사무국장으로 일하고 있습니다.

굉장히 톤이 차분하고 점잖으시네요. 원래 성격도 그러신지요?

원래 성격은 이렇진 않은데요. 나이가 들다보니 차분해졌습니다. (웃음) 늙은여우로 활동할 당시에는 적극적으로 앞에 나서야 했던 터라 점잖을 수도 없었죠. 오히려 덥수룩했지요. 앞에 나가서 마이크 잡기 좋아하고 노래도 좋아하고. 삶을 좀 즐기자. 노사모 활동을 하던 때도 펀, 재밌어야 된다, 돈 나오는 조직도 아니고 자발적으로 참여해서 회비 내고 자기 시간 할애하면서 활동하기 때문에 재밌어야 된다고 주장했죠. 정말 재밌게 했습니다.

지금은 재미없어 보여요.

예전에 호남 노사모를 만들 때는 거의 매일 회원들에게 연락해서 만났어요. 새로운 회원이 가입하면 그 지역에 전화해서 오늘 저녁에 갈 일이 있는데 잠깐 보면 안 되겠느냐 물었어요. 약속 없는데도 전화해서 된다 그러면 무조건 만나서 차 한 잔, 술 한 잔 마시면서 친해지고, 다음 분 가입할 때 또 어제 만난 분과 셋이 만나고, 그다음날 만날 때는 넷이 만나고. 이렇게 계속 번개하면서 친해졌어요. 제가 워낙 개별 접촉해서 사람들을 많이 만나고 주위 멤버들을 모으니까 한때는 노사모가 아니고 술사모다 (웃음) 얘기가 나왔을 정도로 즐겁게 했습니다. 즐겁지 않으면 그런 활동 할 수 없는 거잖아요.

저는 좀 디테일해야 된다고 보는 거예요. 새로 참여하려는 분이 머뭇거릴 때 배려해줘야만 그분들이 마음 편하게 참여할 수 있잖아요. 특히 운동권, 386세대들이 디테일에 약했잖아요. 문턱을 낮추기 위한 작업들이 필요해요. 다 잘해놓고도 사소한 거 하나로 조직이 깨지거나 화합이 안 되는 상황들을 많이 봐와서 디테일하게 하려고 노력했습니다.

그때 앞에 가서 마이크도 잡고 노래도 한다고 하셨는데.

당시는 서른다섯 총각이었는데 지금은 벌써 20년 세월이 흘러서 쉰 살이 넘었잖아요. 그사이에 결혼도 하고 아들딸도 있는데 함부로 까불 순 없잖아요. (웃음) 안치환 노래를 많이 좋아했죠. 〈사람이 꽃보다 아름다워〉 이런 거. 노무현을 생각하면 저절로 떠오르는 노래들이잖아요. 대학 시절에 불렀던 민중가요들도 그렇고요.

부산까지 가서 해양대에 다닌다는 게 쉽지 않은 일이었을 텐데.

넓은 바다가 좋고 노는 거 좋아하니까. 그리고 무엇보다 당시에는 취업이 중요하니까 배를 타겠다는 생각을 하고 부산으로 유학을 간 거죠. 87년, 88년, 그 시절이니까 전라도와 경상도 간에 지역감정이라는 게 있었죠. 그런데 부산에서 대학 다니면서도 일반 시민들이 지역감정을 가지고 있다는 걸 느끼지 못했거든요. 결국은 정치인들이 조장해놓은 거잖아요. 지역주의와 맞서 싸우는 노무현을 보면서 정치에서 중요한 역할을 할 분이라는 생각을 했고 그 이후에 노무현의 삶을 깊이 들여다보게 된 것 같아요. 당시에 영남에서는 민주당 하면 '전라도 깽깽이다', 심지어 '빨갱이다' 했잖아요. 독립운동하던 심정으로 당원 활동, 정치 활동을 했어야 되는 거잖아요. 그 심정을 충분히 이해할 수 있고 또 정치적 프레임 때문에 좋은 정치인이 주장하는 바가 옳고 대단히 상식적인데도 얼토당토않은 선거 결과들이 나오는 것이고. 그래서 결국 '2000년 4·13 총선에 낙선하고 더이상 정치를 할 수 없다면 도대체 대한민국에서 정치할 사람이 누구겠느냐? 누가 정치하겠는가?' 울분과 분노가 생겨났고 이런 상황에서 '미약하지만 뭔가 해보자, 정당 가입도 어렵고 후원회 가입도 어렵다면 그 중간지점이 분명히 있을 거다' 그렇게 판단한 게 팬클럽이었거든요. 정당에 당원으로 가입하는 거 아니니까 부담 없이. 서태지 팬클럽이 있었듯이. 마찬가지로 노무현 팬클럽을 들었는데 굳이 이게 문제가 될까? 재미있게 참여할 수 있고 그분에게 힘을 줄 수 있고 그분이 다시 정치를 할 수 있다면 우리가 나서야 되지 않겠느냐? 그런 의미에서 중간 형태의 조직으로 시작된 게 노무현 팬클럽인 것 같아요.

이른바 노무현 빠가 되신 이유나 동기가 있으신가요?

88년 청문회? 전두환, 정주영에게 호통치는 모습들, 청문회에서의 속시원한 모습들, 의정 활동들. 언론이 있는 자리에서 공개적으로 대항하면서 싸울 수 있는 정치인이 많지 않은 상황이었잖아요. 그 모습 보면서 '아, 저런 양반이 정치하면 잘하겠다, 바르게 정치하겠다' 그게 각인돼 있었고 노무현이라는 인물을 그때 처음 알게 되었죠. 그 이후 90년 초에 대학에서 제적돼서 변호사를 소개받았는데 노무현, 문재인 합동 변호 사무실이었어요. 그게 인연이 돼 노무현이라는 분에 대해 깊이 알게 됐죠.

보통 일반인들이 변호사를 만날 일이 잘 없을 텐데. (웃음)

해양대학이 특수 대학이거든요. 4년 동안 ROTC 활동을 하고 졸업과 동시에 해군 소위로 임관하고 5년 안에 3년간 배를 타면 군대가 면제되고요.

아무래도 제가 이쪽 지역 출신이다보니 동기들은 전대나 조대를 많이 다녔고 특히 5월이 되면 민주주의를 외치고 싸울 수밖에 없는 상황이잖아요. 저는 부산이라는 곳에서 해양대라는 특수 대학 속에 있었지만 내부에서도 할 수 있는 것들을 찾다보니까 학생회 활동을 하게 됐고 학생회 활동을 하다보니 제적이 됐고. (웃음) 집안에서 유일하게 4년제 대학을 다녔거든요. 그런데 보내놨더니 데모 나가고 공부는 안 하고 제적도 되고. 그래서 유명한 변호사를 소개받자. 서울에 아시는 분들 섭외했는데 그분들이 얘기하시는 게 "부산에 인권변호사, 노동변호사로 유명한 분이 있다, 부산에서 찾아라" 그렇게 소개받은 거죠. 변호를 의뢰했고 성공 사례비도 드리기로 했는데 결국 못 드렸죠. (웃음) 그 부채감이 있었는데 노사모…… 처음 제안하고 활동하면서 좀 갚았다고 생각합니다.

그때 그 순간은 기억나시나요? 두 분이 다 나오셨나요?

처음 인사는 두 분 다, 그러니까 세 분이었거든요. 한 분 더 여성…… 김해숙 변호사인가? 세 분이었던 것 같은데 인사만 드리고. 첫 상담은 사무장님이 하셨고. 그런데 소송이 중간에 잘못돼서 변호사가 이렇게밖에 못하냐 항의를 강하게 했어요. 집안의 유일한 대학 졸업자라고 말씀드렸지 않았느냐, 소송을 이겨야 되는데 돌아가는 얘기 들어보니 잘못되는 것 같다, 왜 이렇게 하시냐. 여러 군데 들은 이야기를 가지고 화를 내고, 갑질 의뢰인이 돼가지고. 처음에는 당황하시더라고요. 그때 문재인 변호사가 나오셨어요. (웃음) 문변호사님이 쭉 들으시고 나서 사무장하고 다시 얘기하고. 오해가 있는 것 같으니 잘할 수 있다 말씀하시고…… 나중에 소송에서 이겼습니다. 96년 8월에 해양대학교 졸업하고 학사를 취득했죠. 인생의 전환점이었죠. 정상적으로 대학을 졸업하지 못할 상황에서 유능한 변호

인을 만나서 졸업했다는 것. 그다음에 노사모를 만들고 이후에 정치 활동을 하게 됐으니까요.

문재인 변호사한테 고맙다는 인사는 하셨어요?

개인적으로는 특별한 건 없어요. 그전에 2002년 대선 국면에 부산 선대위원장 맡으셨을 때 찾아뵙고 "그때 그 변호 성공 사례비 빼먹은 놈입니다" 인사드리고 "저는 노사모 만들었으니 이해해주십시오" 했지요.

왜 늙은여우입니까? 좀 착각도 했을 것 같은데.

대학 때 얻은 별명이에요. 협상에 능하다, 특히 등록금 협상할 때 학생 대표로 이정기가 나오면 협상을 이긴 건지 진 건지 잘 모르겠다고 학교측에서 이야기할 정도로 협상에 능하다, 그래서 여우, 여시짓 한다 그러잖아요. 여우, 늙은 여우 같다, 이런 얘기들을 들었는데 자연스럽게 노사모 하면서도 베일에 싸여 있고 싶은 게 있잖아요. 그래서 늙은여우라고 했죠. 궁금해할 거 아닙니까, 사람들이? 실제로 노사모 초창기에는 '늙은여우는 도대체 나이가 얼마고, 절세미녀는 얼마나 미인이냐?' 사람들이 항상 이 두 가지 퀘스천 마크를 가지고 있었어요. 그런데 오프라인에서 만나면 실망스러운 거죠. 늙은여우는 여자가 아닌데다 늙지도 않았고, 절세미녀는 뭐 평가할 순 없고. (웃음) 아마 당시에도 저를 40대 중반으로 봤을 것 같아요. 당시 외모나 지금이나 똑같습니다. 학창 시절에도 이 외모였고요.

저주인가요, 축복인가요?

20년 뒤에도 이 얼굴이겠죠. 축복이죠. (웃음) 제가 노사모에서 결혼했어요. 1호 커플이었죠. 와이프 닉네임은 절세, 아니 뭐더라? 물새. 물새미녀인데 와이프는 전북 노사모였고 저는 광주에서 호남 노사모라는 걸 했죠. 광주, 전남북을 아우르는 첫 오프라인 모임에 제가 마이크 잡고 설치는 모습을 보면서 하…… 저 남자, 장가는 안 간 것 같은데, 노총각인 것 같은데 저 남자 만나는 여자는 정말 피곤하겠다고 생각했대요. 저 남자는 아니다. 사회 활동하고 모든 모임 쫓아다니면 들어가는 비용도 많을 거고 가정적으로 보면 실패할 확률도 높잖아요. 바깥 활동 중심으로 하니까. 그래서 아니라고 판단했다고 그러더라고요. 그런데 3개월인가 지나고 나서부터 왠지 끌리더래요.

1호 커플이라서 관심도 많이 받으셨겠어요.

2001년 1월 6일에 결혼을 했으니까 짧은 기간 연애했는데 당시에는 '늙은여우가 결혼한 후에 노사모 활동을 소홀히 하겠지' (웃음) 하면서 많이 서운해하는 분들이 있었죠. 아무래도 '결혼하고 나니 여자에게 폭 빠져가지고 말이야, 활동을 잘 안 하는 거 아니냐' 그런 게 있었죠. 그다음에 또 나름 미녀와 야수 수준의 외모 때문에 시샘도 받았고 그랬습니다.

물새, 초록물고기 등등 닉네임들이 주로 동식물이네요.

(웃음) '도끼'도 있고 많이 있어요. 온라인에 관심이 있는 학자분들이 정리를 해봐야 될 부분인데 저는 노사모가 성장할 수 있었던 거는 한글 닉네임 덕분이라고 보거든요. 닉네임 평등주의인 거죠. 온라인에서 논쟁하고 정치적 토론을 하더라도 쉽게 늙은여우님, 물새님, 초록물고기님, 경주아빠님으로만 얘기하는 것이지, 직업, 나이, 지역을 따지지 않는 거죠. 노사모가 성장할 수 있는 하나의 도구였던 것 같아요. 노무현 대통령께선 저를 약칭으로 그냥 여우님이었죠. 늙은여우보다는 여우님.

노사모의 최초 제안자라는 타이틀이 늘 붙어다니는데 어떠신가요?

엄청 부담스러운 측면이 있고요. 4·13 총선 끝나고 노하우(knowhow.or.kr: 노무현과 하나되는 우리들), 그러니까 이틀을 노무현 홈페이지 게시판을 바라보고 있는 거죠. 13일 밤부터. 안타까움, 울분, 이런 글들이 계속 올라오는 상황이고. 글들을 보면서 노무현이 좋은 정치인이라고 생각하는 사람들이 이렇게 많은데 같이 모일 수 있는 공간이 있으면 얼마나 좋을까? 그래서 팬클럽 형태로 게시판에서 모집하기 시작했어요. 지금으로 보면 말도 안 되는 짓을 한 거예요. 개인정보보호법 등 상당히 문제될 수 있죠. 내가 노무현을 위해 모임을 만들려는데 여기에 동참하실 분들은 연락처나 이메일 주소를 남겨주시라. 그냥 댓글로 남겨달라고 한 거예요. 댓글로 들어온 거를 메모장에 계속 정리하고. 또다른 글들이 올라오면 모집한다는 공지가 밑으로 내려가고 다음 페이지로 넘어가잖아요. 그래서 다시 복사해서 위에 올리고.

이런 과정에 절세미녀가 서울에서 연락이 온 거예요. 개인정보를 이렇게 받아도 되겠냐? 별도의 임시 게시판이라도 만들자. 그때는 제로보드처럼 무료로 쓸 수 있는 게시판들을 제공하는 게 있었거든요. 그걸 가져다가 절세미녀가 다시 체계적으로 모집하기 시작했고 그 과정에 babo.or.kr이라는 도메인을 실제로 등록하신 분도 있으시고 노사모란 이름이 나오면서부터 nosamo.org를 등록하신 분도 있으시고. 누가 시켜서 한 게 아니거든요. 홈페이지나 온라인에 근거지가 필요하겠구나 생각하니까 대전에 있는 어떤 회사에서는 도메인 등록하고 부산에 있는 분이 서버를 제공하겠다고 하고. 협업이 이루어진 거거든요. 제가 최초로 제안했다는 것은 단순히 불만 지핀 것이지, 공동 작품인 거예요. 최초 제안자 타이틀을 달고 다니는 게 되게 부담스러웠어요. 저 혼자의 몫이 아니기 때문에 내세우고 싶은 타이틀은 아니었어요. 특히나 이후에 노사모 활동을 적극적으로 할 수 없는 개인적인 사정들이 있었기 때문에 지금도 노사모에 적만 두고 있지, 적극적으로 활동하진 않거든요.

대선 경선이 끝나면서 저는 내부, 그러니까 노사모의 방향을 결정하는 소위원회에서 발전적 해체론을 주장했어요. 없애자는 게 아니라 선거 관점에서 보면 유사 사조직으로 오히려 노무현 후보에게 도움이 안 될 수도 있다, 지역별 생활 속으로 들어가야 된다. 광주는 무등산 사랑하기 모임, 제주는 한라산 산악회 등 각 지역별 특성에 맞게 지역에 녹아드는 조직으로 가는 게 맞는다고 주장했는데, 해체라는 타이틀이 붙다보니 비판을 받은 측면도 있죠. 그래도 세월이 쭉 흐르면 결국 사람의 본심이 밝혀지는 거니까요. 저는 뼛속까지 노무현이었고 지금도 마찬가지고.

광주 경선이 드라마틱했다고 얘기했는데 당시 광주 민심이 어땠나요?

그 직전까지의 상황은 이인제, 한화갑 대세론이었죠. 리틀 DJ라고 하는 한화갑이 최대 계파였고 그다음에 이인제 대세론에 편승했던 조직들이 있었습니다. '두 분이 우세하지 않을까'가 일반적인 분석이었고 정치계나 언론에서도 대부분 그렇게 판단하고 있었죠. 그런데 노사모가 당시에 주효했던 것이 손편지 쓰기였어요. 아주 감성적인 대의원들, 또 국민 선거인단에 선정되어 있는 분들한테는 일반 홍보물은 선거법상 안 되거든요. 경선 규칙상으로도 안 돼서 손편지를 썼어요. 자기를 밝히는 거죠. 저는 부산에 사는 딸 하나, 아들 하나 있는 누구입니다. 제 집주소는 이러이러합니다. 저는 지역주의 극복과 동서 화합을 위해 노무현이라는 사람이 대선 후보가 되어야 된다고 생각합니다. 편지를 취합하니 100통을 썼다는 분도 계시고요. 그걸 선거인단 주소지에 다 써서 우편으로 보내는 거예요. 편지를 받으신 분들은 거기에 공감하는 거예요. 염주체육관 앞에서 노사모가 춤추고 놀고 연호하고 있는데 누군가 와서 딱 악수를 하면서 뒷주머니에서 그 편지를 보여줍니다. 그럼 '아, 이 사람은 확실하게 노무현을 찍는구나' 감이 오더라고요. 어쩌면 2등 할 수도 있겠다. 그런데 뚜껑을 열어보니까 결국 1등. (웃음) 1등을 했죠.

노사모가 만든 중요한 기적 중에 하나겠죠.

손편지 작업이라는 게 일단 노는 문화가 다르잖아요. 동원된 선거운동원들이 아니고 노사모 규약에 지역주의 극복, 지역주의 타파도 있지만 자발적 참여를 중시했죠. 거기에 동의했던 분들이 이렇게 자발적이고 열정적으로 거의 생업을 포기하고 움직이신 분들이 엄청나게 많아요. 저는 그래서 6개월 이상 활동 못한다, 이거는. 왜냐하면 6개월 하면 가정이고 생업이고 다 망가지기 때문에 6개월 딱 헌신하면 중간에 들어오신 분들이 또 나머지 바통을 이어서 6개월 하고 이런 식으로 가야 된다. 재충전하면 다시 복귀해서 활동할 정도로 자발적이고 열성적인 분들이 있었기 때문에 광주 경선에서 승리할 수 있었죠. 아마 가장 놀라운 시간이 아니었을까 싶어요. 광주 경선에서 노무현 1등인 게 노무현을 승리로 이끌 수 있는 촉매제 역할을 했던 지점이고 그걸 기점으로 승리 가능성을 계속 점칠 수 있었거든요. 수도권 표심하고 호남 표심이 항상 맞닿아 있기 때문에 결국 호남에서의 선택이 주요하게 수도권에도 영향을 미쳤던 거고.

노사모는 왜 그렇게까지 노무현을 지지하고 싶었을까요?

복기해보면 그래요. 당시에는 좀 미쳤던 것 같고, 그냥 대한민국이 더 좋은 세상이면 싶고, 후세대들은 특정 어느 지역에서 태어났다는 이유만으로 배척당하지 않았으면 좋겠다. 그런 것들이 강하지 않았을까 싶어요.

4·13 총선 이후 모임을 제안하시고 그다음에 진행까지 어떻게 됐나요?

15일부터 16일, 17일에 절세미녀가 새로운 임시 게시판을 만들어서 다시 회원들을 유입하고 유도하는 작업이 있었고, 열흘 정도 지나서 4월 28일 광주에서 처음으로 모임을 했어요. 그때 샘터 커피숍이라는 곳에 8명 정도 모였던 것 같아요. 그러고 나서 5월 즈음에 광주, 전남에 있는 전체 회원들이 모일 수 있는 자리를 한번 마련을 하죠. 황톳길이라는 막걸릿집이었어요. 거의 날 새우면서 술을 마셨던 것 같아요. 당시 회원 중에는 '노사모라는 게 진짜 실체가 있는 건가?'라고 의구심을 가진 대학원생도 있었고. 전남대 대학원생이었어요. 대학원생이 몇 명 있었는데 샤인, 홍보쇠, 처음처럼…… 샤인은 나중에 고백한 게 그거예요. '진짜 이 사람들이 정상적인 사람들인가 확인하러 나왔는데 괜찮더라.' 그래서 적극적으로 활동하게 됐고, 이후에 청와대 활동하다가 노사모 중앙 사무국장도 하고 대선 끝나고 청와대 들어갔다가 시흥시에서 모 의원 보좌관도 했어요. 노사모가 정치 학교였던 것 같아요.

아무튼 4월 28일 첫 모임 때 그냥 모인 거잖아요. 노사모가 뭘 했으면 좋겠는가. 노사모 약속도 세 가지밖에 없었던 거라 아주 단순한데. 우리는 지역주의 극복을 위해서 노력한다. 지역주의 극복은 동서 화합이죠. 두번째는 민주주의 발전을 위해 적극적으로 참여하자. 그리고 회칙보다 관례가 우선이다. (웃음) 관례 논란이 벌어지면 홈페이지 전자 투표를 통해 결정한다. 전자 민주주의를 추구한다. 명문화된 정관이나 회칙을 만든 게 아니고 단순히 세 가지만으로 출발한 거거든요. 구체적인 활동이 있어야 될 거 아닙니까? 그러다보니 모여서 도대체 우리는 뭘 할 거냐? 중심은 항상 노무현이죠. 노무현을 위해서 도대체 뭘 할 거냐?

그냥 술 마시고 노신 것 같은데.

주로 술 마시고 놀았죠. 그런데 당시에 나왔던 아주 구체적인 계획이 뭐였냐면 지역주의 타파를 위해서 호남의 노사모 회원들이 부산을 가자. 부산 회원들과 같이 광안리 해변에서 술 먹으며 날밤 까면서 놀자. 그래서 광안리에서 날밤 까며 술 마시는 모임, 광날모를 그때 결의했던 것 같아요. 실제로 했어요. 여름이었으니까 아마 7월쯤일 거예요. 5월 결성돼서 6월 6일 창립총회 하고 그 이후에 가장 큰 행사가 호남 노사모하고 영남 노사모가 같이했던 광날모예요. 배우 명계남씨가 다리 부러진 날입니다. 광안리 해변에서 술 마시고 놀다가 밤에 취기가 오르니까 바다에 빠트리는 거예요. 그런데 너무 얕은 곳에 던져버린 거죠. (웃음) TV 드라마에 그 당시에는 나왔어요. 드라마 설정으로도 깁스를 하고 나왔을 정도로. 그 이후에는 TV 출연도 못하고…… 그날 저녁에 노짱님이 거기 오셨어요. 헹가래를 치는데 하도 높이 해서 천장에 머리를 부딪쳤을 정도로. 주로 그렇게 술 마시고 놀았죠. 그러면서 의미를 찾아가는 거죠. 필요하면 게시판에 제안하고 동참하는 분들 있으면 같이하고. 또 델리패밀리라고 동호회가 만들어지고.

6월 6일 준비 모임을 그뒤로 가지시죠?

준비 모임은 5월에 대전에서 가졌어요. 중심이니까. 하야로비라고 고속터미널 근처에, 대전의 커피숍에 모여 창립 행사도 하자고 결의한 날이죠, 그날이. 전국에서 33명이 모여서. 독립운동 33인. (웃음) 의도한 건 아니고 그냥 그렇게 모였습니다. 당시에 고등학생이 참여했던 것 같아요. 진정혜라고 고3 여학생인데 닉네임이 '사랑많이'였던 것 같아요. 반대가 있었을 거 아닙니까? 고3인데 모임에 참여하느냐는 우려도 있었고. 이후에 사랑많이는 대학을 졸업하고 지금도 근무하는지는 모르겠는데 몇 년 전까지는 KBS 제2채널에서 교양 프로그램 제작하는 피디로…… 그러니까 엄청난 세월이죠. 20년이란 세월을 생각해보면 고3 학생이 대학을 졸업하고 지금쯤 결혼했을 수도 있거든요. 당시에 33명이 모여 총회를 6월 6일 하는 걸로 결정하고. 그때 〈시사인〉, 〈시사저널〉에서 기자분이 오셔서 취재를 하고. 그전에 〈오마이뉴스〉에 절세미녀가 시민기자로 기고를 해서 한번 보도가 되고. '노사모라는, 노무현을 위한 팬클럽 모임이 만들어진다' 이런 식으로. 당시까지도 그렇게 주목받진 않았지만 모임이 전국화되는 과정이고. 내려와서 온라인에 과정들을 쭉 설명하고 6월 6일 창립총회를 하기로 했습니다. 그러니까 난리가 난 거예요. 6월 6일은 현충일인데 슬퍼해야 될 분위기에 우리는 창립총회라는 축제를 하겠다는 거냐는 반론들이 있었죠. 게시판에서 논쟁을 하고 토론을 하고. 결국은 전자 투표를 했어요. 6월 6일 그대로 하는 걸로 결정이 났어요.

소위 노사모 회칙들이라고 하는 게 이날 대전에서 정해진 건가요?

네, 그때 초안이 확정됐던 것 같아요. 아마 그 책에 있을 거예요. 『우리는 노사모다』라는 책 보면 선정적인 피켓들 있고. 무현이가 원하면 다 줄라요. 잡지 오려 붙이고. 요즘으로 하면 "재인이(문재인의 애칭) 이니 하고 싶은 대로 해" 그런 것과 똑같은 거죠. 광주, 그러니까 호남 노사모에서 만들었던 피켓들은 다 재밌었어요. 완전히 재미있는 걸로 가야 된다, 파격적이어야 된다, 기존 정치 구호처럼 딱딱해선 안 된다. 팬심 가득한 팬이잖아요, 팬. 서태지, 방탄소년단 똑같은 거예요. 대상이 노무현뿐인 거고. 그래서 그런 피켓들 가지고 연호하고 그랬었죠. 지금 보면 유치하다고 할 수 있는데 당시에는 별로 낯뜨겁지 않았던 것 같아요.

노사모의 최초 제안자로서 긴 시간을 돌아보시면 어떠세요?

노사모가 한국 정치사에 족적 하나는 남기지 않았을까. 노사모 이후에 아류들이 막 생겼죠. 이인제를 사랑하는 이사모도 나오고, 이회창도 그때였나, 창사랑도 나오고, 얼마 전까지는 박사모도 나오고. 그런 조직과 다른 점은 노사모는 아래에서부터 만들어진 팬클럽이고 다양성이 존재하고 일단 시끄럽다는 거예요. 대부분의 아류들은 위에서 기획해서 만들어진 거잖아요, 일사불란하게. 노사모는 진짜 바닥에서부터 노무현, 노짱님이 얘기했던 자발적인 시민들, 깨어 있는 시민들. 사실은 소수지만 모여서 성장해온 조직이라는 생각이 들고. 연구 대상이죠. 정치인 개인이 막대한 자금으로 정치하던 방식에서 벗어나는 거잖아요. 우리가 자발적으로 자금도 대고 시간도 할애해서 활동하겠다는 취지니까 의미 있는 활동이죠. 다만 이후에 조직이라는 게 커지면 내부에 큰 이견이 있을 수 있거든요. 큰 조직이 되다보니 부작용도 없지 않았죠. 현재는 그런 것 같습니다. 어떻게 가야 될지는 아직도 고민이 많고요.

노무현 대통령의 재임 시절 비판에 대해 어떻게 생각하세요?

비주류였잖아요. 학력도 상고고 스카이 명문대도 아니고. 민주당 내에서도 철저하게 비주류였고. 비주류가 시민의 힘으로, 바닥 당원들의 힘으로 대통령까지 했으면 시샘의 (웃음) 무리들이 있지 않았겠어요? 기성, 기득권을 가진 세력들이 당연히 반발할 수밖에 없을 거고 끊임없이 그 세력들과 다툴 수밖에 없고 때론 타협했겠지만, 타협도 많이 했지만 싸움을 할 수밖에 없었고. 그러다보니 많이 힘들었던 것 같고요.

노무현 대통령께서 생전에 강조하셨던 '깨어 있는 시민들의 조직된 힘이 민주주의 최후의 보루'에 대해 어떻게 생각하세요?

당신은 결국은 그걸 몸소 몸으로 안고 사셨잖아요. 정치를 바꿀 수 있는 힘이 그것밖에 없다는 생각이 들어요. 정치뿐만 아니라 세상을 바꿀 수 있는 힘이 깨어 있는 시민이어야 된다는 부분은 자명한 거잖아요. 꼭 국내에 국한하지 않더라도 인류의 역사로 보면 성숙한 자각된 시민이 세상의 발전을 이끌듯이 대한민국 정치에서도 그걸 권력의 정점에서 느끼셨을 것이니까. 몇몇 정치인의 말과 주장이 중요한 게 아니고 진짜 바닥에 있는 분들, 시민들의 움직임이 중요하다는 부분들을 강조하셨던 것 같고 저도 전적으로 그렇게 생각하고 있고. 현재 제가 정당 활동이나 정치 활동을 하는 것도 그 연장선상에서, 그리고 그게 옳은 주장이고 또 그런 생각에서 계속하고 있습니다.

노사모가 당시에 꿈꿨던 세상이 오긴 할까요? 세상은 달라지긴 할까요?

당시에 노사모가 주장했던 세 가지, 그러니까 노사모 약속 측면에서 보면 지역주의에 대한 부분들은 많이 해소가 됐죠. 세월이 흐르면서 일단 달성한 면이 있다는 생각이 들고, 그다음에 나머지 정치적인 측면, 민주주의적인 측면에서 보면 뭐라고 할까? 앞으로 갈 길이 멀죠. 왜냐하면 우리 당, 그러니까 소위 말하는 민주당이 과연 진보 세력이냐? 개인적인 소견으로는 그럴 수 없다는 판단을 많이 하거든요. 물론 거대 정당이다보니 그렇지만 최소한 민주당보다 우측에 있는 정당들은 사라져야 할 정당이다. 세상 사람들 발전이나 정치 발전을 위해서 민주당이 보수 정당 위치에 있고 더 좌측에 있는 정당들, 예를 들면 진보당이나 녹색당이 야권 세력의 주축으로서 제2당, 3당 위치를 점하고. 그 정도가 대한민국에서 노무현이 꿈꿨던 대한민국이지 않을까 싶습니다.

선생님은 어떤 세상을 꿈꿨습니까? 어떤 세상을 꿈꾸고 계신지.

개인적으론 (웃음) 특별한 꿈을 갖고 있진 않아요. 정치 활동을 하지만 정치 참모로서 역할을 하는 거지, 제가 선출직에 나서겠다든가 깃발을 들고 나를 따르라 하는 꿈은 없고요. 그냥 소시민으로 살고 싶은 거예요. 내가 일한 만큼 벌어서 가족들과 먹고살 수 있고 또 누군가 나를 배타적으로 배제하지 않고 동등한 기회가, 내가 꿈꾸는 일을 하려고 하면 그것을 이룰 수 있는 그런 사회들. 사실은 고도화된 민주주의이겠지만 누구나 꿈꾸는.

사람 사는 세상, 노사모가 늘 얘기하는 사람 사는 세상은 뭐였죠?

저는 평등한 사회라고 보는 거예요. 평등, 기회 균등이라고 봐야 되겠고 기득권이라는 이유로 인정받지 않는 사회. 요약하면 그런데 정교한 언어로 포장은 못하지만 노무현 대통령 당선되시고 제가 그런 말씀을 한번 드린 적이 있어요. 대통령 되시고 나서 시장통에서 시민들이나 누구나 편하게 만나서 소주 한잔 기울일 수 있는 그런 대통령이 되셨으면 좋겠다, 이런 말씀 드린 적 있는데 대통령이든 일반 시민이든 동등하게 만날 수 있는 사회여야 된다, 그런 국가여야 된다…… 그런 꿈을 갖고 있습니다.

노짱님을 마지막으로 보신 적은요?

돌아가시던 날 저는 여수에 있었는데 여수에서 TV…… 처음 뉴스 속보 나왔던 거 있잖아요, 실족사하셨다고. 당시에는 예견이라고 할까? 느낌상 정치 상황으로 보면 노짱이 저런 선택을 할 수도 있겠다는 생각은 했죠. 다른 분들을 편안하게 할 수 있는 방법이라고 선택할 수도 있겠다. 내가 노무현이라 할지라도 당시 악랄한 권력의 칼을 피할 수 있는 방법은 그거밖에 없지 않을까라는 고민도 사실 얼핏 했었는데 그게 현실로 나타나게 된 거구나 생각했죠. 솔직한 심정으로 원망스러웠어요. 그러니까 우리 지지층이든, 탄압했던 권력이든, MB…… 죽이고 싶었죠. 그리고 임기 내내 같은 정당 소속이었음에도 대통령이 추구하려고 하는 정책에 사사건건 시비를 걸었던 사람들이 지켜주지 못한 거잖아요. 자기 스스로 지켜주지 않았으면서 돌아가시고 나서 죄송하고 나도 노무현을 존중했었다? 얼마나 가식적인 거예요. 자기의 정치적 이해관계에 따라서…… 딱 돌아가시자마자, 노무현의 반대편에 서 있었던 사람들이 마치 평상시에도 노무현을 존경해왔던 것처럼, 노무현의 주의, 주장, 가치에 동의했던 것처럼 행동하는 모습들에 화가 났죠. 지금도 역력히 기억하고 있는데요.

같이 고생했던 특별히 생각나는 사람이 있으신가요? 가장 기억에 남는.

지금은 절세미녀가 연락이 안 되고 있어서. (웃음) 어느 순간까지는 좀 연락을 했었는데 노대통령 돌아가시고 나서부터는 연락이 안 되는 것 같아요. 어딘가에서 잘 살고 있을 거예요. 잘 살고 있을 것 같고 가끔은 한번 만나보고 싶다는 생각이 드는데 나머지는 특별히…… 각자 위치에서 다들 열심히 살고 계시고 또 그중에 생을 마감하신 분들도 있어요. 20년이라는 세월이 지났으니까. 가끔은 노사모 회원들이 카톡이나 이런 걸로 연락이 오면 '그 시절이 있었지, 그렇게 열성적이었던 분들이 지금, 그러니까 문재인 대통령 당선 이후의 삶을 또 한번 누려봤어야 되는데 그분들이 없구나' 하는 아쉬움이 있죠.

뜨거운 시절을 함께했던 사람들, 혹은 당시의 자신에게 하고 싶은 말씀은?

사람이 평생을 일관되게 살긴 어렵다고 생각해요. 한때 노무현이라는 이름 하나만으로 가슴 뜨겁게 모였던 사람들이지만 세월이 흐르면서 조금씩은 다른 길을 걷고 있고 다른 위치에 있고. 초기 멤버의 열정, 특히 노사모 약속으로 동의했던 그 사람들이 당시 그 초기 약속들을 회상, 상기해보면서 현재 위치에서 최선을 다하면서 살 수 있었으면 좋겠습니다. 그러니까 정치적 위치나 자기 삶이 달라졌다고 하더라도. 너무 현실적인 생각만 하지 말고 과거에 꿈꿨던 생각들을 되돌아봤으면. 우리가 다 노짱님 바보였다고 하지만 그 뒤를 따르는 우리들도 다 바보였죠, 안 그래요? 다 바보였죠. 그런데 진짜 바보는 아니잖아요. 자랑스러운 바보들이니까. 열심히 각자 위치에서 처음 꿈꿨던 가치를 생각하면서 살았으면 좋겠습니다.

"이것은 증언에게만 말하는 것이 아니고 앞의 증인들, 그리고 앞으로 나올 재벌 증인들에게 던지는 질문입니다. (…) 절대 권력을 가진 권부에는 5년 동안 34억5천만 원이라는 돈을 널름널름 갖다주면서, 내 공장에서 내 돈 벌어주려고 일하다가 죽었던 이 노동자에 대해서 4천만 원 주느냐 8천만 원 주느냐 이런걸로 싸워야합니까? 그것이 인도적입니까 그것이 기업이 할 일 입니까? 답변하십시오."

_5공 청문회, '유찬우 풍산금속 대표 증인 심문'에서(1988년 11월)

미래의 평가를 위해 이미지 관리를 하자

절세미녀 김민정

2000년 4·13 총선 때 노사모 역사가 시작된 거니까 광주의 늙은여우님이랑 서울에 살고 있던 제가 노사모를 최초로 시작했다고 봐야죠. 그 정도의 역할을 한 거죠. 노사모의 한 명입니다. 닉네임은 '절세미녀'고요. (웃음) 닉네임이 튄다, 절세미녀는 여자가 아닐 거라고 생각들 하시기도 하고. 절세미녀가 진짜 절세미녀인지 확인해봐야겠다고 가입하신 분들도 있다고. (웃음) 장난스럽게 지은 닉네임인데 모집에 효과가 있지 않았나 생각 들어요. 튀는 닉네임인데다가 초창기에 늙은여우님이랑 둘이서 설치니까 유명세를 얻은 거죠. (웃음)

그때가 18년 전.

저도 많이 늙었죠. 참 많이 됐네요. (웃음) 나이드니까 기억이 잘 안 나요. '그때 그런 일을 했었나?' 하고. 꿈처럼 느껴지고요. 그 정도로 시간이 많이 흘렀고 우리 사회가 많이 바뀐 것도 같고요.

18년 전과 비교하면 어떤 면이 바뀌었나요?

지금보다 지역주의가 강했어요. 지금은 각계에서 소규모라도 목소리를 많이 내잖아요. 그때는 대부분 사람들이 영남 사람이니까 영남당에, 호남 사람이니까 호남당에 투표하는 부조리한 정치 구조가 있고 시민의식도 지금보다 덜 깨어 있었고. 지금은 세대교체가 됐다고 해야 하나? 젊은 세대들 정치의식이 깨어나고 있는 것 같고.

그걸 꿈꾸고 참여를 많이 하셨던 것 아니겠어요?

참여한 사람들마다 성향도 다르고 동기도 다를 거예요. 처음에 만든 사람들은 특별한 사람들은 아니었어요. 노대통령님이 정치인으로서 선구적으로 사이버 보좌관이라는 제도를 운영하셨어요. 광주의 늙은여우님이 나 저나 거기에 참여하고 글 올리고 의견을 주고받고 놀다가 2000년 4·13 총선을 맞닥뜨린 거예요. 좋아하던 정치인이 꼭 되셔야 된다고 생각하고 있었고 전국의 수많은 사람들이 노대통령이 출마한 지역구에 엄청 관심을 가진 거예요. 낙선하자마자 노대통령님 홈페이지에 울분의 글들이 쏟아지는 거예요. 홈페이지가 마비될 정도로. 우리랑 비슷한 생각을 가진 사람들이 너무 많은 거예요. 모임 해도 되겠다고 생각했는데 늙은여우님이 "팬클럽도 괜찮겠죠?" 그러더라고요. (웃음) 팬클럽이라 하면 굉장히 트렌디하잖아요, 아이돌도 아니고. (웃음)

갑자기 글이 한순간에 막 올라왔을 때는 어떠셨어요?

당황스럽다 해야 하나? 노대통령님한테 언론에서 스포트라이트 해주고 관심 주고 이색적이잖아요. 호남당 달고 영남에 출마했는데 그 정도로 해주니까 과연 되려나? 여론조사 보니까 될 것도 같다는 기대도 하고. 많은 사람들이 주시하고 있다는 정도로 생각했는데 낙선하는 사태가 벌어지니까 깜짝 놀랐어요. 정치인 최초로 팬클럽 시작했는데 점점 커지다보니까 다양한 사람들이 전국에서 들어오셔서 대통령 만들기를 진짜 하자고 하시는 분들도 있고, 항상 주장하는 동서 화합을 위해서 우리가 뭔가를 하자고 주장하는 사람들도 있고. 목적을 가지고 시작한 건 아니었어요, 처음 만들 때는. 생각이 똑같은 사람들이 많아서 모임을 만들자고 했던 건데 '이 많은 사람들이 진짜 노대통령님한테 힘이 될 수 있겠구나'라는 생각이 들긴 하더라고요. 노사모 회원들 중에서도 헌신적으로 하시는 분들 보면 어떻게 저렇게 헌신적일 수 있을까? 존경스럽다. (웃음) 회원들끼리 존경하는 거예요, 놀라고.

닉네임을 왜 절세미녀로.

처음에 광주의 늙은여우님이랑 노대통령 홈페이지에서 사이버 보좌관 활동하면서 글을 많이 올렸는데 네티즌 속성이 튀어야 조회 수도 많잖아요. (웃음) 튀는 아이디를 장난스럽게 썼죠. 그게 노사모까지 연결된 거고. 최초로 국민 경선 제도가 생기고 그때 진가를 보여준 게 노사모 활동이었거든요. 세세하게는 모르는데 감동적인 일들이 많다고 하더라고요. 같은 회원들 입장에서 놀랍죠. 어떻게 생업을 포기하고 국민 경선 선거인단 받는 일에 저렇게 매진할 수 있을까? 역사적인 일이 벌어진 것이더라고요.

어떻게 지내세요?

예전이나 지금이나 직장 다니는 일반 소시민이에요. (웃음) 국민 경선, 대선 지나고 저는 노사모 활동 거의 안 했어요. 끌고 가기에는 감당할 수 없을 만큼 커졌기 때문에 조직 활동을 해보신 분들이 끌고 가는 게 훨씬 좋죠. 초창기에 활동하고 워낙 튀는 닉네임이다보니까 사람들 뇌리에 많이 남아서 오르락내리락하는 것 같더라고요. 노사모가 대선 이후에는 활동 안 해야 되지 않을까? 사조직처럼 이상하게 흘러가면 안 되잖아요. 그런 생각도 있었고.

표결에 부치셨죠, 노사모를 해체하느냐 마느냐.

그런 논의들도 있었어요. 제 입장은 깔끔하게 해체하고 노대통령이 하시는 거를 지켜봐드리면 좋겠다고 했는데 다른 생각을 가진 사람들도 있으니까. 참 순수하게 시작했어요. 그런데 조직이 커지다보면 정치적인 욕심을 갖고 들어오는 사람들이 있으니까요. 노대통령님은 진짜 진정성 있는 정치인이라고 느껴졌거든요. 대통령 되신 후에도 변하신 게 없다고 생각해요. 초심을 가지고 순수하게 시작하는 사람들도 팬클럽 생기다보면 변질되는 것 같아요. 팬클럽이 계속 있어야 되는지 의문이고. 그래도 깨끗하게 이미지 안 망치고 여기까지 와준 거는 모든 사람들한테 감사하죠.

대통령을 어떻게 평가하시나요?

노대통령이 항상 "호남당, 영남당 편 갈라서 싸우는데 정책이 무슨 소용 있고 옳고 그름을 구별하는 게 뭔 소용이냐, 부조리한 이것부터 해결하지 않으면 우리나라 정치가 발전할 수가 없다"고 말씀하셨어요. 그걸 공감한 거예요. 또 노대통령은 말뿐만이 아니라 인생을 걸고 적극적으로 하시는 분이잖아요. 의협심이 강하다고 해야 되나? 저 사람은 진짜라는 게 느껴지는 거예요. 대통령이 되신 것도 국민들이 노대통령의 진심을 인정해줬기 때문이라고 생각해요. 대통령이 되신 후에는 많은 고민과 노력, 소명의식을 가지고 피나는 노력을 하셨어요. 그런데 대통령직을 성공적으로 수행하셨다고는 생각을 못하겠더라고요. 하지만 그건 시대적인 한계지, 대통령 탓이 아니라는 생각이 들었어요. 노대통령님같이 자기 몸을 던져서 하는 사람들이 차근차근 쌓여서 여기까지 온 거지. 5년 동안 잘한 거 뭐 있냐고 얘기하시는 분들도 있는데 당장 눈앞에 표가 나는 건 아니에요. 수많은 노력을 하셨잖아요.

외로웠을까요?

처음에는 외로우셨을 거예요. 4·13 총선 전에 선거운동 하러 다니시는 동영상 보면 몇 명 없는 데서 열변 토하시고. 지역주의 깨기 위해 노력하는 정치인을 알아주는 사람도 없고. 정치권에서도 이단아 취급하니까 외로우셨을 것 같아요. 노사모 모임에 오시면 항상 행복해 보이셨어요. 그때부터 힘을 얻지 않으셨나. 보수 언론이 노사모를 홍위병이니 노빠라느니 굉장히 공격했어요. 중요한 거는 노무현 대통령은 철저하게 외로웠던 사람인데 그 사람을 외롭지 않게 했던 건 노사모였고. 노사모가 눈치를 보면서 노무현에게서 조금이라도 멀어지려는 순간 노무현 대통령은 다시 외로워졌을 것 같긴 하거든요. 노무현 대통령님 서거할 때는 경호원도 옆에 없었죠. 외로움이 계속 반복됐다는 생각이 들어요. 대통령이 되고 노빠, 홍위병 공격받으면서 노사모가 잠깐 주춤하는 사이 손발 잘린 대통령이 돼서 탄핵 위기까지 갔죠. 절대 고독에 빠졌다가 탄핵 반대 촛불시위가 있었고. 노무현 때문이다 해서 임기 말에 솔찬히 시달렸잖아요. 뒤늦게 봉하 와서도 마지막에 외롭게 가셨다는 생각이 들어요.

성공적인 대통령이 되려 했으면 어떤 결과를 냈어야 될까요?

당대의 성공적인 대통령이랑 역사적으로 성공적인 대통령이랑 개념이 다를 수 있다고 생각해요. 당대로 봤을 때 사람들이 기대했던 만큼 잘한 거 없다며 별로 성공적이지 못한 대통령이 아니냐는 평가를 하는 것 같아요. 기대 수준이 너무 높았던 거죠. 노무현은 슈퍼맨이라는 식으로 홍보했기 때문이 아닌가 싶기도 해요. 대통령이 혼자서 다 할 수 있는 건 없어요. 몇십 년 동안 서서히 바뀌는 일들이 하루아침에, 5년 만에 됐겠어요? 이것을 이해받지 못해서 말년에 더 외로워지신 게 아닌가. 봉하마을에서 편하게 내려놓고 사시는 줄 알았는데. 돌아가신 이후에 그때 힘이 되어드리지 못했다는 생각이 드는 거죠. 그렇게까지 극단적인 일이 일어날 거라곤 생각 못했고. 나중에 역사적으로 제대로 평가받으실 거라고 생각해요. 저는 노대통령은 최선을 다하셨고 잘못한 거는 특별히 없다고 생각해요.

젊은 세대가 달라졌다는 거는 언제부터 느끼신 거예요?

구체적으로 그런 건 아니고 차츰차츰 선거를 겪고 지나고 보면서. 집권이 저쪽으로 10년 정도 갔잖아요. 그동안 사회가 변한 게 하나도 없구나, 정치의식이 낮아졌구나 오해했는데 사람들이 촛불집회도 나오고. 확실히 의식이 발전하고 있구나. 옛날에는 어느 정도 획일적이었다면 요새는 다양하게 됐을 뿐이지, 사람들이 정치에 무관심해진 건 아니다. 직장에서도 젊은 친구들이랑 얘기하면 소신껏 얘기를 잘해요. 정치적 주관이라든가. 확실히 젊은 문화들에서 미래가 보이죠.

당시에도 그것들을 주장하셨는데 왜 열매를 얻지 못했을까요? 20년 가까이 지나서야 그 열매를.

그때도 지역 구도라는 게 단시간에 없어질 거라고 생각 안 했어요. 차츰차츰 없어지고 이런 의식 가진 대통령이 한번 생기면 더 좋아질 것이라고 생각했어요. 노대통령이 그때 처음 주장했고 노사모가 활동해서 여기까지 온 게 성과라고 생각해요. 그때 활동했던 게 지금의 상황과 무관하지 않다고, 열매가 지금 열리는 거라고. 젊은이들 생각이 깨고 지금 와서 어느 정도 가시적인 성과가 보이는 거라고 생각하고 노대통령님이 살아 계셨으면 기뻐하셨을 것 같다는 생각도 종종 하죠.

노사모 활동하시면서 병 얻으신 분들도 있고.

돌아가시기도 하고. 적극적으로 활동 못하는 사람들 입장에서 존경스럽기도 하고 대단하기도 하고. 그야말로 바보인 거죠. 저는 평범한 노사모 회원 한 명 정도고. 그분들은 일터도 있고 개인적인 목표도 있는데 그것보다는 노사모 해서 세상 조금이라도 바꿔보려고 개인적인 이익을 안 돌보니까 '노무현이랑 똑같네, 걔도 같은 바보야' 그런 거죠.

혹시 오늘 나오면서 꼭 하시고 싶으신 말씀 있다면.

노무현 대통령에 대한 평가든 노사모에 대한 평가든 역사가 해줄 거라고 믿어요. 진정한 평가는 후대에서 해줄 거다. 우리는 미래의 평가를 위해서 지금은 이미지 관리를 하자. (웃음).

노사모 분들한테 인사 한번 하시겠어요?

초창기에 활동했던 절세미녀입니다. 노사모 만들었다는 것 하나 가지고 너무 많은 분들이 띄워주셔서 (웃음) 본의 아니게 유명인이 됐어요. 그렇지만 저는 노사모에서 한 일이 별로 없고 너무 많은 분들의 희생과 헌신이 있었어요. 이런 말 너무 식상한데 역사가 평가해줄 거라고 생각합니다. 우리가 한 것도 미래에 잘되기 위해서, 나라가 발전하고 정치가 발전하고 민주주의가 발전하기 위해서 했던 거라고, 노년 세대가 돼서 되돌아보면 우리가 그만큼 활동해서 지금 세대가 달라진 나라에서 살고 있다는 자부심을 가져도 된다고 생각합니다. 우여곡절은 많았는데 노사모 여러분들 수고하셨습니다.

전국을 돌면서
노사모들한테
장사나 하지요

소나무 오영애

부산 노사모였고 닉네임은 '소나무'. 이름은 오영애입니다. 다른 이유는 없고 소나무가 막연히 좋았습니다.

가입 당시에는 열심히 할 거라고 생각조차 안 하셨다고요?

전혀 안 했죠. 동생이 이미 노사모였고 가족들이 함께하는 카페에서 노사모 이야기를 했고. 민주당에서 경선한다는 이야기가 들리길래 어쩌면 후보가 될 수도 있겠다고 생각해서 가입했습니다. 국민 참여 경선이라는 제도가 하향식 공천이 아닌 상향식 공천 제도이기 때문에 국민 누구라도 참여해서 사람을 선택하면 후보가 될 수 있으니 노무현이라고 하는 정치인이, 제가 부산에 살기 때문에, 정치를 했으면 좋겠다는 생각을 많이 했던 것 같아요.

언제부턴 그런 생각을?

다들 청문회 이야기를 하는데 그것도 있었지만…… 1988년에 〈한겨레신문〉이 창간됐잖아요. 사주 형식으로 해직 기자들 모여서 제대로 된 언론사, 신문사를 만든다니까 기분이 굉장히 좋았고. 암울한 시대지 않았습니까? 독재인데 독재인 줄 모르고. 말도 안 되는 시대에 그런 신문이 만들어진다고 해서 친구랑 같이 지사에서 실비에 가까운 급여를 받고 새벽에는 배달하고 낮에는 지사에 앉아 기자가 기사를 써오면 전화로 받아서 수기로 써서 서울에 팩스로 보내고. 처음에는 윤전기가 없었어요. 빌려서 하는데 6시 이후에 올라가면 윤전기를 못 써요. 잡무를 하다가 어느 날 부산지사에서 한겨레 논단이라는 프로그램으로 강연회를 하는데 그 자리에 노무현 당시 국회의원이 늦게 도착했어요. 저는 20대 말이었으니까, 잔심부름하고 행사 준비하고 힘든 일 하는데, 그때 앉아 있던 또래 청년들은 부산에서 학생운동 한다는 친구들이겠죠. 친구들이 노무현이라는 국회의원을 굉장히 폄하하는 거예요. 이유를 들어보니까 학벌, 정통파 운동권이 아니라고 인정 자체를 안 하는 것 같았어요. 화가 좀 났었고 내가 언젠가 노무현을 꼭 하리라. (웃음) 치기 어린 정의감. 세월이 한참 흘렀고 2001년 겨울에 막냇동생이 송파에서 활동하는 노사모였는데 가족들이 모여 있는 카페가 있었어요. 가족들이 다 흩어져 있으니 조카들하고 하루하루 이야기라도 듣게 카페를 만들었어요. 홈페이지를 만들면 돈이 드는데 카페는 돈이 안 드니까.

가입 동기도 엄청 자연스러우신 것 같네요.

노사모가 그런 거였어요. 선거나 정치에 관심이 전혀 없던, 아니면 잠재적으로 조금 더 관심 있던 사람들이 이런 얘기, 이런 생각을 나만 하는 게 아니구나 하고 있었다는 것에 굉장히 공감대가 형성되고. 그렇게 모여 있었기 때문에 굉장히 끈끈한 네트워크가 되지 않았나. 노사모 사이트를 들어가보니 저와 생각이 같은 사람들이 전부 부글부글 끓는데 거기에서 카타르시스도 느끼고 울분도 공감하고. 당시까지도, 김대중 정부가 들어섰지만, 피부로 느끼는 정치는 여전히 88년 이전이나 이후나 그랬던 것 같아요.

그러면 희망 포차 이야기를.

희망 포장마차였는데 들어보면 굉장히 단순한 거예요. 처음에는 홈페이지에서 울분을 토로할 정도였지, 사람들이 현장에 뛰어나가 선거운동할 거라고 생각했던 사람들은 많지 않았을 거예요. 저 역시 그랬고. 태어나서 처음으로 경선장을 다니면서, 노무현을 외치면서 '그래, 후보가 될 때까지만이야'라고 생각했던 것 같아요. 후보만 되면 지지율이 3%, 5%든 중요하지 않다. 후보만 되면 여당이라고 하는 민주당에서 그를 도와, 그를 중심으로 대통령을 만든 정권을 재창출하든 할 것이라고 생각했는데, 막상 후보가 되었는데 인정하지 않는 기류가 있었죠. 당내에서 떨떠름하다고 해야 되나? 심하게 말하면 '설렁탕도 한 그릇 안 사주는 후보가 무슨 후보냐?' 갑자기 월드컵 특수를 누렸던 정몽준을 데리고 나오면서 돈도 있고 잘생기고 학벌도 있고, 후보로 추대하자는 분위기가 스멀스멀 기어나오면서 후단협이 만들어지죠, 후보 단일화 협의회. 이름은 멋있는데 전혀 말도 안 되는 일들이 벌어지면서 50%로 올라갔던 지지율이 10%대로 내려옵니다. '경선이 끝나면 각자 관전자 입장에서 투표를 열심히 하면 되겠구나'였는데 잘못하다간 도로 다시 경선을 해야 되는 이상한 사태로 갈 것 같은 거예요. 후보 지지율과 함께 노사모도 가라앉고 사람들은 약간 패배주의 비슷한 게 생기기 시작하고.

그때는 직장을 다녔는데 경리 업무를 봤어요. 매일매일 계산이 틀리는 거예요, 마지막에. (웃음) 이래서는 회사에도 피해 주고 일도 안 돼서 뭔가를 하긴 해야 되는데 할 수 있는 것도 없고 직장 일도 손에 잡히지 않고. 일단 회사를 그만뒀어요. 9월경에 사표를 냈고 12월에 선거인데. 밤에 노사모들끼리 MSN인가 채팅을 했어요. 채팅하면서, 노사모 후배죠, 친구가 "소나무님은 직장 그만두고 이제 뭐 먹고살랑교?" 경상도 말로 그러기에 "노사모들 술도 좋아하는데 포장마차 해서 밥이야 안 먹고 살겠나" 했는데 이 친구가 갑자기 "진짜로 포장마차 만들어 전국 돌면서 노사모들한테 장사나 하지요" 그러는 거예요. 그날 밤에 꿈을 꿨어요. 트럭을 만들고 포장마차를 해서 노사모들 만나 술도 팔고 얘기도 하고. 현재 가라앉아 있는 노사모를 어떻게 붐업시켜야 할지. 진짜 해보자. 그래서 하게 된 거예요. 설렁탕 사주는 게 목적이었어요.

백남기 농민 사건 당시에도 포차를 하셨잖아요. 당시에 들고나가신 사연이 있는지.

그것도 단순해요. (웃음) 세월호 그 말도 안 되는 사태가 벌어지고, 아이들을 많이 구출해낸 곳이 동거차도인데 미역이 주업이었는데 거기 미역이 굉장히 고급이래요. 그런데 작업을 못하고 팔리지도 않아 창고에 계속 저장되어 있는데, 친구한테 전화가 왔어요. 그곳 미역 팔아서 수익금이 남으면 유가족들 활동하는 데 보탬도 되겠다고, 하자고 해서 하게 됐어요. 노란 천막이 둘러진 트럭을 여전히 가지고 있을 때였는데, 백남기 농민 시신을 경찰에서 가져가려고 하고 그걸 지키려고 단시간에 몇백 명이 모였는데 사람들이 지키려고 하니까 밖에 밥을 먹으러 못 나가는 거예요. 경찰에 에워싸여 있고 나가면 못 들어오니까. "그 사람들한테 라면이라도 끓여 먹여야 되는데 누나가 와서 물을 끓여주면 어떻겠노? 그 차에 기구가 다 있으니." 전 사실 백남기 농민 모르잖아요. 제가 농민도 아니고. 컵라면 끓여줄 물이 필요한 거니까 "차를 가져가서 물만 끓여줄게" 했죠. 한두 시간이면 된다더라고요. 차를 가지고 갔는데 못 나왔어요, 한 달 동안. (웃음) 그 전에 강정마을도 비슷한 케이스예요.

운명에 자주 휘말리시는 것 같습니다. 강정마을 이야기도 해주십시오.

강정마을도 (웃음) 굉장히 단순해요. 작은딸이 우연히 제주도를 갔다가 강정마을을 가게 됐는데 거기가 또래들이 환경운동 한다고 있고 경찰하고 대치하는 상황을 계속 보다가 딸이 얘기를 들어보니 경찰이 너무 심한 것 같다. 애가 고등학교 때부터 영상을 했어요. 처음엔 아이폰으로 촬영했나봐. 유튜브에 올리고 하다가 애가 6개월이 됐는데도 안 오는 거예요. 처음에는 한 달만, 며칠만 하다가 6개월이 됐는데도 안 오니까 걱정이 되잖아요. 들리는 소리는 연행하고 벌금이고.

억지로 데려왔는데 그때 딸내미 하는 말이 압권이에요. 엄마는 10년 했는데 왜 나는 1년도 못 하냐. 엄마는 노사모 할 때 우리한테 물어보고 했냐. 엄마가 하는 일이 옳았으니까 우리는 동의했는데 왜 1년도 못 봐주냐고 하길래 양심엔 찔렸는데 자식은 또 소중한 거잖아요. 절대 못 가. 6개월 했으면 됐다고 붙들어놨더니 이 친구가 매일 밤 우는 거예요. 일주일 이상을. 방에서 나오지도 않고 불을 깜깜하게 꺼놓고. 하루는 방에 데려다 "도대체 왜 그러는데?" 하니까 얘기하기 시작한 게 또래 친구들이 400만 원씩 벌금형을 받고 있다, 노역을 살겠다고 하는데 자기만 여기 따뜻한 데에 있는 거는 아닌 것 같다는 거예요. 네가 간다고 그 벌금이 해결되는 것도 아니지 않냐 하니까 지는 근처에라도 가서 뭐라도 할 수 있는 걸 해야 될 것 같다고 해서 "벌금 내가 해결해줄게. 얼만데?" "4,800만 원." "오케이." "어떻게 할 건데, 엄마가?" "까짓거 포장마차 하지." 페이스북에 글 한 줄 쓰고 트럭 구해서 두 달 동안 겨울에 5,100만 원, 4,800만 원을 만들어줬어요. 딸은 그후로 안 갔죠. (웃음) 그러니까 제가 대단히 해군 기지를 반대해서, 나라의 환경을 위해서는 아니고. (웃음) 그런 거였어요.

사소하다면 사소한 이유들로 운명에 자주 휘말리시는 것 같아요.

희망 포차가 원흉이었어요. (웃음) 원래는 포장마차를 한 번도 해본 적 없는데 많은 사람들이 저를 보면 포장마차를 같이 클로즈업하는 것 같아요. 그때는 듣기 싫어했어요. 포장마차 아줌마 이러면 '나 아닌데'. 포장마차를 폄훼하는 건 아니에요. 아닌 건 아닌 거잖아요. (웃음)

시민들 반응들은, 강정이나.

고마워하죠. 강정 포장마차도 제가 혼자 끌고 나갔다지만 혼자 한 건 아니고 거기에 동의하는 많은 사람들이 나와서 함께해주고 먹어주면서 돈도 내주고 했기 때문에 돈이 만들어진 거잖아요. 이렇게 말하는 게 맞죠. 깃발을 제가 들었다. 앞장서 나갔다. 그랬을 때 거기 동의하는 많은 사람들이, 어쩌면 부글부글하고 있었던 사람들이 깃발 아래로 모였다. 희망 포장마차도 그랬고. 전국을 스물여섯 군데 다녔나? 다니면서 노사모들 만나서 같이 타파하자. 소나무님이 이렇게 나와주니까 내가 무기력하게 아무것도 안 하고 있던 게 갑자기 미안하다. 저는 약간의 불씨를 지펴주는 거죠. 1,600만 원 정도를 당에다가 냈는데 모르겠어요. 설렁탕을 먹었는지, 안 먹었는지는.

설렁탕 먹어라, 이러면서. (웃음) 세월호 때도……

그때는 생명 포차라고. 그것도 똑같은 거예요. 미역을 팔아야 되는데 판로가 없어요. 몇천만 원어치 됐던 것 같아요. 무작정 들고 와 작두를 사서 잘라 만 원짜리 모양으로 담아 팔면서 조금 수익금을 남겼죠. 여름이라 포장마차 잘 안 됐던 것 같고. 제가 민주당에 아는 사람들이 있으니까 가서 '장소 만드는데 도와주십시오' 해서 거기서 했고. 미역 팔아주는 게 주였고 나머지는 수익금이 많이 나오지는 않아서, 한 몇백만 원 됐던가. 같이 도왔던 사람들, 조금씩 실비로 50만 원씩 해서 목욕비도 하자 했던 거. 정치인을 돕기 위해서 했던 건 아니었으니까 조금 다른.

희망 포차가 소나무님한테 어떤 의미를 가지고 있을까요?

희망 포차는 저한테 여행이었고. 남극을 탐험한다거나, 사람들이 목적을

희망포차

가지고 하는 그런 거였어요. 대단하다는 말을 해요. 저도 생각해보면 대단해요. 거의 신기가 아니었나. 아무것도 없는 상태에서 포장마차 트럭을 끌고 장소도 사람 왕래가 거의 없는 곳. 선관위에서 늘 제재받았으니까. 벌판 같은 곳에다가 천막 치고 물통 들고 다니면서, 공원 공중화장실 같은 데서 물 떠 오기도 하고. 지금은 생수가 잘되어 있는데 그때는 그런 것도 없었어요. 말통 들고 다들 고생하면서. 겨울이었으니까 손이 꽁꽁 얼면서 했던. 힘들다는 생각을 한 번도 해본 적이 없어요. 두 달 동안 감기몸살도 한 번 안 났거든요. 후보는 멀리 떨어져 있잖아요. 그때는 핸드폰으로 뉴스를 볼 수 있는 것도 아니고 노트북이 성행했던 시절도 아니고 PC방을 뛰어가야지 그나마 상황을 알 수 있는데 갈 시간도 없어. 한 곳에서 한 달, 두 달을 한 게 아니라 광주에서 했으면 다음날은 전주, 대전, 이런 식으로 하니까. 기적이라고 할 수 있는데 그때는 한 번도 그런 생각을 안 했던 게 우리는 지금 여행중이야, 새로 만날 사람들을 기대하고, 신나했으니까. 울분에서 시작했지만 얼굴을 보지 못하고 홈페이지에서 닉네임 정도 봤던 사람들과 실제로 만나 끌어안고 그랬으니까. 굉장히 의미가 있었지요, 저한테. 지금도 그 시절 생각하면 두근두근해요, 신나고. 다시는 안 해야겠다는 생각을 한 번도 안 했던 것 같아요. 다시는 이런 걸 안 하는 시절이 왔으면 좋겠다는 생각은 했겠죠.

노무현 대통령을 끊임없이 흔들었는데 왜 이렇게 흔들었을까요?

말이 안 되죠. 늘 그랬잖아요. 경선이 끝나면 직장으로 다시 돌아갈 거라고 했는데, 이미 직장은 그만둔 상태지만. 대선이 끝나자마자 저도 먹고 살아야 되니까 조그마한 사업체 하나를 만들었어요. 예전에 다녔던 직장에서 배운 노하우로 뭔가를 해보겠다고 만들었는데 한 번도 돌아볼 겨를

없이 서울을 들락날락하게 된 게 탄핵까지 오면서였는데. 한 번도 돌아가지를 못했죠, 제 생활로. 그걸 생활 정치라고 이야기했는데 힘들었습니다…… 대통령 말은 들으려 하지 않고 요구만 하고, 요구에 부응하지 않으면 욕하고, 별의별 욕들이 난무하고. 가까이서 노사모 했던 친구들조차도 이라크 파병, 부안 핵폐기물 때부터 갑자기 공격하기 시작하는 거예요. 저도 기본적으로 파병은 아니라고 생각했으니까 하루는 파병 반대하러 광화문을 갔는데, 파병 반대 집회를 주도하는 사람들이 머리에 빨간 띠를 둘렀는데 지금도 생생해요. 열사 김선일을 살려내라. 부시의 푸들 노무현. 거의 노무현 화형식 비슷한 걸 하고. 그래서 저는 파병 반대 안 했어요. 기본적으로 전쟁 반대로 가야 된다고 생각했어요. 전쟁 반대가 아닌 이 사람들은 파병 반대하면서 노무현은 부시의 푸들이라고 막말을 해대는데. 그래, 좋다. 지금부터 파병 찬성해주마. (웃음) 너무나 당연시하는 상황들이 화가 났고. 가까이 지내던 후배들조차도 FTA 반대하면서 공격하는데, 내가 그랬어요. 나는 FTA 찬성이라고. 누나 비겁하다고 해서 나는 FTA가 뭔지 공부하고 싶지도 않다, 혹시 느그처럼 반대하게 될까봐. 그 정도로 외로웠던 것 같아요. 내가 피부로 느끼는 외로움이 '대통령은 더 외롭지 않을까'라는 생각을 왜 오지랖 넓게도 했는지 모르겠는데 대통령이 되기 전 선거운동 할 때가 훨씬 재기발랄했고. 그때는 암울했던 것 같아요, 마음이.

탄핵까지 이어졌잖아요.

탄핵 갔죠. 결국에는 제가 만들었던 사업을 접었어요. 그때부터 아스팔트에서 살았죠. 탄핵 사유가 안 되는 거였잖아요. 함께했던 민주당은 개인 감정이었지. 열린우리당이 만들어지면서 해봐야 50~60명도 안 되는. 민주당하고 한나라당이 적의 적은 동지라는 걸로 뭉쳐서 탄핵. 그 많은 사람들이 설마 탄핵? 그런데 저희들은 탄핵할 것 같았어요. 탄핵이 발의될 것 같았어요. 지켜야 되니까 촛불을 들기 시작한 거죠. 민심이 천심이다. 택시 기사도 노무현을 대통령이라고 하지 않고 함부로 말하길래 왜 그러냐 하니까 학벌 이야기를 해서 제가 물었어요. 아저씨는 학교 어디 나왔어요? 전문대 나왔다고 당당하게 이야기하길래 그랬어요. 전문대씩이나 나와가지고 택시 운전하시는데 상고 나온 사람이 대통령 하면 얼마나 대단하냐? 남들은 서울대 법대 가서도 고시 패스 못하는 게 부지기수고 이회창 후보도 서울대 4년을 다녀서 판사 됐는데 대학도 생략하고 혼자서 돈 벌어가면서 독학해 판사 되고 변호사 되고 대통령 됐으면 대단한 거 아니냐. 그런데 그건 다 생략해요, 사람들이. 대단한 부분은 다 생략하고 상고 대통령만 생각하는 거죠. 그게 어쩌면 가장 적폐 아닐까. (웃음)

부산상고는 그냥 상고라고 말하기에는. (웃음)

우리끼리 아는 거죠. 그들 눈에는 부산상고나 동지상고나 목포상고나 다 상고인 거죠. 미운털인 거죠. 입바른 소리 잘했고 모난 돌이었으니까.

탄핵 당시에 시민들도 자발적으로 많이 참여하셨잖아요.

언론 개혁, 재벌 개혁, 정치 개혁이라는 모토를 가지고 노사모 했던 사람들이 시민단체를 만들었고 탄핵이 발의될 시점에 시민단체에서 촛불을 들기 시작했고. 그때 만들었던 카페가 '국민 협박하지 말라'는 카페고. 일주일도 채 안 돼서 10만이 넘었던 거죠. 탄핵 때 처음에 촛불을 들면서 그랬어요. 노란색을 아무도 입지 마라. 깃발을 들지 마라. 대통령은 노사모의 것이 아니고 국민의 것이다. 국민이 반대하는 거지, 노사모가 반대하는 것이 아니다, 라는 거를 굉장히 강조했어요. 노무현은 노사모의 것이 아니라 국민의 대통령이다. 대한민국의 대통령이기 때문에 국민들이 모여서 탄핵 반대하는 게 맞는 거죠. 노사모는 있어도 전부 자봉했어요, 몇천 명이. 2002년에 했던 노사모들이 국민의 힘을 만들고, 국협말의 시민들이 아무도 노란색 드레스코드 하지 않고 쓰레기 줍고 집회장에 줄을 치고 일사불란하게 했지 않습니까? 당시 사진 보면 아시겠지만 몇천 명이 자원봉사를 했어요. 대단한 거죠.

내가 만난 노사모는 어떤 사람들이었어요?

노사모는 저 같은 사람들이었어요. 지금도 여전히 교류하는데 혈연 같다는 생각이 들어요. 가족 간에도 생각이 다르잖아요. 그런데 생각이 같은데 심지어는 착하기까지 해요. 인터넷이라는 게 그런 것 같더라고요. 그 지역에 여행 간다고 치더라도 볼 수 없었던, 나와 생각이 같은 사람들이 인터넷이라는 장을 통해 자연스럽게 만나고, 내가 얘기를 하면 "그게 아니야"가 아니라 "그래, 맞아"라고 하는 사람들. 한 사람이 다 죽어가, 그러면 내가 알고 있는 사람 해봐야 몇 안 될 텐데 노사모를 했던 옛날의 친구들하고 문자 하거나 카톡 해서 1만 원이든 10만 원이든 도와주기도 하고. 받자고가 아니라 그게 노사모고, 그게 네트워크고. 물론 그걸 하는 바람에 (웃음) 너무 같은 성향 사람들하고 놀다보니까 다른 친구들과 관계가 많이 흐트러지긴 했지만.

지금도 가끔 생각나시죠? 노무현 대통령. 아니면 매일 생각나시나요?

매일은 모르겠지만 생각은 나죠. 미안한 마음도 들고…… 생각해보면 2009년 5월 23일, 그 일이 어쩌면 나라를 구한 일이 돼버렸으니. 한 집, 한 공간에서 생활했다면 빈자리가 느껴지겠지만 어찌 보면 저도 늘 TV를 통해서 본 거잖아요. 내가 보고 싶은 건 지금도 영상을 통해서 볼 수 있고. 그 분이 그렇게 가셨으니까 이 나라가 지금의 나라가 되지 않았나, 하는 생각을 하기에 생각을 바꿨어요. 그때 부엉이바위에 올라가셨을 때의 심정을 헤아리면 참 미치고 싶죠. 그분이 원했던 정치 상황이 아직은 갈 길이 한참 멀지만 그래도 그 양반이 나라를 구했다, 백성을 구하고 갔다는 생각을 하면서부터 마음을 바꿨어요. '그게 나라를 구하는 거였구나. 만약에 안 가셨으면 어떻게 됐을까?'라는 생각을 역으로 해보는 거예요. 이명박, 박근혜가 수의를 입고 나오는 사진 옆에 노무현 대통령이 수의를 입은 모습을 똑같이 나열해놓고, 그들의 잘못과 똑같이 취급하지 않았을까? 종방, 종편에 계속 그 장면이 나오지 않았을까? 이명박은 그때 노무현 대통령을 분명히 감옥에 넣었을 테고, 사건의 크기 유무하고 상관없이 도둑으로 치부해 계속 그 장면이 나올 거고. 대통령은 살아 계시면서 그 장면을 계속 봐야 될 거. 국민들은 다 똑같은 놈들이라고 했을 거고.

동지이자 친구이자 같은 생각을 하던 그 시절의 노사모들한테 한말씀.

소나무입니다. 노사모 기록이 꼭 필요하다는 생각을 했고 잘못 알려져 있는 부분을 우리끼리라도 기록을 만들고 싶었는데 이 영화를 만들어준다고 해서 일단 제작진에게 감사하고. 우리 노사모들은 여전히 내 가슴속에 남아 있고 아직도 생생하고 보고 싶고. 영화를 통해서라도 많이 봤으면 좋겠고 나는 지금 부산에서 잘살고 있으니까 내가 보고 싶으면 부산으로 오고요. 반갑습니다.

나는 이깁니다. 꼭 이기는데,
많은 분들이 "저도 좋다"
그 말이 그렇게 좋더라고요.
우리가 목표를 정확히 가지고 가자.
이회창, 정몽준 이분들 훌륭하지만
그분들하고 싸운다고 생각하면 발전이 없어요.
낡은 정치와 싸우겠다. 낡은 정치와 싸운다고 생각하고,
누구 사람한테 이기는 것이 아니라
정치를 바꾼다는 것이 목표입니다.
정치를 바로 하자.
저는 대통령 후보라는 영광된 명함을 가지고 있습니다.
다음 내가 대통령이 되고 나면 여러분은 뭐할 거예요?
결국 우리는 사람을 통해서 실현되는 바른 정치를 지원하는 겁니다.
정치를 바르게 하는 사람이 또 있거든요.
그래서 이것은 그냥 노무현이 대통령이 되고 나서도 가고,
안 되고 나서도 그냥 가고 계속 갔으면 좋겠어요.
나는 우리 힘으로 우리 정치를 한번 바꿨으면 좋겠어요.
정치가 바로 되는 것이 우리 목표다……

_'희망 포장마차'에 들러 지지자들에게(2002년 10월 21일)

결코 실패한 것이 아니고 한 단계 가고 있다

소운 심화섭

저는 의정부에 있는 신한대학교 전자공학과 교수이고요. 이름은 심화섭입니다. 제가 사용했던 닉네임은 '소운'이었는데 PC통신 시절에 '흰구름'이라는 닉네임을 썼습니다. 하늘에 있는 흰구름을 좋아합니다. 먹구름은 싫어하지만. (웃음) 이제는 흰구름이라는 닉네임을 바꿔야 되겠다는 생각을 해서 흰구름을 바꾸려면 백운이 정확한 명칭일 텐데, 이게 철학관 냄새가 너무 나서 『태백산맥』 소설에 보면 소화라는 이름이 나오지 않습니까? 흴 소 자에다가 꽃 화 자 쓴. 그 소 자를 따가지고 소운이라는 이름으로 썼던 겁니다.

제가 83학번입니다. 학교 다닐 때 독재정권에 저항이 심한 시절이었는데 그 이후에 저는 학생운동을 했지만 주류는 아니었고 이후에 사회생활하면서 결혼도 하고 평범하게 살았습니다. 다른 사람들처럼 소시민으로 평범하게 살다가 아마 한 1999년도부터 인터넷 바둑에 심취해 있었습니다. 제가 한 3년 동안 한 3천 판 정도를 뒀을 거예요. 그러니까 밤낮으로 바둑을 두고 있었는데 어느 날 아내가 저한테 "예전에 학생운동도 하고 세상을 위해서 애썼던 사람이 이게 뭐냐? 아내 도와주지도 않고" 심하게 핀잔을 했었습니다. 아이는 어렸는데 그때 느낌이 있었던 겁니다. (웃음) 부끄럽기도 하고 좀 속된 말로 쪽팔리기도 하고 뭔가 사회에 도움될 만한 게 뭐가 있을까 해서 시민단체 쪽을 찾아봤습니다. 의정부에서 시민단체를 찾아보고 참여연대 서울 쪽이나 의정부 쪽도 했는데 회비는 내라고 하는데 딱히 무슨 활동을 주지 않더라고요. (웃음)

그래서 고민고민하다가 우연찮게 노사모를 알게 됐습니다. 물론 노무현이라는 분에 대해서는 그전에 청문회 때 우리가 인상적이었던 거고, 또 각종 선거가 있을 때마다 아내하고 선거 결과를 보면서 소주 한잔 마시면서 안타까워했던 부분이었죠. 그 부분만 딱히 이렇게 안타까워했던 건 아니지만. 아무튼 그분이 민주당 이름을 걸고 부산에 국회의원 후보로 계속 출마하신 것 때문에 아무래도 관심이 더 갔던 건 사실이었어요. 그 이후에 별로 관심 없다가 우연찮게 이분은 지금 뭐하나 하는 생각이 들었어요. 검색을 해보니까 '노하우(노무현과 하나되는 우리들)'라는 사이트가 뜨더라고요. 노하우에 들어가서 보다보니까 올라오는 글의 내용들이 제가 생각했던 마음들이 다 그 안에 담겨 있던 거예요. 그래서 거의 한 한 달을 거기에 있는 글들을 다 읽었습니다. 나도 이런 생각을 하고 있었는데 이런 걸 다른 사람하고 얘기하기는 참 어려웠던 내용들이거든요. 특히 정치인에 관한 내용은 주변 사람들하고 술 먹으면서도 얘기하기가 어려운 부분이었는데 저랑 비슷한 생각을 가진 사람들이 이렇게 많이 있었구나. 그러면서 노하우를 계속 보다가 2011년 11월쯤인가? (웃음) 노사모가 있다는 걸 알게 됐습니다. 처음엔 노사모와 노하우를 구분도 못했었으니까요. 노하우는 노무현의 홈페이지였고 노사모는 별도로 있었던 건데…… 노사모를 제가 2001년도 11월쯤에 가입하게 됐던 거 같습니다.

단순히 세상을 바꿔보겠다는 열망만으로 그렇게 활동에 매진하기는 힘드셨을 텐데.

노사모가 모임이 많이 있었는데 그 모임에서 사람들을 만나 술을 마시면 정말 시간 가는 줄 모르고 밤새 얘길 할 수 있었던 거 같아요. 그러니까 같은 생각을 갖는다는 것은 굉장히 귀하다는 생각이 들더라고요. 그래서 그 사람들과 많은 대화를 나누면서 내가 하고 싶었던 얘기를 다 꺼낼 수 있었고 또 내 얘기를 누군가가 받아주고 거기에다 자기 의견을 보태서 얘기하고 서로 공유하는 부분이 있었기 때문에 그게 가장 큰 즐거움이 아니었나 생각을 합니다. 노무현이라는 사람이 중심에 있었지만 어찌 보면 '생각을 서로 공유하고 있었다'라는 게 제일 컸던 부분이죠. 그때가 제가 서른일곱이었던 거 같습니다.

오프라인 모임을 나가면서 사모님이 별말씀 안 하셨어요?

노사모에서 항상 그게 문제였었거든요. 저희가 노사모 부모임을 하면 오후 한 6시나 7시쯤 만나면 새벽 4시, 5시까지도 술을 마시고 밤새 얘기를 해도 지치지 않았던 거 같아요. 그러다보니까 가정에 문제가 생기고. 기껏 자극을 줬더니 이제 술로 (웃음) 맨날 밤늦게 오고. 근데 의정부에서 제가 처음에 모임을 만들게 됐는데, 제 나름대로는 아이디어를 냈던 게 의정부 노사모 모임은 가족모임을 했던 겁니다. 가급적이면 부부가 같이 나오거나 애들도 같이 나오게 유도를 했었어요. 그래서 의정부에서는 애들 가족이 다 같이 모여서 하려면 저 음식점에 놀이 시설도 있어야 하기에 아마 감자탕집을 2002년 1년 동안 한 200번 정도 갔던 거 같아요. 거의 이틀에 한 번꼴로는 모임을 했었으니까. 온 가족이 다 모여서 애들은 애들끼리 놀고 어른들은 서로 대화 나누다가 밤 10시쯤 되면 부인들과 아이들은 가고 남자들만 남아서 새벽 2시까지 또 먹고. 그렇게 같이하다보니까 가정에서 불화가 있거나 이런 부분들은 많이 희석됐던 거 같아요.

의정부 노사모는 어떻게 활동이 이루어졌나요.

노사모 게시판에 눈팅만 계속하다가 2002년도 2월 초쯤인가, 게시판에다가 글을 올렸어요. 그땐 의정부가 없었고 서울 북부에 포함이 되어 있었어요. 그래서 거기다가 '의정부에는 오프 모임이 없나요?'라고 짤막하게 한 줄을 썼죠. 그랬더니 그 시절에 사무국장하던 박시영씨, '하마'라는 닉네임을 쓰시는 그분이 '님이 만드세요' (웃음) 이렇게 썼어요. 전화가 오더라고요. 혹시 명단을 보내줄 테니 오프라인 모임을 주선해주시겠냐고. 아마 2월 초쯤에 그렇게 연락을 받고, 오프라인 모임에 한 번도 가본 적이 없었으니까 몇몇 서울 쪽에 있는 모임에 제가 참석을 했어요. 도대체 이 모임은 어떻게 운영을 하고 모이면 무슨 일을 하는지 전혀 몰랐던 시절이니까. 그래서 가보니까 편하더라고요. 그냥 사람들이 모여서 식사하면서 노무현 후보에 대해서 얘기하고 자기 경험들 얘기하다보면 군대 얘기도 하고. 편하게 그런 모임이 주선되더라고요.

그래서 저도 오프라인 모임을 처음으로 하기 위해 명단을 받았더니 그 당시에는 경기 북부가 의정부, 양주, 동두천, 연천, 포천 이렇게 다 포함이 되어 있던데 전체 명단은 한 60명밖에 안 됐습니다. 일단 60명한테 전화를 다 했죠. '우리가 오프라인 모임을 하니까 혹시 참석했으면 고맙겠다'라고 전화를 드렸습니다. 첫 모임을 하는데 동네에 이분은 자유당 쪽 사람인데 (웃음) 그쪽을 더 선호하는데 우리 부부가 무슨 모임을 한다고 하니 머릿수 채워준다고 한 분 나오시고, 그리고 정작 명단을 보고 연락했던 분 중에서 참여하신 분은 한 분이었어요. 중앙에서 박시영씨가 왔었고. 그렇게 해서 아마 제 기억에는 첫 모임에 5명이 왔던 거 같아요. 모여서 얘기를 하다보니까 그 한 분하고도 대화가 너무너무 재밌게 잘되고, 그런 와중에 그다음번 모임을 하기 위해서 연락을 했었는데 두번째 모임에는 세 분 정도 오셨던 거 같아요. 그러고선 그다음 모임이 언제냐면 광주 경선 끝난 다음날이었습니다. 제가 광주 경선 때 광주로 내려갔었거든요. 경선 끝난 다음날 모임을 하는데 그다음부터는 갑자기 사람들이 엄청나게 늘어나기 시작했던 거 같아요.

힘든 부분은 어떤 거였어요?

처음에는 사람들한테 전화하는 것이 되게 어색했습니다. 회원으로 가입을 하면 그렇게 해서 지지하면 되지, 굳이 우리가 모여서 얘기를 나누고 또 경선장에 가야 되고 하는 부분들이, 아내도 그 부분에 대해서는 내켜하지 않았던 거 같아요. 그냥 그분을 지지하는 마음만 있으면 됐지. 우리가 만약에 경선장에 참여하고 한다면 마치 무슨 선거판에 뛰어드는 그런 부정적인 인식들이 좀 있어가지고. 모임 할 때도 많은 사람이 그렇게 적극적으로 처음에 참여했던 건 아니었습니다. 그런데 경선 과정을 거치면서 사람들이 "어? 이게 이전과 뭔가 좀 다르네?" 그다음에 "저 사람들은 왜 저렇게 하지?" 이런 부분들이 있었던 거 같아요. 그러면서 좀더 관심이 행동으로 옮겨지게 되는 그 과정이 아니었나. 그래서 저는 경선 전에는 노사모라는 그 모임 자체가 견고한 조직이거나 체계적인 조직이 아니었다고 생각해요. 경선 과정을 거치면서 점점 사람들도 모이고 모임도 좀더 체계적으로 되고 또 지역별로 분화도 되지 않았나 생각이 돼요.

그러니까 광주 경선이 날짜가 정확하게 기억은 안 나는데 3월 14일인가 그랬는데 하여튼 금요일 날 버스가 대기하고 있었습니다. 서울 지역에서 광주 경선에 참여할 사람들을 태울 버스가 대기하고 있으니까 서초구청 앞에 모여라. 이렇게 해서 아내한테 먼저 광주 경선을 간다고 하니 아내는 반대하죠. 광주까지 내려가서 그렇게 할 필요가 있겠냐고 하더라고요. 아무튼 저는 서초구청 앞으로 갔었습니다. 저녁 한 7시쯤에 갔었는데 그 앞에 버스가 굉장히 많더라고요. 한 30~40대가 쭉 있더라고요. 저는 '역시 대통령 선거를 준비하는데 이 정도 규모로 하는구나' 생각을 했었는데 가보니까는 산악회 버스들이더라고요. 그 맨 앞에 가보니까 꼴랑 버스 한 대가 있었는데 한 20명밖에 안 태웠던 거 같아요. 그때 문성근씨도 그

버스에 같이 탔었는데. (웃음) 처음엔 실망이 컸죠. 노사모 서울 쪽에서 내려간 버스는 한 대였습니다. 가는 길에 이제 성남쯤에서 일부 태우고 광주 도착을 했는데 저는 '어떤 프로그램이 있을까'라는 생각도 못하고 갔더니 그 당시에 상무대에서 모였어요. 노사모 회원들이 전국에서 한 200명 정도가 왔던 거 같습니다. 거기에서 명계남씨가 이 광주 경선 의미가 뭔지도 설명을 해주시고 우리끼리 좀 으쌰으쌰!도 하고 그 와중에 노무현 후보와 전화 통화가 되어서 모였던 사람 전체가 노무현 후보의 목소리를 듣기도 했습니다.

그런 과정을 거치고 다음날 경선장에 갔는데 되게 쭈뼛쭈뼛했던 거 같아요. 노래도 하고 춤도 추는데 앞서 제주 경선이나 울산 경선에 참여했던 분들은 그래도 앞에서 저희들을 유도했었어요. 그 당시에 했던 노래가 맨날 그런 거였거든요. 뭐 '떴다 떴다 노무현' 뭐 이런 정도 (웃음) 초등학생들이 부르는 그런 노래? 그다음에 뭐 '야야' 하는 그런 것들. 그런 정도로 하다보니까 저희들끼리 좀 재미가 났던 거 같아요. 사실은 재미가 나고 이러다보니 경선 시작부터 끝까지 한 6~7시간을 거의 쉬지 않고 노래를 부르고 춤을 췄던 것 같아요. 광주 경선이 끝난 다음에는 목이 다 쉬어버렸어요.

다른 분들 인터뷰를 해보면 다 그냥 "될 거라고 알았다"라고만 이야기를 하시는데.

저는 그렇게 생각은 안 했습니다. '노무현 후보가 대통령 후보가 될 거다'라는 확신은 없었습니다. 왜냐하면 경선에 들어가기 전에 지지율도 굉장히 낮았고. 제가 알기로는 한 1~2% 지지율이었고. 당에서도 다 이인제 후보가 될 거라는 대세론이 있었습니다. 물론 노무현 후보가 되기 위해서 애는 쓰지만 대통령 후보가 될 거라는 확신을 갖고 모임에 참석했던 것은 아니었던 거 같아요. 그렇지만 이런 분이 대통령이 되면 참 좋겠다는 생각을 했었기 때문에 "하여튼 노력은 해보자. 그리고 이분한테 힘이 될 수 있는 거라면 우리들이 참여해서 바꿀 수 있다면 열심히 해보자" 이런 부분이었어요. 그런데 광주 경선 거치면서 '어? 될 거 같다'라는 확신이 들기 시작했던 거죠. 저한테도 그 광주 경선은 정말 큰 전환점이었던 거 같아요. 광주 경선 이후부터는 이분이 후보가 될 수 있겠다는 생각이 들었고 후보가 된다면 이회창 후보를 꺾을 수 있겠다 이런 생각을 했었어요. 사실 이인제 후보가 민주당에서는 대세였지만 이회창 후보를 꺾을 수 있다는 생각은 안 했거든요.

노사모가 광장 문화를 다시 불러냈다. 노사모에 참여하신 분들이 80년대 학생운동을 경험하신 분들이 많아서 그런 걸까요?

학생운동도 되게 중요한 계기가 되겠지만 제가 봤을 때 노사모 회원들 중 학생운동을 경험한 사람들은 한 10~20%도 안 될 거라는 생각이 듭니다. 그러니까 사람들이 정치에 대해서 불만이 많긴 했지만 이걸 어떻게 표출할 수 있는 방법은 못 찾았던 거 같아요. 정치가 좀 제대로 되어야 하고, 지역감정이나 이런 여러 정치의 부정적인 부분들이 문제라는 건 인식은 하고 있었지만 이것을 표출할 수 있는 기회가 없었고 방법을 몰랐던 것 같아요. 학생운동 때야 대학생들이 시위를 통해서 했었지만 사실 일반 시민들이 그렇게 할 기회는 거의 없지 않습니까? 그런데 그런 부분을 공유할 사람들이 생기고 이것을 누군가 특정인이 이끌어가는 게 아니었고 우리가 그냥 공유되는 사람들끼리 모여서 하다보니까, 어떤 분께서 말씀하셨듯이 닉네임 평등주의라는 것이 중요한 부분이었는데 상하 관계가 없었거든요. 물론 필요에 따라서는 지역 대표 일꾼. 그래서 저희가 회장이나 이런 표현을 안 쓰고 대표 일꾼이라는 표현을 썼던 것도 닉네임 평등주의에서부터 출발을 한 것인데. 아무튼 리더는 특별하게 없었습니다.

물론 하다보면 전체를 끌고 갈 수 있는, 예를 들면 미키루크라든지 명계남씨 이런 분들이 어떤 상징적으로 리더 역할을 했지만 실제로 조직이 만들어지고 하는 것은 누군가가 계획을 세워서 만든 것이 아니라 '우리 동네에도 이런 모임이 있었으면 좋겠어'라는 생각으로 만들어져나간 것이기 때문에. 그래서 의정부 모임도 처음에는 의양동이라고 해서 의정부, 양주, 동두천을 묶어서 모임을 만들었거든요. 근데 그게 1년 사이에 경기 북부에서 지역별로 분화가 되고 구리·남양주도 분화해서 나가고 이렇게 해서 계속 분화해나갔었거든요. 누군가가 대표 일꾼이 와서 '이렇게 이쪽도 나누자' 이런 게 아니라 그 지역의 필요성에 의해서 '우리가 독립적으로 활동을 시작할게' 이런 부분이었기 때문에 자발적으로 만들어진 형태라고 보시면 될 거 같아요.

어떤 분께서 '품성론' 이야기를 하시더라고요.

요즘 유행하는 그 인생단어. 저도 개인적으로 인생단어가 하나 있는데 인생단어가 '염치'였거든요. 부끄러움을 알아야 된다, 항상 부끄러움을 알고 살아야 한다는 염치라는 단어가 있는데 그런 부분들을 항상 고민했던 거 같아요. 굳이 어떤 품성이나 이런 부분, 품성론이나 이런 부분은 아니고 '자발적으로 그런 부분을 좀 지켜나가자'라는 것들이 암묵적으로 좀 있었던 거 같고.

그 게시판에 많은 글이 올라왔습니다. 제가 지금 정확하게 이름은 기억은 안 나는데 퐁퐁다리라는 무슨 글이 하나 있었는데, 전라도 사람인데 자기가 서울 올라와서 전라도 사람이 지적을 많이 받고 사람들이 비꼼을 많이 당하니까 스스로 그런 거를 조심하게 했던 내용들을 잔잔하게 썼던 글이었습니다. 그런 부분들이 감동적이었고 어찌 보면 '노무현을 좋아한다'라는 것은 나한테는 또하나의 낙인이 될 수도 있겠다, 그렇기 때문에 내가 좀더 잘해야 된다. 그래서 경선장에서도 끝나면 항상 청소하고 이런 부분들이 자연스럽게 이루어진 거 같아요. 노사모에서 썼던 표현 중에 '각성한 개인들의 연대'라는 말이 노사모를 잘 표현한 거라는 생각이 드는데, 각성했다기보다는 '혼자 그런 고민들을 많이 했던 사람들이 모이니까 하나의 어떤 큰 힘으로 발휘될 수 있었던 게 아닌가'라는 생각이 들어요.

노사모가 최근에 촛불혁명으로 이어져서 정권의 탄생까지 영향을 줬다는 말에 대해서 동의하시나요?

이제 광장 문화가 크게 변화하는 계기가 됐던 거 같긴 합니다. 저희가 학생운동이나 이런 거는 좀 극과 극이 만나서 부딪치는 그런 상황이었다면 그러니까 전투적으로 부딪쳤던 거라면 노사모 경우에는 그런 분위기가 없었던 거 같아요. 놀이 문화로 바꿔나가면서 거부감 없이 갈 수 있는 것. 그다음에 우리가 보통 사람들은 가고 싶어하지 않는 그런 영역에 폭을 넓혀놨다는 생각이 듭니다. 그런 폭의 넓음은 결국은 광장문화라든지 촛불이라든지 그런 꼴로 확대가 되었던 거 같고, 노사모하고 직접적인 관계는 없지만 사실 탄핵 정부 때 촛불을 처음으로 들었던 형태라고 저는 생각하거든요. 이제 탄핵 때도 마찬가지로, 사실 탄핵 때 주도했던 사람들이 미키루크나 그 사람들이거든요. 미키루크나 저나 또 몇 명이 그 당시에는 노사모가 아니라 다른 이름으로, '국민의 힘'이라는 단체로 했었는데 광화문 집회까지 저희가 연결해놓고 빠져나왔던 건데. 아무튼 노사모가 대중들이 모일 수 있는 어떤 계기를 마련해준 건 맞는 것 같습니다.

활동하면서 사적인 에피소드들이 없을까요?

노무현 후보를 위해서 저금통도 열심히 모았는데, 제가 그 희망돼지로 기소가 됐어요. 그런데 제가 1호로 대법원에서 확정 판결 받은 사람입니다. (웃음) 지금도 안 잊어버리는 게 2005년 1월 16일 대법원에서 최종 확정 판결로 벌금 80만 원을 받았는데, 왜 기억하느냐면 제 생일이었거든요. (웃음) 그 희망돼지를 갖고 이게 선거법 위반이다 아니다 논란이 됐었는데 사실 선거법 위반으로. 저희는 이제 '어떤 재벌의 검은돈이 아니라 우리 국민들이 십시일반 모은 돈으로 정치 자금을 했으면 좋겠다'라는 취지로 시작을 했던 것이기 때문에 선거법 위반이라고 하는 부분에 대해서는 법은 모르지만 인정할 수가 없었어요. 그래서 계속 선관위에서 지적해도 저희는 '아, 이거는 그리고 내가 여기에서 모은 돼지저금통을 나눠주는 것은 노무현 후보에게 갖다주라는 것이 아니라 자기가 원하는 정치인한테 갖다주는 것'이라는 취지로 계속했었기 때문에 불법이라는 생각을 안 했는데, 결국 선관위가 오고 경찰서 조사 받고 해서 선거법 위반이 됐었죠. 그래서 1심 하고 2심 하면서 처음으로 재판장에 많이 가봤습니다. 아무튼 나중에 가보니까 아는 변호사님이 계속 이거를 올려줬어요. 항고를 한다든지 상고를 한다든지 그래서 하여튼 대법원에서 확정 판결을 80만 원을 받았습니다.

돼지저금통만 갖고는 사실 부족하기 때문에 저희 후원금도 냈었고요. 후원금 내고 했는데 이제 집에 남는 게 없더라고요. 그해 10월에 제가 다니던 학교에서 10년 근속이라고 메달을 하나 받았습니다. 금으로 된 메달을. 그래서 아내한테 기부금도 다 냈는데 현금이 없으니까 이걸 좀 팔아봐

라. 금으로 된 거니까 그 당시로 한 10만 원인지 얼만지를 정확하게 잘 모르겠지만 생각보다 돈을 별로 안 줬던 거예요. 그래서 아내가 그러면 이거를 그냥 후보님한테 직접 기증을 하자고 해서 이걸 후보님한테 기증을 했었습니다. 그러고선 그다음날 게시판에다가 10년 근속한 메달을 후보님한테 드렸다고 올렸는데, 아침부터 밑에 댓글들이 눈물 뚝뚝 떨어지게 하데요. (웃음) 그다음날 후보님이 직접 쓰신 건 아니겠지만 '개인적으로 귀한 거니까 돌려드리겠다, 마음으로만 받겠다' 하고선 이렇게 답장을 홈페이지에다가 올려주셨어요. 근데 결국은 안 주셨어요. (웃음) 그게 청와대 거기에 전시되어 있다가 지금은 아마 그 노무현 박물관 쪽에 전시되어 있는 걸로 알고 있습니다.

교수님이시잖아요? 학교에서 별말 없으셨나요?

비아냥을 많이 받았죠. 왜냐면 학교는 아무래도 좀 보수적인 곳이기 때문에 당시에 상당수가 이회창 후보를 지지하는 사람들이었어요. 제가 학교에 계신 분들한테 제가 '저 노사모예요' 얘기한 것은 아닌데 〈MBC스페셜〉에 제가 출연을 했었어요. 당시에 노사모 활동, 경선에서 활동했던 것을 MBC에서 다큐로 찍은 게 있었습니다. 그런데 그때 의정부가 가족이랑 같이 이렇게 많이 활동하기 때문에 의정부 사람들을 중심으로 해서 찍었습니다. 저희들이 경선장으로 출발하는 것부터 시작해서 경선 과정에서 있던 일들을 이렇게 찍었는데 그게 방송 나가니까 학교 분들 거의 다 아시게 된 거예요. 그래서 나이드신 분들은 조금 지나가면서 적당히 좀 했으면 좋겠다고 정치판에 "끼어들지 마라" 이런 얘기들을 많이 하셨었는데, 나중에는 전화위복이 된 게 저희 학교 이사장님이 민주당 국회의원으로 나갔거든요.

실제 대통령 선거운동 기간에 정말 노사모들이 애를 많이 썼어요. 보통 의정부 같은 경우는 지하철역이 있어서 아침 6시부터 8시까지 출근하는 사람들은 그 시간에 역 앞에 나와서 같이 노래하고 춤추고 인사드리고 했습니다. 선거운동원들이 주로 하던 거죠. 그런데 저쪽은 선거운동원들이 나와서 했지만 여기는 노사모들이 나와서 했거든요. 물론 공식 선거운동원도 있었지만, 저희들이 나와서 출근 빨리하는 사람은 1시간 하고 가고 또 아닌 사람들은 지나가는 길에 따뜻한 차라도 마시라고…… 의정부에는 망월사역, 의정부역, 간흥역, 녹양역 이렇게 4개가 있는데 여기에 다 그 동네에 있는 노사모 회원들이 선거 20일 동안 단 하루도 안 빼놓고 아침 6시부터 9시까지, 또 저녁 6시부터 9시까지 했습니다. 정말 돈 한푼 받지 않고 그렇게들 했던 거죠. (웃음) 끝나면 이제 또 식사하러 가야 하고 이 과정이 신이 났던 것 같아요. 한편으로는 이렇게 하면 세상이 조금 더 나아질 거고 조금 거창하게 말한다면 우리 아이들한테 좀더 나은 세상이 될 거라는 기대감들이 있었습니다.

그리고 저희 딸한테 미안한 일인데 저희 부부가 같이 열심히 했어요. 저녁에 유세하러 갔는데 저희는 애가 어리니까 맡길 데가 없어서 데리고 갔었어요. 그래서 역이 있으면 주차하는 데는 한 50미터 떨어진 곳이었는데, 유세하러 차에서 내리려고 하니 애가 잠이 든 거예요. 한겨울이라 히터 틀어놓고 잠깐 나와서 둘이 선거운동을 하고 있다가 느낌이 이상해서 차에 가봤더니 애가 깬 거예요. 깜깜하니까 애가 막 울고 오줌도 지리고 이런 상태가 된 거죠. 지금 생각해보면 아동학대죄에 해당될 내용이었는데 애한테는 미안한 상황이 몇 번 좀 있었습니다.

요즘에도 생각나실 때가 있습니까?

노무현 대통령께서 서거하시던 날이 기억나요. 토요일이었나 그렇게 기억이 나는데 우리 아이 예방접종을 하러 보건소에 갔다가 무착님이 전화로 노무현 대통령께서 서거하셨다고 말씀을 하셨어요. 전 믿어지지가 않는 얘기였기에 굉장한 충격을 받았는데……

노무현 대통령은 아무래도 선거가 있을 때 많이 생각이 나요. 왜냐면 부산에서 민주당이 국회의원이 나왔다든지 또는 지자체장이 나온다든지 이런 부분들이 저희가 갈망했던 내용들이었거든요. 동쪽 영남에서 어떤 민주당 후보가 되고 이번 지방선거에서는 오거돈 민주당 후보가 부산시장이 되고, 김경수 후보가 경남지사도 되고…… 노무현 대통령께서 말씀하셨던, 아니면 지향하셨던 방향이 결코 실패한 것이 아니고 아직도 진행형이지만 한 단계 한 단계 지금 가고 있다 이런 생각이 듭니다.

제가 마지막으로 뵌 거는 언제냐 하면 지금도 잊지 않는데 2008년 6월 25일입니다. 노무현 대통령과 같이 골프를 쳤거든요. 제가 같은 팀이 되어서 친 건 아니었고 대통령께서 어디죠? 강금원 회장이 하는 그 골프장에서 그때 이해찬 총리나 진대제 장관이나 해서 많은 분들이 골프를 치시는데 노사모 몇 명을 초대를 해주셨어요. 명계남씨 통해서 했는데 명계남씨하고 이제 정카피라고 그 한 분 계시고…… 아내가 골프를 막 배웠거든요. 처음이자 마지막으로 필드에 나간 게 그날이거든요. 그래서 우리 부부는 처음이자 마지막으로 대통령 골프라 그래요. 그때 마지막으로 뵈었던 기억이 있습니다.

1차 탄핵 정국에서 어떤 역할을 하셨다고 그랬는데

저희가 노사모를 탈퇴하고 바밤바·미키루크·처리·영원한미소 이렇게 모임을 새롭게 만든 게 '국민의 힘'이라는 단체입니다. 국민의 힘은 두 가지 목표를 갖고 만들었는데 언론개혁과 정치개혁. 2004년 3월이었죠. 탄핵이 되기 며칠 전에 미키루크가 이런 얘기를 하더라고요. 쟤네들은 분명히 대통령을 탄핵시킬 거다. 그때 국민의 힘도 회원이 굉장히 많긴 했지만 노사모에 있던 회원들 상당수가 국민의 힘으로 왔었거든요. 그런데 그 힘만으로는 좀 안 되니 카페(커뮤니티)를 하나 만들었습니다. 카페의 이름이 뭐냐면 '국민을 협박하지 말라'였습니다. 국민을 협박하지 말라 카페 회원이 일주일 만에 10만 명이 됐어요. (웃음) 그래서 탄핵되기 일주일 전부터 미키루크가 저희한테 제안한 게 뭐냐면 여의도에 가서 끊임없이 탄핵 저지를 위한 집회를 해야 한다. 그렇게 해서 국민은행 앞에서 첫날엔 20명이 모였습니다. 낮시간 동안에 매일 계속 집회를 했어요.

탄핵 저지 집회를 했었고. 그게 아마 날짜는 정확하게 기억이 안 납니다. 아마 탄핵이 3월 7일인가 됐던 거 같은데 그 일주일 전부터 하다가, 탄핵이 가결됐다고 하는 그 순간부터 사람들이 모이기 시작을 하는데 저희도 당황할 정도로 정말 구름떼같이 사람들이 여의도로 막 집결하더라고요. 2만 명 정도가 모였던 거 같아요. 여의도 국민일보 앞에. 근데 이미 저희는 집회를 하고 있었기 때문에 자연스럽게 계속 진행이 됐던 거고 탄핵 정국이 끝난 이후에 저와 미키루크와 영원한미소, 처리랑 여의도 집회 불법 집회라고 집시법 위반으로 수배를 받았습니다. 수배를 받은 이유가 연락처가 확실해가지고 조사받으라고 그래서 알겠다고 했는데 다른 친구들은 연락이 안 된 겁니다. 그랬더니 수배해서 〈중앙일보〉 1면에 나와버린 겁니다. 저희가 종로경찰서 가서 조사를 받고 미키루크와 장현철은 죄를 받기로 했고, 저와 영원한미소님이 대표였기 때문에 누군가는 남아서 뒷정리를 해야 해서 저희들은 기소유예로 나오게 됐던 거죠.

재판 과정이 재밌었습니다. 경찰서 가서 처음에 1차 조사를 받는데 경찰들도 좀 황당했을 겁니다. 불법 얘기를 했을 때 '그럼 4·19 집회, 4·19 혁명 아시냐. 그럼 그분들도 다 집시법 위반이냐' 이런 식으로 경찰하고 아주 심각하게 논쟁을 했던 기억이 납니다. 근데 사실 저는 그 당시에 신분이 교수였기 때문에 집시법으로 실형을 살면 직업이 날아갈 수도 있는 상황이었는데 두려움은 없었습니다. 어찌보면 저희들이 대통령을 지켜야 된다는 것들이 하나의 신념처럼 되어 있었던 거 같아요.

그 시절의 노사모 동지들께 한말씀 부탁드립니다.

2002년도 노사모 회원 여러분 안녕하세요? 경기 북부의 소운입니다. 아. 노사모 이후에 국민의 힘이나 국민 참여 119같이 오랫동안 활동을 했었는데 아마 2007년 대선 이후부터 제가 이 정치 활동을 많이 안 했습니다. 그러다보니 노사모 회원분들도 거의 뵐 기회가 없었네요. 노무현이라는 분을 통해 만난 인연이고 또 노무현이라는 분을 통해서 세상을 살아가는 방향을 찾은 거 같습니다. 아마 각자 자기가 소속된 곳에서 그 정신을 잊지 않고 살아가실 것이라고 믿고 저도 제가 속한 장에서 조금은 더 정의롭게 그리고 염치 있게 살려고 노력하고 있습니다. 조만간 한번 만나서 소주 한잔하고 싶습니다.

"여러분, 이겼습니다!"

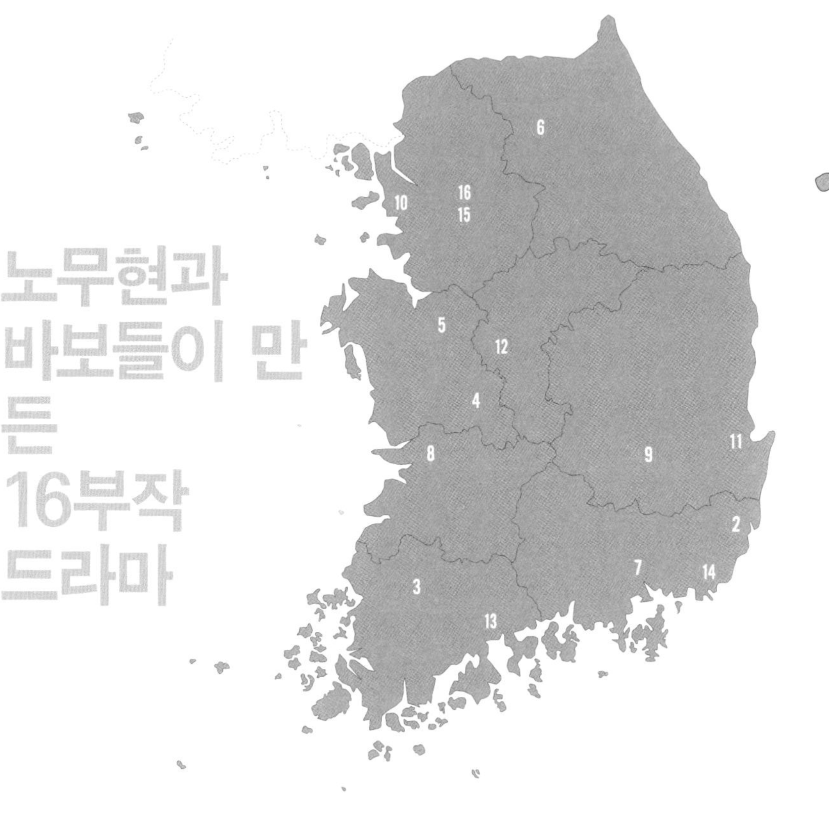

민주당 대통령 후보 경선

❶ 제주(3월 9일, 한라체육관)

1위 한화갑 175(26.1%)
2위 이인제 172(25.6%)
3위 노무현 125(18.6%)
4위 정동영 110(16.4%)
5위 김중권 55(8.2%)
6위 유종근 18(2.7%)
7위 김근태 16(2.4%)
유효투표수 671표

❷ 울산(3월 10일, 종합체육관)

1위 노무현 298(29.4%)
(누적 423/25.1%)
2위 김중권 281(27.8%)
(누적 336/20.0%)
3위 이인제 222(21.9%)
(누적 394/23.4%)
4위 한화갑 116(11.5%)
(누적 291/17.3%)
5위 정동영 65(6.4%)
(누적 175/10.4%)
6위 유종근 20(2%)
(누적 38/2.3%)
7위 김근태 10(1%)
(누적 26/1.5%)
유효투표수 1,012표
(누적유효표 1,683표)

❸ 광주(3월 16일, 염주체육관)

1위 노무현 595(37.9%)
(누적 1,018/31.9%)
2위 이인제 491(31.3)
(누적 885/27.8%)
3위 한화갑 280(17.9%)
(누적 571/17.9%)
4위 김중권 148(9.4%)
(누적 484/15.2%)
5위 정동영 54(3.4%)
(누적 229/7.2%)
• 김근태, 유종근 사퇴
유효투표수 1,568표
(누적유효표 2,187표)

❹ 대전(3월 17일, 무역전시관)
1위 이인제 894(67.5%)
(누적 1,779/39.4%)
2위 노무현 219(16.5%)
(누적 1,237/27.4%)
3위 김중권 81(6.1%)
(누적 565/12.5%)
4위 한화갑 77(5.8%)
(누적 648/14.4%)
5위 정동영 54(3.4%)
(누적 283/6.3%)
유효투표수 1,325표
(누적유효표 4,512표)

❺ 충남(3월 23일, 천안 유관순체육관)
1위 이인제 1,432(73.7%)
(누적 3,211/55.3%)
2위 노무현 277(14.2%)
(누적 1,514/26.1%)
3위 김중권 196(10.1%)
(누적 761/13.1%)
4위 정동영 39(2.0%)
(누적 322/5.5%)
• 한화갑 사퇴
유효투표수 1,944표
(누적유효표 5,808표)

❻ 강원(3월 24일, 춘천 호반체육관)
1위 노무현 630(42.5%)
(누적 2,144/29.4%)
2위 이인제 623(42.0%)
(누적 3,834/52.6%)
3위 김중권 159(10.7%)
(누적 920/12.6%)
4위 정동영 71(4.8%)
(누적 393/5.4%)
유효투표수 1,483표
(누적유효표 7,291표)

❼ 경남(3월 30일, 마산 실내체육관)
1위 노무현 1,713(72.2%)
(누적 3,859/44.1%)
2위 이인제 468(19.7%)
(누적 4,302/49.2%)
3위 정동영 191(8.1%)
(누적 584/6.7%)
• 김중권 후보 사퇴
유효투표수 2,372표
(누적유효표 8,743표)

❽ 전북(3월 31일, 익산 실내체육관)
1위 노무현 756(24.3%)
(누적 4,613/42.1%)
2위 정동영 738(33.5%)
(누적 1,322/12.1%)
3위 이인제 710(32.2%)
(누적 5,012/45.8%)
유효투표수 2,204표
(누적유효표 10,947표)

❾ 대구(4월 5일, 대구컨벤션센터)
1위 노무현 1,137(62.3%)
(누적 5,750/45.0%)
2위 이인제 506(27.7%)
(누적 5,518/43.2%)
3위 정동영 1,81(9.9%)
(누적 1,503/11.8%)
유효투표수 1,824표
(누적유효표 12,771표)

❿ 인천(4월 6일, 천문대체육관)
1위 노무현 1,022(51.9%)
(누적 6,772/45.9%)
2위 이인제 816(41.4%)
(누적 6,334/43.0%)
3위 정동영 131(6.7%)
(누적 1,634/11.1%)
유효투표수 1,969표
(누적유효표 14,740표)

⓫ 경북(4월 7일, 포항 실내체육관)
1위 노무현 1,240(59.4%)
(누적 8,018/47.6%)
2위 이인제 668(31.9%)
(누적 7,002/41.6%)
3위 정동영 183(8.7%)
(누적 1,817/10.8%)
유효투표수 2,097표
(누적유효표 16,837표)

⓬ 충북(4월 13일, 청주 실내체육관)
1위 이인제 734(61.0%)
(누적 7,736/42.9%)
2위 노무현 387(32.1%)
(누적 8,405/46.6%)
3위 정동영 83(6.9%)
(누적 1,900/10.5%)
유효투표수 1,204표
(누적유효표 18,041표)

⓭ 전남(4월 14일, 순천 팔마체육관)
1위 노무현 1,297(62.0%)
(누적 9,702/48.2%)
2위 이인제 454(21.7%)
(누적8,190/40.7%)
3위 정동영 340(16.3%)
(누적 2,240/11.1%)
유효투표수 2,091표
(누적유효표 20,132표)

⓮ 부산(4월 20일, 사직체육관)
1위 노무현 1,328(62.5%)
(누적 1,1030/78.3%)
2위 정동영 796(37.5%)
(누적 3,036/21.6%)
• 이인제 후보 사퇴
유효투표수 2,124표
(누적유효표 14,066표)

⓯ 경기(4월 21일, 성남 실내체육관)
1위 노무현 1,191(45.5%)
(누적 1,2221/73.3%)
2위 정동영 1,426(54.5%)
(누적 4,462/26.7%)
유효투표수 2,617표
(누적유효표 16,683표)

⓰ 서울(4월 27일, 잠실 실내체육관)
1위 노무현 3,924(63.0%)
(누적 16,145/70.5%)
2위 정동영 2,305(37.0%)
(누적 6,767/29.5%)
유효투표수 6,229표
(누적유효표 22,912표)

총 합

1위 **노무현 16.568**
2위 **정동영 6.767**

세상을 바꾸는 건
정치인이 아니라,
정치인을 선택하는
사람들이다

다문 황의완

닉네임은 '다문'이고요. 이름은 황의완. 회원 가입은 홈페이지를 제가 만들면서 해서 1번으로 등록되어 있을 겁니다. 지금은 영화 쪽 일을 하고 있고요. 노사모 활동은 노사모가 출발하려고 한 2000년. 총선 결과 발표 때 떨어지는 걸 보고 노하우 게시판에서 사람들이 모여 웅성웅성하는 그 분위기, 울분이 끓어오르던. 노하우 회원 몇 명이 모이자고 해서 회원 모집할 때 시작했죠. 당시 광고 회사를 운영하고 있었고 서버도 있고 웹진도 운영하고 있었고. 원래 하던 일이 홈페이지 만드는 일이라 제가 하게 되었습니다.

어떻게 1호 회원이 되신 거예요?

2000년, 1999년이었을 거예요. 8월 15일에 노하우라는 홈페이지가 오픈했죠. 당시 정치인들 홈페이지가 많지 않았어요. 거기에 사이버 보좌관이라는 걸 모집했어요. 그전부터 노무현님하고는 인연이 있어 알고 있던 터이고 제가 생업이 있으니까 참여를 못하고 있다가 사이버 보좌관 모집한다 해서 온라인에서만 활동하면 되니까, 또 하던 영역과 관계가 있어서 참여했죠. 치열한 경쟁 속에서 선발될 거라고 생각했는데 알고 보니까 신청한 사람들은 다 받아들여졌더만요. 정치 현안이나 다양한 정보, 제안을 모아서 전달하는 일을 했는데 실질적으로 정책에 반영되는 통로가 딱히 없었어요. 성과가 없으니까 점점 시들해지고 있던 터였죠. 그러던 차에 총선이 있었고요. 처음에 회원 모집 시작한 사람도 사이버 보좌관들이었어요. 절세미녀, 팬클럽 만들자고 제안한 늙은여우, 그리고 저. 이런 사람들이 물밑 작업을 했다고 할 수 있죠. 총회 준비 모임에서 이름을 뭘로 할 건가? 그때 공식적으로 노사모로 하자고 결정했고. 도메인은 뭘로 할 건가? 노무현.org, 바보.kr, 노사모.or.kr 3개를 쓰자고 결정했고. 사이트는 저하고 늙은여우 둘이서 만들자고 결정했죠. 둘이서 의논하다가 늙은여우가 생업 때문에 계속 일이 있다보니 제가 주로 해서 만들게 되고. 테스트 겸 회원 가입해야 되니까 1번인 거죠. 별 의미는 없습니다.

33인들이 모여서 한 게 발대식이었나요?

거기서 커다란 결정 몇 가지가 난 게 이름을 노사모로 한다, 창립총회를 6월 6일로 하자, 도메인은 뭐로 한다, 홈페이지는 누가 만든다. 하나가 더 있었던 게 수도권 대표가 전국 대표를 임시로 맡자. 초기에는 노사모가 지역 연합처럼 영남권 노사모, 호남권 노사모, 충청권 노사모, 수도권 노사모 4개로 출발했어요, 따로따로. 지역에서 사람들이 모여 지역 대표를 뽑으려던 중이었고. 당시에는 막걸리 마시다가 네가 해라, 하다가 대표를 맡던 시기였으니까요. 노사모에서 중요한 결정은 온라인 투표로 결정하자, 자주 모일 수 없으니까. 그 결정도 있었던 것 같네요.

33인은 무슨 의미인가요?

딱히 의미는 없었고 모인 숫자가 33명이었어요. 정확하게 기억하기로는 왔다가 한 사람 먼저 갔어요. 그래서 32명이었던 것 같은데 어쨌든 33명으로 하자. 나름 의미 부여는 하고 싶었겠죠. (웃음)

(웃음) 그렇군요. 노사모의 약속도.

1차 온라인 투표를 한 번 했어요. 6월 6일이 노사모 총회일 되면 현충일이란 말이에요. 현충일에 떠들고 노래 부를 수 없어 다른 날로 바꾸자고 투표 부쳤는데 부결돼서 그냥 6월 6일 하는 걸로 했고. 두번째 투표로 노사모 규약안을 상정하기로 했어요. 그런데 노사모가 책임과 권한을 규정하기가 참 애매한 조직이에요. 조직이라고 할 수도 없는 모임이고 누구든 언제든지 가입할 수 있고 언제든 떠나갈 수 있는 모임이어서 책임과 권한을 규정해봐야 '그만할래' 하는 순간 아무런 의미가 없기 때문에, 딱딱하게 규약으로 하지 말고 '노사모의 약속'이라 하자고 했죠. 복잡하게 만들지 말고 몇 줄로. 비하인드 스토리가 있는 게 제가 온라인 투표를 관리하는 사람이지요. 우리 회사의 총무였던 친구도 노사모 회원이죠. 친구하고 같이 의논해서 "야, 이런 것 좀 이렇게 바꾸면 어떨까?" 해서 친구 닉네임을 꽃다림으로 하고 꽃다림의 약속. 그러니까 노사모의 약속. 그렇게 제안하고 압도적인 지지를 받아 노사모의 약속으로 통과된 거죠.

어떤 내용이었길래 압도적인 지지를 얻을 수 있었을까요?

일단 단출하고요. 지금도 외울 수 있어요. 노사모는 노무현과 함께 동서통합에 동참한다. 노사모는 노무현과 함께 민주주의 발전에 동참한다. 노사모의 중요한 결정은 관례에 따르고 온라인 투표로만 바꿀 수 있다. 대표일꾼에 대한 것은 훨씬 뒤에 나왔어요. 당시 대표에 대한 개념이 별로 없었고요. 그래서 회장을 어떻게 선출한다 만다도 없었죠. 첫째는 수도권 대표가 전국 대표를 임시로 담당한다. 뒤에는 지역별로 돌아가면서 한다고 생각했죠.

지금 노사모에서 중요한 역할을 하고 계시죠.

노사모 대표를 맡고 있죠. 노사모에서는 대표라고 하지 않고 일꾼이라고 하죠, 대표 일꾼. 일꾼이라고 제안한 거는 노사모의 초대 직선 투표로 된 명계남이었죠. 수도권 대표가 전국 대표를 한다고 했으니 수도권 대표로 있었던 김용권씨가 임시 대표이긴 해요. 직선으로 뽑은 대표는 명계남씨죠. 명계남씨가 대표가 되자마자 "난 대표라고 안 할래. 결정은 어차피 온라인 투표로 하는 거니까 결정되면 그거 집행만 할래. 그냥 일꾼으로 하자" 그래서 노사모 일꾼이라고 했죠. 일꾼 선거라고 하니까 지역 노사모들도 "좋다, 이름 좋네, 우리도 일꾼으로 하자". 지역 일꾼과 중앙 일꾼이 구별돼야 되니까 앞에 '대표'를 붙였어요. 그래서 대표 일꾼. 진행하다보니까 지역도 대표 일꾼이 된 거예요. 그래서 다시 중앙 대표 일꾼. (웃음) 노사모에서 집행부는 직접 민주주의, 온라인 투표로 결정하는 거니까 대표 일꾼의 권한이 딱히 없었어요. 일꾼이라는 개념이 사람들한테 공감이 가는 면이 있었죠.

현 대표시니까 물어보겠습니다. 노사모 지금 뭐하고 있습니까?

내부 논쟁이 많이 있죠. 노사모를 어떻게 할 거냐? 노사모가 다양한 스펙트럼이 있어요. 초기에는 종로 두고 와서 떨어지는 노무현이 불쌍해서 모인 사람들, 두번째는 노무현을 대통령 만들자고 모인 사람들. 경선과 대선 과정이죠. 세번째는 탄핵 때문에 열받아서 가입한 노사모. 네번째는 서거하시고 지켜주지 못해서 미안하다는 마음으로 가입하신 분들. 하나 더 생각해본다면 노사모에서 시민운동 하고 싶어서 들어온 사람들. 5개 되겠네요. 스펙트럼이 다 다르니까 뒤에 들어온 사람들은 노사모의 명성을 듣고 왔는데 아무것도 하는 것도 없고 답답해 보이는 거예요. 운영이 왜 이렇게 엉망이냐고 비판하는 사람들이 있고. 그분들은 시민운동 차원에서 바라보기 때문에 체계적인 거를 추구하시고. 초기에 모인 사람 대부분은 노무현이 좋아서 왔거나 열받아서 왔거나, 딱히 체계적으로 움직이기보다는 물러터진 사람들의 모임이었죠. 노짱님도 안 계신데 딱히 우리가 큰 사업할 때도 아니고 물 먹은 종이마냥 푹 퍼져 있죠. 현재는 이후 노사모의 진로에 대해서 계속 갈등하고 고민하는 중이죠.

지금 노사모 숫자가.

현재 등록되어 있는 수는 12만 명이죠. 실질적으로 활동하고 노사모 홈페이지에 접속하는 인원은 하루에 20명 될까? 새로운 글 하나 올라가면 조회되는 숫자가 하루에 총 20회를 넘지 못하는 것 같아요. 노사모 별도의 밴드가 있긴 한데 거기서도 딱히 이슈가 없기 때문에 일상적인 정치에 대한 얘기, 세상살이에 대한 얘기만 주로 올라가고 있죠. 노사모 자체의 활동은 미미한 수준이라고 볼 수 있죠. 이것은 노사모가 당장 할 일이 있지 않다는 걸 입증한다고 볼 수 있고요. 노사모에서 온라인 기반의 정치, 생활 정치로 분화되어나갔다고 생각할 수 있죠. 이를테면 정당으로 참여하는 사람들도 있고 탄핵 때는 국민을 협박하지 말자는 그룹으로 분화되어나간 팀도 있고. 정동영 선거 때 정동영과 함께하는 사람들로 분화된 사람도 있고, 시민의 문 쪽으로 분화되어나간 사람들도 있고. 여러 단위로 다양하게 분화되었다고 볼 수 있죠.

노무현 대통령이 서거하시고 정체성의 혼란 때문에?

노무현 대통령께서 당선되고 노사모의 진로에 대한 고민이 한 번 있었죠. 해체 논쟁을 온라인 투표로 부쳤고 6 대 4인가로 부결됐어요. 해체를 못했죠. 당시에 부산 노사모는 별도로 지역 투표를 부쳤어요. 지역 투표에서 거의 90% 찬성으로 해체를 결정했고 부산 노사모는 해체됐죠. 서거 이후에는 새로운 해체가 아니라 오히려 지켜주지 못해서 미안하다는 사람들로 더 많이 모였죠. 그때는 노무현 재단이 있던 것도 아니었기 때문에 대통령 서거를 애도하는 사람들이, 온라인에서 힘을 실어주고 싶은 사람들이 노사모로 왕창 들어왔죠. 그때 이후로는 고유명사 노사모라기보다는 노무현을 사랑하는 사람들 또는 지켜주지 못해서 미안해하는 사람들로 쭉 퍼져버린 상태고. 노사모.org에 가입되어 있는 노사모 외에 네이버 카페 노사모도 있고 다음 카페 노사모도 있고 노무현과 함께 삼겹살이라고 했던 노사모도 있고. 하나 특이한 거는 다음 카페에 쌍코, 소울드레서, 장발이라는 여성 클럽이 있어요. 회원 수 다 합치면 50만 된대요. 쌍코는 성형 수술이고, 소울드레서는 의상이고, 장발은 화장. 여성 커뮤니티예요. 저는 그분들도 노사모라고 생각하죠. 보통 명사, 노무현을 사랑하는 사람들이라는 의미로. 제가 알기로는 노짱님께서 돌아가시고 전국 분향소에 생수를 공급한다든지, 보이지 않는 곳에서 허드렛일을 하고 사라지셨던 분들이죠. 우리는 노짱이라고 부르는데 그분들은 노블리라고 부르거나 아버지라고 부르거나. 여성들만 모인 곳이에요. 보이지 않는 노사모라고 생각해요. 정치 성향은 전혀 가지지 않는 집단들인데 노짱님이 돌아가신 것에 가장 아픔을 느끼시는 분들이죠. 우리는 노짱님 돌아가셨을 때 그냥 멍하게 있었다면 그분들은 지켜주지 못해서 미안하다는 각성의 과정이 있었던 것 같고, 그 미안함으로 분향소들을 지키고 허드렛일을 한 분들이죠. 노사모뿐만 아니라 다른 사람들도 잘 알지 못하죠, 그런 분들을. 따로 내세우거나 얘기한 적도 없고.

큰 숙제로 남았는데 어떻게 하실 생각인가요?

18년 동안 부산 노사모는 주홍글씨처럼 있었죠. 부산에서 노사모 사람들은 환영받지 못했죠. 최근 부산 시의회 의장님부터 시의회 의원 중 20분이 노사모 출신이고 구청장 너덧 명이 노사모 출신이에요. 그분들 상당수가 선거 때 노사모 경력을 증명해달라고 요청이 와요. 경선을 하거나 당내에 서류를 제출할 때 요청해오시는 분들이 있어요. 부산이 상전벽해를 이룬 거죠. 현재 노사모 구도에서는 대표 일꾼 선거에 500명 정도가 투표에 참여해요. 그러면 어느 집단에서 의도적으로 50~200명 정도가 가입해서 노사모의 방향을 이렇게 가자고 해버리면 확 바뀌는 위험한 상황인 거죠. 그런 무리가 생길 수 있죠. 현재 CMS 자동 이체돼서 들어오는 금액이 월 500 정도예요. 해지하자 해도 못하겠다는 분들이에요. 이런 상태에서 혹시 마음먹기에 따라 이상한 방향으로 노사모를 끌고 가려는 사람이 생길 소지가 있죠. 그래서 현재 노사모의 대표 일꾼으로서 이번 총회 때 노사모가 더 신중하게 일을 결정할 수 있는 시스템으로 바꾸자고 제안할 예정입니다. 임기가 내년 1월까지인데 총회에서 새로운 시스템으로 뽑고 저는 사퇴하고 원래 자리로 돌아가려고 생각하고 있습니다.

노사모의 의미라고 한다면.

2001년 6월에 노사모 탄생 1주년으로 창립 당시를 재현하는 걸 한번 해보자고 했었어요. 어떤 일이 있었나 게시판을 다시 찾아서 글을 올리는 것을 해봤는데 상당히 의미 있었다는 생각이 들어요. 시민들이 자발적으로 참여해서 사회가 바뀔 수 있다는 경험을 계속 확산하는 것. 진보적 성향의 사람들도 노사모에 많이 들어오긴 했으나 크게 환대받지 못했어요. 저도 운동권 출신입니다만 그런 논리가 노사모에서 먹히지 않는다는 걸 체감했죠. 이를테면 사구체 논쟁이나 운동권들이 말하는 용어라든지 사회 변혁이라든지 얘기하면 먹물 들어왔다고 해서 밀어버린다든지 정당, 당원 사람들도 당에 가라고 하고. 단순히 노무현과 동창이란 이유로 노사모에 가입하는 사람들에겐 '뭐냐? 니들은. 동향이라고 가입하는 사람은 아니다, 가치를 동의하는 사람만 들어와라' 이런 생각. 먹물들, 학생운동 하던 사람들에 대한 경계 분위기가 많이 있었죠. 노사모 초기 분위기들이 그런 데 있어서 참 좋았다고 생각해요. 노사모 사람들이 일반인들에 비해 정치적 각성이 높고 수준이 높다고 생각 안 하거든요. 일반인들과 비슷하거나, 오히려 그것보다 더 못할 수도 있는 사람들이 어떤 계기로 모였는가? 어떤 구조로 소통하는가? 이게 노사모의 가장 큰 특징 아닐까요. 바보 같은 노무현이 불쌍해서 모였으니 거기에 대한 에너지들이 있는 거죠. 그럼에도 모인 계기가 그것이니 에너지가 분출되고 하는 것이 아닐까 생각하죠.

왜 문재인 대통령 쪽으로는 안 가시는 거예요?

문재인 대통령은 노무현 대통령께서 못하던 부분들을 정말 잘하고 있다는 생각은 많이 들죠. 그렇지만은 노무현에게는 불쌍하다, 돕고 싶다는 마음이 많이 오는 거고 문재인 대통령은 속시원하게 참 잘하시네, 박수 쳐주면 될 일이라고 생각하는 분들이 있는 것 같고. 다만 노사모 때 우리가 잘못했던 부분들, 이를테면 '당선시켰으니 끝이야, 우리 할 일은 끝났어, 전부 집에 가자'고 했던 것이 우리가 잘못했던 부분이라고 생각하고 있고 문재인을 지지하는 측에서는 끝까지 힘을 실어줘야 된다는 것으로 더 진화됐다고 생각합니다. 그게 낫다고 생각하고요.

노사모는 그때 왜 노무현 대통령을 외롭게 던져놨을까요?

외롭게 던졌다기보다도 우리 인식 수준이. 대통령 선거를 얘기할 때 즈음부터 논쟁이 벌어졌어요. 우리가 노무현을 대통령 만들려고 모였냐? 아니다. 그때 우리 인식에 있어서는 대통령은 권력자라고 생각했기 때문에 우리 순수성이 오염되거나 변질되지 않을까 걱정했던 것 같아요. 논쟁을 치열하게 했죠. 오프라인 회의도 전국 단위에서 모여서 몇 차례를 했어요.

노사모 본조직은 참여 안 한다, 다만 노사모 안에 별도의 조직을 만들어서 하자, 그렇게 타협이 됐어요. 노사모에서 별도 조직을 하나 만들어서 참여할 사람은 거기 가서 하라고 한 거죠. 그렇게 시작했고 제주 경선, 울산 경선, 광주 경선을 거치면서 판도가 바뀌죠. 당시 노사모 회원이 3천 명 정도 될까였는데 광주 경선 이후에 하루에 가입하는 숫자가 원래 있던 회원 수 비슷한 거예요. 제가 서버 관리하고 있었는데 계속 다운되는 거예요. 초기에 노사모 사이트 데이터베이스 구축을 MDB라는 걸로 했어요. 마이크로소프트에서 제공하는 아주 초보적인 데이터베이스예요. 한 사람이 쓰고 있을 때 다른 사람이 못 쓰는 정도. 가입 수가 폭증하니까 안 되는 거죠. 그래서 증설하는데 서버 증강이 완료될 즈음에 회원 수가 2만이 되어 있고, 계속 서버 늘린다고 정신없었죠. 처음에 우리 회사 첫 서버가 델 컴퓨터였는데 거기에 외부 호스팅하고 있었는데 처음부터 부하가 걸리기 시작했죠. 다른 전체 외부 호스팅이 들어와 있는 것보다 노사모 트래픽이 더 많았어요. 증설하자마자 또 차고, 두세 번 반복했던 것 같아요. 노무현을 대통령 만들자는 생각하고 들어온 사람들이기 때문에 질적으로 앞 사람들과 차이가 나죠. 좋다 나쁘다를 떠나서 결이 완전히 달라지는 거죠. 그다음부터 안에서는 대통령 만들려고 가입했냐고 하는 사람들은 별로 없었죠.

왜 이렇게 비효율적으로 하십니까, 노사모들? 노무현 대통령도 그렇고요.

의사 결정 구조가 팽팽 돌아갈 때는 온라인 투표로 물어보고 결정하는 것이 굉장히 큰 효율성이 있다고 생각해요. 다만 일을 하는 데 있어서 일사불란하게 움직이는 것에는 답답할 정도로 잘 안 움직이죠. 그러나 한번 불이 붙어 방향을 타면 누가 강제해서 하는 일이 아니기 때문에 상상하기 힘든 정도의 힘들이 나오기도 하죠. 이런 것들의 연속이지 않을까 해요.

왜 이렇게 과정이 중요한 겁니까?

노사모 사람들은 과정이 중요하다고 고차원적으로 생각 안 해요. 당선되고 청와대로 노사모 사람들을 초청한 적이 있어요. 경선 때 얘기를, 후보 단일화 때 얘기를 했어요. 제가 질문했죠. "후보 자격이 개인의 것이 아니고 민주 진영의 정통을 이어오는 모든 사람들의 염원이 담겨 있는데 정몽준 후보한테 지면 어쩌려고 안 좋은 조건 다 받아들였습니까? 무책임하게 그러시면 어떡합니까?" 그랬더니 "이 사람아, 운칠기삼이지." "운칠기삼이 무슨 뜻이에요? 진지하게 말씀해주세요." "못 알아듣나, 이 사람들아. 운칠기삼이라니까." "농담 아니시고요?" "진심이야, 운칠기삼(運七技三). 후보 단일화라는 게 그런 거 아니냐. 후보 단일화하는 과정에 무조건 내가 이기겠다고 생각하면 어떻게 후보 단일화가 되겠냐. 운에 맡겨야지. 운에다 안 맡기면 그게 무슨 정치가 되겠냐. 30%는 노력해야지." 돌이켜 생각해보면 머리가 쭈뼛 서죠. 너무한 거 아니야? (웃음) 이런 생각이 들긴 해요. 다른 분 통해서 듣기로는 진짜로 질 생각까지 가지고 있었대요. 후보 단일화에서 지고 후보 단일화 이긴 사람보다 더 열심히 선거운동 하는 걸 보여주고 싶다. 그런 기록으로 한번 남아보고 싶다고 생각했다고 말씀하시더라고요. 그러니까 바보죠. 마찬가지로 대통령 됐으니 우린 떠난다, 참 바보 같은 짓이었단 생각해요. 지켜주고 같이했어야지요. 참여가 자리를 차지한다고 생각했죠. 지나고 나서 보니까 홀로 둔 거예요. 방치해버린 거죠. 대통령 혼자 할 수 있는 게 아니라는 걸 지금 우리는 알거든요. 그때는 그분을 감시해야 된다고까지 생각했으니. (웃음) 잘못 생각한 부분들이 있었죠.

'사람 사는 세상을 위하여'를 언제 하셨죠? 노무현 대통령과 노사모의 슬로건이었죠.

노사모의 슬로건까진 아니었고요. 노사모는 (웃음) '노무현과 함께'가 슬로건이고. 노통님을 처음 뵌 거는 대학 갓 졸업하고 부산에서 인권변호사로 노변, 문변 부를 때였죠. 1988년인가요? 13대 국회 출마에 YS가 통추를 만들었고 거기에 노무현이 재야 영입의 케이스로 출마하기로 했고 시민운동 단체 쪽에서 지원 가기로 했어요. 저는 그림 그리는 사람이었기 때문에 그림 그려주는 일로 거기에 참여하러 갔죠. 우연히 노변 집에서 심부름하는 역할이 주어졌어요. 당시 계시던 곳이 이 일대인데 삼익아파트에 갔더니 교자상 앞에 앉아서 원고지에 쓰고 계셨어요. 쓰시는 게 출사표고 제목이 '사람 사는 세상을 위하여'였어요. 띄엄띄엄 봤죠. 국회의원 출마하는데 출사표는 뭐야? 전쟁도 아니고. (웃음) 훗날 지나서 기억을 되살려보면, 지금도 노무현 재단의 슬로건이 '사람 사는 세상'이잖아요. 참 대단한 초지일관이라고 생각해요.

다른 일화는?

통화하시는데 경상도 사람들의 특유한 말로 "허삼수를 주든지, 서구를 주든지" 이런 말씀을 하셨어요. '허삼수는 제일 센데, 붙으면 떨어지는데' 생각하고 '서구는 YS 지역구인데 심하다, 어이없다, 총재 지역구를 달라 그러면 우짜노?' 그런 생각 했어요. 결국 허삼수 지역구에 갔고 선거가 본격적으로 시작되고. 당시에 만화 홍보가 유행했어요. 초기에는 제가 만화를 그리다가 상대 만화가가 톱클래스 나오니까 내가 대적할 상대가 아니고 우리도 프로페셔널한 분을 찾자 해서 이희재씨에게 부탁했죠. 서울 상계동 판자촌에 살았어요. "노무현이 국회의원에 출마하는데 만화 좀 그려주세요" 했더니 "노무현이 누고?" "이런 분입니다" "됐다, 마. 술이나 먹자. 안할란다" 이러더라고요. 한참 술 먹고 이야기하다가 "상대는 누군데?" "허삼수인데요" "야, 이 새끼야. 진작 이야기해야지, 왜 이제 하냐? 당장 시작하자" 이리 된 거예요. 처음에 노무현보다는 허삼수 때문에, 허삼수를 떨어트리기 위해 사람들이 모였구나 생각했어요. 노무현 대통령의 선거 전략이라고 해야 될까? 아예 이기겠다는 전략보다 가치관을 추구하는 거였다고 생각해요. 다른 데서 들어본 이야기로는 경선에 출마한 것도 꼭 이겨야겠다는 생각보다도 당의 후보로 이인제, 여기저기 왔다갔다하는 후보를 내세운다는데 막아야 된다고 생각하고 나왔다고 말씀하시더라고요. 이기겠다는 목적, 전략은 없고 그 과정에 어떤 가치를 세울 것인가에 대한 얘기죠. 권력을 쟁취해서 실현해가는 정치도 있겠지만 제대로 된 사람을 찾아서 가치를 밀어주는 정치도 필요하고 그 과정들에 노사모 같은 형태도 있다고 생각하는 거죠.

노무현 대통령이 사람들 마음을 많이 바꿔놓았나요?

엄청나게 바꿔놓은 거죠. 권력을 잡아서 바꾸겠다는 것이 아니죠. 검사들에게 호되게 당하면서 세상 사람들에게 알려주잖아요. 그분 자체가 사람들에게 각성하게 만드는 과정이었잖아요. 권력을 가지고 바꾸는 게 아니라 사람들의 마음을 바꾸는 정치를 하신 거잖아요. 그게 정말로 올바른 정치고 그래서 노사모가 역동적이고요. 어떤 면에서 보면 노무현 재단보다도 노사모가 더 가치 있다고 생각해요. 노무현 재단은 프로페셔널하게 정제되어 있고 깔끔하게 운영하는 데 반해 노사모는 어수선하고 정신없어요. 진짜로 세상이 바뀌는 건 사람들이 각성할 때 바뀌는 거거든요. 그렇지 않겠습니까? 노사모도 노무현의 마음 때문에 움직이는 것이죠. 노무현과 문재인 대통령을 보면 문재인이 잘하죠. 그러나 제가 애정이 가는 사람은 문재인보다는 노무현이죠. 나랑 더 가까워서? 아니거든요. 노무현을 좋아하는 사람들은 노무현이 불쌍해서 모이는 사람들이란 말이에요. 마음이죠. 그것이 큰 틀에서 진짜 세상을 바꾸는 정치 아닐까 생각하죠.

노사모를 키워드 하나로 붙인다면.

바보들이죠. (웃음) 일단 바보 노무현이 좋아서 모였지만 지들도 쪼다 같은, 바보 같은 짓을 하는. 그 과정에 자기 삶이 망가지는 것 아랑곳하지 않고 몰입해서 가는. 모르겠어요, 노사모가 바보인지 쪼다인지. 바보라고 생각하는 이유는 이익 챙기지 않고 큰 틀을 생각한다는 의미가 있을 것 같아요. 노무현을 바보라고 얘기했던 것도 같아요. 쪼다라고 얘기한 부분들은 멍청하다는 의미도 있고. 노무현의 가치를 생각하고 모였지만 그 가치를 정말 효율적으로 사용했나? 또 제대로 지켜냈나? 그러지 못했고 참 쪼다 같은 사람들이라는 생각이 들고요. 노사모의 화려함이나 명성에 비해 내부를 돌아봤을 때 사람들을 잘 추슬러가고 있는지 본다면 그렇지 못한 면도 있어요.

노사모는 뭘 바라고 했던 사람들이 아니라는 자기 결벽을 갖고 계시죠.

스스로 생각하기에 우리가 무엇을 취하면 안 된다는 생각이 있었고 다른 사람들도 비슷하게 전체 공감대가 형성이 돼 있었고. 스스로 선택했던 길이기도 하고요. '왜 그렇게 됐을까'에 대한 부분들을 최근에 샤인과 한번 얘기한 적이 있어요. 왜 노사모 사람들이 그렇게 전체적으로 배제되었을까에 대해 여러 가지로 답답했던 부분들이 있긴 해요. 공개적으로 얘기할 수 있는 문제는 아닌 것 같고요. 영화 〈노무현입니다〉와 노무현 재단에서

펴낸 『선택의 순간들』이라는 책에서 답답함에 대한 것들을 한꺼번에 보상받는다는 느낌을 많이 받아요. 고맙고 기분좋고 그래요. 무탈하게 가기 위해 빠져주는 게 옳다고 생각해서 빠졌는데 그 빠짐에 대해서 어느 누구 하나 기억해주지 않는다면 황망하잖아요. 사라진 사람들이라고 인지해주니 고마운 거고. 이렇게 영화로 다루겠다고 하는 사람들 정말 고맙게 생각하죠.

혹은 누군가가 노사모를 기념한다면 당신들의 어떤 모습을 기억해주기를 바라십니까?

세상은 사람들이 참여하면 바꿀 수 있다. 우리가 만들 수 있다. 그런 경험을 노사모가 한 거고 그 경험들이 전파돼서 많이 퍼져나갔다고 생각하고…… 가장 중요한 가치 아닐까 생각하는 거죠. 그중에서 더 가치 있게 기억되었으면 싶은 게 세상을 바꾸는 거는 정치인들이 아니다. 그 정치인을 선택하는 사람들이다. 노사모가 경험했고 그 경험들을 더 공유하자는 거죠.

그리운 닉네임 한번 이야기해보시죠.

킬러걸, 절세미녀, 델리님 정도인 것 같아요. 델리님은 노사모에서 좋은 일을 많이 했던 사람으로 기억돼요. 늘 빵을 많이 갖다주시던. 빵가게 3개를 운영했는데 모임 할 때마다 빵을 듬뿍 가지고 오셨어요. 노사모에서 봉사활동을 참 많이 했어요. 저는 뺀질이 스타일이라. (웃음) 봉사는 자기가 좋아서 하는 것이라 생각하고 내가 남을 위함으로써 만족감을 느끼니까, 내가 기분좋으니까 생각하는데 그런 활동을 많이 하다가 결국 델리님은 종합병원이에요. 뇌종양에, 심장 질환에. 빵가게도 다 말아먹고 지금은 지리산에서 남의 차밭 가꾸는 일을 하고 계시죠. 노사모 회원 몇 명이서 그 분을 돕는 활동을 해보자, 하는 초기 회원들이 몇 명 있어요.

노사모 가족들에게 인사.

저는 노사모 사람들이 행복해야 된다고 생각합니다. 행복하게 살아야 되고 우리 스스로가 행복해야 지금까지 살아온 과정들이 정당성을 획득할 수 있다고 생각합니다. 우리가 불행해지면 그렇게 살아왔던 삶이 자기에게는 좋지 않은 결과로 오더라고 주변 사람들에게 보이게 되는 것이니까. 우리가 살아온 것이 정당하다면 스스로 행복해져야 될 필요가 있고 의무적으로 행복하게 살아야 되는. 행복하게 살기 위해 서로 돕고 스스로 노력하는 게 제일 중요한 거 아닐까 생각합니다. 노사모 회원 여러분들, 행복합시다.

옳은 위치에 서서
틀린 곳을 향해
돌멩이를 던진다

자유인 나호주

2000년부터 2002년까지 부산, 울산, 경남 노사모 대표 일꾼을 맡은 '자유인' 나호주입니다. 지금 오십일곱이고 그때는 서른아홉 정도 된 거 같아요. 1985년도에 복학했는데 동구에서 국회의원 하던 정치인이 떨어지니까 관심 갖게 됐고 계속해서 신문, TV로 보고, 인터넷 서핑하다 노무현을 사랑하는 사람 모임이 만들어지더라고요. 그래서 들어온 거예요.

노사모에서 주로 어떤 일을 하셨어요?

초창기에 부산, 울산, 경남 대표 일꾼을 맡아서 조직을 분화하는 작업을 했습니다. 첫번째 대표 일꾼 직임 했을 때 부산, 울산, 경남 통틀어서 한 개밖에 없었는데 후에 부산, 울산 분리하고 부산, 경남, 울산 분리하고 또 부산 안에 네 구역으로 분리하고. 그다음에 경남도 통영, 진주 이런 식으로 분화하는 작업을 1년 걸쳐서 한 거 같아요. 갈라놔야 차니까요. 지금도 기억나는데 초련 부산역 옆에서 모이자고 했는데 8명 모이더라고요. 조금 지나니까 사람들이 모이길 시작하고 거기서부터 계속 분화 작업하고 만들어진 거죠.

그렇게 많이 늘어날 거라고 생각하셨어요?

못했죠. 지금은 자유롭게 되었는데 그때만 해도 노무현이나 민주당, 김대중 의원 얘기한다는 거는 부산이나 경남, 특히 경상도에서 금기 사항이었거든요. 경상도에서 태어나는 애들이 받는 가정교육 1호가 '전라도 놈들하고 놀지 마라'. 지금은 상상도 할 수 없는 지역감정이 있었단 말이에요. 친척들이 40명 명절에 모이면 거기서 왕따가 되고. 고등학교 동문회 모이면 친한데 왠지 내 옆으로는 오지 않는 것 같고. 저만 그런 게 아니고 노사모 했던 모든 사람들이 기본적으로 느끼는 거예요. 그런데 어느 공간에 오니까 8명, 10명이 있는데 전부 노무현을 자유롭게 이야기하고 민주를 자유롭게 이야기하니까 1시간, 2시간, 3시간, 새벽까지 술을 먹는 거죠. 다음이 또 기다려지고. 다른 데서 그런 이야기 하면 부서지고 난리가 나죠.

노사모 가입 당시 어떤 일을 하셨어요?

회사 다니다 그만두고 헤매다가 사업하고. 대학가 안에서 복사실 했습니다. 기본적으로 노사모 팬클럽이라는 것이 직접 정치하는 것에 대한 금기가 있어요. 선수가 되면 안 된다. 우리는 원단들이다. 가장 정치적인 사람들이 정치하고 유리되어 있으니 어떤 상황이 벌어지냐면 생업에도 손이 안 잡히고 그렇다고 해서 정치에 들어와서 업을 찾는 것도 아니고. 반쯤 걸쳐 있는 거예요. 생업과 정치, 이것도 아니고 저것도 아닌 상황이 그때부터 쭉 되는 거죠. 지금도 헤매시는 분이 많을 거예요. 생업이라는 것이 스트레스도 많고 부탁도 많이 해야 되는데 노사모 와서 노무현과 함께하는 것들 보면 굉장히 멋진 일이잖아요. 공익이거든요. 이렇게 하다가 생업을 하면 손에 안 잡히는 거예요. 작은 일 같고. 나라를 구하다가 왔는데 집에서 그릇 닦아야 되고. 붕붕 떠 있는 상태인 거예요. 그래서 정치에 발을 잘못 들이면 집안 망친다. 대부분 거기에 속한 사람들인 거 같아요, 저 포함해서. 망친 거 같아요. 생업 안 하니까. (웃음)

그전에 정치에 관심이 있으셨나요?

정치에 관심이 있는지 몰랐는데 마음속에 있었나봐요. 제가 81학번인데 80, 81 때는 전두환 전성기인데 정치적인 말을 학교 가서나 밖에서 할 수가 없는 상황이죠. 대학임에도 불구하고 좌측통행했던 거 같아요. 제가 부산대학인데 햇볕 좋은 3월 잔디밭 의자 두 개에 경찰인지 모르겠는데 기관원 두 명이 앉아 있고. 대학생들은 등교하면서 주눅 들고. 잔디밭 들어가도 되는데 한쪽 길로만 다녔던 기억이 있어요. 유인물 뿌리면서, 3초도 안 걸렸을 거예요, "민주"라는 소리에 고개 돌리는 순간 그 친구는 땅바닥에 제압돼서 피떡이 되어 있는 거예요. 그 위에 스무 명이 에워싸고 있고. 도서관 안에서 같이 공부했던 사람들 반 이상은 경찰관이었던 거예요. 어디서 뿌리든 3초에 제압당하는 상황이니까 정치의 정 자도 꺼낼 수 없는 상황이에요.

대표 일꾼은 어떻게 되신 거예요?

사람이 없었어요. 기억이 안 나요. 왜 됐는지 모르겠어요. (웃음) 귀찮기도 하고 이 사람은 부추기면 할 것 같다고 생각하니까 알음알음으로 정해놓고 들어온 거 같아요. 노사모가 밤새워 토론하면 대단한 진보의 의제 때문이라고 생각하는데 천만에요. 회비를 5천 원 낼 거냐, 만 원 낼 거냐. (웃음) 그 풍토를 고치는 데 2년 걸렸던 거 같아요. 대통령 나간다는데 처음에 참여파와 비참여파가 정확히 50 대 50으로 갈라진 거예요. 우리는 팬클럽이다, 왜 민주당 경선이라는 정치 행위를 해줘야 되느냐며 하지 말자는 사람. 우리가 좋아하는 서태지 가요톱텐 나가는데 1등 만들어야 될 거 아니냐는 사람. 초창기는 논쟁으로 다 보낸 거 같아요. 설득도 했지만 많이 나갔죠. 군데군데서 분화가 일어나요.

노무현이 다른 리더와 달랐던 모습들이 있을까요?

당시 경상도에는 금기어가 있어서 우리도 모르게 억압받고 주눅 들었는데 노무현이라는 정치인이 균열을 일으킨 거예요. 우리가 생각했던 금기어를 편하고 자유롭게 던지는 거예요. 거기에 반응하는 거죠. 처음인 거 같아요. 특히나 부산 출신 정치인이 경상도의 야당을 버리고 김대중 따라간 행위들. 그거부터 금기를 깬 거죠.

〈조선일보〉도 금기였나요?

〈조선일보〉 지금도 사랑하고요. 왜냐하면 〈어린이 조선〉부터 봤기 때문에 이미 저는 세뇌가 되어버렸어요. 수용을 잘하는 사람인데 제가 가장 못 받아들였던 것이 명계남 형이 열심히 했던 안티조선이었어요. 그때만 해도 안 깬 거죠. 부산 촌놈이 정보에 목말라 있었는데, 〈부산일보〉와 〈국제신문〉 보다가 〈조선일보〉 보면 게임이 안 돼요, 정보의 양이. 지금도 〈조선일보〉 봅니다. (웃음) 그때는 안티조선 마라톤대회도 가고 했지만 (웃음) 중독인 거 같습니다. 안티조선 할 때 주변에서 보면 큰일나겠다 싶어서 끊었는데 또 돌아오더라고요. 요즘은 같이 봅니다. 〈조선일보〉, 〈한겨레〉, 〈국제신문〉 세 개를 한꺼번에 봅니다. 주변에는 포장을 하죠. 적들을 연구해야 된다. 그런데 저는 (웃음) 〈조선일보〉가 재밌어서 계속 보는 거 같아요. 금단 현상이에요. 예전에는 노사모 운동하는 게 독립운동이었다면 지금은 내부에서 혼자 몰래 〈조선일보〉 보는 게 독립운동인 거 같아요. 다른 노사모 회원들 거의 모릅니다. 명계남 형이 알면 파문당할 거예요. (웃음) 지금은 다른 팟캐스트 방송 때문에 끊을 수도 있을 거예요, 앞으로는.

밴드 얘기 해볼까요?

노무현 대통령이 경선에 참여한다고 했을 때 대의원들을 설득할 방법이 없을까 해서 나온 것들이 감동을 주는 편지 쓰기, 자필로 편지 쓰기. 그다음 현장에서 밴드로 지지자들 모으기. '노사모 밴드'가 정치 사회에 첫 등장한 록밴드였을 거예요. 어설프게 갔는데 현장에서 잘 통했어요. 록밴드의 라이브 음들이 사람들한테 울림을 주는 거 같아요. 민중가요는 시민들이 모르는 것도 있고 정식적인 곳 가면 트로트도 애매하고 그 지점을 잘 찾아 들어갔어요.

전국 돌아다니셨겠네요?

경선 들어가기 전에 기본 작업을 해야 되잖아요. 그때 1년 전국 다 다녔죠. 또 경선 기간에 붐업을 시켜야 되니까는 미리 가서. 정당 대회나 정치 대회를 보면 무대와 관객이 분리되어 있어요. 무대 밑에는 박수만 치는 곳이에요. 무대 위는 정치인들이 올라가서 인사하고 연설하고. 그런데 저희가 관여하고부터는 관객이 춤추기 시작한 거예요. 춤추고 기차놀이하고 생경한 광경이었죠. 박수만 치고 간 게 아니라 출연했다는 느낌을 가지고 갔던 거예요. 그래서 노무현이 만드는 집회는 많은 사람들이 모였어요. 다른 후보 지지하러 왔다가 저희한테 동화되는 것들이 많아요.

공연하실 때 혹시 기억나시는 에피소드 있으실까요?

국민 경선 후보 노무현 대회를 가면 보통 노사모 팀들이 4시간 전에 노란 풍선을 불기 시작해요. 지역별로 했어요. 그런데 대전에서 할 때 30분 남겨놓고 풍선 불고 이러더라고. (웃음) 이 사람들 느리다, 오늘 공연은 끝났다 하면서 자신감 잃고 무대를 올라갔어요. 흥이 안 나고 하고 싶지도 않고 걱정도 되고 쪽팔리기도 하고. 아니나 다를까 공연 시작했는데 대전 분들이 멀뚱멀뚱 쳐다보고 있더라고요. 그런데 우리 진영에 최고의 응원단장이 있어요, 미키루크라고. 그 친구가 동을 쓰고 스무 명이 으쌰으쌰해서 의자 위에 올라가서 관객들 불을 질렀어요. 아주 짧은 순간에. 대전 사람들도 불이 붙더라고요.

노사모는 지금 무슨 일을 하고 있습니까? 목표는 뭡니까?

저는 현재는 노사모 활동하지 않고요. 왜 뜸해졌는지 기억 안 나요. 어찌 됐든 집권 이후로는 많이 분열했으니까. 사실 저는 (노무현 대통령이) 돌아가시기 전까지 봉하에 안 갔어요. 기본적으로 대통령에게 삐쳐 있고 그때 내가 지지했던 사람이 아닌 거 같은 거예요. 조중동의 공격이나 보수의 공격에 저도 매몰됐겠죠. 못한다 못한다 이렇게 되어서 서서히 멀어지고…… 어렸을 때 우리 동네에서 싸움을 제일 잘하는 형이야. 이 형이 너무 좋은 거야, 사나이 같고. 다른 동네 형들하고 한판 붙어서 우리 형이 이길 거라고 박수치고 막 하다가 너무 처참하게 깨지는 거야. 그럼 그 깨진 형을 같은 동네 후배로서 보듬고 위로하고 이래야 되는데, 왜 어렸을 때는 괜히 미운 거 있잖아요. 아씨 깨지고 말이야, 이런 거. 영웅시한 사람들에 대한 괜한 실망감. 지금은 기억이 잘 안 나는데 기본적으로 삐졌던 거 같아요.

노무현 대통령을 다시 만나게 된다면 무슨 말을 해주고 싶으십니까?

하나만 뽑으라면 "검사와의 대화 그거 왜 했습니까?" (웃음) 전부 기억이 나네요. 노사모 때 영삼 시계로 작살났잖아요. 그 두 개가 걸려요. 지금도 물어볼 거 같아요.

18년이 지난 지금은 어떠세요? 수확이 있다고.

있는 거죠. 지금은 애들에게 지역감정을 교육하지 않는 것. 정치 집단들이 지역감정으로 갈라지지 않는다는 것, 완전히 해소는 된 건 아니지만. 그게 노무현 대통령의 도전이었고 그런 세상이 온 거 같다고. 다만 종북이니 하는 부분은 앞으로 18년 걸릴 거다. 노무현 대통령이 지역의 문제를 뛰어넘었다면, 문재인 대통령은 그걸 받아서 남북의 문제를 뛰어넘을 거 같다. 예전에 노무현이 전선을 치고 넘어서지 않았다면 문재인 대통령이 판문점에서 김정은을 만날 수 있었을까. 경호 전혀 없이 대통령이 선 끝을 넘어갔다면 (웃음) 예전 같았으면 조중동한테 죽었겠죠. 통치자가 통치 시스템을 무시하고 김정은이 저기 있다고 해서 월북한 거잖아요? 어떤 감동, 노무현 도전의 역사 속에서 이루어진 결론이라는 거죠.

노사모 회원들한테 한말씀.

안녕하세요? 자유인입니다. 오랜만에 뵙고요. 요즘 제가 가장 많이 하는 말이 변화에 대한 믿음을 가지고 계속해서 도전해나가면 분명 사회는 변화한다는 것입니다. 다만 그 변화가 언제 일어날지는 아무도 모른다. 그래서 옳은 위치에 서서 계속 틀린 곳을 향해 돌멩이를 던져야 한다. 던지다 보면 언젠가 그 호수는 메워진다. 각자 전국에 흩어져서 돌을 던지신다는 것을 믿고 변화할 수 있다는 믿음을 가지고 호수 메우는 작업을 계속합시다. 고맙습니다.

대통령이 우산인데 없다,
우리한테

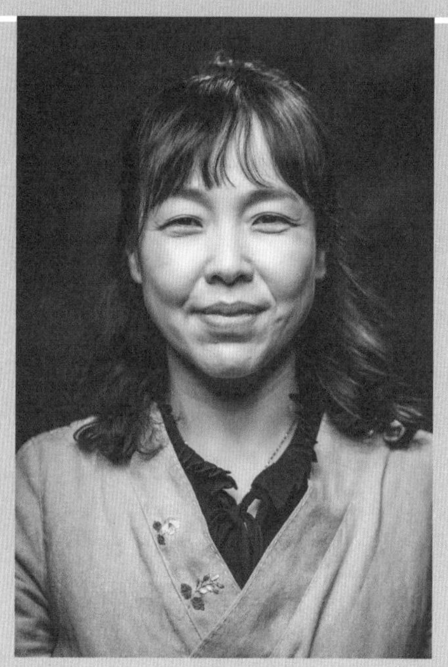

수현엄마 윤정임

'수현엄마'입니다. 경주에서 노사모 활동했고 지금도 경주에 살고 있습니다. 사실 누구 엄마 같은 닉네임을 좋아하지 않는데, 남편이 저보다 노사모를 한 달 일찍 가입했어요. 남편 닉네임이 '석현아빠'더라고요. 그런데 애가 둘이고 애들도 평등해야 되니까. (웃음) 남편이 가입해서 가입했어요. 남편으로부터 정보를 얻었으니까. (웃음)

경주에서 살기 전에 저는 부산에서 살았어요. 부산에서 태어났고 대학교 4학년 때 당시 노무현 후보가 부산 초량 국회의원 선거에 나왔어요. 엄마 단골 미용실에 같이 갔는데 미용사 아줌마가 노무현 후보 얘기하면서 김대중 대통령 얘기하더라고요. "그 사람은 안 돼." "왜요?" "빨갱이니까." "왜 빨갱인데요?" 김대중이 간첩이라고 하시는 거예요. "김대중이 간첩이에요? 그러면 신고하셔야죠. 간첩인 걸 알고도 신고 안 하시면 아줌마도 잡혀가요." 아무렇지도 않게 누군가를 간첩으로 만드는구나. 노무현도 김대중 당에 있기 때문에 안 된다고 하더라고요. 새파란 게 대드니까 엄마가 당황하셨어요. 선거를 관심 있게 봤는데 떨어졌어요. 제가 결혼해서 부산에 살고 있을 때는 노무현 후보가 시장 선거에 나왔어요. 지방선거였던 거 같아요. 그때는 투표권이 있는 거예요. 전에는 그 지역 주민이 아니라 투표권이 없었어요. 찍었는데 떨어졌어요. 많은 사람들이 기억하는 청문회 때도 그렇고 괜찮은 사람인데 왜 계속 지지?

잊고 살다가 경주로 이사했는데 종로 버리고 부산으로 가서 또 떨어지는 걸 보면서 '포기하면 안 될 거 같다, 이 사람에게 힘을 주고 싶다' 생각했고 노사모에 가입했어요. 가입하고도 온라인 활동만, 당시는 머릿수 하나만으로 힘주는 걸로 끝이었어요. 명계남씨한테 연락이 왔어요. 울산 무령고등학교인가 시골 고등학교에서 오프 모임을 처음 하겠다는 거예요. 오라고 하더라고요. 가깝긴 한데 선뜻 가고 싶지 않더라고요. 안 갔고 홈페이지로 노사모를 보면서 응원하기만 했어요. 그런데 당시 노무현 국회의원이 대통령을 하겠다고 선언하는데 신선한 거예요. 남이 보면 깜도 안 되는 사람이잖아요? 한번 응원해보고 싶다. 사실 대통령이 될 줄 몰랐어요. (웃음) 그래도 응원은 끝까지 해야겠다. 경주에도 오프를 한번 만들어보자 해서 남편이랑 경주 노사모 사람들 명단 받고 연락했죠. 오프라인을 처음 시작하면서 만나보니 사람들이 너무 좋고, 노무현도 좋지만 이 땅에 이렇게 마음 통하는 사람들이 많구나. 참 신났어요.

노사모 가입하시기 전에는 어떤 분이셨어요?

전에도 정치적 관심은 항상 있었어요. 부산에서 학교 다닐 때 서면이라고, 시내 한복판에 있었고 또래 학생들보다 많은 정보를 접하고 살았어요. 이미 고등학교 때 광주 항쟁 전시회도 봤고 대학생들이 전단지 뿌리고 도망가는 것도 봤고. (웃음) 전단지 주워서 점심시간에 친구들과 얘기하고. 김대중 대통령이나 김영삼 당시 후보들이 유세하러 서면에 오면 같이 구경하고 다녔어요. 정말 재밌더라고요. TV에서 보는 정치인들이 얘기하고 차려입은 아저씨들이 박수 치고. 고등학교 졸업하고 87년도에 재수했어요. 87년 항쟁을 눈으로 보고 겪으면서 세상을 다르게 봐야겠다는 생각을 하게 된 것 같아요. 결혼하고는 '정치는 안 해야지, 끼지는 않아야지. 내가 나서지는 않지만 세상이 똑바로 되는 건 보고 싶고, 옳은 게 이겼으면 좋겠고. 서포트는 해야겠다'로 정리된 거 같아요.

대통령 당선 후 노사모 해체 논란이 있었을 때 어떠셨어요.

대통령 당선 후 노사모 첫 안건이 해체하자는 것이었어요. 당시에 터프가이님, 구미의 노사모 회원 세 명이 저와 같이 있었어요. 투표 결과가 노사모 해체로 나오면 우리는 끝까지 남아 있자고 (웃음) 얘기했어요. 왜냐하면 노사모가 노무현을 따라가는 게 아니라 자체로 무언가를 해낼 수 있다고 생각했거든요. 노무현 대통령에 대한 애정도 있지만 노사모 사람에 대한 믿음과 애정이 많았어요. 덕평에서 노사모는 노무현 대통령이 당선되면 감시를 하겠다고 얘기했을 때 저희는 덕평에 못 갔어요. 월드컵 때 나와서 보는 큰 경기가 있었는데 모여서 길거리 응원하잖아요? 경주 노사모가 한 게 '노무현을 도와주세요'가 아니라 안티조선 운동이었어요. 새벽에 일어나서 안티조선 책자를 우리 돈으로 사서 집집마다. 새벽에 아파트 계단 내려오면 〈조선일보〉 받는 집은 표가 나요. 새벽마다 넣었어요. 월드컵 응원 때 안티조선 부채 나눠주자 해서 남편하고 저하고 애들 데리고 동국대학교에서 안티조선 부채 나눠주고. 덕평 안 갔죠. (웃음) 이미 대통령 후보가 됐고 가서 응원하는 게 기분은 좋을지라도 크게 도움되는 일은 아닌 거 같다고 생각했어요. 나중에 감시한다는 얘기 듣고 누구를 어떻게 감시한다는 거냐고. (웃음) 정말 감시하고 지켜봐야 할 사람들은 따로 있는데. 그 부분은 다른 사람들과 다르구나 생각했어요.

주어지는 것도 없는데 뭘 위해서 그렇게 열심히 하신 겁니까?

내가 속은 게 억울하고 남들이 속을까봐 억울한 거죠. 어릴 때 〈조선일보〉 열심히 봤고 남편도 〈조선일보〉 봤고요. 〈조선일보〉가 문화면이 잘 나오잖아요. 정보들도 풍부하고. 그런데 노무현 대통령을 지지하면서 보니까 이상하게 공격하는 거예요. 장인의 이력을 공격한다든지 요트를 공격한다든지. 일단 사실이 아니잖아요. 당시 경주, 포항 노사모들은 안티조선 운동을 많이 했어요. 포항 칠포해수욕장에서 안티조선 축제를 했어요. 아직도 생각나는 게 새벽에 바닷가에서 단체 사진 찍는데 남자들이 전부 엉덩이를 까고 찍어요. 〈조선일보〉한테 줄 만한 사진이다. 〈조선일보〉가 그런 식으로 언론 행세를 한다면 이 정도는 엿 먹어도 된다는 의미였고. (웃음) 춘천에서 안티조선 마라톤대회를 했거든요. 경주에서 먼저 보문 한 바퀴 돌고 시민들에게 〈조선일보〉가 왜 나쁜지 설명하고 춘천에 갔어요. 태어나서 처음으로 10킬로미터를 뛰었답니다. 언론은 선출된 권력이 아니잖아요? 그때는 언론을 바로잡는 게 노무현이 대통령 되는 것보다 중요하다고 생각했어요.

가입 활동 후 달라지신 게 있다면.

노사모 하면서 잃은 것보다 얻은 게 훨씬 많아요. 힘들었던 기억은 잘 잊잖아요. 그 감정을 굳이 찾아서 뭐할 거며 힘들었다고 이야기하고 싶지도 않고. 석현이가 초등학교 2학년 때였어요. 2002년쯤에 학교를 갔다오더니 울면서 앞으로 누구 편드는 일 하지 말라고 저한테 말하는 거예요. 전부 노무현 대통령 욕한다. 학교 선생님도 욕하고 학원 선생님도 욕하고 친구들도 욕하고 다 노무현 대통령 욕하는데 엄마가 누구 편 안 들었으면 좋겠다. 미안하더라고요. 애들은 어릴 때부터 따라다녔잖아요? 노무현이 최고인 줄 알았어요.

둘째가 여섯 살이었을 때 어린이집 선생님이 전화가 와요. "어머니, 수현이가 정치에 관심이 많아요?" 동네 친구들 모아놓고는 얘기하더래요. '노무현이 이길 거 같아, 이인제가 이길 거 같아?' 친구들이 '노무현이 왜 이겨?' 물으니까 '노무현은 어떤 게 좋고 뭐가 좋으니까 노무현이 이길 거야'. 다른 애들이 옆에 있다가 '너네는 무슨 반이야? 해왕성 반이야?' 묻고. 너무 웃겨서 한 컷 만화로 그린 적도 있어요.

저희를 따라다니다가 경주에 오니까 친구들이 다 이회창 편인 거예요, 대통령 선거 때. 큰애가 친구들은 엄마하고 나 빼고 전부 이회창 편이라고 얘기하는데, 노무현 대통령이 됐잖아요. 애들이 이긴 거예요. 그런데 학교를 가면 선생님들이 노무현 대통령 때문에 이게 안 되고 저게 안 된다고 얘기하는 거죠. 애들은 뭐가 맞는지 모르는 거죠. 나중에 고등학생 돼서 그러더라고요. 부모를 의심했대요. 우리 부모도 틀릴 수 있다고 생각했대요. 그런데 경주를 떠나서 다른 학교 다니면서 사람들 만나보니까 엄마랑 아빠가 옳았음을 알았다고. 고맙기도 했지만 애들이 힘들었다는 걸 알고 있어요. 아이들뿐 아니라 저희들도 계속 공격받았죠.

노사모 활동한 걸 후회한 적은?

대통령 돌아가시고 경주역에 분향소를 설치하는데 당시 저희는 노사모를 탈퇴해 있었어요. 점점 노사모가 시끄럽고 그 안에서 내가 이겨내는 게 무의미하다고 느꼈어요. 그러던 중에 분향소를 갔는데, 노사모는 몸빵이라고 하잖아요? 이름은 다른 사람이 넣어도 일은 우리가 하거든요. 분향소 근처에 줄 연결해서 노란 리본을 달았어요. 메시지도 적을 수 있게. 그날 밤에 민주당에 계시는 분이 전화가 와요, 당장 떼라고. 앞으로 노사모 회원들 오지 말라고. 노사모가 돌아가면서 불침번도 섰는데 가라고 하니까 상주가 쫓겨나는 느낌이었어요. 그렇다고 싸울 수는 없잖아요. 리본을 떼는데 너무 서러운 거예요. 대통령이 한 말이 떠올랐어요. 덕평에서 말하셨을 텐데, 허허벌판에 나를 떠밀어놓고 가실 거냐고. 이게 정말 대통령이 하시고 싶었던 걸까, 우리가 민 건 아닐까, 밀어놓고 외면한 건 아닐까. 그런데 그날 밤 전화가 와요, 미안하다면서 다시 걸어달래. (웃음) 다시 걸고 분향소 며칠 지키고 마지막에 철거할 때 우리끼리 모여서 영상 보고 노래 불렀어요. 대선 마지막에 부른 노래였거든요. 대선 운동 마지막날, 밤 12시까지 역 앞에서 춤추면서 운동했죠. 호롱불처럼 생긴 노란 등이 있어요. 그거 들고 아파트 단지 돌면서 노래 불렀거든요. 아리랑을 개사한 노래인데, "노무현~ 노무현~ 노무현~, 들어보셨어요? 노무현~ 노무현~ 노무현~ 노무현~ 노무현~ 노무현~ 보통 사람이 살맛 나는 세상~ 노무현~" 그러면서 '괜히 노사모 했나? 이렇게 끝나면 어떡하지?' 서러움이 있었어요. 내가 노사모 해서 노무현이 그렇게 됐나? 후회가 있다면 그 장면인 거 같아요.

언제 생각나세요?

김정숙 여사 볼 때 권양숙 여사가 생각나고, 그러면 노무현 생각나고. 인간 노무현이 매력적이기는 하지만 제 스타일은 아니거든요? (웃음) 노무현 대통령한테 사인받으려다가 거절당한 적이 있어요. 경주 노사모 깃발을 만든 적이 있는데 제가 바느질을 좋아해서 깃발을 손으로 만들었어요.

깃발 제목이 '원칙과 상식의 나라를 노무현과 함께'. (웃음) 노무현 대통령이 내건 게 '원칙과 상식의 나라로'였거든요. 대통령 후보 확정되고 안동 대회에 갔는데 대통령 후보가 지나가시더라고요. 깃발에 사인받고 싶어서 펜 들고 뛰어갔어요. (웃음) "저 노사모인데 사인 한 번만 해주세요." 보시더니 거절하시고 가셨어요. 그걸 보면서 '정치인이구나'라고 생각했어요. 그게 진짜 노무현이라고 생각했어요. 거절하는 게 맞는 거예요. 경호원들도 있고 옆 사람들이 곤란해지잖아요. 내 지지자가 섭섭해할까 생각하는 게 아니라 자기 원칙 가지고 일하는 사람이구나.

서거 소식은 언제 접하셨어요?

큰애가 다니는 대안학교에서 설명회가 있는 날이었어요. 뉴스를 보는데 대통령이 서거했다는 거예요. 잘못된 뉴스 아니냐고, 말도 안 된다고 생각했어요. 봉하에 있는 노사모 노란 건물 사무실로 갔는데 정신이 하나도 없는 거예요, 모든 사람들이. 저한테 사무실 전화를 받아달라고 하더라고요. 하루종일 전화 받는데 항의 전화가 아니라 다들 답답해서 전화했어요. 대통령이 돌아가신 게 너무 속상해서 사무실로 전화가 오는 거예요. 그리고 정신없이 상을 치르는 거죠. 실감도 안 나고 어떤 슬픔인지도 모른 채 봉하에서 몇 날 며칠 있었던 기억. 비가 엄청 온 날이 있었잖아요? 사람들 줄 서 있고 까만색 근조 리본 나눠주고. 비가 오니까 누군가가 봉지를 하나 저한테 주셨어요. 우산이 없으니까 덮어쓰라고. 덮어쓰는데 기가 차는 거예요. 제가 그랬어요. 대통령이 우산인데 없다, 우리한테.

열심히 하셨던 분들은 다들 못 헤어나셨더라고요.

이겨낼 수 있는 건 아니고 그냥 덮어두는 거라는 생각 해요. 상처는 없어지는 게 아니고 흉이 남잖아요. 흉은 있는 거고 그냥 있다, 라고 생각하고 놔두는 게 맞는 거 같아요. 문재인 대통령이 대통령 도전을 두 번 하셨잖아요? 첫번째 도전 때 우리는 아무것도 안 했어요. 무슨 의미가 있냐는 생각이 들더라고요. 민주당 사람들이나 시민들을 믿지 않았죠. 그러고 2012년 때 새롭게 뛰어든 사람들이 마지막에 노무현 욕했던 사람들이에요. 노사모 시작했다가 중간에 나간 사람들도 많아요. 노무현 잘못됐다고 하면서 분하고 억울하니까 갚아줘야 된다고 민주당 들어가고. 열심히 하시더라고요. 옆에서 보면서 동조 못하겠더라고요. 같이 하기 싫은 거예요. 스스로 반성도 안 하면서 뭘 복수하느냐는 생각이 든 거죠. 그런데 이명박 5년, 박근혜 보니까 이거는 개인의 감정 문제가 아닌 거예요. 이것저것 따질 거 없이 덤벼들어서 바꿔야 되는 거죠. 그 단계까지 왔다고 생각해요. 문재인 대통령 성공해야 되고 이 정권을 이어가는 정권이 계속 나와야 한다고 생각했어요.

노무현 대통령께서 하셨던 말씀 중에 기억나는 말이 있나요?

정치하지 마라, 그 말이 제일 기억에 남아요. 돌아가시자마자 그 단어가 떠오르더라고요. 대통령이 언론에 계속 시달리실 때 거의 마지막에 온라인에 쓴 글에 있었어요. 그래서 저는 대통령의 무덤에 '민주주의의 최후의 보루는 깨어 있는 시민의 힘' 그것을 보고서는 아니라고 혼자 생각했어요. 대통령은 정치하지 말라고 얘기했을 거 같다. 정치가 정치질을 말하는 것일 수도 있고, 아니면 직업으로의 정치가 얼마나 힘든지 얘기하는 걸 수도 있고. 봉하마을 갈 때마다 '정치하지 마라'로 다시 읽어요.

동지에게 한말씀.

반갑습니다. 수현엄마입니다. 노무현을 통해서 노사모를 알게 됐지만 노사모가 더 좋았습니다. 경선장에서 만날 때마다 누군지도 모르지만 서로 배려하고, 누구도 나서지 않으려고 하고, N분의 1로 모두를 위해서 자신을 희생하신 분들로 기억합니다. 어느 지역에서 어떤 모습으로 생활하고 계시더라도 자기 몫을 충분히 해내실 노사모라고 생각합니다. 언제고 꼭 한번 뵙고 싶습니다.

어차피 반쯤
이상한 사람들

석현아빠 김동선

닉네임 '석현아빠'입니다. 큰애 이름이 석현이고 둘째가 수현이에요. 저는 석현아빠고 아내는 '수현엄마'입니다. 자식한테 부끄럽지 않은 부모가 되자고 아이들 이름으로 지었습니다. 창립 때는 온라인 가입만 했습니다. 2000년도 노무현 대통령 후보 경선 들어가기 직전에 오프라인 활동을 시작했죠. 한번은 친척들이 "부산에 출마한 노무현 후보가 낙선됐다, 잘 떨어졌다" 하시는 거예요. 화가 나서 "지역감정 깨기 위해 도전하는데 잘 떨어졌다는 게 말이 됩니까? 도전에 대해서는 최소한 존경을 표해야 되는 거 아닙니까?" 설전이 있었죠. 열심히 하는 계기가 됐습니다.

노사모 활동 시작하기 전 어떤 분이셨습니까?

평범한 직장인이죠. 총학생회장도 했지만 학교 졸업하고 당시 학생운동의 노선 관련해 여러 논쟁이 있었습니다. 운동은 잘살자는 건데 논쟁들을 살펴보니 운동이 사람을 갖고 노는 형국인 거예요. 운동이 아니라고 결정했죠. 아닌 건 아니기 때문에 끊고 그다음부터는 아주 평범하게 직장 생활했습니다. 〈조선일보〉도 봤고요. (웃음) 재밌고 정보의 양도 많고. 노사모라는 계기가 없었으면 계속 그렇게 갔겠죠.

학생운동 한 게 이어졌던 부분도 분명히 있겠네요.

성향이 이어졌다는 것에 동의가 안 되는데 지금도 저는 건전 보수라고 생각합니다. 입은 삐뚤어져도 말은 바로 하고 살자는 정도. 노무현이 부산에서 낙선했는데 이런 사람에 대해서는 지지를 표명해주는 게 맞지 않나, 보수적인 관점에서라도. (웃음) 지역감정에 대해 정치적으로 구분한 게 아니었습니다. 전라도 깽깽이, 전라도 절대 믿지 말라는 얘기를 듣고 자랐단 말이에요. 대학교 1학년까지만 해도 그렇게 생각했어요. 깨진 거는 광주 항쟁에 대한 비디오를 보고. 그 이후에 광주, 망월동 묘지 갔는데 경제적으로 너무 차이 나는 거예요. 경주에서 광주 가면 기차를 타는데 경상도만 지나면 불이 꺼지고 아무것도 없어요. 깜깜해요. 그런데도 경상도 사시는 분들은 자꾸 전라도가 혜택받는다는 둥 말하셨죠.

어디 노사모셨어요?

경주 노사모. 다른 지역보다는 늦게 시작했죠. 경북이 그렇잖아요. (웃음) 이해하지 못할 판단을 많이 하는 지역이잖아요. 그런데 당시 경주가 소도시임에도 활동력이 엄청 좋았어요. 많이 모이면 50명씩 모이고. 첫 모임에 30명 호프집에 모여서 처음 얼굴 보는데 특이한 게 노사모 분들 전부 원래 알던 사람 같은 거예요. 술도 잘 먹어요, 말도 많아요. 그런데 실례를 범하는 부분들이 없죠. 닉네임으로 이야기하다보니 존대해요. 노무현 후보 이야기를 10분 하면 우리 얘기를 50분 하죠. (웃음)

활동 시작하고 석현아빠님이 바뀐 게 있는지.

낯을 많이 가렸습니다. 노사모 활동하면서 성격이 많이 변했죠. 말도 편하게 할 수 있고, 춤도 그렇고. (웃음) 당시 경북에 민주당 조직 같은 건 없죠. 대신 노사모 회원들이 미친듯이 다 했거든요. 노사모가 민주당사를 접수한 거죠. '어차피 아무것도 안 할 거 우리가 쓸게요' 하고 들어갔어요. 경주 경찰서 앞에 옛날 일본식 건물인데 그 건물이었어요.

왜 그렇게 열심히 하셨을까요? 세상을 바꾸겠다는 열망 때문인가요?

저하고 수현엄마, 당시 노사모 했던 경주 분들은 무조건 노무현 대통령 된다고 생각했어요. 이유가 있다기보다 추상적인 느낌이 있었어요. 밀어붙

이면 되겠다고 생각했죠. 어차피 반쯤 이상한 사람들이었잖아요. (웃음) 남는 게 있어서 하겠습니까? 저만 미친 게 아니고 몇십 명 되니까 서로 의지했던 거고. 당선되고도 별로 안 좋아했어요, 될 줄 알았으니까. 다만 그 과정에서는 정말 애절했죠. 애절하니까 생판 얼굴도 모르는 대의원 명단 보면서 편지 쓰고 주말 되면 애들 데리고 다니는 거죠. 우리 애들만한 애들이 몇백 명 와 있는 거예요. 옆에 모여서 놀고 서로 생판 모르는 부모들은 노무현 지지한다는 이유만으로 목 터져라 구호 외치고 춤추고. 그게 즐거워서 아직까지 노사모가 회자되는 거지, 너무 절박하거나 애절하고 힘든 과정이었다면 이렇게 회자되진 않았을 거라고 생각해요.

노무현 대통령이 어록들이 많으신데 그중 생각나는 말씀이 있다면.

인사하는 거요. 정수리가 완전히 보일 정도로 숙이는 거예요. 대부분 그렇게 안 하거든요. 인상적이었어요. 자기를 지지해주는 사람한테 다 주는 거죠. (웃음) 그렇게 느꼈어요. 저희 아내도 그렇게 느꼈다고 하더라고요.

혹시 더 하시고 싶은 말씀 있다면.

한 가지 억울한 게 있어요. 노사모를 정치 단체로 보았고 여전히 봐오는 거요. 우스갯소리지만 선거에 출마하는 사람들은 다 노사모 했대요. (웃음) 저희는 항상 조심하면서 살고 있는데 그럼에도 정치권과 연결되어서 상당히 이득을 본 사람들, 내지는 고위 직위를 누리고 사는 사람들만 보고 평가되는 부분이 있거든요. 억울하죠.

생각 많이 나시지 않나요?

자주 나죠. 노무현 대통령이고 정치인인데 느낌은 옆집 아저씨 같다니까요. 봉하에 묻히신 다음에는 시도 때도 없이 생각날 때 있고 정치적인 상황들에서 유사한 상황이 생기면 생각나고. '살아 계셨으면 지금 어떻게 하실까?' 생각도 들고. 어떤 때는 '명박이도 멀쩡히 살아 있는데 이분은 왜 안 계시지?' 박근혜가 막 뭐할 때 노무현 대통령이 한 번에 말로 혼내주셨으면 싶기도 하고.

예전 노사모 분들에게 한말씀.

경북은 구미, 김천, 칠곡, 경주, 포항 해서 도 단위로 친하게 지냈어요. 체육대회도 같이하고 술도 많이 마시고. 광주 노사모하고도 많이 교류하고. 그렇게 하다 대통령 선거 끝나고 노사모 존폐에 대해서 논의한 적이 있어요. 경주는 정리하자는 쪽으로. 이쯤 정리하고 해산. 대통령 됐으니까 국민들한테 돌려줘야 되는 거 아니냐. 그런데 투표하니까 65% 정도가 존속으로 나온 거죠. 다만 논의를 했기 때문에 이후로는 공식적으로 이름 걸고 하진 않죠. 그래도 모임은 하니까 친하게 지내고 총회 하면 같이 가고. 하지만 세월이 지나면서 사고도 나고 불미스러운 일도 있고. 현명한 사람들 많이 있으니 제어도 됐던 것이고. 조금씩 모임이 없어지는 거죠. 대신 경주는 황송회라는 모임으로 존속하고. 경주시에서 일어나는 정치적 사안에 여전히 참여하거든요, 책임은 못 지지만. (웃음)

지금은 잘 만나지 못하는 많은 분들 잘 지내십니까? 잘 지내실 것 같고 여전히 노무현 대통령 생각하시고 각자 분야에서 열심히 하실 것 같고. 마음 한구석에 든든하게 생각하고 기대기도 합니다. 노사모답게 즐겁게 잘 지내시고 혹은 살다가 나중에 세월이 더 흘러 또다른 형태의 시기가 된다면 그때는 아주 편한 얼굴로 서로 닉네임 부르면서 즐겁게 놀았으면 좋겠습니다.

제 아이 초등학교 5학년 때 독재를 반대하고, 민주주의 하자는 학생들을 변론하면서 앞으로 8년 뒤 내 아이가 대학교를 갈 텐데, 지금과 같은 상황이 똑같이 된다고 한다면 내 아이를 어떻게 가르칠 것인가를 고민했었다. 불의한 권력과 맞설 것인가. 그렇다면 제적당하고, 블랙리스트에 오르고, 평생 취직이 안 되면 폐인이 될 텐데 고민했었다.

여러분, 그와 같은 상황이라면 어떤 선택할 것인가. 아이가 눈치보는 인생을 살게 할 것인가. 그러나 이것이 정의요, 독재는 안 된다고 나섰다가 평생 취직 못하고 인생 망치는 길을 가라고 할 수 있겠는가. 그러자니 고통이 너무 크다. 자기 몸 던져, 자기 인생을 바쳐 그야말로 부당하게 억압받으면서도 고통받고 힘없는 국민을 위해, 우리 아이들이 정정당당하게 살기 위해, 민주주의 사회를 만들기 위해 노력한 사람이 김근태, 장영달, 이호웅 의원이다. (…)
소신껏 정치했다. 눈치보고, 줄 서고 그런 정치하지 않았다. 소신으로, 제 길을 걸으며, 남의 뒤 졸졸 따라다니는 정치하지 않았다. 단신으로 도전했다. 안 된다고 하는데 도전했다. 그리고 성공해 냈고, 민주당 대통령 후보로 제길 간다. 제가 하고 싶은 일 한다. 양자든 아니든 관계없다. 하고 싶은 일은 민주주의를 발전시키고 완성하는 것이다.

_정당연설(2002년 8월 5일, 마산)

시대의 아픔을 해결하려는 자세

무착 이경섭

'무착'입니다. 없을 무, 도착할 착. 끝없이 방황한다는 뜻인지 끝없이 노력한다는 뜻인지 잘 모르겠습니다. 법명입니다. 노사모 초기에 가입해서 합류했습니다.

90년 1월일 겁니다. 3당 해당식 하는 날 처음 뵀어요. 저런 정치인도 있구나. 열변 토하시는 모습이 눈앞에 선합니다. 마포 통일민주당 당사에서 다른 분들도 많이 보셨을 거예요. 손가락질하면서 "이의 있습니다" 한 사진. 그거 끝나고 나서도 화단에 올라오셔서 넥타이 풀고 강한 어조로 반대를 이야기하더라고요. 심증 있는 정치인이구나 했어요. 처음으로 노무현이라는 사람을 알았어요. 유독 그분만큼은 언론에 신경을 안 쓰더라고요. 본인 일만 하시더라고요. 그후 노사모 만들어지면서 기웃거렸죠. 발을 담근 게 지금까지 왔어요.

대책이 없다는 생각은 안 하셨어요? 정치인들을 많이 겪으셨을 텐데.

옆에서 보니까 오히려 소신 있는 정치인이라고 생각했어요. 불의와는 타협조차 안 하고 자기를 몰아붙이고. 청문회에서 강한 인상이 남았던 것도 사실이에요. 국회에서 명패 던지고. 그 모습을 그대로 지닌 캐릭터 같더라고요. 마음이 흔들리기 시작했던 거는 지역감정 문제를 풀어가려고 하는 자세. 민주당 이름으로 부산을, 자기가 부산 사람인데 우직스럽게 나오는 모습에 감동받았어요. 그렇게 국민들한테 쌓이고 누적된 게 나중에 힘으로 발현됐다고 생각하는데 저도 많이 흔들렸죠. 이혼도 하고 한때는 룸펜이라는 얘기도 많이 들었어요. 어려운 일도 많았지만 봉하마을 무덤 앞에 쓰여 있는 글자, 단어 하나하나에 의미가 있어요.

당시에 저는 깨어 있다고 생각 안 했습니다. 그냥 흘러갔어요. 오히려 즐겼고 재밌었어요. 내가 참여할 수 있다는 게 너무 신기한 거예요. 당시까지는 대부분 운동권 출신들이 나서서 정치하고 비례대표도 받는 세상이었으니까. 국가를 위해서 뭘 해야겠다, 참여해야겠다는 게 돌멩이 몇 개 던진 것밖에 없더라고요. 5·18도 몰랐어요. 피부로 와닿지 않았어요, 세상이 바뀐다는 것이. 6월 항쟁도 마찬가지였고요. 몇 번 던지고 싸우면서 참여했지만 그렇게까지 해야 하는가? 순화된 방법은 없을까? 한편으로는 참여하지 못했던 것에 대한 죄책감도 있었고요. 그러다가 어느 기회에 인터넷이라고 하는 자그마한 출구를 통해 얼굴을 알지 못하는 많은 회원들을 알게 됐죠. 노사모라는 모임을 통해 할 수 있는 이야기 나누면서 자연스럽게 하나씩 참여하는 거예요. 그 즐거움이 너무 좋더라고요. 노무현은 정책보다는 시대적인 아픔을 해결하려 했어요.

언론, 원하는 기사를 입맛대로 쓰려고 할 때 어떤 식으로 편법을 쓰나요?

언론사가 조직적으로 구성되어 있잖아요? 당시 정치부 기자 같으면 1진부터 10진까지 있어요. 당시 1진은 여당을 맡고 그다음 야당 순서대로 나눠서 맡아요. 여당의 촌지가 있었습니다. 초선 위원들 만나면 식사비가 10만 원, 재선 의원 20만 원, 3선 위원 20~30만 원. 당시 여당이면 민자당인데 저도 여당 쪽에서 주는 걸 받은 적이 있어요. 속된 말로 빨아준다고 말하는 기사를 쓰게 되더라고요. 충격받았던 거는 이승복 문제였어요. 죽었는데 어떻게 "공산당이 싫어요"라고 말해요. 소설을 쓴 거잖아요. 동상도 만들고 안보 계획에도 이용했죠. 그런 기사가 너무 팽배했죠. 선거 때도 그랬고. 많은 기자들이 노력 많이 했어요, 그렇게 안 하려고.

헤드라인 장난도 치지 않나요?

기자보다도 편집 기자들이 장난치죠. 제목이 달라져요, 내용과 상관없이.

사람들은 제목만 보면 아는 것처럼 말하는 경우가 많거든요. 제목이 핵심인 줄 알고. 또 중심을 얼마 정도로 하느냐, 크기를 어느 정도로 만드느냐. 데스크에서 알아서 한다는 건, 데스크는 보통 편집국장님이지만, 실제로 보면 차장 선에서 하는 게 있고 부장 선에서 하는 게 있어요. 선거 때 유독 정치하는 사람들이 떼거리로 와서 기자들을 만나죠. 밥 한 끼 먹는 걸로 끝나지 않아요. 돈이 오갔어요. 부장 선에서 한 번 먹고, 신문사 방문해서 사장 만난다든가 편집국장 따로 만나고. 4부라고 해서 권력의 중심에서 있는 게 언론이기도 해요. YS가 선거에서 이기고 〈조선일보〉 사장과 회식하고. 노태우도 그랬고요. 노태우는 고개를 숙이면서까지 술 따르는 사진도 있어요. 너무 부끄러운 거 아닐까, 그렇게 왜곡하는 언론이 대통령도 만들 수 있다는 것이. 시민들이 만들고 시민들이 참여하는 틀을 만들었으면 좋겠는데, 노사모는 팬클럽에서 끝나지 않았죠. 경선에도 참여하고, 경선 뒤에는 선거 대선에도 참여하는데 단계별로 되어 있었죠. 시민들도 그렇게 성장하고요.

자기 돈 쓰면서까지 노사모 활동을 해야 했을까요?

그렇게 매력 있는 정치인이 처음인데 어떻게 안 쓰겠어요? 광주 경선 전에 한 회원이 편지 쓰기를 제안했어요. 대의원들을 설득할 방법이 편지밖에 없다고 생각한 거예요. 식당 하나를 빌렸어요. 기본적으로 나이와 이름, 성별만 알았어요. 그 외에는 아무것도 몰라요. 당시 노무현이라는 상품을 포장해서 한 장짜리 편지 보내는 작업을 하는 거죠. 답장이 오도록 하자고 해서 전화번호와 주소도 적었어요. 활동하면서 가장 감동받았던 게, 들어오자마자 식당에서 사람들 볼펜 소리만 다다닥 나는 거예요. 점점 커져요. 새로 들어오면 인사도 안 해요. 처음 보는 사람인데 인사도 안 하고 쓰는 거예요. 뭐하는지 옆에서 곁눈질하고 또 써요. 3시간 정도 쓰면 소주에 간단한 거 드리고. 회비 만 원씩 내고 먹은 거죠. 처음에 40분 걸리던 게 두번째는 30분, 세번째는 15분. 우리 지역만 그런 게 아니고 전국에서 보낸 거잖아요. 우리 지역에서만 485통인가 보냈어요. 답장이 4통 왔어요. 일용직하시는 분이 하나 보냈어요. 다 울더라고요. 이거 바위에 계란 치기 아니네! 결국 이겼잖아요, 광주 경선에서.

어떻게 서거 소식을 듣게 되셨나요?

봉하마을 근처까지 갔다가 돌아왔어요. 너무 가슴이 아프더라고요. 언론 통해 들었죠. 저는 장례식장에도 못 갔어요. 가슴이 너무 떨리더라고요. 늦게 갔어요. 당시 〈조선일보〉만이 아니라 〈동아일보〉도 공격했죠. 시계 사건같이 없는 팩트를 만들고 기사화하고. 끝까지 우리가 지켜야 했다고

생각했죠. 미안하고…… 애틋한 심정이 있어요. 처음으로 고백하는데 지금 해야 된다고 생각해서 말해요. 사실 대통령께서도 제게 후원해주셨어요. 많은 시민단체와 네티즌이 후원금을 주는 바람에 돈이 남았어요. 그래서 기금으로 다시 기부했는데, 월급에서 주는 거라고 하면서 주시더라고요. 차마 못 가겠더라고요, 돌아가신 날…… 아무한테도 말 못했어요. 풀어지는 데 오래 걸렸어요.

서거 이후 노사모는 뭘 해야 하나요?

고민해본 적 없어요. 지금과 제가 활동하던 때는 다르고 지금 들어온 사람이 고민해야 되겠죠. 그분들의 의견을 존중해야 한다고 생각해요. 다만 정치의 끝은 정권을 잡는 것이기 때문에 그 끝을 본 사람들이 남아서 정리하는 거는 아니라고 봐요. 전문가 그룹이 정리하게끔 맡겨서 기념관 안에 넣어놓아야죠. 그게 옳다고 봅니다.

인터뷰에서 꼭 하고 싶었던 말이 있으신가요?

숨겨진 자리에서 묵묵히 드러내지 않고 하는 사람들이 많았어요. 소중하고 존경스러워요. 지금은 많은 분들이 활동 안 하고 계시죠. 제가 많은 아이디어도 내고 힘들게 하기도 했어요. (웃음) 지금도 많은 현장에서 참여하고 활동하는 분들 많은데, 참으로 좋은 인연이었다고 생각합니다.

내셨다는 아이디어에 대해 말씀해주세요.

가장 큰 아이디어는 돼지저금통이었어요. 즐거움 속에서 깨끗한 정치 자금을 만들면 어떨까. 노무현이라는 사람의 이미지에도 걸맞게끔. 깨끗한 정치 자금에 관련된 법안을 만드는 것 등 박원순 변호사님께 강연을 부탁했어요. 성균관대에서 했어요. 문성근 선배님도 오셔서 강연해주고. 그렇게 분위기를 띄우고 돼지저금통을 만들었어요. 돈을 받고 주는 거는 불법이 아니에요. 그냥 나눠주는 게 문제가 되는 거죠. 선관위에 알아보고 저금통 사업을 해보자. 코 묻은 동전 싹 긁어모으자.

막상 시작하니까 사람들이 파괴적으로, 열정적으로 하는 거예요. 후보가 확정된 사람을 흔드는 것을 보면서 우리가 나서야 된다고 생각했어요. 돼지저금통 목표액을 10억으로 했어요. 8억이 모였어요. 흔들기를 멈췄으면 하는 생각에 민주당사 앞에 산더미처럼 갖다놓자고 했어요. 부산, 광주 모으고, 대전 갔다가 여기 와서 행사 한번 하자고 했죠. 이삿짐센터에서 차를 빌렸어요, 저금통을 담으려고. 박스에 저금통을 집어넣었는데 차가 와서 보니까 이삿짐센터 이름이 '그날이 온다'예요. 차가 들어오는데 사람들이 뿌듯해하더라고요. 그리고 민주당사 앞에 풀어놓았어요. 이걸 세야 하니까 의원들이 뒤늦게 와서 참여했어요. 기자들이 사진 찍자고 하니까 재야빌딩 시구하는 데에서 기계도 빌려서 여러 곳에서 셌어요. 동전 냄새가 진동하더라고요.

노사모에 어떤 의미를 부여할 수 있을까요?

일반적인 사람들이 참여해서 대통령 만드는 데 도움을 줬다. 거꾸로 말하면 작은 희망의 씨앗을 뿌려놓지 않았나. 정치는 옳고 그름을 선택하는 문제가 아니라 반드시 선택해야만 되는 거잖아요. 그런 차원에서 참여라고 하는 틀을 만들어놓지 않았나 생각합니다. 하지만 당시에는 자발적으로 즐겼다는 것. 즐기는 마음이 도움을 주었죠.

노사모 분들은 모두 어디 계세요?

이번 기회에 연락도 하고 찾기도 했는데 다들 열심히 살고 있어요. 많은 지역에서 활동가들로 계시기도 하고요. 그때 배웠던 과정을 지역의 작은 시민단체에서 실천하는 사람들이 많다고 하더라고요. 작은 일이지만 저 역시 북한 나무 심기에 참여하고 있거든요.

그때 자신에게 한마디 한다면?

즐거웠다. 이 말이 가장 명쾌해요. 노무현을 통해서 많은 것을 배웠고요. 어떻게 해야지 세상이 바뀌는지, 한마디로 참여를 알게 된 계기였어요.

전국에 계신 노사모에게 한말씀.

안녕하세요, 무착입니다. 저로 인해 많은 분들이 선거법 위반 벌금을 내시기도 했는데, 반갑습니다. 함께해줘서 고맙습니다. 여러분과 함께했음을 감사하게 생각합니다.

더 사랑받고 행복하고 잘되기를 바라는 마음

복주대사 강천기

원래 닉네임은 '금복주'였고요. 대구에 있는 술 금복주. 라벨에 배 나온 할아버지가 표주박 들고 웃고 있는 그림이 있습니다. 저와 닮았다 해서 금복주로 통했는데, 나중에는 금 자를 빼고 복주라고 불렀습니다. 제가 태어난 데가 송광사 바로 앞입니다. 할머니 손잡고 어렸을 때부터 절을 자주 다녔거든요. 노짱님을 대통령 만들려면 대사의 법접이 필요하다. 그래서 게시판에 '복주대사'로 불러달라고 글을 올렸습니다. 이름은 강천기입니다.

2001년 3월에 가입하셨는데 왜 하셨습니까?

조중동을 비롯한 언론사 세무조사를 하고 있는 정국이었는데, 저는 노사모 하기 전에 '안티조선우리모두'에서 활동했습니다. '프롬'이라는 닉네임으로 활동했습니다. 노짱님께서 조폭 언론과 전쟁도 불사한다고 말씀하셔서 기사화가 크게 됐습니다. 그때 그 남자한테 반했습니다.

사실 노무현이라는 이름은 79년도에 처음 들었습니다. 첫번째는 당시 고시 합격한 사람들이 경험담 쓰는 〈고시계〉라는 잡지가 있었습니다. 그때 제목이 아마 '다시 태어나도 이 길을'이었을 겁니다. 그 책자가 봉하기념관에 있는 걸로 알고 있습니다. 두번째는 잊어버리고 살다가 신문에서. 활자 중독이라 웬만한 신문 다 보지 않으면 잠이 안 오거든요. 뇌리에 가장 강하게 박힌 것은 87년 6월 정국 때 부산에서 국민운동행동본부 상임집행위원장 하실 때. 그리고 5공 청문회. 우리 세대에서 그거 기억 못하면 국적 바꿔야죠. 그때는 중대장 하고 있었는데 청문회가 생방송이니까, 다른 업무 대충 처리하고 인사계한테만 "내가 지금부터 TV를 볼 테니까 아무도 내 방에 들어오지 못하게 해라. 연대장님이 와도 출타했다고 해라". 문 막아놓고 봤습니다.

제가 벌교 사람이고 보성 사람이고 광주에서 생활했고. 호남의 정서를 잘 알고 고등학교 2학년 때 현장에 있진 않았지만 5·18을 겪었습니다. 벌교에 있었습니다. 다 알고 있는 상태에서…… 당시에 광주에 소속된 조홍규 의원이나 정상용 의원, 기억하고 있는 이름들입니다. 다른 훌륭한 분들도 있지만 노무현 당시 의원이 마이크 잡고 이야기할 때는 몸이 떨렸어요. 사막 모래밭에서 맑은 물 올라오는 거 있잖아요? 용출수라고 하죠. 꼭 그런 물을 떠먹는 기분이었어요. 풍산금속 유모 회장을 다그칠 때로 기억하는데 "당신 돈 벌어주려고 일하다 죽은 사람한테 3천만 원, 8천만 원으로 싸워야 됩니까? 그게 기업인이 할 일입니까? 답변하십시오"라고 말하는 장면에서 눈물이 나더라고요.

또 3당 합당 때 따라가지 않은 분들이 몇 분 계시지만 노무현 그분 안 따라간 게 너무 고마웠어요. 입신양명을 위해서는 따라가서 장관도 하고 여러 가지 할 수 있잖아요. 그런데 안 갔잖아요. 그걸 어떻게 말로 표현할 수 있겠어요.

그렇게 전도유망한 군인은 아니셨네요?

5남 2녀 중에 셋째 아들입니다. 대한민국 남자라면 국방의 의무, 누구나 가야 되잖아요. 그때 경제 사정이 좋지 않았고 장교로 가면 돈도 많이 주잖아요. 계급장도 반짝반짝, 꽃도 주고. 당시 대한민국은 군사정부 시절이었잖아요. 제대하고 제일 먼저 한 일이 집에 있다가 배낭 메고 지리산 실상사 백장암에 가서 행자승으로 생활한 것입니다.

복주대사님한테 명짱이란?

통속적으로 바늘과 실이라 표현하고 싶고요. 명계남 선생님이 잘 알려진 영화인인데 그 일 하는 게 고마웠어요. 안 하셔도 되는데 헌신하시고.

2001년 9월 3일인가 부산 서면 롯데호텔에서 노짱님 대선 출정식 겸 후원회 행사가 있었습니다. 그다음날부터 3박 4일로 부산에서 광주까지 명계남과 함께하는 영호남 자전거 투어가 있었고요. 제게는 노사모 첫 오프 모임이었습니다. 자전거를 스물여덟 명이 탄다고 홈페이지에 나와 있더라고요. 자전거를 개인이 준비해가야 하는 줄 알고 광주에서 중고 자전거를 하나 빌려서 수리하고 고속버스 화물칸에 실어서 부산으로 갔습니다. 터미널에서 내렸는데 가까운 거리인 줄 알았더니 꽤 멀더라고요. 사람들한테 물어물어 자전거 타고 갔더니 명짱님이 헬멧 쓰고 사진 찍고 먼저 출발했어요. 아무도 없어. 사람들한테 물어보니까 저쪽으로 갔대. 열심히 타고 가니까 명짱님이 담배를 태우고 계시더라고요. "광주에서 왔는데 같이 자전거를 타고 싶습니다, 허락해주십시오" 그랬더니 "아무 문제 없어요, 타고 가면 되잖아요". 저하고 명짱님하고 나이가 정확하게 11살 차이 납니다. 그런데 저는 머리가 벗어지고 살이 지금보다 많이 쪘거든요. 그러니까 명짱님이 자기보다 높은 연배로 보고, 담배를 피우다가 장초인데 발로 끄고 벌떡 일어나시더라고요. 그런 일들이 많았습니다. 아무튼 복주는 한마디로 명짱님이 필요할 때 항상 달려가야 되는 입장이죠.

2002년 경선 과정에서 수많은 노사모들을 만나셨을 거 아니에요? 어떤 분들이셨어요?

가슴속에 담아놓고 못하던 얘기를 할 수 있어서 너무 행복한 사람들이었습니다. 한국 사회의 압력으로부터 풀려나서 말이 되는 얘기든 안 되는 얘기든 하고 싶은 얘기를 다 할 수 있는 공간이었습니다. 노사모 회원들은 일단 이야기에 목마른 사람들이었습니다. 나이, 성별, 지역, 빈부격차, 사회적인 클래스 다 다르잖아요? 하지만 거기에서만큼은 누구의 눈치도 보지 않고 가슴에 담아놓은 얘기를 할 수 있어서 너무 행복한, 제가 느낀 공통점이었습니다.

대통령이 되고 나서 왜 떠나신 거죠.

누울 자리 보고 다리 뻗으라고, 저도 능력치만 되면 청와대도 가고 싶지만 한국 사회가 갖고 있는 스펙의 수준이 있잖아요. 3사관학교 스펙은 아주 낮은 겁니다. 노사모 콘셉트라는 것도 자리를 바라고 했던 게 아니었거든요. 대선이 끝나고 왜 광주로 내려갔느냐. 6개월 동안 가정을 거의 비워놨잖아요. 아내한테 미안한 부분도 있고 벌교에서 아버지가 했던 일 도와드리고 있었습니다. 그리고 제가 잘하는 1톤 트럭 드라이버로 복귀한 거죠. 노사모 게시판에 썼던 글이 기억나는데, 노짱님이 대통령 된 순간 여동생을 시집보냈다고 생각한다. 국민들한테 보낸 거잖아요. 옆에서 여동생이 더 사랑받고 행복하고 잘되기를 바라는 마음이었습니다. 회원들끼리 논쟁이 많았고요.

탄핵 때는 혹시 뭐하셨어요?

탄핵 때 제가 노사모 사무국장이었습니다. 그런데 탄핵 때 노사모가 등장하면 안 되잖아요. 그래서 마이크는 김기식씨라든가 최열 그분들이 했고 최초에는 미키루크가 다 했고. 그다음에 문성근, 명계남이 하셨고. 일반 사람들은 다 노사모로 보겠지만 노사모 안에는 사람들이 이해 못할 도덕 기준을 갖고 있거든요. 보통 시민단체 사무국장 하면 언론에 노출도 하고 글도 쓰고 하잖아요. 노사모 사무국장은 그런 거 하면 절대 안 됩니다. 완장질이라고 생각하고요. 회원들의 요구를, 얘기들을 들어줄 뿐이고요. 제가 갖고 있는 장점 하나가 모든 사람들의 의사 표현을 끝까지 들어주는

거. 별의별 사람들이 다 왔습니다. 노사모 회원들 중에 피가 뜨거운 사람도 있고. 지금 서울에서 대표로 계시는 백은종님이 분신하시고. 다른 분도 있었지만 제가 한 일은 백은종님 병간호고요. 돌아가신 장창욱 열사님이라고 계셨어요. 한강대교에서 투신하신 분인데 장례식 치러드리고 했습니다. 학생운동이라든지 민주화 투쟁이라든지 못했거든요. 부채의식으로 남아 있는 거죠. 노사모 회원들 대다수는 민주화운동, 학생운동 하시는 분들이 화염병 던지고 끌려가고 할 때 최루탄 마시면서 도서관에서 공부했던 분들이거든요.

그날 뭐하고 계시다가 서거 소식 들으셨나요?

이른 아침에 동생한테서 전화받았습니다. TV를 안 보거든요. 제수씨도 전화 왔어요, 큰일났다고. TV 켜니까 나오더라고요. 전에 '여러분들은 저를 버리셔야 합니다' 그 말이…… 실제로 자기 죽겠다는 얘기였는데 말귀를 못 알아먹었던 사람들. 누구를 원망하겠습니까? 이런 얘기 하면 사람들은 음모론이라고 할 텐데 저는 이명박이 혼자 했다고 생각하지 않습니다. 미국의 부시든, 그리고 노짱님이 돌아가시기 전에 버시바우가 다녀갔잖아요. 왜 다녀갔을까요? 사인 받고. 이명박이 정치적으로 타살한 거라고 생각합니다. 우리뿐 아니라 미국과 관계되어 있는 국가에서는 흔한 일들입니다.

노무현의 용기는 어디에서 나왔을까요?

어떤 책에는 꼬임이 없는 심성이라고 표현되어 있더라고요. 사람들은 노무현을 자꾸 정치적인 승부사로 몰아가는데요. 그분은 정면 돌파를 그냥 자연스럽게 한 것뿐이에요. 저는 오히려 용기는 타고났다고 봅니다. 바다에 가면 파도 모양이 다 다르잖아요. 똑같은 바위에 물이 와서 치지만 파도의 파장은 다르잖아요. 노무현은 그런 단단한 바위 같은 마음을 가지고 태어나지 않았나. 한국 근대화가 진행되는 과정에서 많든 적든 오염이 되는데 신기하게도, 그래서 천연기념물이라고도 하지만, 정말 한국인의 원형질 오염이 안 된 사람이에요. 개인적으로 제일 멋있던 때는 청문회 때 전두환한테 명패 던진 거였어요.

생각나시는 분들한테 영상 편지.

복주대사입니다. 오랫동안 얼굴을 못 뵀는데 회원이라고 말하고 싶지 않네요. 그냥 형님, 동생들. 제게는 노사모의 닉네임 평등주의가 별로 의미가 없었거든요. 윤희단님, 기영종님. 최근에 뵀지만 소리엄마님, 막골비님, 지금 어디 계신지 모르겠지만 양창모님. 기억력이 떨어져서 많이 기억나질 않습니다. 무한님, 감자바우님. 닉네임은 잊어버렸지만 강릉에서 만났던 전남대 87학번 여성 회원님. 먼저 하늘나라로 가신 많은 회원님들. 제레미님, 그날님, 정동영님. 여러분들이 했던 일들, 무명용사의 기록들은 사람들이 기억하지 못할지라도 남아 있습니다. 살기가 많이 팍팍하고 힘들게 사시는 분들 많이 있다고 알고 있습니다. 조금만 더 참고 열심히 살아봅시다. 그래야 나중에 후세들한테 '선배들이 열심히 살았다, 뜨겁게 살았다, 쪽팔리진 않았다'고 조금이라도 더 당당하게 펴고 살 수 있지 않겠습니까? 여러분들 너무 고생 많으셨고요. 이렇게 영상으로 인사드립니다. 감사합니다.

그만 찍고
악수나 한번 하입시다

디지털무비 배기섭

'디지털무비'라고 합니다. 이름은 배기섭이고요. 2000년에 매킨토시 6미리로 비디오 프로덕션을 시작했는데 디지털 VS라는 프로덕션을 할 때 친구 따라 강남 간다고 친구에게 꼬여 노사모에 가입하게 됐습니다. 처음에 닉네임을 자유 디지털무비로 정해 하다보니까 나중에 디지털무비로 붙어 버렸습니다.

친구가 뭐라고 하면서 꼬셨습니까?

회장이 누군가 아나? 명계남씨다. 바로 가입했습니다. (웃음) 제가 프로덕션도 하고 있었고 명계남씨가 당시 영상위원회 위원장이었고. 외모는 친근감 있는 얼굴은 아니었지만 영화에서 멋있게 보였고. 개인적으로 좋아하던 분이었거든요. 그분이 노사모라는 정치인 팬클럽 회장이라 해서 가입하게 됐습니다. 노무현 대통령을 알기보다는 명계남씨를 먼저. 제가 좋아하는 분이 좋아하는 분이면 얼마나 좋을까 싶어서. 어릴 때부터 정치 쪽은 전혀 관심이 없었기 때문에 친구가 가입을 권할 때도 저는 거부했거든요. 신문을 보더라도 저는 1면을 절대 안 봤습니다. 1, 2면은 찢어버리고 사회나 스포츠만 봤지, 정치는 아예 안 봤는데 노사모에 가입하면서 조금씩 정치 쪽에 관심도 생기고 〈조선일보〉에 더 관심을 가지고. 그전에는 〈일간스포츠〉, 〈스포츠서울〉 그런 부분밖에 안 봤습니다.

전두환의 노예. (웃음), 3S 정책이 그래서……

저는 광주 항쟁을 광주 사태로 배웠거든요. 부산에는 일본 방송이 많이 나옵니다. 학교에서는 분명히 광주 사태라 했고, 빨갱이들이 주동한 폭동이고 내전 수준으로 일어났다고 배웠는데. 부산에 삼익아파트 주변 전파상들 보면 일본 TV를 틀어주거든요. 부산 MBC나 KBS 뉴스에 나왔던 화면과 일본에서 틀어주는 화면 차이가 너무 많이 났었거든요. 예를 들면 우리나라에서 보도하는 거는 시위대들이 각목 들고 폭행하는 장면, 부수고 파손하는 장면들을 보여줬는데 일본 방송에서는 반대로 군인들이 시민들을 제압하고 폭행하는 장면들이 보도됐기 때문에. 일본 놈들이 왜곡 보도한다고 생각했었죠. 신문에 나오는 내용이 100% 맞다고…… 저희 부친께서 〈조선일보〉 4~50년 정기 구독자였을 거예요. 돌아가신 부친께 참 죄송한데 부친께서는 자유총연맹 지부장으로서 대통령 표창을 받으셨습니다. 그런데 하나밖에 없는 아들은 딴짓하고…… 부친께서 굉장히 싫어하셨던 노무현이라는 사람을 좋아서 쫓아다니고. 부친은 극보수, 저는…… 잘 모르는 사이비 진보 쪽이었던 것 같습니다.

아버님하고 갈등이 좀 있으셨나요?

쉽게 이야기하자면 호적에서 파일 뻰했습니다. 당시에 카메라라는 게 굉장히 귀했고 촬영하다보니까 지방도 가야 되고. 그러다보니 연락이 안 되고. "뭐하고 다니노?" 아내에게 물어봤는데 "모르겠습니다, 노 뭐 한다고 촬영하고 쫓아다닌다고 집에도 잘 안 들어옵니다" 하는 바람에 알게 돼서. 말도 안 되는 데 가서 무슨 짓이냐고 부친께서 헛짓한다고 보신 거죠. 부친께서는 정치 쪽에 굉장히 관심도 많으셨고 그쪽 신문을 많이 보셨는데 그중에서 제일 많이 보셨던 게 〈조선일보〉였고. 제가 그전까지는 〈조선일보〉나 이쪽이 100% 맞다고 생각했는데 노사모에 가입을 하곤 조금씩 어긋나기 시작하더라고요. 그래서 관심을 많이 가지고 안티조선, 지금도 안티조선 쪽으로. 활동을 많이 하는 건 아니지만 심정적으로는 100% 지지하는 쪽으로 돼버렸습니다.

왜 전에는 정치에 관심이 없으셨을까요? 1, 2면을 찢어버릴 정도로.

일단 싫었습니다. 정치라는 게 국민을 개돼지로 취급하는 것 같고 그들만의 리그, 자기들끼리 짜고 치는 고스톱으로 봐서 굳이 저 같은 일반 서민이 관심을 안 가져도 잘난 즈그끼리 알아서 하겠지 생각하고. 관심도 없었을뿐더러 박정희 정권부터 쭉 그런 것만 봐왔기 때문에 혐오증도 생겼고. 좋은 말도 되풀이하면 짜증이 나는데 어린 나이에 봐도 별로 좋은 긴 아닌 것 같다. 야구, 축구나 보고. 바보상자 TV, 영화나 보고 살자는 생각으로 있었죠.

거의 모든 노사모의 자료를 기록하시고 담아두셨다는데 맞나요?

어쩌다보니 그리된 것 같습니다. 어떤 때는 이 짓을 왜 해야 되나 싶은 생각도 있었고 인터넷 속도가 빨랐던 것도 아니고 지금보다 못한 환경이었기 때문에. 그런데 촬영해서 노사모 홈피에 올렸을 때 회원님들 반응 때문에. 제가 역으로 감동을 느껴서, 너무 좋아서. 그분들에게 멀리서 못 느꼈던 감정들을 전해주고 싶은 생각 때문에 하다보니 계속하게 되었고요.

몇 년도에 가입하셨나요?

2000년인가 그럴 겁니다. 정확하진 않은데 노사모 대전 창립총회 한 뒤에 가입했으니까. 가입하고 첫번째 했던 일이 대전이었나? 모임 참석 독려 영상을 찍자. 그때 오프에서 처음으로 명계남씨를 보게 되고 참 영광이었고. 영상을 찍으면서 저분과 더 친해지고 싶고. 저는 글도 짧고, 키도 작고, 유일하게 할 수 있는 이 일을 하고 있으니까 이쪽이라도 도움을 주자. 그때도 카메라를 들고 갔던 것 같습니다.

명계남에서 노무현으로 언제 갈아타신 거예요?

갈아탄 개념은 아니었고요. 노무현이라는 분에 대해서 유일하게 아는 거라고는 청문회 깜짝 스타, 그것밖에는 몰랐는데 이후에 촬영하면서 정말 소탈하고 인간적인 부분들을 많이 봤거든요. 해수부 장관도 그만두시고 백수 시절 때 부산 노사모…… 송년의 밤인가? 갑자기 참석하신다고, 도착하셨다는 소리가 들리니까 카메라 들고 쫓아나갔거든요. 당시 운전 기사분하고 수행원 한 분하고 도착하셔서, 장소가 2층인가 그랬는데 계단을 올라오시면서, 찍고 있으니까 첫마디가 "에이, 그만 찍고 악수나 한번 하입시다" 그게 노무현 대통령과의 첫 만남이었거든요.

기록자로서 기억에 남는 특별한 상황이나 씬.

저는 노무현 대통령을 찍으러 간 게 아니었고 노사모 회원들만 찍었기 때문에. 최고 기억에 남는 거는 민주당 경선, 노무현 대통령께서 대통령 후보로 출마 선언하실 때, 부산에서 광주까지 동서 화합 자전거 투어할 때. 그때가 제일 생각도 많이 나는 것 같습니다.

동서 화합 자전거 투어는 왜 특별히 생각나셨을까요?

자전거 타고 광주까지 가는데 정말 고생 많이 하셨거든요. 거리도 거리고 중간에 비도 많이 왔고. 솔직히 저 같으면 안 타겠어요. 거기까지 완주를 못하겠어요. 그런데 불평불만 하나도 없고 정말 즐겁게 타고 다니셨거든요. 차 타고 다니면서 촬영하는 나도 힘들어 죽겠는데 자전거 타고 저렇게 고생하는 사람들 표정이 저보다 훨씬 밝았기 때문에 오히려 찍다가 보니 저까지 같이 밝아지더라고요. 그 날씨에 그걸 했던 이유는 하나였거든요, 동서 화합. 경상도, 전라도 똑같다. 부산, 광주 똑같다. 다니면서도 계속 동서 화합, 동서 화합, 언론 개혁 부분도 있고. 저는 동서 화합에 왜 이런 짓을 해야 되는지를 잘 모르겠지만. 광주까지 갔을 때 참 감동적이었고. 5·18 묘역을 참배하러 갔는데, 참고로 5·18이 생겼던 해, 저는 고등학생이었고 지은 죄는 없습니다. 죄라고는 가르치는 대로 알고 있었던 것밖에 없었거든요. 그런데 5·18 묘역 가니까 들어서는 순간부터 이상하게 온몸에 닭살이 돋고 가슴이 먹먹해지고 눈물이 나더라고요. 이유는 저도 모릅니다. 사진 자료들을 보면서 아, 차마 입에 담지도 못할 장면들 보면서 답답하고 화가 나고 미안하더라고요. 그런데도 차분하게 참고 이겨내는 광주 분들 보면서 정말 존경스러웠습니다.

다큐멘터리 작업을 계속하셨는데 뷰파인더를 통해 살펴봤던 노사모는 어떤 사람들이었습니까?

사람들이었습니다. 그냥 전형적인 사람들. 마음이 따뜻하고, 밝고…… 국어사전에 나오는 형식적인 사람이 아닌 진짜 따뜻한 피가 흐르는 사람들이었습니다. 너무 즐거워했고. 저런 사람들과는 정말 살을 부대끼면서 같이 지내도 좋겠다는 생각이 들 정도로 좋은 사람들이었습니다.

풍선 좀 부셨어요? 노란 풍선.

저는 풍선 안 불었습니다. 부는 것만 찍었지. 힘들겠더라고요. 한두 개는 불어봤는데 볼따구 터져나갈 것 같고. 희망돼지 모으러 다닐 때는 많이 서러웠고. 찍어놓고 편집하면서 많이 울었고 부산에서 시작해서 서울 여의도로 들어갈 때 반겨주던 회원들 때문에 마음이 짠했고. 그런데 그런 생각할 것 없이 일단 찍기에 바빠가지고……

희망돼지 촬영 못할 수도 있으셨어요?

프로덕션 그만두고 당시에 백수였으니까. 그때 결혼하고 애가 둘이고 가장으로서 생활비는 벌어야 되는데 전화 한 통 받고 잠깐 나갔다가 안 되겠다 해서 그 차에 올라탔거든요. 명모씨께서 전화 와서 "무비야, 뭐하노?" "그냥 있습니다." "내일은 뭐할 건데?" "할 일 없습니다." "그러믄 잠깐 따라나온나." "예, 알겠습니다." 끝. 다음날 아침에 롯데백화점 앞에 갔더니 희망돼지 차가 있고. 처음에는 촬영만 하고 마는 걸로 생각했는데 듣다보니 그다음을 찍을 사람은 없고. 다음은 대구. "촬영은?" 하니까 사람 없고 이것만 찍고 만다. 그러믄 의미가 없지 않느냐? 그래서 부산에서 할 때 애들 코 묻은 저금통까지 다 해서. 부모라는 것들이 애들 돈까지 갈취해 희망돼지저금통이라는 미명하에. 보면서 한편으로는 마음이 씁쓸하고 한편으로는 다른 마음 들고. 그런데 삥을 뜯기면서 애들 표정이 너무 좋았거든요. 부산에서 대구를 갔더니 확실히 부산보다는 대구가 굉장히 심해요. 그다음으로 계속 서울까지.

왜 그렇게까지 하셨어야 됐을까?

글쎄요. 저도 왜 그래야 됐는지는 잘…… 그때는 그렇게 하는 게 맞을 것 같았어요. 기억이 왔다갔다하는데 대구를 거쳐 광주, 대전 갔었고 춘천을 경유해서 서울로 들어가는데. 그때는 그렇게까지 반응이 좋을 거라고는 기대도 안 하고. 서울에 가면 끝났다고 생각했는데 대선 기간 때까지 이어졌거든요. 제주도도 갔고 전역을 거의 도는데. 서울 여의도 민주당사 앞에서, 아마 출범할 때인가? 노대통령께서 연설하시는데 저는 며칠 밤을 새웠거든요. 말씀하시면서 희망돼지를 모으러 다니는 거를 인터넷으로 봤다. 중간에 말씀이 끊기더라고요. 울먹이시면서. 그런 점을 굉장히 많이 봤었거든요. 그때는 더 복받쳤던 것 같아요.

그 많던 노사모는 지금 다 어디로 갔어요?

지금도 그대로 있죠. 그대로 있겠죠. 단지 온라인상으로든 안 나설 뿐이고 그대로 있는 것 같아요. 저도 활동을 안 하고. 만약 똑같은 상황이 벌어지면 저는 또 나갈 거니까. 정치도 좋고 생활 정치도 좋지만 제일 중요한 거는 이 목구녕부터 해결하자. 일단 살아야 되니까.

디지털 사관(史官)으로서 하시고 싶은 말씀 있으신가요?

저는 역사를 기록하려고 했던 게 아니고 있다보니 우연하게 그렇게 된 것

뿐이고요. 지금은 만나볼 수 없는 노사모 회원분들이 많거든요. 정글남님이라는 분하고…… (한숨) 기억이 날 듯 말 듯, 그 친구, 제레미. 제레미라고 광주 노사모였는데 굉장히 열정적으로 활동했던 친구하고, 서울 노사모에 정동영이라는 친구.

왜 이분들을 꼽으셨을까요?

유명을 달리했기 때문에…… 없으니까 보고 싶고 그중에서 제레미라는 친구하고만 굉장히 친했었지, 나머지 분들과는 아니었습니다. 열정이 지나쳤던 친구였습니다. 이런 이야기를 해도 될지 모르겠지만. 그 친구가 부산 왔을 때 술을 마시러 갔습니다. 같이 술을 마시다가 도와주는 사람이 있는 업소에 갔거든요. 도우미들 나오는 업소에. 가서 술을 마시는데 이 친구는 거기에서도 그 이야기밖에 없어요. 투표해라, 투표해라, 〈조선일보〉 보지 마라. 처음부터 끝까지. 하여튼 그런. 술 마시러 갔는데 노래도 못 부르고 징그럽다, 그만해라 할 정도로. 그랬던 친구인데……

제레미님이 들으실 거라고 생각하고 오랜만에 인사 한번 전해볼까요?

너 인마, 잘 지내나? (웃음) 니 가는 것도 못 보고…… 미안했고 생각 많이 나더라. 보고 싶고. 조만간 보겠지…… 갑자기 물어봐서 그런데 유명을 달리했던 분들이 갑자기 생각나서…… 정글남님은 돌아가시기 전에 병상에 계셨는데 촬영하러 갔었기 때문에……

이렇게 활동하시면서 도대체 뭘 꿈꾸셨어요?

다른 노사모 회원들같이 어떤 생각으로 움직였던 것 같지는 않고요. 찍을 사람이 없고, 그래서 계속 찍게 되었고. 작업하다보니 이분들이 어떤 장면을 좋아한다는 거를 알게 되고. 그분들 감성을 건드리는 편집이 가능해지더라고요. 그래서 계속했던 것 같고. 그분들이 생각하는 걸 갖다가 전해주고 싶었어요. 서울에 있는 분이 부산을 못 오고 부산에 있는 분들이 강릉까지는 못 가기 때문에 당시 현장의 분위기를 전해주고 싶었을 뿐이었습니다. 어떤 생각을 가지고 할 그런 사람도 아니고 능력도 없고요. 단지 생각은 똑같습니다. 노사모 일반 회원들이 꿈꿔왔던, 어느 것보다 자식들이 잘사는 사회를 꿈꾸면서. 그분들이 하려던 대로 안 됐지만.

제일 힘들었던 거 하나만 이야기해주세요.

광주에 도착하는데 늦게 도착하니까 촬영부터 해야 되잖아요. 이분들은 밥 먹으러 가고 뒤풀이도 가는데 저는 촬영하자마자 바로 인터넷 연결되는 모텔방엘 가야 됩니다. 컴퓨터하고 다 이고지고 다녔거든요. 빨리 편집을 해서 올려야 돼요. 작업이 다 끝나고 나면 다른 사람들은 밥 먹고 들어와서 잘 시간이고 그때 혼자 배고파서 밥 먹으러 나가는데 식당들도 문 닫고 편의점이 많지도 않았고…… 배고파서 힘들었던 것 같았습니다. 배도 고프고, 술도 고프고.

오랜만에 노사모 회원분들에게 한말씀 해주세요.

노사모 회원 여러분. 반갑습니다. 디지털무비입니다. 저 아직 살아 있습니다. 다들 잘 지내시죠? 보고 싶습니다. 그리고 사랑합니다.

광주에서도 콩이면 부산에서도 콩이다

초록물고기 정연승

'초록물고기'입니다. 노사모 안에서는 '초록'이라고 했어요. 단순하게 제가 초록색을 좋아하고 초록이 들어간 말 중에 가장 많이 알려진 게 뭘까 하다가 초록물고기로 했습니다.

기억나는 닉네임 있나요?

바밤바. 광날모라고 광안리에서 날밤 새우며 술 먹는 모임을 하자고 총회 때 제가 제안했죠. 노대통령이 가장 크게 부르짖던 게 동서 화합이고 사람들이 노사모 가입한 것도 그것 때문이었거든요. 초창기에는 호남 노사모하고 부산 노사모로 나뉘어 있었는데, 부산 사람들과 친해져야겠다는 생각이 들어 제안했습니다. 부산도 동의해서 만났는데 대표를 뽑아야겠대요. 명계남씨가 떠올랐죠. 닉네임 없어서 하나 만들라고 하니까 바밤바로 하겠대요. 자기가 제일 좋아하는 아이스크림 바밤바. 그후로 바밤바님이라고 불렀는데 나중에는 명짱이라는 말을 더 썼죠.

노사모에서 어떤 역할을 맡으셨나요?

하던 일이 방송 작가였어요. 전주가 고향인데 신문방송학과 졸업하고 서울 가서 교통방송 취재 리포터 하는데 너무 재밌는 거예요. 방송 일을 본격적으로 하고 싶어서 찾아보는데 방송 작가가 맞겠더라고요. 한국방송개발원에서 방송 작가 과정 마치고 서울 생활 싫어서 광주로 갔어요. 전주에서 살았는데 광주를 가본 적이 없어요. 두려움이 많았죠. 이미지가 있었으니까. 광주에서 생활하다 노사모를 알게 되었어요. 초창기 멤버입니다. 처음에는 오프라인 모임 담당이 다른 분이셨는데 제가 방송 일 하고 말 잘하고 아이디어도 많이 내니까, 또 가서 '정치인이라고 팬클럽 없을 이유 없다, 역사 처음으로 우리가 정치인 팬클럽 만들자, 서태지 팬클럽을 능가

하자'고 하니까 사람들이 박수치면서 제게 대표를 시켰죠. 그때 맡은 게 호남 대표였어요. 창립총회도 준비했고 2001년 당시 서울에 사무실도 하나 만들었습니다. 그런데 사무국장을 하면 계속 나가는 거예요. 대부분 노사모 회원들이 30대 중반에서 40대셨기 때문에 월급 받지 않고 사무처장 할 사람이 많지 않죠. 저는 30대 초반이면서 먹여 살릴 처자식 없고 여러 면에서 적합했죠. 제가 종합 사무처장 하면서 경선을 치렀습니다.

초록물고기님께 노사모는 무엇이었나요?

노사모는 제 인생을 바꾸었어요. 저는 학생운동도 안 했던 사람이에요. 노사모에서 사무처장 하기 직전에 만든 계획이 '호주 워킹 비자로 1년 교환학생 가서 정착하자, 후진국 대한민국에서 살고 싶지 않다'였어요. 건방진 생각을 하고 있었죠. 역사의식, 사회의식, 공동체의식 없이 내 삶을 살 뿐이라고 생각한 부류였어요. 노사모 오프라인 간 것도 사람들과 재밌게 놀고 싶어서였죠. 그런데 하다보니 아이디어를 내고 박수받고 본의 아니게 대표가 되고 종합 사무처장까지 하게 되었죠. 워킹 비자 받기 위해 많은 준비를 했는데 결국 포기했습니다. 나를 필요로 하는 일을 해야겠다고 마음먹고 살아가는 것에 대한 기쁨과 소중함을 알게 되었어요. 사람을 향해 마음을 활짝 연 계기가 되었습니다. 노사모는 평등주의이기 때문에 사람으로서만 오롯이 봐요. 그 사람이 가지고 있는 가치와 그 사람만 보여줄 수 있는 감동들이 생생하게 다가오더라고요. 그러면서 껍질을 많이 벗었죠. 내가 정말 어리석고 말도 안 되는 생각들 속에 갇혀 있었구나. 제가 성장할 수 있는 출발점이었어요.

2001년부터 2003년까지를 초기 노사모의 피크라고 할 수 있죠.

2000년, 2001년이 경선입니다. 그때까지 많은 밑작업이 있었죠. 제가 사무처장일 때 여러 이벤트를 했어요. 단풍 따라 산에 가는 작업도 했고 대통령 출마 선언하실 때 동서 화합 자전거 달리기 하면서 부산 행사장에서 광주까지 갔죠. 2박 3일인가 3박 4일이니까 중간에 자기도 해요. 광주에 가서는 5·18 묘역에 부산의 흙을 뿌리기도 했죠. 명짱님이 가지고 있는 아이디어들에 처음에 모두 당황하는데 되더라고요. 자전거도 명짱님이 말씀하신 건데 하라면 해야 되니까 게시판에 글을 올려요. 자전거 후원해 달라, 2박 3일, 3박 4일 걸리는데 시간 가능하신 분 필요하다. 그때 받은 자전거도 별로 안 좋은 자전거예요. 타다가 중간에 부서지기도 했는데 감동적이었던 게 아무 돈도 없이 시작했어요. 자전거 달리는 사진을 찍어 홈페이지에 올리면 사람들이 보고는 후원해주시는 거예요. 그 돈으로 하룻밤 자는 거죠. 또 자전거 가는 중간에 지역 노사모들이 먹을 걸 준비해주시고 플래카드도 걸어주시고. 그러면 쉬다가 가고. 자전거를 오래 타니까 몸이 안 좋아지시는 분들도 있는데 그러면 자전거를 바꿔 타주는 사람들도 있어요. 하루 타고 일터로 가시는 거죠. 아팠던 사람은 회복해서 다시 타고. 서로 감동하는 거죠. 자기가 하면서도 놀랍고 받는 사람들 마음은 요동치고. 이벤트 하나하나가 사람들 감동시키고 노사모에 더 깊이 몸담게 했다고 생각합니다.

특별히 기억나는 에피소드 몇 개만 말해주신다면.

노사모가 만들어지고 초기에 회의를 인터넷 사이트 채팅방에서 했어요. 발언권은 대표들만 있고 일반 회원들은 참관할 수 있었어요. 그런데 타자를 빨리 치는 사람이 있고 느리게 치는 사람이 있잖아요. 속도가 어떻든

한 사람의 문장이 끝났을 때 다음 사람이 발언할 수 있었어요. 회의하면 5, 6시간씩 걸렸어요. 서버가 불안정하니까 가끔 다운됐어요. 어느 시점부터는 한 달, 두 달에 노무현 의원 시절 때 사무실을 하루 빌려요. 금요일 저녁부터 다음날 아침까지. 당시 보좌진 중 한 분인 백원호씨가 보고 놀라는 거예요, 너무 오래 하니까. 한번은 '노무현을 대통령으로 어떻게 만들 것이냐'로 밤새 회의해요. 다음날 6시, 7시까지 해요. 되는 말부터 말도 안 되는 말까지 하는데 나중에는 하나로 모여요. 그걸 보면서 저게 민주주의구나 생각하죠. 각자 생각을 충분히 피력하지만 마지막에는 다수가 공감하는 지점으로 모이는 거죠. 감동받았어요. 나중에는 백원호씨도 빠져들더라고요.

또다른 에피소드는 무주 전진 대회 때입니다. 노무현을 대통령 후보로 밀어주려면 대의원들 표가 필요하잖아요. 노사모에서 자원봉사해주면 좋겠다고 해서 갔죠. 1박 2일로 진행되니까 전날부터 가서 총 2박 3일인데 많은 분들이 휴가 내면서까지 모이셨어요. 겨울이었는데 모두 똑같이 긴 옷에 '노무현을 사랑하는 사람들'이라고 글 써서 입고 다녔어요. 전날 저희가 한 게 홍보지를 접는 거였어요. 자원봉사하러 오신 분들에 대학교수도 있고 잘나가는 카피라이터도 있고 저 같은 방송 작가들도 있고 회사 대표급들도 있고. 너 나 할 것 없이 같이 일을 하는 거죠. 대의원들 왔을 때는 인사 잘하고 설명하고. 대의원들이 감동받고 즐겁게 지낸 거예요. 백원호씨가 끝나고 저희한테 놀랐다고 하더라고요. 자기들이 좋아서 따라다니는 정도로만 생각했는데 일 처리하는 거 보니 프로 이상으로 잘한다고. 감동 주는 모습 보면서 존경하는 마음이 생겼다고 하더라고요.

노대통령의 기억나는 연설 있으세요?

광주에서도 콩이면 부산에서도 콩이다. 제 노사모 가입 동기가 지역주의 타파는 아니었어요. 저는 전주에서 살았는데 지역주의가 심각하다는 말은 들었지 체감은 하지 못했어요. 그런데 광주 경선 승리하고 노사모 홈페이지가 폭발하는 거예요. 지역주의에 대한 서러움과 아픔들에 대한 글이 어마어마하게 올라와요. 잠재돼 있던 울분이 계기를 통해 쏟아져나오는 거예요. 별생각 없던 저도 계속 울면서 읽었어요. 내가 모르는, 우리 사회가 가지고 있는 아픔이 이렇게 컸구나.

노무현과 노사모는 어떤 점이 닮았나요?

지고지순함이요. 저는 나중에 청와대까지 가서 노대통령 모셨는데요, 국민에 대한 사랑에 1%도 순정하지 않은 부분이 없으시더라고요. 노대통령은 정치적 계산이 아니라 나라에 대한 사랑, 국민에 대한 사랑에 의해 움직이시는 분이었어요. 노무현은 국민을 사랑하고, 노사모는 노무현을 사랑하고.

모든 게 노무현 탓이라는 말이 있었죠. 노무현은 왜 언론과 사람들로부터 그토록 공격받았을까요?

돌아가시고 나서 복기를 많이 했어요. 노사모는 무슨 일을 했던 걸까. 노사모는 노무현 대통령 되면 세상이 바뀔 줄 알았어요. 바뀐 건 노무현뿐이죠. 세상은 하나도 안 바뀌었는데 그걸 이해하기까지 너무 오래 걸렸어요. 노대통령 임기 끝나고 내려오시면서 깨달았죠. 어떤 깃발을 바꿔서가 아니라, 뿌리부터 토양을 바꿔야 진짜 변화가 오겠구나.

지금 정부는 노무현 정부 2기인 것 같아요. 낯익은 분들이 많이 보이죠. 정말 잘했으면 좋겠고. 노대통령의 죽음, 세월호 아이들의 희생들을 겪으며 국민들의 마음속에 형성된 거죠. 박근혜 정부의 모습을 보며 더이상 참지 않고 분노하며 문재인 정부를 탄생시켰다고 생각해요. 그분의 운명도 역사가 흘러가는 과정에 들어가 있던 것이 아닌가 생각합니다. 그렇게 생각하며 마음이 편안해졌어요. 대통령 돌아가시고 관련된 어떤 것도 볼 수 없었어요. 영상들, 책, 영화 〈노무현입니다〉 도저히 못 보겠더라고요. 기억을 묻고 싶었나봐요. 그렇게 7년이 지나니까 정리가 되기 시작했죠. 슬프지만 과정이라고 생각합니다.

노대통령의 탈지역주의, 탈권위가 오히려 자기 권위까지, 방어막까지 없애버린 건 아닐까요?

대통령은 너무 순수하신 거죠. 본인이 진정성으로 가면 상대도 진정성으로 오려니 생각했는데 그건 개인적인 관계에서 가능했겠죠. 나라 전체 국민들을 대상으로는 가능할 수 없는 거죠. 노무현답다고 생각해요. 청와대 계실 때도 '저렇게밖에 못하시나, 가면을 쓰시면 안 되나' 생각했는데 나중에 돌이켜보면 노무현다운 모습이라고 생각해요. 안타깝지만 억울하지 않고, 그렇다고 편하지도 않고요. 대통령 돌아가시고 7년 뒤에 꿈에 나오셨어요. 너무 반가운 거예요. 제가 이제는 절대 안 놓을 거라고, 어디 가시지 말라고 팔짱을 딱 끼고 있는데 잠이 깼어요. 진짜 그 기분 죽을 때까지 계속 마음속에 있을 것 같아요.

노대통령을 다시 만난다면 하고 싶은 말이 있을까요?

대통령 되시고 청와대 비서관실에서 근무했어요. 하루는 비서관실 직원들과 식사하겠다고 초청받았어요. 대통령이 말을 막 하시는 편이에요. 저를 알은척해주신다는 게 "설치고 돌아다니더니 결국에 여기 왔네"라는 식으로 얘기하신 거예요. 기분이 완전 나빴죠. 그때부터 밥을 먹는 둥 마는 둥 하는데 갑자기 딱 부르세요. "초록씨"라고 부르세요. 잘 가라고 하시더라고요. 제 표정이 안 좋은 걸 보셨나봐요. 너무 화나서 주변 사람들한테 말하는데, 말씀을 그렇게 하신다고 하세요. 나중에 봉하마을에 가서 얘기하면서 웃어야겠다고 생각하고 있었는데 돌아가셨죠. 너무 속상하죠. 그 기억이 마지막 기억이어서 더 속상했어요. 노대통령 다시 만나면 정말 안 놓아드리겠다고 말하고 싶어요. 당시에는 이분을 차지하면 안 된다고, 다른 국민들과 만날 수 있게 저는 뒤에 숨어서 돕는 게 맞는다고 생각했는데 다시 만난다면 누구한테도 뺏기지 않을 거예요. 좋아하는 감정을 마음껏 펼치고 싶어요.

예전 동지이자 친구들인 노사모 분들께 영상 편지 한번.

다들 저같이 상처 안고 살아가고 있을 텐데 어떤 마음인지 만나서 서로 털어놓는 시간 가졌으면 좋겠습니다. 잘 살고 있었으면 좋겠습니다. 저처럼 아픈 마음들 마음속 깊이 숨겨두고 계실 것 같은데요. 언젠가 우리 만나서 그때 얘기하면서 마음속 슬픔 다 털고 기쁘게 노짱 기억하는 시간 가졌으면 좋겠어요. 다들 건강하고 행복하게 각자 선 자리에서 잘 살고 계시기를 기원합니다.

지도자는 결국
민심이 선택한다

맥주한병 김두현

대구 노사모 초기 멤버 '맥주한병'이라고 합니다. 노사모 모임하면 뒤풀이가 자주 있지 않습니까? 주량이 맥주 한 병, 가끔 두 병. (웃음) 줄여서 맥주한병. 처음에 다른 닉네임 쓰다가 뒤풀이에서 맥주 한 병이면 취한다고 해서 맥주한병 됐습니다. 노무현 대통령이 2000년 총선에서 떨어진 날 노하우에 모여 울분 토로할 때 게시판에 들어갔습니다. 노사모 만들어지면서 대구에서 두번째, 가스총님 다음으로 가입했고. 전국적으로도 50번째 정도였습니다.

노사모 가입하시기 전의 맥주한병님은 어떤 분이셨어요?

전형적인 386세대입니다. 88학번, 80년대 말인데 대학교 2학년부터 학생운동하고 졸업 후에는 시민운동 단체 상근자로 활동하고 있었고. 노무현은 89년 청문회를 통해서 알게 됐고요. 92년 영남대학교 총학생회에서 노 대통령 초청 강연회를 제가 섭외해서 모신 적 있습니다. 당시 학생운동, 시민운동의 주류 분위기는 민주당이나 현실 정치인에 대해 거리 두는 분위기였기 때문에 저는 특이한 존재였습니다. 비판적 지지인데 시민운동은 비판에 방점이 찍혀 있고 저는 지지에 방점을 찍었습니다. (웃음) 처음 시작할 때가 30대 초반, 아직까지는 학생운동에서 크게 벗어나 있지 않은 단계였고 열정이 많던 때였죠. 활동 지역이 대구다보니 양쪽에서 비판받았죠. 시민 사회운동 진영에서는 개량이다, 시민운동이 중립성을 지켜야지, 정치에 직접적으로 개입해서야 되느냐? 시민 일반으로부터는 급진이다, (웃음) 좌경 아니냐, 왜 하필 민주당 지지하느냐.

대구 경선 이야기해주시겠습니까?

노사모 회원뿐만 아니라 민주당을 지지했던 많은 시민들이 관심 갖게 된

게 광주 경선이었고요. 대구 노사모 회원들도 노사모 사랑방에 모여서 전화 돌리고 편지 쓰고. 저는 글을 잘 못 써서 전화를 많이 했어요. 영남대학교 민주동문회 명부 보면서 10년 만에 선후배들에게 전화했던 기억이 납니다. 대구 경선도 컨벤션센터에서 했죠. 당시 승리를 확정하는 단계였을 겁니다. 충청권 진행되면서 이인제씨가 역전했다가 강원도에서 좁혀지고 대구에서 뒤집어졌던 걸로 기억납니다. 뒤풀이가 기억에 남아요. 80여 명이 돼지갈빗집에 갔어요. 그때 〈말〉지 기자가 취재하러 왔어요. 〈말〉지 기자 누구입니다, 얘기하니까 노사모 분들이 "〈말〉지가 뭐예요?" 하시고. 이 분들이 그냥 운동권이 아니구나, 국민을 위한 정치가 되기를 바라는 평범한 시민들이구나. 거기서 극명하게 확인되었던 기억이 납니다.

80명 뒤풀이 가셨다고 하는데 그분들 다 어디 가셨어요? (웃음)

모르겠습니다. 그때 참여했던 분들 만난 거는 2009년 노대통령 돌아가셨을 때. 제가 상황실장 했습니다, 시민 추모 위원회를. 시에서는 생각이 없고 저희가 자발적으로 시민 분향소를 차려서 시민들 분향을 받기 시작했을 때 6~7년 만에 다시 만난 기억이 납니다.

노무현을 만나고 맥주한병님이 바뀐 게 있을까요?

작년 말, 올해 초에 제가 의원이 되겠다, 현실 정치에 참여하겠다고 생각하게 된 긴 과정이 2000년 노사모 참여하면서부터인가 해요. 노대통령이 영남대학교에서 강연했을 때 말씀하신 적이 있습니다. 학생운동의 이념에 100% 동의할 수 없지만 만약 다시 군사 독재 정권이 나타난다면 학생들과 스크럼 짜고 거리로 나가겠다고. 제도권 정치에 있는 사람이지만 신뢰할 수 있는 사람이구나, 마음을 줄 수 있는 사람이구나. 2000년 노사모가 창립되는 현장을 〈오마이뉴스〉 시민기자로 기사를 썼는데 지금도 나올 겁니다. 아무리 정치를 비난하고 욕하더라도 돌만 던져서는 세상이 바뀔 수 없다. 세상이 바뀌려면 정치가 바뀌어야 한다. 노무현 같은 사람이 성공해야 세상이 바뀌지 않을까? 시민단체들이 FTA 등으로 등돌렸을 때도 비판할 건 비판하지만 노대통령이 추진하는 계획에 힘을 실을 건 실어야 된다고 꾸준히 생각했습니다. 마지막에 노대통령이 개헌 발의했을 때도 시민운동 했고. 정치를 통해서 한발 나가는 게 중요하다. 아무리 작은 변화일지라도 한 보 전진을 위해서는 정치가 제대로 서야 된다. 출발이자 계기였습니다.

주요 후보도 아니었는데 결국 대통령까지 할 수 있게 된 힘이 뭘까요?

노사모가 정치에 개입해도 되느냐는 논쟁은 대구에서는 크게 없었어요. 노무현을 위해 할 수 있는 일은 해야 된다, 이게 팬클럽이었죠. 지도자가 될 사람은 당세로 결정되지 않는다. 문재인이 민주당에 세가 많았기 때문에 해냈다고 사람들이 이해하지만 저는 그렇게 생각하지 않습니다. 지도자는 결국 민심이 선택한다. 민심이라는 건 시대적 과제이고 2000년의 시대정신이 노무현을 택했다고 봅니다.

다들 좋아서라고 얘기하시는데 사실 힘드셨죠?

돈 많이 썼죠. 2003년도 시민사회운동 하면 급여가 50만 원이었어요. 2년 동안 그 돈의 반 이상을 노사모 활동에. (웃음) 연봉 600만 원 시민운동가 김두현이라고 소개했지요. 그래도 좋았어요. 부산 경남과 대구 경북이 뭐가 다르냐고 많이 하거든요. 부산에는 그래도 바뀌어서, 이번에 되긴 했지만, 지난 지방선거 때만 해도 잘 붙으면 5:5, 6:4, 평상시에 7:3으로 져요.

그래도 3이잖아요. 3이니까 나 말고 누가 있을 거라는 생각은 할 수 있잖아요. 그런데 대구는 잘 나오면 8:2거든요. 지금은 7:3, 6:4 정도로 바뀌었는데 그때는 8:2였어요. 평상시 자기 성향을 숨기고 다니죠. 완전히 고립되는 걸 각오하고. 그게 제일 어려운 거죠. 자기 얘기를 일상적으로 할 수가 없다는 게. 그래서 오히려 노사모끼리 더 단합됐죠. 여기 오면 편하고 하고 싶은 얘기 마음대로 할 수 있으니까.

노사모 활동에서 후회되는 일이 있다면?

노대통령 마지막에 많이들 등돌릴 때, 진보 언론도 공격할 때, 저도 거기에 돌 하나 보탰거든요. 서거 5월 23일 아침에 저는 병원에 있었습니다. 선배가 전화해서 TV 보라고. 그날 오후에 여러 일정이 있어서 다른 분들과 저녁 10시쯤 출발했습니다. 참배객들이 밀리니까 자정 무렵에 참배하는데 눈물 한 방울 못 흘렸습니다. 현실로 수용이 잘 안 됐습니다. 유시민 장관이 울고 있고 영화 보는 느낌이었고요. 지금은 정치에 들어와 어려운 결정 두고 타협해야 하나, 내 생각을 밀어야 하나 고민할 때 이분이었으면 어땠을까 하는 생각. 문득문득 한 번씩 떠오르죠. 떠올라서 한 시간 동안 영상 보고 있을 때도 있고. 특별히 계기가 있다기보다 문득문득 떠올랐죠.

노사모 활동을 봄, 여름, 가을, 겨울로 나눈다면?

처음 만났던 게 봄이지 않았나. 한남대에서 처음 만나고. 제가 유일하게 옆에서 찍은 사진이 한남대에서 점심 먹었던 때. 광주 경선에서부터 마지막 덕평까지. 당선되고 경선 축하연 때 노대통령 십팔번 〈작은 연인들〉 부르셨던 때. 저는 노사모를 떠났어요. 2002년 취임하고 휴지기가 가을이라고 볼 수 있겠네요. 그다음에 돌아가시고 만났죠. 노무현 재단 대구 위원회는 2011년도에 만들었어요. 새로운 분들 들어오시고, 기존 분들 다 돌아오시진 않았지만 함께하셨던 영덕대게님, 댓길님, 숲속님 다시 만나고. 〈노무현입니다〉 보면 노대통령이 노무현 시대가 과연 올까, 그때 자기가 없을 것 같다고 말씀하시고. 문재인 정권 들어서고 남북 관계 풀어지고, 10·4 선언 기념식도 최초로 남북 공동으로 하고. 많은 사람들이 마치 과거에는 없었는데 처음 하는 일이라 하는데, 그게 아니다, 이 길은 새로 열리는 길이 아니고 김대중 대통령, 노무현 대통령 거치면서 민주 정부 10년 동안 왔던 길이다. 살아남은 자들이 정치를 하든 하지 않든 시민운동을 하든 하지 않든, 일상을 살아가는 우리 시민들이 함께 만들어내고 나아가야 하는 게 우리 몫이다.

18년 전의 동지들한테 한말씀.

기억하시는지 모르겠지만 2003년도 조그만 몸으로 함께 전국을 누볐던 맥주한병입니다. 다들 건강하게 살고 계신지 모르겠습니다. 어디서 어떤 모습으로 살아가시든 18년 전 그때의 열정과 추억을 소중히 간직하고 만나면 반갑게 웃고 인사 나눌 수 있으면 좋겠습니다.

자발적으로 사람들이 모이고 의기투합하고

댓길 정대인

닉네임은 '댓길'이라 하고요. 중학교 때 별명이었어요. 노사모는 2000년 말. 직장 그만두고 개인사업 했고 그전에는 괜찮은 기업 전산실에서 프로그래밍을 했어요. 그러다가 무역 쪽으로 개인사업하는 때였고요. 돈 많이 썼죠. (웃음) 무역도 하고 초창기 PC방도 했는데 PC방 넘기면서 나온 돈을 노사모에 다 부은 것 같아요. 노사모에 컴퓨터 20대 정도 기증한 것 같고 전국 경선 다니면서 많이 쓴 것 같아요. 그만한 가치가 있다고 생각하고 전에 느껴보지 못한. 학교 다니면서 사회변혁운동 할 때와 다른 분위기가 노사모에 있었죠. 자발적으로 사람들이 모이고 의기투합하고. 누가 돈을 내든 충분한 가치가 있겠다. 다른 사람들도 그렇게 했거든요. 대구에서는 그런 분들이 굉장히 많죠. 아깝다고 생각하진 않았어요.

여기는 대구잖아요. 민주당은 빨갱이 당이라고도 하잖아요.

(웃음) 그렇죠. 지금도 그렇게 생각하시는 분들 많고. 제 집안은 아버지부터 해서 반골에 가까운 성향이고 새누리 계통이라든가 그쪽을 지지한 적 한 번도 없거든요. 그래서 주변에서 탓하는 사람이 없었어요. 이해 못하는 친구들도 있었지만. 저는 노사모 커플이에요. 와이프도 노사모 회원이고. 노사모 가입 이후에도 변화는 거의 없어요. 정부 기관에 들어간 것도 아니고 생활 똑같이 이어오고 있고. 자리를 바란다는 생각 안 했고요. 한 번도 부탁한 적도 없고. 2012년 대선 때 합류했고 2017년 대선 때도 선대본부에 합류해서 활동했죠. 활동하고 나서도 뭐를 원한다고 이야기한 거 없고. 추천받은 적은 있었어요. 생활의 변화는 크게 없어요.

활동하시면서 개인의 삶에 영향이 있었을 텐데 아쉬움 없으세요?

아쉽다고 생각 안 해요. 제가 생각한 목표를 이루었고 노사모로 활동하면

서 노무현이라는 사람이 대통령이 되고 쭉 이어왔으니까. 활동 자체에 대해서 후회하지 않아요. 이후에도 노무현 재단을 만든다, 바보 주막을 만든다, 바보 주막의 우리 다섯 명이 초창기 노사모였거든요. 대구 경북 노무현 재단 만들 때도 같이 참여했고요.

언제 노대통령이 생각나십니까?

자주 생각나죠. 돌아가셨으니까 더 생각나죠. 매년 봉하마을 찾아뵙고. 아쉬운 마음이 크죠. 서거하신 그날이 민주당 대구시당에서 야유회를 가기로 한 날이었어요. 아침에 일어나서 가려고 준비하는데 어머님이 저한테 노무현 대통령 돌아가셨다고. TV를 켰는데 속보가 뜨더라고요. 전화를 몇 군데 돌리는데 모르는 사람들이 많았고 민주당에 전화하니까 야유회 준비한다고 바빠서 소식을 모르고 있더라고요. 야유회 현장에 있던 분들 다 철수하고 취소하고. 그날 아무 생각이 없었는데 봉하마을은 가야겠다 해서 아는 분하고 두 명이서 봉하마을에 하루종일 멍해 있었던. 돌아올 때

차 안에서 굉장히 울었죠. 머리가 하얗게 변한다고 할까? 정신을 차려보니 와이프도 울고 있고. 보름은 멍하게 있었던 것 같아요. 아직도 믿어지지가 않아요. 의지가 강하신 분이 돌아가셨다는 게.

대구만의 독특한 이야기가 있을까요?

대구는 보수의 성지라고 하고 성향이 아직도 남아 있는데 그래서 모임이 더 애틋한 게 있죠. 그게 오히려 더 단합하게 하는 대구만의 특성인 것 같아요. 지금까지도 끈끈하게 이어오고 있는 분들 굉장히 많고.

전국에서 활동하시던 노사모 분들한테 편지 한번.

안녕하세요? 대구의 댓길입니다. 이름은 정대일입니다. 지금은 노사모 활동 잘 안 하지만 옛날에 활동하신 분들 굉장히 기억에 남습니다. 저 보시면 기억나시는 분들도 많을 겁니다. 나름대로 전국을 많이 다녔고 해서. (웃음) 최근에도 경남, 창원, 부산, 인천, 서울을 한 달 전에 왔다갔다하면서 노사모 분들 많이 뵀어요. 애틋함이랄까, 뿌듯함이랄까. 처음에 노사모 만들 때 노사모 정신이라고 있었잖아요. 정확히 어떤 정신인지 모르겠지만 노사모 정신 하면 대부분 다 알 거예요. 그 정신 잊지 말고 앞으로도 쭉 변함없이 가실 거라고 생각합니다. 저도 그렇게 살겠고요. 그렇습니다. (웃음)

상식과 몰상식의 대결

가을하늘 정동철

닉네임 '가을하늘'입니다. 시원한 가을하늘이 좋아서 가을하늘로 지었습니다. 창립 멤버는 아니고요. 부산, 경남 노사모 나뉠 때 호남은 안 나뉘어서 게시판에 분리해야 되지 않느냐고 글을 올렸어요. 바로 전화가 오더라고요, 가을하늘이 독립시켜달라고. 전북 노사모 명단을 주셨죠. 주변 분들과 같이 전북 노사모 창립했습니다.

그때는 뭘 하고 계셨어요?

대학교수였어요. 서른셋에 막 임용됐을 때였죠. 오프 모임 하는데 불안하더라고요. 서른셋이 가도 될까 고민했죠. 갔더니 어린 사람들만 있는 게 아니더라고요. 대학교수들도 많았어요.

노사모는 어떤 의미가 있었습니까?

당시 가장 큰 모순이 지역주의예요. 모든 정치인들이 지역주의를 이용했죠. 정면으로 부딪친 게 노무현 대통령이었죠. 그러면서 저도 한발 들인 거고요. 하지만 지역주의의 망령은 지금도 남아 있어요. 과거가 100이었다면 30정도. 제가 86학번인데 학생일 때는 군부독재 통과했고 사회 변혁, 정의, 군대 같은 문제에 굉장히 민감했던 세대죠. 이성이 작동해야 하는 정치에 몰이성이 개입하는 거죠. 그게 지역주의고요. 지역주의 앞에는 정의도 없고 상식, 공정함, 공평함도 없죠. 모든 게 함몰되는 거예요. 종로에 출마해서 정치 엘리트로 성장할 수 있는 분이 부산으로 온 거예요. 도와야겠다고 생각했죠.

노사모에 대해 에피소드 기억나는 거 있을까요?

손편지를 썼어요. 전북에는 스무 명 정도였는데 PC방이나 대학교 빈 강의

실에서 빨간색 꽃 편지지에 썼죠. 제 인생에서 그렇게 많이 글을 쓴 적이 없어요. 경선인들한테 보내는 거예요. 읽어주긴 할까 긴가민가했죠. 경선장에 갔는데 사람들이 저희한테 브이자 하는 거예요. 노무현을 찍겠다는 얘기구나. 광주 경선 끝나고 전북 경선 때는 노사모 회원한테 전화했어요. 당시 2,000, 3,000명 됐는데 아침 8시에 출근해서 저녁 8시까지 12시간 전화 돌리면 딱 100명한테 전화할 수 있었어요. 경선인으로 참여해달라고. 사흘이 걸렸죠. 전북 경선 끝나니까 사람들이 어마어마하게 가입하더라고요. 그러고선 많은 사람이 도와주고 계속 이겼죠. 노사모 회원이 10만 명으로 늘었다고 하더라고요. 무조리조트에서 모임을 한 적 있는데 천 명 왔어요. 다들 각자 먹을 거 싸오니까 그때부터는 놀이가 되더라고요. 초기 노사모들은 순결하고 경건한 게 있는데 오프 모임 하면 가족 단위로 와요. 부부가 애들 데리고 소풍처럼. 처음에는 결사대 분위기였다면 경선 끝나고는 회원이 폭발적으로 늘어나면서 가족 소풍이 됐어요.

노무현과 노사모는 어떤 면에서 닮았을까요?

원칙주의와 비타협주의. 다만 당선되고는 정치에 나이브했죠. 정치인은 스스로 존재하는 게 아니라 지지하는 정치 세력과 함께 존재해야 하는데 저를 비롯해 당시 노사모들은 대통령 됐으니까 뒤로 물러나서 즐겁게 구경하면 된다고 생각했죠. 노사모 안에는 순결주의가 있었어요. 노사모에 참여했다가 나중에 정치인이 되면 나쁜 사람 취급했죠. 저도 그렇게 생각했지만 잘못된 거예요. 정치에 뜻을 두면 나쁘다고 생각했던 것이 결국 노무현 대통령을 외롭게 만들었으니까. 노대통님이 대통령 후보 되고 후단협이 만들어지죠. 그때 명계남, 문성근, 정청래 의원 등 몇 사람이 민주당 안 되겠다 해서 당을 만들어요. 국민참여당인가 개혁당인가 이번 기회에 정계 진출해서 정치판 엎자는 쪽하고, 인터넷에 기반을 둔 정당 만들어 노사모를 확대해 선거 지원하자는 쪽이 있었죠. 명계남, 정청래, 그리고 저였어요. 당 이름은 '정정당당'으로 했죠. 순진한 사람들이죠.

노대통령은 재임 시절 왜 그렇게 인정받지 못했을까요?

대선 끝나고 외국으로 여행 갔어요. 노사모 회원들도 우르르 빠져나갔어요. 순진하다는 거죠. 정치는 결코 정치인 혼자만으로 집권할 수 없어요. 노무현이라는 정치인을 완전 무장시켜서 적진에 혼자 던져놓고 다들 놀러간 거죠. 탈권위 자체가 노무현을 공격하는 수단이 됐죠. 오랫동안 보수라는 사람들이 이성적인 사람을 빨갱이로 몰았어요. 노무현 대통령은 그 어젠다와 혼자 싸운 거죠. 저는 진보와 보수 내지는 좌와 우로 나누지 않고요, 상식과 몰상식의 싸움이라고 생각합니다. 세월호에 200명 가까이 아이들이 물에 빠져 죽었어요. 이게 진보와 보수 무슨 상관이 있어요? 아이들을 구해야 되는 거죠. 못 구했으면 반성해야 되잖아요. 다시는 발생하지 않도록 시스템을 만들고요. 그런데 우리 사회는 학부모들을 빨갱이로 몰아요. 오랫동안 했던 방법이죠. 억울하고 슬픈 사람들을 빨갱이로 몰죠. 그리고 보수와 진보의 대결로 만들어요. 보수, 즉 몰상식이 어젠다를 설정할 수 있는 능력을 장악하고 있죠.

깨어 있는 시민과 촛불이 연결되는 지점이 있을까요?

상식적인 사람이 국민의 80%라고 생각합니다. 상식이 행동으로 옮겨지는 시기가 있고요. 그 사람들이 촛불을 가지고 모인 거죠. 세계 정치사에서도 이렇게 정치권력을 큰 피해 없이 극복해 민주 정부를 이룩한 적이 없잖아요. 그만큼 우리 사회가 성숙했다는 뜻이죠. 제 세대는 80년대 군부 쿠데

타를 겪었던 세대잖아요. 하지만 지금은 불가능하다고 생각해요. 인터넷, 핸드폰도 있지만. 그동안 선배 시민들이 피 흘리면서 싸워 올린 의식 상승의 결과예요.

18년 전의 자신에게 하시고 싶은 조언이 있다면.

노무현 외롭게 하지 말라고, 노사모 열심히 하라고 말할 거예요. 또 노사모 내에서 노무현과 같은 마음을 지닌 사람들에게 정치하라고 밀면서 노무현이 되라고 할 것 같아요. 그 의지를 높게 평가할 것 같아요.

노사모 하면서 경제적으로 어려워지신 분들이 많더라고요.

'상추'라는 사람이 있는데 노사모 시작했을 때 대학교 4학년이었어요. 2000년도죠. 2001년에 큰 대학교에 교직원으로 취직했어요. 그런데 2002년에 대선 있으니까 교직원 그만두고 나와 돕겠다는 거예요. 제가 말렸어요. 너 아니어도 선거할 사람 많다고, 그 직장이 어떤 직장인데. 정년 보장되지, 월급 많지. 그런데 결국 나오더라고요. 지금까지 18년 동안 제 목에 가시처럼 걸려 있어요. 저는 당시에 휴직한다고 했더니 학장이 월요일, 화요일 오전으로 수업 몰아줄 테니까 하고 싶은 거 하라고 하더라고요. 저는 혜택을 받았지만 노사모에서 생업을 팽개치신 분들이 있었죠. 힘들게 산다는 얘기를 많이 들어요. 대선 때 노사모로 참여했던 대학교수들도 다 연락이 안 되는데 1주일 전에 메일이 하나 왔어요. 영어로 와서 스팸인가 하다가 클릭해봤더니 당시 원광대학교 경제학부의 박영철 교수님 아내분이세요. 교수님이 미국에서 살다가 돌아가셨는데 남편 이메일 정리하다보니까 정동철 교수 연락처가 나왔대요. 2000년, 2001년에 박영철 교수님이랑 모금 활동 다니고 마이크 들고 떠들던 때가 어저께 같은데 6개월 전에

췌장암 걸려 돌아가셨다고 합니다. 죄송하더라고요. 노사모들은 정치 안 할 거니까 빨리 흩어져야 된다는 강박이 있었던 것 같아요. 친목 모임도 안 하고.

노대통령을 다시 만난다면 어떤 느낌일까요?

몸을 던져 죽음을 선택했죠. 노무현 대통령은 여러 번 죽임을 당한 것 같아요. 마지막은 본인이 부엉이바위에서 몸을 던짐으로써 노무현으로 대표되는, 지역주의에 맞서는 세력한테 다시 한번 기회를 주신 거죠. 노무현 대통령을 만나면 묻고 싶은 게 하나 있어요. 당시 제 아이가 한 살인가 두 살이었는데 사진 찍자고 못했어요. 찍자고 하는 사람이 너무 많으니까 피곤하실까봐. 우리 아들하고 사진 한 번만 찍어달라고 얘기하고 싶어요.

같이 활동했던 노사모 회원들한테 한마디.

당시 고등학생이 있었어요. 고3 학생인데 '미우미우'라고 있어요. 미우미우한테 인사할게요. 미우미우야, 처음 만났을 때 너는 고등학생이었어. 너무 안타까워서 그렇게 얘기했다. 고등학생들까지 여기 나와서 일하게 해야 되나 생각했어. 내 말 듣지 않고 고등학생인데도 틈틈이 나와 자원봉사도 하고 편지 쓰고 전화도 했지. 대통령 선거 끝나고 연락이 끊어졌는데 18년 지났으니까 30대 후반, 40대 초반 아줌마 됐을 텐데 잘 지내고 있니? 지금도 18살짜리 아이 같은데 잘살고 있을 거라고 믿어. 33살인 나와 18살인 네가 생각했던 상식이 통하는 세상, 사람 사는 세상이 만들어졌나? 다는 아닌 것 같은데 그래도 나아진 것 같아. 어디에 있든 너는 20년 전 미우미우일 거고 항상 상식적인 삶을 살 거라고 믿어. 혹시 이 영상 보거든 나한테 연락 한번 해줘. 안녕.

노무현이라는 정치인이 불쌍하니까

상추 이중선

'상추'입니다. 80년대 중반인 중학생 때 마요네즈라는 제품이 나옵니다. 샐러드에 마요네즈를 올리는 CF였어요. 상추를 씻는데 슬로모션으로 물방울을 떠는 장면이 있습니다. 저렇게 평생 싱싱한 상추처럼 살아야겠다는 생각에 상추라고 했는데 지금은 술과 담배에 찌들다보니 이렇게 됐습니다.

노사모는 언제 가입하셨나요?

2000년 4·13 총선 끝나고 들불처럼 노사모 게시판에 글 올리면서 가입했습니다. 남북정상회담 발표되고 민주당이 이길 거라는 예상이 일반적이었죠. 우리나라 최초 남북정상회담이었으니까. 당시 노무현이라는 정치인의 브랜드나 이름으로 봤을 때 종로에 출마했으면 당선되기 쉬웠죠. 그런데 부산에 출마하니까 참 멋있다고 생각했습니다. 상대가 지지율 20% 앞서고 있었어요. 하지만 점차 좁혀지면서 부산 시민들이 노무현을 뽑아주겠다고 생각했죠. 그런데 떨어진 거예요. 인터넷에 분노를 쏟아냈죠. 지금 마흔다섯 살이니까 스물일곱 살이네요. 노무현이라는 정치인 불쌍하니까 주위 사람만이라도 설득하자는 마음이었죠.

그전에는 어떤 분이셨습니까?

공부해서 취직하기 바라는 학생이었습니다. 정치외교학과를 다니긴 했습니다만 영어영문학과 나왔다고 다 영어 가르치고 사는 건 아니니까요.

상추님한테 노사모는 어떤 의미를 가집니까?

첫 직장이 원광대학병원이었는데 당시 전북 노사모 대표를 하고 있었습니다. 전국 최연소였죠. 20대였거든요. 그후 문성근 대표 비서로 서울 올라가면서 뜻하지 않게 서울 생활을 시작하게 됩니다. 2009년 대통령 돌아가실 때까지 서울에 있다가 고향으로 내려가서 사업하는데 문성근 대표가 야권통합운동 한다고 제게 제안을 해서 2012년에 하게 되고 곤란한 생활 하다가 2017년 대선을 다시 뛰게 됩니다. 지금은 전주시청에 있습니다만 지금까지도 노사모의 영향을 받고 있는 거죠. 의도와 상관없이 제 삶이 결정되어왔던 겁니다.

노사모 활동 중에서 기억나는 에피소드 있으십니까?

노사모 하면 돈이 듭니다. 차비도 필요하고 먹고 자는 돈도 필요합니다. 그래서 알바를 했죠. 노사모 활동을 위해 학원에서 일했습니다. 강원도에 노사모 지역 대표가 모이는 행사가 있었는데 전북에서는 갈 사람이 없는 거예요. 미우미우가 일요일마다 교회를 가는 친구인데 제가 속입니다. 차비 주면서 토요일 아침에 가면 저녁에 올 수 있다고 속여서 보냅니다. 토요일 저녁에 미우미우한테 전화가 와요, 익산으로 가는 차 없다고. 거기서 자고 일요일 교회 예배도 드리고 오라고 했죠. 한알다래라는 분도 계셨어요. 바둑학원을 하셨는데 봉고차를 가지고 계셨습니다. 그 차를 전북 노사모가 많이 이용했습니다. 한알다래님이 경선이 있으면 예비군 끝난 지 한참 됐는데 훈련 있다고 학부모 속이고 전국을 다녔습니다. 결국 바둑학원 망했죠.

노사모가 2001년 가을까지만 하더라도 친목 단체였습니다. 노무현 좋아하고 조중동 보수 신문이나 지역주의 조장하는 정치 세력들 욕하는 정도의 동아리였어요. 그런데 2001년 김대중 대통령 말기에 자제 세 분의 비리가 여러 번 터집니다. 민주당이 정치적 위기에 몰리니까 국민 경선이라는 것을 최초로 도입하죠. 노사모는 기회라고 판단합니다. 국민 경선 대책위를 2001년 가을에 꾸립니다. 그렇게 2002년 3월 16일 광주 경선을 이기는데 그때 실질적으로 민주당 경선이 끝난 거죠. 끝나니까 회원이 몇천 명으로 늘고 오프라인 등록도 많고 분쟁도 생기고.

노무현 대통령은 왜 그렇게 지역주의에 집중했을까요?

정치를 비정상적으로 만듭니다. 예전에는 세 개 당이 독점했죠. 북한은 조선노동당, 경상도는 한나라당, 전라도는 민주당. 분리되면서 반공주의와 지역주의가 결합하고 강력한 패권을 형성한 거죠. 패권에서 벗어나려는 사람들은 전부 죽임을 당하거나 정치적으로 거세를 당하죠. 호남에서 정치하고 싶으면 의지와 상관없이 민주당 활동을 해야 국회의원, 시장, 군수가 될 수 있는 겁니다. 정치의 일반적인 기능인 '국민을 보고 시민을 위한 정치'가 아니고 '당의 주인, 당권을 가진 이들에게 충성하는 정치'가 만들어지는 거죠. 나아가 자본과 결합하면서 무서울 게 없는 거죠. 자본도 그렇고요, 정치권력의 비호를 받으니까.

노무현과 노사모는 어떤 점이 닮았을까요?

노무현 대통령이 입버릇처럼 말씀하신 게 원칙과 상식이었어요. 상식적인 말씀이죠. 그런데 언론에 의해 왜곡돼서 전달되면서 콩 심은 데 팥 나고 팥 심은 데 콩 나는 상황이 됩니다. 그런 당연하지 않은 결과에 분노하고 개선하려 노력한 사람들이 노사모였고요. 원칙과 상식에 입각해서 살려고 한 거죠. 깨어 있는 시민의 조직된 힘이라고도 말씀하셨는데 조직된 힘이라는 게 중요하다고 생각합니다. 단순히 깨어 있는 것이 아니라 조직이 돼야 힘도 발휘하고 연대도 할 수 있는 거죠.

87년 세대처럼 노사모 세대가 있다고 생각합니다. 그전에 세대라고

하는 것들은 폭이 좁았습니다. 386세대도 겨우 10년 정도. 그런데 노사모는 자발적으로 사람들이 모이는데 고등학생도 있어요. 10대부터 70대 어르신들도 있어요. 노사모로 인해 노무현이라는 탈권위적인 대통령을 사람들이 보면서 대통령도 국민을 무서워한다는 걸 인식하게 된 것 같아요. 노사모 세대를 통해 광우병 집회, 세월호, 촛불혁명 등 시민들이 광장에서 촛불 들고 평화적으로 의견을 표출하는 원동력이 되지 않았나 싶어요.

탄핵 때 이야기를 해주실 수 있을까요?

임기 몇 달 안 남은 국회의원들이 임기 막 시작한 대통령을 탄핵하겠느냐고 다들 생각했죠. 실제로 일어나더라고요. 그때는 노사모 그만둔 지 얼마 안 됐을 때여서 바로 복귀했죠. 경남대 북한대학원 1학기를 다니고 있었습니다. 급한 마음에 대학원 휴학계를 냅니다. 저뿐만 아니라 많은 노사모들이 복귀했어요. 국회 앞이나 광화문에서 매일 데모하고 자원봉사하면서 탄핵 철회하라고 했습니다. 헌법재판소가 올바른 결정 내리는 데 큰 힘이 됐다고 생각해요. 다르게 살아갔을 수도 있었을 텐데 필요한 상황이 오면 그 자리를 피하지 않았어요.

2012년 대선 때 뛰기 싫었거든요. 문성근 대표가 MB가 망친 나라 정상적으로 만들어보겠다고 하시면서 저한테 제안하셨거든요. 다시 서울 올라와서 같이 야권통합운동 하자고. 저는 동력도 소진되고 힘도 떨어지고 가정도 생기니까 고민을 많이 했죠. 더군다나 사업이 잘되던 때였고요. 주저하고 있는데 그분이 거리로 나가시더라고요. 눈, 비 맞으면서 하시는 거 보고 마음이 아팠죠. 같이 일했던 동지가 고난의 행군을 계속하는데 저 혼자만 잘먹고 잘사는 것 같아 마음이 불편했습니다. 아내한테 상황을 설명하고 사업 접을 결심을 하죠. 문성근 대표께 말씀드립니다. '국민의 명령'은 재미없어서 도저히 못하겠으니까 노무현 재단 일을 하겠다. 그래서 2011년 6월에 사업 접고 2011년 12월 2일에 전북위원회를 출범합니다. 재단 만드는 업무 협의하러 서울 노무현 재단에 갑니다. 차를 운전하며 가는데 갑자기 주체할 수 없이 눈물이 흘러요. 정확히 10년 전 2002년에 노무현을 대통령 만들겠다고 서울 올라갔거든요. 10년 후에 노무현 추모하는 재단 만들겠다고 서울 가니까 눈물이 갑자기 났습니다.

노사모 때의 상추님에게 조언한다면.

열정을 낮추라고 얘기하고 싶어요. 갈등이 생기면 부드럽게 풀 수도 있는데 그때는 너무 젊어서 과도하게 감정 소비했던 것 같아요. 노사모 하지 말라고 하기보다 더 열심히 하라고 말할 것 같습니다.

노무현 대통령을 다시 만날 수 있다면 어떤 얘기 하고 싶으십니까?

돌아가시지 말라고, 뛰어내리지 말라고 말씀드리고 싶어요. 너무 후회가 돼요. 사저 나오셔서 경비 인력한테 인사하시고 잡초 뽑으시고 털레털레 걸어 부엉이바위까지 올라가십니다. 경호원을 다른 곳으로 보내시고 본인은 뛰어내릴 결심을 하는 거죠. 뛰어내려서 첫번째 부딪혔을 순간을 생각하면 지금도 잠이 안 옵니다. 10년 가까이 지난 지금도 안 와요. 그 짧은 순간에 어떤 생각을 하셨을까 하면서.

그동안 못 보셨던 분들께 영상 편지 한번.

전국에 계신 노사모 여러분들 굉장히 많죠. 일일이 이름을 거명하기 어려울 정도로. 닉네임도 많이 잊어버렸습니다. 2002년 이후로 노사모 활동 안 했지만 늘 동지라고 생각하고 살고 있습니다. 그때의 마음 조금도 변하지 않기 위해 지금도 열심히 노력하고 있습니다. 언제 다시 만날지 모르지만 그때 그 마음 변치 말고 쭉 지켜나갔으면 좋겠습니다. 10주기 때 봉하마을에서 다 같이 봐요.

음모론, 색깔론, 그리고 근거 없는 모략, 이제 중단해주십시오.
한나라당과 〈조선일보〉가 합창해서, 입을 맞추어서 저를 헐뜯는 것을 방어하기도 참 힘이 듭니다.
제 장인은 좌익 활동을 하다가 돌아가셨습니다. 그러나 해방되는 해에 실명을 하셔서 앞을 보지 못했기 때문에 무슨 일을 얼마나 했는지는 모르겠습니다. 제가 결혼하기 전에 돌아가셨는데, 저는 이 사실을 알고 결혼했습니다. 그리고 아이들 잘 키우고 지금까지 서로 사랑하면서 잘살고 있습니다. 뭐가 잘못됐습니까. 이런 아내를 제가 버려야 합니까. 그렇게 하면 대통령 자격이 있고, 이 아내를 그대로 사랑하면 대통령 자격이 없다는 것입니까.
여러분, 이 자리에서 여러분이 심판해주십시오. 여러분이 그런 아내를 가지고 있는 사람은 대통령 자격이 없다고 판단하신다면 저 대통령 후보 그만두겠습니다. 여러분이 하라고 하면 열심히 하겠습니다.

_'인천 경선 연설'에서(2002년 4월 6일)

권위주의 타파에 총대를

미우미우 이선영

닉네임 '미우미우'입니다. 좋아하는 패션 브랜드입니다. 엄마가 TV 보면서 노무현 대통령이 괜찮은 정치인이라고 이야기하셨어요. 그래서 가입했죠. 고등학교 3학년 때예요. 대선 때까지 꾸준히 활동했습니다.

활동을 통해 변화되신 게 있나요?

정치에 관심 갖게 됐고요. 노사모에서 만난 다른 사람들의 의견에 영향을 받았어요. 노사모 활동하면서 정치적 정체성이 형성되었습니다. 어렸을 때여서 많이 배울 수 있었고요. 비슷한 의견을 지닌 사람들을 실제로 만났던 것이 중요한 경험이었어요. 오프라인에서 대화하며 조율하고 이야기하는 과정들이 좋았어요.

노사모 활동하면서 기억나는 에피소드 있을까요?

저는 기억이 안 나는데 상추님이 말하길, 저를 속여 강원도에 보냈다고 하더라고요. 전북 대표로 누군가 갔어야 했는데 본인이 못 가게 되어서 저한테 강원도 행사에 참여하라고 했죠. 저녁에 마지막 차 타고 올 수 있다고 거짓말했다는 거죠. 없으니까 자고 왔고요. 기억나는 에피소드는 부산의 큰 후원회 때였어요. 저와 가을하늘님이 갔던 것 같아요. 각 지역의 흙을 보아 기념 화분에 넣는 거였어요. 지역 간 화합을 의미하는.

2002년 대선 기억나세요?

제가 빠른 83년생인데 선거권이 없었어요, 생일이 안 돼서. 대신 동갑인 친구들은 투표권이 있으니까 전화해서 꼭 투표하라고 했죠. 알겠다고 하는 애들도 있지만 늦잠 잔다는 아이들도 있었고. 대선 전날 정몽준씨와 사건이 있었잖아요. 지지자들이 다급해져서 결집했고요. 화가 난 친구들도 많았어요.

노대통령은 왜 그렇게 인정받지 못했을까요?

이전의 가치에 익숙한 사람들은 새로운 가치에 적응하는 기간이 필요하죠. 변화에 반발하기도 하고요. 노무현 대통령과 이전 대통령들, 정치인들과 가장 다른 점은 권위적이지 않은 문화를 정착하려 했다는 거예요. 하지만 이미 기득권을 지닌 사람이나 권위주의 문화에서 혜택을 보던 사람들은 당연히 반발하겠죠. 하지만 그렇기에 노대통령이 젊은 사람들, 특히 여성들의 지지를 받았다고 생각해요. 권위주의 타파는 가부장적인 문화를 벗어나는 것과 지형적 흐름이 통했기 때문에 많은 지지를 얻으셨죠.

노무현 대통령과 다시 만난다면 하시고 싶은 말 있으세요?

좋은 일 많이 하셨고 제 인생에도 많은 영향 끼치셨다고, 그래서 감사하다고 말씀드리고 싶어요. 노무현 대통령의 업적을 이해하고 진심으로 감사한다는 사람이 있다는 것을 알아주셨으면 좋겠습니다. 권위주의 타파에 총대를 메신 분이잖아요. 젊은 세대들이 혜택을 많이 받았죠.

한창 공부해야 될 때 정치 활동을 했는데 어른들은 뭐라고 안 하셨어요?

제가 엄마 영향을 많이 받았는데 항상 정치가 삶에 중요한 거라고 얘기하셨어요. 여성운동에도 관심 많은데 페미니즘 이슈도 정치적인 활동이라고 생각합니다. 환경 문제와도 밀접하게 관련되어 있죠. 환경을 보호하기 위해서는 정치 활동이 필요하니까요.

정치 활동에 관심 있는 학생들한테 한말씀.

기본적으로 정치에 관심을 많이 가져야 되는 것 같아요. 정치, 사회와 결부되는 의사 결정 과정은 언제나 협상과 조율을 통해 진행되잖아요. 그것을 위해서라도 정치에 관심을 갖고 사람들과 부딪치면서 어떻게 나아가는지 간접 체험, 직접 체험하는 게 중요하다고 생각해요. 광범위한 정치 활동이죠.

원칙과
상식이라는 말

포청천 임현구

'포청천'입니다. 전에 인터넷에서 한나라당과 다툼이 있었습니다. 너희 같은 놈들은 다 작두로 모가지를 쳐야 한다고 했더니 저보고 포청천이냐고 하더라고요. 포청천 좋다, 포청천 하련다. 그때부터 포청천 했습니다. 제 성격, 이미지에 맞는다고 많이 들었습니다. 지금 예순이고 당시는 마흔두 살이었는데 물불 안 가렸던 때이고 사업도 번창해서 돈도 많고. 명계남 대표 일꾼을 모시고 3기까지 부대표 일꾼 했습니다. 제가 언론 분과에 있다 보니 안티조선 운동을 맹렬히 했고 노사모와 별개로 '〈조선일보〉 없는 아름다운 세상을 만드는 시민', '조아세'라는 모임을 결성해서 온라인뿐 아니라 게릴라식으로 현장에서도 활동했죠. 곳곳에서 국민들에게 "반통일, 반민족, 반민주 〈조선일보〉를 끊읍시다"라고 떠들어댔죠.

그 시절이 가끔 떠오르나요?

그럼요. 지금도 페이스북 통해서 조아세 활동 하고 있고요. 그룹을 만들어서 천여 명의 회원과 커뮤니티를 이루고 있습니다. 아직도 제 열정은 죽지 않았습니다. 노무현 대통령을 잃게 만든 장본인이 〈조선일보〉라고 저는 확신합니다. 온갖 왜곡, 허위 보도로 공격했고 그로 인해 확장되었다고 생각합니다. 지금도 〈조선일보〉가 밉습니다. 노회찬 의원 돌아가시기 전날 부인이 재벌같이 기사를 채용했다는 보도는 흠집 내기뿐 아니라 고의성이 다분하다고 생각해요. 그 방식이 옛날 노무현 대통령 노트 사건부터 마지막 아방궁까지. 제가 사진 찍는 걸 좋아해서 무거운 렌즈 여러 개 들고 노무현 대통령 출마 선언, 경선 과정 전국을 돌면서 촬영했어요. 노사모 홈페이지에도 올리고. 애석하게도 당시 필름카메라였기 때문에 이사하면서 필름을 모두 분실했습니다. 노사모 활동은 잊을 수 없는 추억이고요. 노무현 대통령과 노사모 사무실에서 회의도 하고 같이 목욕탕에도 갔습니다. 대통령은 허물이 없는 분이셨습니다.

〈조선일보〉는 노무현 대통령 후보 시절부터 많이 괴롭혔어요.

많이 괴롭혔죠. 잊을 수 없는 일이 있는데 정몽준씨가 단일화를 파기하면서 〈조선일보〉가 새벽에 호외를 뿌렸어요. 엄청난 양의 호외를 전국에 살포하면서 조아세 회원들이 고생 많이 했죠. 새벽에 전부 동원돼서 아파트 지역 입구에 뿌려진 호외를 조아세 신문으로 대체하고. 〈조선일보〉 참 악랄했죠. 원칙과 상식이 없죠. 노대통령과 같은 깨끗한 분이 대통령 되면 자기들 더러운 게 금방 발각되고 그동안 쌓아온 기득권이 허물어지게 되잖아요. 강도질 못하고 반칙 못 쓰고 특권도 누리지 못하게 되기 때문에 왜곡, 편파 보도하면서까지 노무현 대통령을 반대했던 거예요. 돛대 하나 있는 조그만 요트인데 〈조선일보〉는 호화 요트라고 보도했죠. '시민들을 상대로 호화 요트라고 말하는 게 이런 겁니다' 해서 사진을 조아세 신문에 실어 배포한 적도 있습니다. 그런 식으로 반박 보도를 배포하니까 고소도 여러 번 당했습니다. 시민들 모금이 변호사 비용과 벌금까지 내고도 남는 아름다운 일도 있었습니다.

저는 〈조선일보〉와 각별한 인연이 있어요. 제가 중학교, 고등학교를 검정고시로 공부해서 졸업장이 초등학교와 대학교밖에 없어요. 고등학교 나이 때 〈조선일보〉가 조간신문이었고 〈동아일보〉는 석간신문이었어요. 아침에는 〈조선일보〉 돌리고 저녁에는 〈동아일보〉를 돌리는 아르바이트를 했죠. 수입의 원천으로 고마운 존재였는데 대학교 가면서 〈조선일보〉의 행태가 보이기 시작한 거예요. 고소 수십 번 당할 정도로 〈조선일보〉에도 타격이 컸습니다. 결국 부도는 제가 맞게 됐지만. 하지만 잘했다고 생각해요. 법학 공부해서 중소기업에 법무팀장으로 근무하기도 했는데 나

이 먹으니까 밀려나잖아요. 지금은 제 로망이었던 대형 버스를 운전하고 있습니다.

가족들 반응은 어땠어요?

경제적으로 힘들었던 것 외에는 활동에 대해 손가락질한 적은 없습니다. 노무현 대통령이 당선되는 데 공헌했던 많은 분들이 청와대에도 가고 공공기관에도 갔어요. 저는 〈조선일보〉와 싸웠기 때문에 노무현 대통령께 폐가 될 것 같아 초야 생활을 했죠. 제 기질이 그렇습니다. 강골 기질이라 힘들어도 정직한 길을 갑니다. 가족들한테 힘들게 하는 사람이죠.

해봤자 안 될 사람이라는, 가능성이 낮다는 고민은 안 해보셨어요?

다들 그렇게 생각했지만 이분이야말로 나라를 이끌 숙명을 타고난 분이라고 확신했어요. 노사모와 노무현 대통령은 이심전심으로 뜻이 같았어요. 그래서 원칙과 상식으로 나라를 이끌 수 있도록 혼신의 힘을 다해 도왔던 거예요. 〈조선일보〉와 싸운 것도 노무현 대통령을 돕는다는 생각 때문에 했던 거죠. 중학교 때 박정희 대통령이 신인 줄 알았어요. 육영수 여사를 국모로 생각했고. 전두환, 노태우 등 그동안 원칙과 상식이라는 말을 들어본 적이 없어요. 노무현 대통령의 말로 깨닫기 시작했어요. 원칙과 상식이라는 말이 참 쉬운 말인데 우리나라에서는 통용이 안 됐구나.

그 시절 지역감정은 어느 정도였나요?

저는 서울 토박이고 장인어른은 전라도를 굉장히 싫어했어요. 처남 부인이 광주 사람이에요. 그때 엄청 반대하니까 왜 반대하시느냐고 여쭤봤어요. 어르신은 피해를 당한 것도 없는데 남들이 그러니까 그렇게 해야 하는 줄 알았던 모양이에요. 우리 어렸을 때도 '전라도 새끼, 전라도 놈들 하나같이 다 그래'라고 했잖아요. 그 말이 진짜 싫었어요. 박정희가 만들지 않았나 생각해요. 대통령께서 동서 화합, 지역주의 타파 말씀하셨을 때 너무 좋았어요.

노사모 활동하면서 제일 기뻤던 때는?

정몽준씨가 지지 철회했던 때가 겨울이었어요. 그런데도 온몸이 땀에 젖을 정도로 돌아다니면서 〈조선일보〉 호외 거두고. 그후에 선거가 있었잖아요. 여의도 현장에 있었지만 너무 기뻐 엉엉 울었습니다. 노사모 회원들 부둥켜안고 울었습니다. 제일 좋았던 때가 그때였어요. 기적 같은 일이죠. 우여곡절이 많았기 때문에 더 값졌고. 원칙과 상식의 나라를 만들어야겠다는 생각 외에는 아무 생각이 없었어요.

제일 화났던 때는?

대통령을 잃었을 때 가장 슬펐고 그전 기득권 세력의 엄청난 공격에 화났죠. 검찰에 불려가실 때 헬기까지 띄워 중계방송했고 버스를 추적하면서까지 논두렁 시계니 하는 허무맹랑한 보도를 보면서 그것들로 돌아가셨다고 생각했습니다. 제가 언론 분과에 있으면서 적절하게 대응 못했다는 자책감도 있고. 논두렁 시계가 SBS 보도로 나왔는데 당시 저는 〈조선일보〉 한 놈만 패느라 다른 것을 보지 않았던 거죠. 전날 술을 많이 먹고 아침에 출근하려고 눈을 떴는데 TV 자막에 '노무현 대통령 서거'라고 떴어요. 차 운전해서 바로 봉하로 달려갔죠. 믿어지지 않았어요. 만약 시간을 되돌려 과거로 돌아갈 수 있다면 저는 노무현 대통령에 대한 잘못된 보도, 논두렁 시계부터 시작해서 파고들었을 거예요. 왜곡 보도한 모든 방송사, 언론사를 상대로 정정보도 요청한다든지 '조아세' 신문을 찍어서 배포한다든지.

노대통령을 다시 만날 수 있다면?

청와대에서 막걸리 한잔 한 것을 잊을 수 없어요. 항상 다독거리면서 악수해주시고. 제가 안티조선 열심히 하는 거 아시고 농담삼아 자기 대통령 그만두면 안티조선 동업하자고 하시고. 서민적이시고 친절하세요. 항상 우리 눈높이에서 얘기하시고. 만약 노대통령을 다시 만난다면 동업 제안을 받아들이겠냐고 오히려 역제안할 것 같습니다.

지금의 포청천이 그때의 포청천에게 조언한다면?

그때는 혈기왕성했고 자금력도 있었는데, 지금은 아무리 적일지언정 막다른 골목까지 몰아세우면 안 된다는 생각을 합니다. 제가 관광버스를 운전하면서 70대, 80대 어르신들 모시고 2박 3일 관광을 가는데 함부로 판단하면 안 되겠다고 생각했어요. 어르신들이 비록 박근혜를 지지하고 집회에도 나가시지만 제게 먹을 걸 잔뜩 주시고 좋은 말씀도 해주시고. 운전자는 관광지에서 밥을 따로 먹는데 와서 같이 먹자고 해주셔요. 그런 분들이 종종 있어요. 배려해주시고 친절하게 대해주시고. 끝나고 봉투를 주시는 거예요. 보통 팁 주실 때 오만 원에서 십만 원인데 그분들은 삼십만 원을 넣으셨어요. 그런 걸 생각하면 그분들이 박정희의 세월을 살았고 박정희, 박근혜가 그들의 희망이었구나 생각하게 되고요. 태극기 집회에 나가는 분들을 맹목적으로 비난해서는 안 되겠다. 저분들이 살아온 과정이 그러했기 때문이고 일상에서는 따뜻한 정을 지닌 분들인 거죠. 젊은 포청천 만난다면 '너무 적으로 몰지 마라, 그분들이 생각할 수 있는 방향으로 이야기하고 접근해보면 어떻겠냐'고 조언할 것 같아요.

전국의 예전 동지들에게 한말씀.

안녕하세요, 노사모 초기 멤버 포청천입니다. 같이 조아세 활동했던 동지들 다들 건강하시죠? 많이 보고 싶습니다. 우여곡절도 많았고 힘들기도 했고요. 그래도 여전히 안티조선 운동하고 있고 조아세 활동하고 있습니다. 페이스북에 조아세와 어버이연대라는 이름으로 두 그룹 만들어서 활동하고 있습니다. 이제 드러내십시오. 드러내시고 서로 인사하고 오프에서 만나고 탁배기 한잔 걸치면서 그때의 열정을 다시 한번 이야기합시다. 반갑습니다. 꼭 만나요.

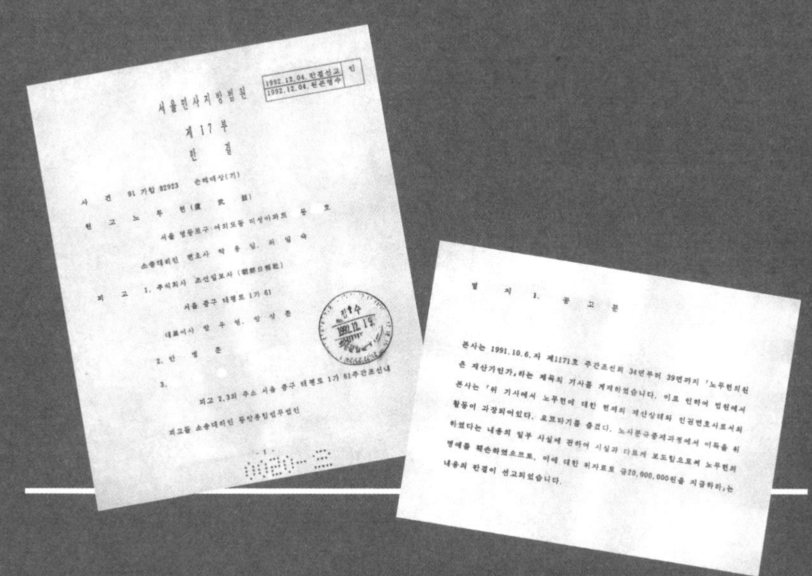
서울민사지방법원

제 17 부

판 결

1992.12.04. 판결선고
1992.12.04. 원본영수

사 건 91 가합 82923 손해배상(기)

원 고 노 무 현(盧 武 鉉)

서울 영등포구 여의도동 미성아파트 동 호

소송대리인 변호사 박 용 일, 최 일 숙

피 고 1. 주식회사 조선일보사 (朝鮮日報社)

서울 중구 태평로 1가 61

대표이사 방 우 영, 방 상 훈

2. 안 병 훈

3.

피고 2,3의 주소 서울 중구 태평로 1가 61주간조선내

피고들 소송대리인 동양종합법무법인

- 1 -

별 지 1. 공 고 문

본사는 1991.10.6.자 제1171호 주간조선의 34면부터 39면까지 「노무현의원은 재산가인가」라는 제목의 기사를 게재하였습니다. 이로 인하여 법원에서 본사는 「위 기사에서 노무현에 대한 현재의 재산상태와 인권변호사로서의 활동이 과장되어있다. 요트파기를 즐겼다. 노사분규중재과정에서 이득을 취하였다는 내용의 일부 사실에 관하여 사실과 다르게 보도함으로써 노무현의 명예를 훼손하였으므로, 이에 대한 위자료로 금20,000,000원을 지급하라」는 내용의 판결이 선고되었습니다.

저는 두려운 마음으로 이 소송을 냅니다.
정치를 하는 사람이 한국 최대의 언론사에 맞서 소송을 한다는 것은 그저 평범한 상식을 갖고 살아가는 사람들에게 무모한 것으로 보일 수도 있습니다. 또한 솔직히 언론의 거대한 힘과 횡포를 어떻게 감당해야 할지 저 자신도 망설이지 않을 수 없었습니다. (…)
자신의 인격이 부당하고 악의적으로 더럽혀지는 것에 저항해야 한다는 시민으로서의 의무감에서 출발합니다. (…)
이것은 저 하나만의 문제가 아니라고 생각했습니다. 이 땅의 언론이 자신에게 부여된 사회적 역할 즉, 권력의 횡포와 전횡을 막아내고 인간의 존엄성과 가치를 수호하는 본연의 임무를 다시 한번 되새겨볼 때가 되었다고 생각했습니다.

_'소송을 내면서, 〈주간조선〉 기사에 대한 나의 입장'에서*(1991년 11월)

*당시 소송에서 서울민사지방법원은 조선일보에 대해 노무현 의원에게 2천만 원의 위자료를 지급할 것과 판결패소에 관한 내용을 게재하라는 판결을 하였다.(1992.11.04.)

동서 화합 그날까지
이 한걸음 바느질 되어

미풍 주국전

광주의 한 중학교 음악 교사로 재직중이고요. 노사모 시작했던 해가 2001년도니까 마흔 살이었을 거예요. 광주 노무현 재단 광주시민학교 교장 맡고 있습니다. 지금은 노사모 활동 안 하고요. 닉네임은 '미풍'이었습니다. 잔잔하게 부는 바람. 노사모 시작한 지 20년 가까이 됐는데 그 시절은 정말 자랑스럽습니다. 대통령이 말씀하신 '깨어난 시민의 조직된 힘이 필요하다'의 모습이 노사모였지 않나. 노사모는 우리나라에 꼭 필요했던 것을 만들어냈다고 생각합니다.

미풍님 하면 늘 회자되는 에피소드가 있습니다.

(웃음) 2001년도 1월 1일, 제자 두 아이와 광주에서 동서 화합을 바라는 마음으로 부산까지 걸어간 일이 있습니다. '동서 화합 그날까지 이 한 걸음 바느질 되어'라는 캐치프레이즈를 걸고. 1월 1일에 걷기 시작해서 1월 10일 부산 민주공원에 도착했습니다. 노사모의 정신과 연관성이 있다고 생각했거든요. 남북통일보다도 동서 화합이 먼저 필요하다고 생각했거든요. 그 이후로 많이 좋아졌지만 아직도 더 필요한. 이루어내지 못하면 남북통일 돼도 마찬가지입니다. 특정 지역이라는 이유로 미워하는 게 안타까웠습니다. 정치인들이 만들어낸 거죠. 표를 위해 이용하기 쉬운 게 지역감정이었을 거예요. 숫자의 유불리 때문에 만들어낸 감정싸움이었는데 민중들은 감정적인 것에 쉽게 쓸려 다니거든요. 정경유착이나 언론과 정치의 유착 관계들이 하나의 카르텔을 구성하고 국민들의 지역감정을 다룬 거죠. 한번 만들어지면 없어지기 쉽지 않죠, 계속 덧붙여지니까. 제가 노사모 활동했던 큰 목적이 지역감정 없는 대한민국이었어요. 그리고 그걸 몸으로서 살고 계신 분이 노무현이었죠.

정치에 원래 관심이 많으셨나요?

정치에 관심이 있는 건 아닙니다. 관심이 있었다면 이후에도 정치적인 행위를 많이 했겠죠. 그보다는 사람에게 관심이 많습니다. 인간적인 모습을 그분에게서 보았습니다. 나를 대신해서 지역감정을 해소할 수 있는 도구라고 생각한 것도 같고요. 실제로 몸으로서 보여줬죠. 정치인 노무현은 그다지 매력 있는 분은 아니라고 생각해요. (웃음) 하지만 사람 노무현은 달랐어요. 늘 사람 사는 세상을 말하셨거든요. 책에 사인 하나를 해주시더라도 '사람 사는 세상, 노무현'이라고 적어주시고. 상식적이지 않은 것을 거부하고 가장 상식적인 사회 구조를 바라셨던 분이고. 아이들 가르치면서도 절실하죠. 자라면서 군대를 다녀오고 아무 이유 없이 다른 지역 사람 욕하고. 언제까지 그럴 건지 참 난감합니다. (웃음) 저는 5·18 때 대학교 2학년 재학했던 사람이고 굉장히 무서운 시간을 보냈죠. 5·18 끝나고 군대를 갔는데 여전한 왜곡된 시선들 때문에 너무 힘들었어요. 들어가자마자 조교들이 "빨갱이 새끼 들어왔네, 죽여버려"라고 하고. 잊을 수가 없죠. 우리 아이들도 그러거든요. "경상도 새끼들" 한단 말이에요. 그런 게 너무 오랫동안 지속되어왔고. 분위기를 교묘하게 끌고 갔던 것들이 바로 언론이라는 생각이 들어요.

아이들은 어떻게 동원된 겁니까? 비하인드 스토리.

제가 간다는 것을 우리 동네 교사 한 명이 알게 됐어요. 노사모와 아무 관련 없는 선생님인데 같이 가고 싶대요. 군데군데라도 한 번씩 가고 싶다고. 그러시라고 했는데 그 선생님 반 아이들, 엄마가 아이들을 겨울에 한 번 훈련시키고 싶은데 데리고 갔으면 좋겠다고 하셨어요. 취지하고 전혀 안 맞거든요. (웃음) 한 걸음 갈 때마다 찢어진 지역감정을 꿰매겠다는 거는 아이들과는 전혀 상관없죠. 부담스러웠죠. 위험한 일도 생길 수 있고 중간에 못하겠다고 생떼 부리면 귀찮기도 하고. 처음에는 차 가져갈 생각을 안 했는데 아이들 때문에 기사 한 분 대동해서 차 한 대 뒤에 붙이고 갔죠. 처음에는 힘들어했어요. 오히려 나중에는 어른들보다 피로도 빨리 해소하고 좋아했어요. 저하고만 계속 걸어 다녔으니까. '동서 화합 그날까지 이 한 걸음 바느질 되어' 써진 삼각 깃발 하나씩 들고 걸어갔는데 곳곳 지역 노사모들이 나와서 같이 걸어줬어요. 아이들 데리고 놀아준 대학생 누나, 형들도 많았고. 도착하면 맛있는 저녁 해주고. 도착하자마자 PC방 가서 놀게도 해주고. 나중에는 잘 적응하고 좋아하더라고요.

노무현 대통령 마지막으로 보신 게 언제예요?

그 전해 생일 9월 1일일 거예요, 만난 게 아니라 일방적으로 봤던. 9월 1일 생신 되면 봉하마을 음악회 하는데 거기 갔었죠. 퇴임하던 날이 참 인상적이었는데, 저희는 봉하에 먼저 가 있었고 비가 조금씩 왔어요. 조그만 터에 모여서 행사를 했는데 비가 조금씩 내리니까 수행원 한 명이 노대통령에게 우산 씌워주었어요. 권여사님이 옆에서 보고 있다가 그 수행원을 잡아당겨요. 우산을 씌워주던 수행원이 뒤로 물러나 우산 접고 노대통령이 비 맞으면서 연설하셨던 적이 있어요. 다 같이 비 맞고 있는데 대통령만 우산 쓴 모습이 예쁘지 않을뿐더러, 그 모두가 몸에 배어 있는 것들 같아요. 노대통령도 그렇고 권여사님도 그렇고. 그래서 제가 부창부수라고 글 쓴 적도 있어요.

탈권위적인 모습들이 많았어요. 노사모가 만들어진 첫해 겨울 서울에 조그마한 커피숍 하나 빌려서 망년회를 했어요. 사람들이 많이 모이니까 앉을 수 없어서 테이블을 한쪽으로 다 붙였어요. 대신 가운데에 길게 테이블 두고 간식거리를 두었어요. 스크린에 노사모가 만들어졌을 때부터 그때까지 5개월 정도를 감상하는 시간이 있었어요. 팬클럽이기도 하고 또 장관님이니까, 당시 해양수산부 장관 때였어요, 의자 하나 놓고 앉으라고 하는데 절대 안 앉아요. 모두 서 있으니까. 그러다가 맨바닥에 털썩 주저앉으시더라고요. 그때 마침 제 아이가 무릎에 앉아 있어서 그러면 이 아이를 안아달라고 했어요. 바닥에 앉긴 그렇잖아요, 그래서 의자 하나 드리니까 그때 겨우 앉으시더라고요. 남에게 불편함을 주면서까지 절대로 하지 않으시는 게 있었어요. 노사모 초기에 각 지역 대표성 있는 사람들과 회의한 적이 있거든요. 거기서 대학생 남짓 된 녀석들이 담배를 같이 피우기도 해요. 장관님이 대학생한테 한 대 주면서 담배 피우게 놔두라고도 하셨죠.

당선되시고 큰 모임을 한 적이 있어요, 여의도 무슨 호텔에서. "지금부터 내가 하는 말, 내가 걸어가는 이게 대통령의 말과 대통령의 걸음이 될 겁니다"라고 하는데 우리는 굉장히 좋았거든요. 탈권위적인 모습이 너무 좋았죠. 사람 냄새가 물씬 나는, 우리가 쓰는 쉬운 언어를 쓰고 반어법도 잘 사용하시고. 수없이 공격받았던 이유 중 하나가 반어법이었어요. 노대통령은 평소처럼 말할 뿐 전혀 의식하지 않았기 때문에 보수 언론은 호시탐탐 찾아낼 수 있었죠. 예를 들면, 보수 언론들이 김대중 대통령의 정책을 남북 관계 빼놓고는 다 깽판이었다는 식으로 공격해왔는데 노무현 대통령은 남북 관계를 이만큼 해놓았으면 다른 거 조금 깽판 쳐도 되지 않느냐고 했어요. 그러면 보수 언론은 난리가 나죠. '국정 운영을 깽판 쳐도 된다'에 따옴표 따서 제목으로 나오고. 그 말씀 하신 적도 있어요. 내가 한 수많은 좋은 말들 놔두고 가장 안 좋은 말만 주워 담느냐, 그게 언론이냐. 99%의 좋은 말은 한 번도 안 써주고 1%의 나쁜 말만 담는 것은 언론이 아니라 쓰레기통이다.

다시 만나게 된다면 어떤 말을 해주고 싶으신가요?

제게 감동을 준 것에 대해 감사하다고 말씀드리고 싶습니다. 그런데 오히려 노무현 대통령이 저희한테 미안하고 고맙다는 말씀을 입에 달고 계셨다고 하더라고요. 노무현 대통령이 대통령 되고 나서 노사모한테 청와대 잔디밭에 앉아 삼겹살에 소주 한잔 하자고 하신 적 있거든요. 어느 날 연락이 왔죠, 들어와서 약속했던 거 하자고. 그런데 저희들이 못하게 했어요. 가고 싶었지만 노대통령한테 공격받는 요인이 될 것 같아서요. 노대통령은 노사모를 그렇게 아끼는 마음이었던 거예요. 보고 싶고 보고 싶어요, 대통령.

노사모 회원들에게 마지막으로 한말씀.

사랑하는 노사모 회원 여러분, 반갑습니다. 우리가 지향했던 세상, 사람이 먼저인 세상, 사람 사는 세상이 만들어진 것 같은데 통일된 세상에서 또 한번 노사모 회원들이 해야 할 일이 남아 있지 않나 생각합니다. 곳곳에서 열심히 살아가면서 그런 날들을 희망하였으면 좋겠고 우리 언제 한번 다들 만납시다.

그런 순간이 온다면
또다시 뛰어야겠죠

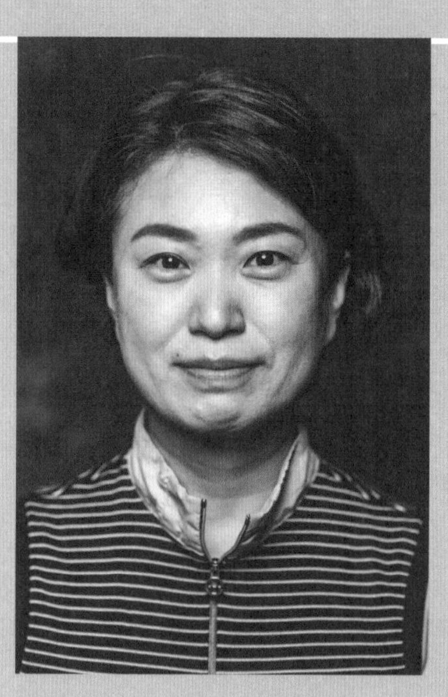

여왕벌 양영숙

73년생, 나이로는 마흔일곱인가 여섯이고요. 마흔 넘어간 후로는 숫자 세는 게 불가능해졌어요. 애 둘 있는 상황에서는 정확한 숫자 세기 힘듭니다, 모든 엄마들이 그러듯이. 남편하고 애 둘 데리고 알콩달콩 살고 있습니다. 노사모 활동할 때 썼던 닉네임은 '여왕벌'입니다. 노사모 가입하기 전에 대학 선배들과 술자리 갖는 상황이었는데 선배들이 이것저것 얘기하다가 자기들이 어떠어떠한 닉네임을 썼다고 하는데, 제가 당돌한 스타일입니다. "아우! 됐어. 다 내 밑으로 꿇어. 난 여왕벌이야!" 바로 며칠 뒤에 노사모 가입하는데 닉네임이 필요하니까 그걸 썼죠. 가입하고 며칠 뒤 경주 경선이 있었어요. 집이 목포예요. 정치에 크게 관심 갖지 않았지만 기본 정서상으로는 가지고 있었고, 대학 때도 운동권 활동을 했어요. 저는 91학번이라서 들어가자마자 4월부터인가요? 굉장히 많은 열사들이 나왔던 시기를, 정말 굉장한 대학 초년생을 보냈죠.

원래 정치에 관심이 많으셨나요?

대학 다녔을 때나 했지, 졸업하고 나서는 먹고살아야 되잖아요? 학원 강사를 했어요. 아이들 가르치면서 밥벌이하기 바빴고, 그래도 한편으로는 우리나라 정치가 과거로 가기보다 앞으로 나아갔으면 좋겠다는 생각만 하고 있었죠. 노무현 후보에 대해 자세히는 알지 못했지만 하나는 알고 있었어요, 지역감정을 없애고자 한다는 것. 서울 살면서 목포, 전라도 출신이라는 말을 단 한 번도 해본 적 없어요. 특히 학생 어머님들에게 말해본 적 없고, 여기 와서 사귄 친구들에게도 나중에 말했어요. 그러던 중에 노무현 후보가 옆 동네 광주 경선에서 1등을 한 거예요. 만화방에 있었어요. 아이들 가르치고 휴식기가 필요하잖아요. 만화가게 정면에 TV가 있었고 그 장면을 보는데 운명처럼 느껴졌어요. 주위 생각도 안 하고 놀라면서 얼마 전 선배들과 얘기했던 온라인상 활동들이 기억나더라고요. 제가 컴퓨터를 진짜 못하는데 어찌어찌 찾아서 들어갔어요. 그뒤로 인생이 완전히 바뀌었죠.

그날부터 활동한 건 아니었어요. 보통 모임은 퇴근 후 저녁에 하는데 저는 학원 강사이다보니 밤에도 일하거든요. 오후 두시부터 밤늦게까지. 하루는 문자가 와요. 동작 노사모 모임인데 몇 월 며칠 어느 식당에서 저녁 몇시에 합니다. 마침 그때 과외 하나가 취소됐어요. 모였던 분들이 20명, 30명 돼요. 어느 정도 식사하고 자기소개했죠. 어디에 사는 닉네임 누구누구, 직업 말씀하실 분들은 하시고. 제가 학원 강사이다보니 목소리가 카랑카랑합니다. 작은 목소리는 아니에요. 인사하고 소개하는데 제 모습이 동작 노사모 하늘새님 눈에 띈 거예요. 아시잖아요, 노사모들이 얼마나 적극적으로 움직였는지. 제법 일꾼으로 느끼셨는지 이것저것 계속 소개해주시고. 제 입장에서는 그렇게라도 도움된다면 그 정도는 할 수 있다고 조금씩 하게 됐죠. 그러다가 노무현 대통령이 당선된 거죠. 저는 제 지역에서 소소하게 할 수 있는 걸 했을 뿐이고요. 2000년에 노사모라는 게 처음 생겼는데, 그분들의 한 발 한 발이 모여 한 발자국 떨어져 있던 저 같은 사람들도 참여할 수 있게 그릇을 만들어주셨다고 생각해요. 정말 감사하죠.

노사모 활동하시면서 가장 기뻤던 순간은 어떤 순간이었어요?

지지했던 분이 당선되는 순간만큼 기쁜 순간이 있을까요. 지지하지 않는 사람보다 지지하는 사람이 더 많았잖아요. 기쁘고 뿌듯하고 자랑스럽죠. 제 휴대폰에 사진 몇 장이 있어요, 노무현 대통령이 '기타 치는 대통령'이라는 CF 찍은 장면. 그때 저도 동행했어요. 노무현 대통령이 "저 들에 푸르른 솔잎을 보라"고 하는데 박자가 계속 늦는 거예요. 그래서 제가 앞에 앉아서 박수를 짝짝 치면서 CF를 찍었던 적이 있어요. 또하나 사진은 노무현 대통령이 당선되고 노사모 분들과 만나는 자리였어요. 다른 분들은 다들 경직됐고 조심성이 있는데, 저는 여왕벌이잖아요, 다른 분들 모두 악수하는데 저는 '대통령' 부르면서 안았어요.

2002년 그날 여왕벌이 꿈꿨던 세상이 올 거라고 생각하시나요?

현재 상황에서는 올 거라고 봅니다. 문재인 대통령께서 정말 잘해주시고 있고, 생각하지 못했던 남북정상회담도 있었고요. 노무현 대통령이 살아계셨을 때는 안 올 것 같았어요. 너무 힘드니까. 모든 사람이 손가락질하고, 믿지 않고. 그러나 다시는 이 많은 사람들이 잘못된 판단을 하지 않을 거라는 생각이 들어요. 만약 그런 순간이 온다면 또다시 뛰어야겠죠.

두렵지만
해보는 것

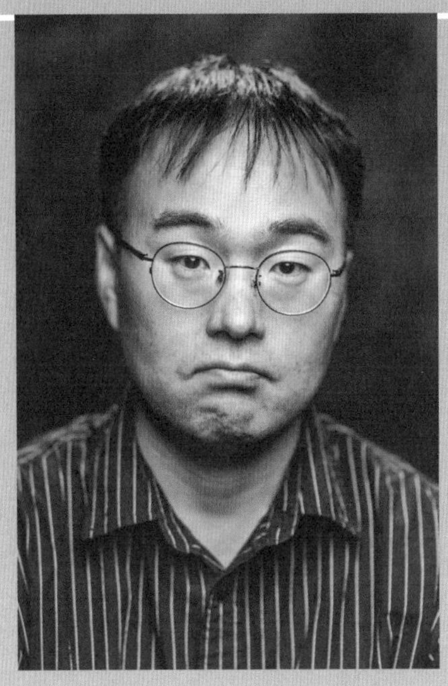

가가멜 유광수

닉네임 '가가멜'입니다. 스머프라는 만화에 가가멜 있잖아요. 당시 노란색 고양이를 키우고 있었고 제가 주인이니까 가가멜. 이후 활동을 생각했다면 그런 식으로 장난스럽게 짓지는 않았을 것 같아요. 대학원 졸업하고 취직 준비하던 시기인데, 아버지가 〈한겨레21〉을 지금까지도 보고 계세요. 학교는 서울에 있고 집은 수원이었어요. 수원 갈 때마다 봤어요. 거기서 정치인 팬클럽이라는 것을 알게 되었고 대표적으로 노사모가 활동이 잘 이루어지고 있다는 것을 보고 그날 가입했어요. 창단 멤버는 아니죠. 다음 날 양재동에서 번개가 있었어요. 바로 갔지요. 언제 가입했느냐고 물으셔서 어제라고 말씀드리고. 동호회 느낌이었어요. 정치인 모임이라기보다는 나이 드신 형님, 어린 학생, 동년배 친구 등 다양한 스펙트럼이 있는데 생활 얘기하면서 노무현 얘기하고, 고민하고, 전략도 짜고.

노대통령이 번개라든지 가끔 오시기도 했나요?

번개 모임은 오시지 않고 노사모 창립총회 등 공식 행사에는 오셨어요. 제가 백수니까 시간적 여유가 있어서 창립총회 때 서울, 경기 북부 3국장을 주더라고요. 일꾼이었죠. 장소 섭외하고 꾸미고 행사 기획, 몸으로 뛰는 역할을 했죠. 젊은 편이었고 돈은 없으니까 몸으로라도 해야 되는 시기였어요. 생활로서 즐겁게 활동했던 것 같아요.

노무현과 노사모가 어떤 점이 닮았다고 생각하세요?

순진함보다는 순수함인 것 같아요. 귀가 닳도록 들었는데, 노사모 하면 시민의 참여라고 하잖아요. 시민들이 현장에서 자발적으로 활동했죠. 그렇게 모이다가 아이디어들도 생기고 대표적인 게 희망돼지. 어린 나이에 서울, 경기 북부 대표를 했어요. 한강 이북 11개 구가 있고, 북부 경기로는 포천, 파주, 남양주 등 넓디넓은 지역의 대표가 된 거예요. 회원 수는 5백, 6백 명이었어요. 노사모 광역 대표 회의에서 당시 강북구, 도봉구 구 대표 하시는 무착이라는 분이 저한테 저금통 이야기를 가서 한번 해보라고 하셨어요. 그래서 전국 지역 회의에서 얘기한 거예요. 그러면서 전국적으로 퍼져나갔고요. 구 하나에서 돌던 저금통이 전국으로 퍼지는.

그렇게 다양한 사람들이 있었다면, 트러블도 많았겠어요.

초기에는 동호회 분위기니까 싸울 일이 없었죠. 노무현 대통령께서 한번 나가보겠다고 얘기하시면서 달라지기 시작했죠. 구름다리님은 조용히 도와드리자고 하고 명짱님은 화끈하게 길거리로 나서보자고 했어요. 워낙 괄괄하시고 화끈하시잖아요. 그 부분에서 충돌했고 상처받고 나가신 분도 많고. 그런데 이거는 사소한 싸움이었던 거 같아요, 그나마 순수했던. 국민 경선 이기고 회원 수가 급증했어요. 만 명 수준에서 10만 명까지 됐어요. 그러면서 정말 다양한 사람들이 들어왔죠. 명짱님이 노무현 홍보하자고 노사모와 함께하는 전국 산악 여행을 기획하셨어요. 광주 가면 광주 분들 나오시는 식으로. 저는 산은 못 가더라도 제주도까지는 갔는데 제주도 분들과 식사도 했습니다.

2002년 하면 어떠십니까?

인생에서 그렇게까지 혼신을 다한 적이 없어요. 그전에는 무언가를 열심히 한 시기가 없고 앞으로도 없을 것 같아요. 또 그 시기가 하나의 족쇄가 돼서 이후 부정한 일 앞에서 스스로를 통제하는 계기가 되었어요.

그 시절 가가멜한테 하고 싶은 말이 있다면.

너무 상처받지 말라고 하고 싶어요. 노무현 대통령만 생각하면 눈물이 흐르시는 분들 많이 계실 텐데 사실 저는 실망했어요. 대가를 바란 건 아니지만, 어떻게 보면 내 젊음을 불살랐는데…… 노대통령이 많이 고민하셨을 테고 제가 이해할 수 없는 상황이 있겠죠. 하지만 정책적인 면에서 실망하고 아팠던 부분이 있어요. 물론 지금은 회복되고 옛날 마음이 되살아났지만 청와대 계실 때는 상처를 많이 받았어요. 제 마지노선은 이라크 파병 같아요. 그때도 노사모 분들은 어떻게 그럴 수 있느냐고 화내셨지만 그 정도는 할 수 있다고 생각했어요. 그런데 아파트 원가 공개 정책인가 있었죠. 제가 어떤 경로를 통해 들었는데 국민을 상대로, 돈 있는 사람이 아니라 서민 상대로 장사하겠다는 마음에 상처받았고 또 FTA. 당시 미국에서 유학하고 있었는데 같은 방을 쓰는 형님이 고대 경제학과 나와서 실용경제학을 전공하시던 분이에요. 그분도 운동권이었는데 굉장히 긴 기간 동안 FTA만 나오면 피를 토할 정도로 싫어했어요. 미국, 자본에 노무현님께

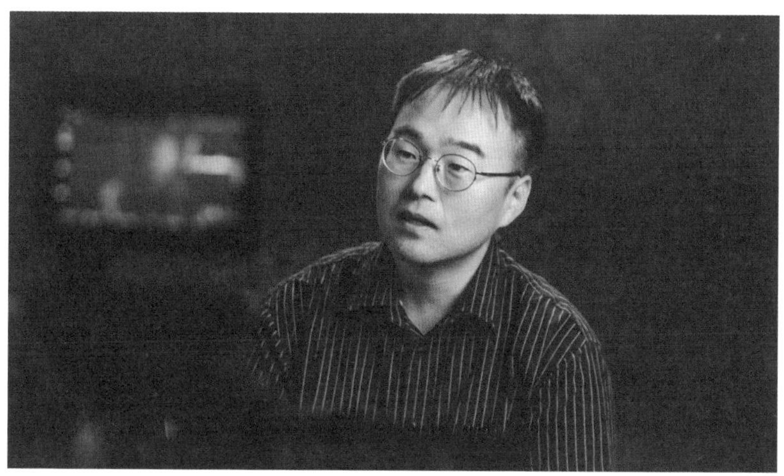

서 승복한다고.

노사모에서 가가멜님은 무엇을 꿈꾸셨습니까?

정상적인 사회. 당시 당선 가능성이 1%도 안 됐어요. 계란으로 바위 치기라고 많이 얘기하잖아요. 그런데 진짜 되는 역사 속 현장에 있었잖아요. 일조하면서 함께 갔고. 우리가 하면 할 수 있구나. 상투적인 얘기인데 실패를 두려워하지 않는 것, 두렵지만 해보는 것을 배웠어요.

이게 다 노무현 때문이다. 지겹도록 들었죠.

당시에 회사 다니고 있었는데 아무도 제가 노사모인 걸 몰라요. 주변 어르신들이 버릇처럼 얘기하시는 거예요. 아무 소리 못하고 듣고만 있는 심정이…… 가슴앓이를 많이 했어요. 사람들은 이때다 싶어서 과감하게 얘기했죠. 도올 김용옥 선생이 당시에 그랬어요, 권위주의를 타파해야지, 권위를 잃어버려서는 안 된다고. 그리고 소탈한 모습. 전근대적인 마인드를 가지신 분은 그게 싫은 거예요. 대통령이면 왕인데 노무현은 안 그랬으니까.

같이 활동했던 노사모 회원분들께 한말씀.

그때도 고맙고 지금도 고맙다는 생각이 듭니다. 순수한 열정 그대로 행동했기 때문에, 지금 그나마 우리가 흥분해야 하는 것들이 적어졌다고 생각하고요. 우리 모두 수고했다. 앞으로도 계속, 각자의 위치에서 조금씩 더 수고하자.

지금 세계 지도자들은 무게 있는 지도자들이 아닙니다. 클린턴 미국 대통령이나 토니 블레어 영국 총리가 무게가 있습니까? 독일 총리 슈뢰더도 마찬가지입니다. 그들은 우리와 똑같은 친구 같은 사람들입니다. 이제 이 나라의 중산층과 서민들은 친구 같은 지도자를 매일 바라보면서 하루하루를 기쁨과 희망으로 내일을 설계할 수 있는 21세기를 갖게 될 것입니다. 그 일을 제가 하겠습니다.(…)

여러분 들어보셨죠. "노무현 당신은, 후보만 되면 대통령 되는 건 문제없을 것 같은데 경선이 어려울 것 같다"는 소리 말입니다. "본선은 쉬운데 예선이 어렵다" 이게 무슨 말입니까? 우리 민주당에서 본선 통과할 사람 놔두고 본선 가서 깨질 사람, 8강에도 못 들어갈 사람을 대표 선수로 내세울 것 같습니까? 다음 대통령 선거가 바로 예선에 달려 있기 때문에 그 예선을 결정하는 여러분의 손에 이 나라의 미래가 달려 있습니다. 이 나라의 정권이 여러분 손에 달려 있습니다. 함께 합시다. 반드시 승리합시다. 감사합니다.

_무주단합대회 연설(2001년 11월 10일)

지극히 평범하지만 당당하게 살 수 있다는 것

아이들세상 김춘택

'아이들세상'입니다. 애가 셋입니다. 원체 아이들을 좋아합니다. 2002년 초부터 했습니다. 3월 정도부터 언론에 노사모가 간간이 노출됐는데요. 저도 용기가 났죠. 5공 청문회 때 막연하게 감동받은 거죠. 고등학교 2학년 때 국어 시간에 봤거든요. 국어 선생님께서 관심이 많으셨어요. 어린 마음에도 멋있었습니다. 그때 분노하시는 모습이 굉장히 와닿았어요.

쭉 지켜보고 계시다가 2002년에 용기를?

처음 나갔던 게 지금 신세계백화점 인천터미널 쪽. 노사모 분들 나오셔서 율동하시는데 무안했죠. 저거를 어떻게 할 수 있을까…… 몇 번 돌아섰다가 돌아왔다가 반복하다가 이렇게 용기내서 왔다고 하고. 율동하는데 얼굴 빨개지고 쭈뼛거리면서. (웃음)

경선 과정에서 기억 남는 에피소드가 있나요?

막내가 2002년 4월 4일생이거든요. 아내는 배가 불러 만삭일 때 유세 현장 쫓아다니고 저는 아이 둘 손잡고 다니고. 대전 유세에 쫓아갔죠. 비가 와서 비닐 우비를 나눠주는데 사람이 많아서 못 받는 분들도 있었죠. 노란 우비, 노란 옷 입고 백 명 이상이 길가에 서서 춤추는데 버스 승객하고 눈이 마주친 거예요. 호기심이면서도 미친놈들로 보는데 기분좋은 묘한 미소가 느껴졌어요. 그분들이 나름 감동했다고 보고요. 잘은 몰라도 저 사람들 어설프지만 행복하게 미쳐서 들고 뛰어다니는구나. 그것 때문에도 승리할 수 있었다고 생각합니다. 투표권자들을 감동시켰다고 믿거든요.

노무현을 만나고 바뀐 게 있을까요?

그전에는 어떻게 살아야겠다는 것이 막연했죠. 만나고는 지극히 평범하지만 당당하게 살 수 있다는 것. 사회에 대해서도 관심 갖고 들여다보고.

서거 소식 어떻게 들으셨어요?

TV로요. 처음에 올라왔던 속보는 투신, 중상. 얼마 안 지나서 사망. 꿈꾸는 줄 알았죠. 멍했습니다. 예상도, 상상도 못했으니까요. 어머님이 아내한테 전화해서 하루종일 옆을 떠나면 안 된다고 걱정하셨다고 하더라고요. 네, 혹시라도 그 소식에. 대통령 후보나 대통령 되셨을 때보다 탄핵, 퇴임 과정들 속에서 대통령께서는, 그 자리에 가보지 못한 우리가 알 수 없는 정도로, 내적으로 어떤 깨달음이 커지셨던 것 같아요. 그랬던 게 아닐까. 죽음은 죽음이고 이건 이거고. 선문답이 돼버렸네요.

언제 생각이 제일 많이 나세요?

다들 비슷하실 거 같은데요. 운전할 때 눈물이 많이 납니다. 아무래도 혼자 있는 시간이고 라디오를 듣는다든가 조그만 연결고리라도 생기면 갑

자기 저도 모르게 감정이. 노짱께서 웃으시던 모습이 떠오르고. 웃는 모습 멋있잖아요? 웃으실 땐 수줍음도 있고. 선한 사람들한테 있는 수줍음.

그 시절 동지들한테 한말씀.

참 낯부끄러운데요. 딱히 드릴 말씀 없고요. 노사모 해체는 2002년부터 촉발된 논쟁이거든요. 지금까지 온 겁니다. 논쟁 자체가 안타깝고요. 절이 싫으면 중이 떠나는 게 맞습니다. 당연히 노사모는 시간이 가면서 쇠약해지죠. 그렇다고 싹 밀어버리고 없애자는 것은 어리석다고 생각합니다. 그 자체의 가치가 있다고 생각하거든요. 해체하자는 분들은 관여를 안 하시면 되는 거죠. 얼마 남아 있지도 않고요. 어느 순간 삭아서 자연스럽게 허물어질 수도 있고 나무가 다시 자랄 수도 있고. 비 새지 않게 손질하고 누가 와서 봤을 때 남루하지 않게 마당에 풀 정돈하고 화단에 꽃 한 송이 피게, 담이 무너지지 않을 정도로만. 이 말씀으로 대신하겠습니다.

노사모는
바보이고 전사다

부엉이 김영부

노사모 닉네임은 '부엉이'라고 했는데 나중에는 이름으로 활동했습니다. 고등학교까지 광주에서 다녔어요. 대학은 서울에서 졸업하고 학원 강사 했습니다. 경제적으로 상당히 성공했다고 생각했는데 살다보니 나만을 위해 사는 거라는 생각이 들더라고요. 정치에 관심이 많았지만 정치 논리가 지역에 의해 나뉘는 것이 안타까웠죠. 김대중 대통령이 당선되었지만 당사자이기 때문에 지역감정을 해소할 상황이 안 되었죠. 그런 가운데 노무현이라는 정치인을 알게 되었고요. 특히 청문회 때 통쾌함을 느꼈어요. 정치 쪽에서 성장해서 지역감정을 해소했으면 좋겠다고 생각했어요. 몇 번의 성공도 있었지만 4·13 총선에서 지역 논리에 의해 떨어지는 것을 보며 저분을 도울 수 있는 방법이 있을까 생각했어요. 저와 비슷한 생각을 가진 분들이 많았죠. 그래서 참여하게 됩니다. 대전에서 모임이 있다는 것을 잡지를 통해 봤어요. 보고 바로 연락했죠. 전화받은 사람이 절세미녀였어요. 절세미녀가 대전 모임 전에 서울에서 예비 모임 할 건데 나왔으면 좋겠다고 했어요. 15명 정도 나왔어요. 모임에서 노사모를 앞으로 어떻게 끌고 갈 것인가 등 많은 것들이 결정됐어요. 당시 임시회장이 이봉기님이셨는데 2년 학교 선배더라고요. 그다음 서울 회장을 제가 했어요. 창립 초기에는 서울 회장이 전국 노사모 회장 한다고 해서 그것도 했죠.

노대통령과의 일화가 있을까요?

정몽준 후보와 단일화가 깨진 날 당 의장님과 정대철 고문이 노대통령에게 정몽준 후보 집 가서 다시 한번 설득해야 되지 않겠냐고 했는데 굉장히 힘들어하셨어요. 후보 사무실이 8층에 있었는데 나오면서 말하시더라고요. "내가 이렇게까지 해야 하나?" 그래서 제가 노짱님 혼자만의 일이 아니고 국민의 일이라고, 민주화를 열망하고 노짱님이 대통령 되기를 바라는 사람들의 열망이니까 개인 생각 가지시면 안 된다고 말씀드렸어요. 노짱님은 맞다고 하시면서 가셨죠. 그런데 못 들어가지 않았습니까? 그게 오히려 국민들한테 감동과 안타까움을 주었죠. 또 광주 경선 끝났을 때 지지자들은 엄청 좋아했는데 노짱님을 수행하면서 보니까 무거워하시더라고요. 책임감을 느끼고 계시구나 생각했죠. 그래도 나가시면서는 눈물이 맺혀 있는 것을 보았습니다.

노무현과 노사모가 닮은 점이 있을까요?

노무현 대통령은 판사로서 순탄한 길을 갈 수 있었음에도 핍박받는 사람들의 대변인 노릇을 하셨죠. 정치로 나오셔서도 편안하게 갈 수 있는 길이 있는데 그러지 않으셨죠. 노짱님이 말하셨어요, 지역감정에 계속 사로잡혀 있다면 한 발자국도 가지 못한다고. 그런 생각이 노사모와 일치하죠. 노짱님과 평소에 개인적으로 이야기해도 어떻게 저렇게 생각이 비슷할까 했습니다.

80년에 광주에 계셨다고 했는데 그때 광주에서 사람들에게 받았던 감동과 그후 20년 뒤 노사모로부터 받았던 감동들이 연결될까요?

노사모 활동하면서 광주 묘소도 참배합니다. 처음에는 힘들었죠. 이분들이 그때는 무엇을 하고 있었으며 어떤 생각을 갖고 있었을까. 지금은 어떤 생각을 가지고 계신 걸까. 몸으로 겪은 입장에서 이해하기 힘들었죠. 하지만 지금이라도 와서 광주에 대해 알려고 노력하신다는 걸 보면서 고맙다고 생각했습니다. 사람들에 대한 감동이 에너지로 승화되어 활력이 되는 것이 광주 때와 비슷하다고 생각했습니다.

80년 4월 중순경부터 도청에 모여 춘투가 계속 있었어요. 그때 이미

신군부가 정권을 잡을 것이라고 예상하고 크랭크 카드에도 끊임없이 그런 얘기가 나왔어요. 5월 14일부터 전남대학교 학생들 중심으로 시국토론회 하느라 도청 광장에 나와 있었죠. 엄청 거칠게 다루더라고요. 군인들이 그렇게 만행을 벌인다면 어느 지역이든 상관없이 다 일어났을 거예요. 처참한 모습의 시신을 시민들이 태극기로 덮어 리어카에 싣고 다닐 때 사람들이 얼마나 분노했겠어요. 5·18 광주, 6·29 선언 거치면서 수많은 사람들이 희생했죠. 그 토양 위에서 뭔가가 잘되어가야 하는데 그렇지 않으니까 뜻 있는 시민들 가슴속에 쌓였죠. 그렇다고 옛날처럼 할 수는 없고 노무현이라는 정치인을 통해 이룰 수 있다고 생각한 거죠.

노사모 창립총회 때 〈오마이뉴스〉와 인터뷰했는데요. 노무현에 대해 어떻게 생각하느냐고 물어서 "노무현은 지역감정을 타파하기 위해 하늘이 보내주신 선물"이라고 했어요. 기자가 혹시 대선에 출마하면 어떻게 할 거냐고 물어서 제가 "단 1%의 가능성만 있다면 노사모 회원들은 대통령을 만들기 위해 모든 힘을 다하겠다"고 했어요. 시간이 지나면서 조금씩 실현되는 느낌을 받았습니다.

한번은 6·6 총회가 있었는데요. 대전 노사모 회원들이 세팅을 합니다. 그런데 저희가 길을 못 찾아서 회원 하나가 오토바이 타고 게이트까지 나왔어요. 제가 노짱님 마중 나갔어요. 송원배 비서관, 이기명 회장님, 노짱님 세 분 오셨어요. 점심식사 안 하셨다고 김밥집 가자고 하시더라고요. 김밥집 아주머니가 노짱님 보시더니 탤런트냐고 하세요. 국회의원 하신 노무현이라고 하니까 아주머니께서 명패 던질 때 봤다고 하시더라고요. 식사하고 지하 1층 PC방에서 총회 했어요. 노사모 회원들 중에 노무현을 대통령 만든 것이 노사모라고 얘기하시기도 합니다. 하지만 저는 생각이 달라요. 노사모 회원은 아니지만 노사모와 같은 생각을 지니시던 시민들도 많으셨어요. 노사모가 동기를 만들었지만 노사모뿐 아니라 노사모를 응원하는 힘들이 모여 정권이 창출되었다고 생각합니다. 노사모가 촉발하였지만 노사모가 시대정신의 매개체가 된 거죠.

노사모 회원님은 보통 2002년을 인생의 하이라이트라고 하시더라고요.

노사모가 역사에서 매우 중요한 역할을 했죠. 다만 경제적으로 고생했어요. 사업하고 있었는데 노사모 활동하면 소홀해지잖아요. 다른 분들도 그랬죠. '영원한미소'라는 친구도 굉장히 튼튼히 사업하던 사람인데 나중에 물으면 후회한다고는 안 하더라고요. 그렇게 힘든 세월을 보냈지만 노사모는 대단한 일을 했죠. 물론 10년이라는 공백기가 있었지만 그동안 경력도 쌓고 훈련이 된 거죠. 지금 문재인 정부가 잘되어가는 게 노무현 대통령의 씨앗이 있어서가 아닐까 생각합니다. 실수를 반복하지 않으니까. 지금 생각해보면 우리 모두가 노짱님을 가게 만들었다고 생각하게 되더라고요. 최근에 노회찬 의원 돌아가셔서 발인 때 다녀왔는데 정치인은 완전한 1급수에서만 살아야 한다고 생각하는 것 같아요. 국민들이 이 부분에 대해 더 생각해야 한다고 생각합니다.

노대통령 재임 시절 '다 노무현 탓이다'라는 말이 전국을 돌았죠.

노사모 했던 사람으로서 노짱님이 모든 정치를 잘했다고 생각하지는 않습니다. 자신의 생각을 국민들한테 잘 투영시키지 못한 것 같아요. 권력기관을 개혁하려니까 계속 부딪히고. 당시 국민과 기관들이 받아들일 준비가 안 되었다고 생각합니다. 그게 현실이라면 현실을 직시하고 거기에 맞게끔 개혁해야 하는 거죠. 노무현 지지자들도 계속 지지해주었어야 하는데 당선 후로는 그렇지 않았죠.

노사모 활동에 후회되는 점이 있을까요?

노대통령이 갖고 있는 생각을 몸속으로 모두 받아들이지 못했다는 후회가 있고요. 재임 동안의 생각과 퇴임 후의 생각이 달랐을 거라고 생각해요. 노사모 회원들뿐 아니라 지지자들도 그것을 보다 정확하게 파악했으면 하는 아쉬움이 남습니다. 미안함이 큽니다. 그랬다면 극단적인 선택은 하지 않으셨을 수도 있다고 생각하거든요. 굉장히 외로우셨을 거예요.

80년 광주를 경험하고 2002년 시민으로서 정권을 창출한 경험을 가진 당신은 어떤 세상을 꿈꾸고 계십니까?

노무현 대통령이 생각하는 방향대로 가고 있다고 생각해요. 문재인 대통령도 노무현 대통령과 함께하고 그 이후의 시간 동안 많이 단련되셨고요. 재벌 개혁 등 현재 이슈들이 우리가 생각하던 방향으로 꼭 가지는 않는다고 생각합니다. 어쩔 수 없는 게 있죠. 그래도 약자를 보호하고 정의가 숨쉬는 세상으로 가고 있다고 생각합니다. 자신이 꿈꿨던 세상을 위해 건전한 시민으로 살아가는 것이 노무현 대통령이 꿈꿨던 세상으로 가는 길이라고 생각해요. 거창하게 부르짖는 것보다는 생활 속에서, 조그만 모임에서 생각들을 펼쳐나가는 것이 중요하다고 생각합니다.

전국 노사모 회원들한테 한말씀.

많이 보고 싶고요. 힘들지 않게 살았으면 좋겠습니다. 자기 일 다 제쳐놓고 활동하느라 힘든 사람도 많았을 거예요. 전사로서 열렬히 활동했던 분들 많이 보고 싶습니다. 각 분야에서 노사모의 정신이 무엇인지 생각하면서 멋있게 세상을 살아갔으면 좋겠습니다. '노사모는 바보이고 전사다'라고 생각합니다. 힘내서 다시 한번 일어납시다.

혼자가 아니고
여러 사람들이
우리가 되었을 때

두리 차상호

원래 제 닉네임은 '두리아'였어요 그게 86아시안게임 마스코트. 갈매기라는 뜻이에요. 그게 두리아라고 불렸어요. 두리아라고 쓰니까 사람들이 여자 같다는 거예요. 그래서 그냥 뒤에 아 자를 빼고 두리가 됐어요. 근데 뒤에 유명한 차두리 선수가 나오더라고요. 그뒤에는 저희들이 하나보다는 둘이 되자 이런 여러 뜻으로. 제 이름 아는 사람보다 두리로 아는 사람들이 더 많을 거예요.

2000년도 노무현 대통령이 선거에서 떨어졌을 때 바로 옆 지역구에서 살고 있었습니다. 옛날에 제가 살고 초등학교 다니고 했던 데가 노무현 대통령의 지역구입니다. 그래서 누구보다도 관심을 가지고 있었고, 낙선했을 때 노무현 후보의 홈페이지에 가입을 하고 그때부터 노사모 활동을 하기 시작했습니다. 사실은 그 당시에 우리 세대가 쉽게 접할 수 없는 인터넷을 처음 접했던 때니까 게시판에 올라오는 글을 호기심으로 찾아보고 읽다가, 왠지 가슴속에 뜨거운 게 올라오는 느낌을 받아 가입했습니다. 처음 한두 달 지나면서 오프라인 모임을 하면서 자연적으로 노사모도 결성되고 그랬습니다. 당시 저는 보수 쪽에 있었는데 청문회를 통해 개인 노무현을 봤을 때 진보·보수를 떠나서 상당히 괜찮았습니다. 국회의원에 도전했다가 낙마했을 때는 상당히 아까운 후보가 떨어졌다는 생각이 들었습니다. 당시 '농부가 밭을 탓하랴'라고 말했는데 상당히 감동을 받았던 사람이었습니다. 그래서 작은 댓글 보태고 글 하나 올리는 가벼운 느낌으로 시작했던 건데 점점 커졌던 거죠. 개인은 작지만 전국에서 모이니까 굉장히 큰 힘이 되었던 거 같습니다.

돌아보니 어떠세요?

참 열심히 했던 거 같아요. 그때로 돌아가면 그렇게 열정적으로 할 수 있을까 생각이 들어요. 경선할 때 강원도부터 시작해서 제주도까지 전국을 다 다녔으니까요. 제가 생각해도 그뒤에 한 2~3년간 거의 옆집 드나들듯이 노사모 행사 있으면 가고 했으니 지금은 하래도 못할 거예요. 많이 운전했을 때는 하루에 1,000킬로 가까이 운전하고 그랬으니까. 부산에서 강원도 갔다가 청주 갔다가 당일 내려온 적도 있었고. 노무현이라는 사람도 좋았지만 거기에 돕고 있던 사람들이 참 좋았던 거 같아요. 그 사람들. 같은 뜻을 가지고 있는 거잖아요. 혼자 돕기는 상당히 힘든데 같이 부대끼고 정치인 한 사람을 좋아하는데 그릇이 맞고 같이 움직이고. 그래서 더 시너지 효과가 있는 거 같아요. 사실 저는 업무적으로는 광주에 몇 번 간 적은 있었는데 그뒤 노사모를 하면서 처음 갔어요. 제가 알고 있는 광주는, 제가 알고 있는 호남은 좀 달랐던 거예요. 일종의 지역감정 가해자였는지 몰랐던 거 같아요. 호남을 피해자라고 하기는 좀 그렇지만 한 39년 동안 살아오면서 내 잠재된 의식에서는 저도 호남에 대한 그런 부분이 많이 있지 않았나 느낍니다. 사실 주위의 어른들을 보면 자연스럽게 나오잖아요. 특히 경상도에 사는 사람들 보면 쉽게 그런 얘기 많이 하거든요. 누군가 다투고 있을 때 불리하다 싶으면 '에이, 재는 어디다' 이런 지역감정적인 발언을 많이 합니다. 사람들이 잘잘못을 따지기 전에 누가 옳고 그르냐가 중요한 게 아니라 지역이 그 사람이니까, 그 지역이니까 나쁘다 이런 잣대를 들이대는 어른들을 많이 봤어요. 그래서 호남 쪽 사람들이 입을 수 있는 피해들을 없애야 된다고 생각했어요.

노사모 두리 이전에는 어떤 삶을 살고 계셨나요?

일반 회사원이었어요. 그냥 야구 좋아하고 평일 출근하고 주말 되면 아이들 데리고 야구 보러 가곤 했습니다. 정치에는 전혀 관심이 없었고 선거하면 투표하러 가고…… 이전에는 오로지 김영삼만 뽑았죠. 지역감정의 가해자죠. 언론들 역할이 중요하다는 걸 새삼 느끼고 있는데 그 당시에 제 주위에서 부모님 그리고 제 아내, 형제들 모두 저와 똑같은 생각이었거든요. 근데 제가 그 활동을 하고 나서는 모두들 다 바뀌었거든요. 다시 볼 수 있는 계기가 되어 있었고요. 정권이 바뀌어 김대중 대통령이 재임하고, 그 다음에 노무현 대통령 되고. 당시에 그렇게 정권이 바뀌면서 지역감정이 재조명되고 언론에 많이 나와도, 사람들의 뇌리에는 처음에 심어놨던 게 안 없어지는 거예요. 제가 노사모 게시판에 2000년도에 처음 글 올라왔을 때 '거의 40년을 살아오면서 영남, 호남 이렇게 이분법적으로 살아왔는데 이걸 계기로 해서 그 지역감정이라는 것이 바뀌어야 되겠다'는 느낌을 가지고 노사모에 가입을 했습니다.

고민이 처음으로 시작되셨던?

사실 고민이라고 할 것도 없었어요. 제가 결혼을 제 동생보다 한 해 늦게 했는데 우리 제수씨가 전라도였어요. 사람 너무 좋아요. 그러니까 뿔 달린 짐승이 아니잖아요. 그때부터 뭐 서서히 허물어지기 시작했지만 지역감정을 철폐해야 된다는 고민이 제 몫이라고 생각하진 않았죠. 내 하나가 생각을 바꾼다고 움직여질 거라고는 생각을 안 했죠. 그래서 제가 노사모에 들어가서 혼자가 아니고 여러 사람들이 우리가 되었을 때, '나'가 아니고 '우리'가 되었을 때 바뀔 수 있겠구나. 노사모에도 들어오는 사람들이 여러 부류들이 있거든요? 언론 계열, 지역감정 등 여러 가지 대통령이 추구하는 가치가 있는데, 저는 지역감정 쪽에 동의해서 들어왔어요. 아마 지금도 그렇게 사는 사람들이 많이 있을 거예요. 지역감정, 내 일이 아니니까. 자기가 피부로 당해본 사람들은 그걸 느낄 수 있지만 그렇지 않은 사람들은 무관심한 거죠. 엄밀하게 깊게 들어갔을 때는 내 일이죠. 큰 의미로서 우리 정치 후진국이 되고 국민을 쳐다볼 수 있는 정치인들이 국민을 쳐다보지 않고 지역을 쳐다보게 될 때는 우리들만 손해보는 겁니다.

오프로 처음 참석하셨을 때는 많이 어색했나요?

서로 온라인보다는 오프라인 모임이 훨씬 편했습니다. 저는 자판도 잘 못 쳤어요. 우스갯소리로 노사모 대표 되고 나서 거기 채팅을 많이 해요. 사람들의 글이 한꺼번에 올라오면 빨리 쳐야 되는데 못 치잖아요. 당시에는 저장 이런 것도 잘 몰랐어요. 컴퓨터를 잘 모르니까. 딱 아는 게 하나 있어요. 114를 열심히 쳐요. 114 치고 엔터 치면 사람들이 114 통화중인 줄 알거든요. 저는 열심히 치고 있어요. 그래서 다 글자가 만들어지면 올리고, 다른 사람들은 한 10초 만에 칠 걸 저는 10분 정도 걸려요. 그래서 장문의 글을 게시판에 올리면 한 번씩 글이 날아가는 경우들이 있거든요. 한 2시간 3시간씩 쓰고. 남들이 보면 한 10분에 써놓을 것을 억수로 오래 썼습니다. 그래서 오프라인 모임에서, 저는 게시판에 글 쓰는 것보다는 전화 통화를 하고 사람들과 모임 갖는 것을 좋아했어요.

게시판을 보면 가장 좋은 게 뭔가 하면 그런 말이 있잖아요. 악플보다 무플이 더 무섭다고. 그날 번개를 하고 나면 게시판에 꼭 누군가 재미있게 글을 써줘요. 그러면 거기에 자기들의 댓글을 달아요. 댓글을 달고 그다음 자리에 가보면 별거 아닌데 누군가는 재밌게 글을 올려요. 누구누구 왔다, 사람들이 보기가 좋았다 이러면 그 자리에 다음에 번개 하면 가고 싶어요. 저희 노사모 중에 전국 번개를 다닌 친구가 하나 있어요. 부산에 오면 부산에 있는 행사 일정을 갖고 내일 어디로 갑니다. 아마 전국을 공짜로 다닌 거 같아요. 가는 데마다 어디 간다면 뭐 노사모 회원들이 자기집에서 재워주고 번개를 쳐 먹여주고 그다음에 멀리까지 태워주는 사람도 있고. 무엇보다 글을 너무 재밌게 썼던 거예요. 그래서 동료들이 많이 모였어요. 굉장히 젊었죠.

노사모에게 〈조선일보〉란?

〈조선일보〉나 방송국에 나오면 다 100% 맞는 말인 거 같았어요. 노사모 가입하고 나서 하나하나 보니까 잘못된 기사들이 많이 나왔더라고요. 게네들이 글을 쓰고 대부분의 독자들은 전부 다 그렇게 믿고 있었는데 자기들이 소송이나 이런 데 패했잖아요. 그러면 독자들한테 다시 그게 잘못됐다는 걸 돌려줘야 되는데 돌려받은 독자들이 없는 거예요. 자기들은 했다고 해서 찾아보면 조그만 어디 귀퉁이에 있어요. 우리 국민들은 돌려받지 못했거든요. 억수로 왜곡이 심하더라고요.

초창기에 노사모 게시판에 노사모 비판하는 글들이 많이 올라오잖아요. 글들을 주고받으며 시정을 해요. 노사모는 누구든지 들어와서 가입할 수가 있어요. 노사모를 와해하기 위해서 누군가 들어와서 나쁜 글을 써요. 그러면 홈페이지 관리하시는 분들이 닉네임을 봐요. 닉네임과 주소를 보면 표가 나요. 생년월일 전화번호도 0000으로 해놓고 막 이상하게. 그걸 언론에서 옮겨 적어요. 노사모 사이트에 들어가니까 이런이런 글들이 올라와 노무현에 대해서 싫어하더라. 그게 한 줄 나와버려요. 그게 노사모의 전체인 양 호도가 되는 거예요. 그래서 노사모에서 논쟁이 많았죠. 회원게시판과 자유게시판으로 만들자. 근데 열어라, 왜 회원게시판을 따로 하느냐. 폐해를 악용하는 거예요. 지금도 마찬가지예요. 언론들이 이게 전체적인 반대 토론이나 이런 게 붙은 것도 아니고 무조건 싫다 이렇게 썼는데 막상 읽어보면 아무 내용이 없어요. 그것도 제목만 딱 까요. 참 비일비

재했거든요. 그래서 수시로 체크를 했어요. 언제 캡처했는지 모르게끔 방금 올렸다가 금방 내리고. 개인의 감정, 편 갈라치기. 논쟁이 분명할 것은 해야 하지만 그렇지 않은 것에 대해서 논쟁을 붙이는 경우도 많이 있어요. 또 한쪽으로 몰아가는 부분도 많고요.

노무현 대통령과 일화가 있으신가요?

대통령의 정치적으로 가장 치명적인 약점이 사람 기억을 못한다는 거예요. 제가 2000년도에 노사모 대표를 해서 청와대도 가고 대통령 전화도 받고 행사를 하기도 했어요. 2007년도에 제가 다시 노사모 대통령 퇴임식 전후해서 전국 대표가 됐거든요. 퇴임식을 준비하자고 하는 와중에 2008년 1월 초에 저희 노사모 회원들이 단체로 청와대에 초청받아서 등산을, 등반대회를 했었는데, 제가 어른이니까 같이 나란히 앞에 걸어갔어요. 한참 걸어가시다 하시는 이야기가 "어디서 많이 봤지?" 저보고 그러시는 거예요. 어디서 억수로 많이 봤는데 기억이 안 난다는 거예요. 그래서 슥 웃고 올라갔어요. 마지막에 올라갔더니만 저 정상에 올라가서 하시는 이야기가 "아, 맞다. 니 테레비에서 봤다" 이러시는 거예요. (웃음) 그때 같이 갔던 친구가 이제 2002년도에 대표 했다고 말해주니까 그때서야 아시더라고요. 봉하마을에 대통령 내려와 계실 때 제가 연락해서 자주 찾아뵙고 했어요. 봉하마을 사저에서 사람들이 "나오세요" 이렇게 하잖아요. 처음엔 그냥 나오시다가 그다음부터는 시간을 정해놓고 나오셨거든요. 자주 가니까 항상 보면 "어, 저기 우리 팬클럽 회원 왔다"고 이야기했던 기억이 있어요.

서거 소식은 언제 접하셨어요?

주말인가 그랬을 거예요. 누워 있다가 뉴스를 봤죠. 바로 봉하에 갔어요.

실감이 나지 않았죠. 정말일까? 아닐 거야. 그러고 갔죠. 저는 아버님이 굉장히 어렸을 때 돌아가셨어요. 제가 중학교 1학년 때 돌아가셔서 거의 기억에 없어요. 아버님 돌아가실 때 제가 한번 울었던 거 같아요. 그런데 할아버지도 일찍 돌아가셨고 가장 친한 사람도 죽고 슬픔이 많이 없었던 거 같아요. 아마 제가 느끼고 있던 죽음이라는 그 단어에서 그 당시에 가장 슬펐어요.

'노사모가 애쓴다고 세상이 달라지나?'라고 누군가가 묻는다면요?

지금 달라졌잖아요. 그게 저희들이 바라는 만큼은 아니지만 바라는 바대로 가고 있고, 부산만 봐도 달라졌어요. 사람들이 그래요. 노사모 회원 출신의 지자체 장들도 있어요. 그 사람들이 자기 생각이나 평소에 생활하던 걸 볼 때는 노무현 정신 이런 부분들이 있어요. 충분하게 본인의 지역에서 생활 민주주의로 전유되고 그렇게 하면 많은 변화가 있을 거라고…… 저희는 다른 건 몰라도 노사모가 정치 선거문화를 굉장히 많이 바꾼 거 같아요. 아마 노사모 사람들을 선거운동 일당으로 계산했을 때는 천문학적인 금액이 나올 거예요. 저도 최근에 정치 활동을 하는데 보니 대부분의 돈은 사람에게 들어가요. 그 사람들이 자원봉사로 왔으니까. 저희들이 노사모 활동할 때 그렇게 열심히 했던 그 순간들도 어떤 이런 촛불을 들기 위한 하나의 과정이었는지 몰라요. 스스로 앞으로 이 촛불을 기억하고 있는 사람들은 쉽게 자기 권리를 포기하지 않고, 또 쉽게 투표하지 않을 거고요.

노사모 회원들에게 긴 시간을 같이해왔으니까 한말씀.

그냥 우리는 늘 그렇게 살아왔던 것처럼 또 앞으로 그렇게 살아갑시다. 다들 건강하세요.

정치 현장으로서 노사모

석송 권오혁

대구의 '석송'입니다. 돌 석, 소나무 송입니다. 이름은 권오혁입니다. 바위 위에 서 있는 소나무가 사시사철 푸르고 고난의 세월 비바람을 견디는 모습이 제 인생과 비슷해서 석송이라고 했습니다. 2000년 4월, 40대 초반에 가입했습니다. 결혼하고 직장 생활도 있고. 노사모에서 번개를 하면 제가 직장 다니니까 카드는 제 몫이죠. 2차도 제가 내고. 그런 부담이 즐거웠습니다. 그런데 카드 명세서 보면 깜짝 놀랐죠.

활동을 시작한 이유는?

항상 민중운동이나 민주화에 대한 열망, 대구의 인혁당 사건에 대한 분노들이 가슴 저변에 있어요. 그러다가 표현할 수 있고 터놓을 수 있는 장이 시작되니까 만난 거죠. 친구들 모임보다도 그쪽이 더 끌리고 뒷바라지도 하고. 이제 60대이지만 정말 후회 없고 값진, 인생의 황금기라고 생각해요. 경선, 끝나고 덕평에 모이고, 환영회 하던 그 1년은 인생에서 가장 좋았어요.

경선 당시 대구 노사모의 분위기는 어땠나요?

당시에는 노무현 대통령을 성공한 정치인으로 만드는 데 집중했기 때문에 옆을 돌아볼 수 없죠. 맨땅에 헤딩하듯 시한폭탄에 불이라도 붙일 사람들만 모인 곳이 노사모입니다. 주위에서는 이인제 대세론이 팽배했고 대구는 운동권 출신들이 김근태 대표님 하는 한반도재단에 있었고 노사모들은 저 밑에 극소수. 정말 기대치도 없는. (웃음) 그렇기 때문에 무조건 앞만 봤죠. 그래서 더 단합되고. 2% 때부터 오직 노무현과 함께 뛴 신들린 사람들이었죠. 노무현의 그림자만 봐도 기쁘고. 또 노무현 대통령 만나면 악수하기보다는 옆에 새로운 친구들 악수하게 만들고. 나보다 새로운 사람을 노무현 후보에게 악수하게 만드는 분위기가 있었죠.

노사모 활동하기 전 석송님은 어떤 분이셨습니까?

20대 후반부터 농민운동, 사회 개혁을 해왔기 때문에 상당히 정치 지향적이었죠. 순수한 노사모들보다 한발 앞서서 이 정치적인 변화에 힘써야겠다는. 때문은 노사모라고 해야 하나. 당시의 정치권들은 거의 계보나 돈 정치잖아요. 노사모는 그런 데 설 자리가 없어요. 노사모는 정치의 현장이지, 정치인이 아니니까.

왜 그렇게 순수성을 고집하신 건지.

순수성 고집이 아니고요. 자체가 순수했습니다. 노사모들은 세상을 바꾸기를 원했어요. 각자는 미천하지만 노무현을 통해서 사회를 변혁하고자 하는 열망이 있는 거죠. 보통 정치 그룹은 정치적인 바람으로 움직이지만 노사모는 감동을 몰고 오죠.

후회되는 순간들은 없나요?

아직도 2009년도 5월 23일 생각하면 분해서 못 잘 정도로. 지켜주지 못한 것이 참 후회스럽죠. 서거 날 민주당 대구시당이 체육대회 행사를 잡아놨어요. 참석하기 위해서 아파트를 돌아서 오는데 전화가 온 거예요. 노무현 대통령 사고 났다고. 확인하기 위해서 다시 집에 들어가 TV를 트는 순간 그 애기가 나오죠. 그때부터 정신도 없이 다 멘붕. 우리 아버지 돌아가셨을 때도 그렇게 슬퍼하지 않았는데 아주 그런 시간이었습니다.

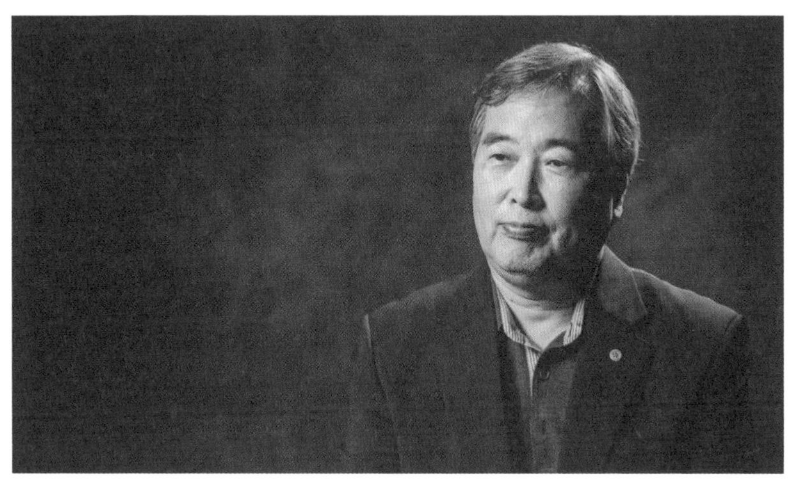

언제 생각나십니까?

5월이 오면 생각 많이 나죠. 시간만 있으면 자꾸 그립고. 지금도 제 방 가면 조그만 사진이 몇 장 있는데 제 사진은 아니고요. (웃음) 사진들, 책자들, 자료들 보면서 추억에 휩쓸리기도 하죠.

보수의 심장이었기 때문에 대구 노사모가 더 단단했다는 말이 있는데.

단단한 것보다는 약했죠. 동력을 안 받으니까. 다른 지역은 모임 하면 30명, 40명 모이는데, 우리는 인터넷 회원들은 200명, 경선 때는 천 명이 넘는데도 오프라인에 잘 안 나왔어요. 나오는 사람이 20명 내외고. 대구 분위기가 노사모 하면 친구, 동료들 다 끊는 겁니다. 한번은 돼지저금통 바람을 처음에 일으킬 적에 미키루크가 돼지저금통을 대구로 수거하러 온다고 했어요. 그런데 돼지저금통 줄 데가 없었어요. 미키루크가 말하길, 차가 오면 돼지저금통 모아놓고 사진을 찍어야 한대요. 전국을 다니면서 촬영한다는데 겁이 나는 거예요. 문방구 가면 저금통이 두서너 개밖에 없어서 다른 데 가고 또 가서 은행에서 20만 원을 동전으로 바꿔서 하나에 만 원씩 넣었어요. 이삼십 개 만들어서 하트 모양 놓고. 다른 데 비하면 궁색하죠. 그래서 그냥 웃으면서 찍은 사진이 있어요.

생각나시는 분들 있으십니까?

경선, 대통령 선거 끝난 뒤 보존할 것인가, 해체를 할 것인가에 대해 논의했는데 초기 노사모는 많이들 접자고 했어요. 또 하나의 권력이 되니까. 노무현 대통령을 자유롭게 하기 위해 해체하자. 그런데 근소한 차로 보존이라는 쪽으로 정해지면서 흩어지기 시작하죠. 노란손수건, 바람개비 등 다양한 제2의 노사모로 변화합니다. 또 정치인 팬클럽에서 정치인 그룹으로 변화하기도 하고요.

예전에 활동하시던 분들한테 한말씀.

반갑습니다. 대구의 석송 권오혁입니다. 노사모 활동 함께했던 동기 여러분, 늦은 인사 드립니다. 좀더 일찍 만나 자주 소통하고 지난 삶 서로 나누고 해야 되는데 느지막히 영상 편지로 인사드리게 되어 대단히 송구스럽게 생각합니다. 노무현 대통령을 좋아하고 노무현 대통령의 정신을 이어가야 하기 때문에 현장 어디에 있든 초심 잃지 말고 사람 사는 세상, 함께 더불어 사는 세상, 원칙과 상식이 통하는 세상을 위해 우리 다 함께 노력합시다. 고맙습니다.

저는 할일이 많은데,
여러분은 제가 대통령이 되고 나면 뭐하지요?
(희망 희망 희망…… 감시! 감시! 감시! 감시!)
여러분 말고도 흔들 사람 꽉 있습니다.
뒤통수 칠 사람도 꽉 있습니다.
앞길 막을 사람들도 꽉 있습니다.
감시도 하고, 흔드는 사람들도 감시해주세요.

_'국민경선 승리 후 노사모와의 뒷풀이'에서(2002년 4월 27일, 경기도 덕평)

노무현을 실천하는 씨앗이 되길

영덕대게 권덕호

'영덕대게'입니다. 고향이 영덕입니다. 영덕 중에서도 대게가 많이 나는 강구입니다. 대구에서 왔다고 하니까 고향이 어디냐고 묻죠. 영덕대게가 유명한 영덕이고 그중에서도 강구라고 해요. 자연스럽게 영덕에 사시는 대게님이라고 부르시더라고요. 그래서 영덕대게가 됐죠.

노사모 활동은 언제쯤 시작하셨나요?

2001년 8월 경선 이후였습니다. 노무현이라는 정치인을 만나게 된 것은 한 잡지를 통해서였어요. 부산에서 떨어지신 후 어느 잡지사에서 인터뷰한 내용이었어요. 첫 페이지에 노무현 대통령 사진이 실렸는데 프리드리히 니체가 담배 피우면서 앞을 응시하는 흑백사진이 떠올랐어요. 시대를 고민하고 어디서부터 가야 될지 걱정하면서도 상황을 정면으로 응시하는 노무현의 표정이 충격적이었죠. 기사를 꼼꼼하게 읽었습니다. 가진 것도 없고 배우지도 못했지만 지켜드릴 수는 있겠다고 생각했죠.

노사모 가입 전에는 어떤 사람이셨습니까?

지금도 마찬가지지만 외국어 번역을 오래 했습니다. 예전에는 번역이 가치를 인정받던 시절이 있었어요. 산업화가 진행되면서 한창 수출이 이루어지지 않았습니까? 수출은 전부 외국어로 되어 있고 외국어 하시는 분들이 많지도 않았어요. 저도 많이 아는 건 아니지만 지금도 그 일을 하고 있습니다. 노사모 활동은 30대 후반에 시작했습니다.

대구 경선 때 생각나십니까?

노무현 대통령이 1위 하셨죠. 대세론이 꺾일 무렵이니까 지금 대구 엑스코 자리에서 큰 판이 벌어졌죠. 제일 행복한 시절이었죠. 저는 소규모 회사를 꾸려나가던 시점이기 때문에 오프라인을 자주 못 나갔어요. 무역하시는 분들 번역 의뢰하고 그게 서비스업이니까 가서 일을 받아오고 납품도 해야 되고.

노사모 활동, 노무현 대통령이 현지 지역 분위기를 바꾸었다고 생각하시나요?

바꾸었죠. 노무현이 가진 가치를 공유할 수 있는 분위기가 생기고 밖에 다니면서 노사모 얘기를 꺼낼 수 있게 됐죠. 물론 대구는 보수의 상징이고 아직도 그것의 강고한 지평은 유지되긴 합니다. 젊은 사람들이 각종 미디어나 활동을 통해 점차 변화되어가고 있는 것도 사실이고요. 이번 지방선거도 있었지만 40대 전후를 중심으로 상당히 변하고 있습니다.

노대통령과의 에피소드 있으신지요?

지방자치 분권 행사 할 때 제가 사회를 보게 됩니다. 사무실 개소식이니까 끼신 장갑을 벗어야 할 시간이 됐죠. 연설하러 올라가셔야 됐어요. 제가 사회를 보고 있으니까 저한테 장갑 주시면서 "갖고 계십시오" 하셨어요. 나중에 드려야 되니까 호주머니에 잘 보관했죠. 그런데 안 갖고 가셨습니다. 지금도 집에서 보관하고 있습니다. 유품인데 재단 같은 곳에서 잘 모셔갔으면 좋겠다는 생각이 들어요.

서거 당일 기억하십니까?

회사에 가고 있었어요. 아내한테서 전화가 옵니다. 아내가 아주 침잠한 말투로 '무슨 일이 있는 것 같다'라고 해요. TV를 켜라고 해요. 트니까 속보가 뜨는데 믿고 안 믿고의 상황보다 이런 일은 있을 수 없다고 생각했습니다. 시간이 갈수록 현실이 되죠. 참담했습니다. 교회에 주일예배를 보러 가는데 300명 정도 모입니다. 설교하기 위해 단상 올라가신 분이 설교를 못하시고 내려가버리시더라고요. 노무현을 알고 있는 사람이라면 모두 그런 심정 아니었나 생각합니다. 저한테는 그랬습니다.

옛 동지들한테 영상 편지 한번.

저 많이 늙었죠? 세월이 많이 지났지만 살아가는 모습을 노사모라는 이름으로 알려드리게 되어 기쁩니다. 영덕대게 권덕호라고 합니다. 오랫동안 뵙지 못한 분들도 있고 저를 모르시는 분들도 있겠지만 생활 속에서 노무현을 실천하는 씨앗이 되었으면 하고 어느 공간에 계시든 늘 건강하고 행복하셨으면 좋겠습니다. 고맙습니다.

뿌리가 없으면
흔들린다

최민순

김영삼 대통령 시절에 광주 남구 주월2동 기초 소속으로 지냈습니다. 당선은 못 됐지만 무소속으로 출마하기도 했습니다. 그때만 해도 당 활동만 하면서 뭐가 뭔지 몰랐습니다. 당시 노무현 경선 후보가 출마했을 때 당내 분위기는 전혀 아니었습니다. 조직 분들이 전부 빠져나가고 없던 단계였어요. 외부 조직이 있다는 소리는 들었지만 노란 풍선은 몰랐어요. 광주, 전남은 노무현 후보에 대해 여론이 좋지 않았어요. 그때 도당 여성국장 1, 2가 있었는데 제가 2국장이었어요. 후보께서는 당의 원로였고 부산에서 했다는 이야기가 있어 마음속으로 존중했죠. 저는 흘러가는 여론만 파악했는데 조직이 없으니 걱정스러웠죠.

선거 당시 노사모의 모습은 어떠했습니까?

노란 풍선 어마어마하게 많고 편지도 쓰고. 그런 걸 보면서 당선 가능성이 있겠다고 생각했어요. 그분들의 열정과 간절한 희망. 당 생활하시는 분들은 이 눈치보고 저 눈치보고 당의 흐름도 봐야 하는데 그분들은 조건 없이 배낭 메고 전국으로 이동하시죠. 젊은 친구들도 있고 애기들도 데려오고. 노사모의 열정을 보고 노무현을 지지할 힘을 얻었죠. 다만 저는 당 활동을 하고 싶은데 노사모로 가는 게 내 진로와 맞나 망설였죠.

노무현 대통령을 어떻게 기억하십니까?

지금도 생생히 기억나는데 천용택 지부장님이 그때만 해도 도당 위원장이어서 오셨을 때 벌떡 일어섰죠. "뿌리가 없으면 흔들리지요"라고 말씀드리니까 노무현 대통령이 저를 가리키면서 '이런 분들이랑 일을 하지, 왜 사람이 없다고 하느냐'고 하더라고요. 말 한마디가 멋지고 박력 있다 생각했죠. 그 발언에 저도 힘을 얻었어요.

바보 노무현과
천재 노사모

노혜경 시인

노사모는 어떤 꿈을 꿨다고 생각합니까, 대선 승리하셨을 때?

대통령이 되니까 기쁘기는 이루 말할 수가 없었는데요. 내부에서는 이야기가 분분했어요. '너무 빨리 된 거 아니냐'는 얘기부터 '끝이 아니다, 지금부터 싸울 일이 많으니 어떻게 하자'는 이야기도 있었고, '다 이루었으니까 보따리 싸고 집에 가자'는 게 대세였죠. 그중에 저도 있었고 결국 보따리 쌌고요. (웃음) 그랬다가 '이건 아니구나'라고 생각해서 선거에도 나온 거죠. 저는 탄핵 끝나고 청와대에 들어갔어요. 보따리를 쌌다, 싸지 않았다 하는 게 후회되거나 잘못됐다는 생각은 아니었고요. 대통령이 되는 것만으로 끝이 아니고 할 일 많다는 것에 대한 인지가 부족했다는 생각은 했어요. 노사모라는 단체가 해산하고 않고가 아니라 정치인 한 명만 달랑 뽑아 놓고 끝나는 게 아니라는 걸 몰랐던 거죠. 지금도 그런 면이 있잖아요. 일단 뽑았으니까 문재인이 모든 걸 해야 된다는 착각. 반대로 또 노무현을 잃었으니까 문재인을 지켜야 한다는 생각에 과도해져서 마땅히 비판하고 싶은 소리도 해야 될 부분까지 못하게 하는 부분. 정치에 대한 무지랄까요?

비주류가 대통령이 된다는 것은 대한민국 사회에서 쉽지 않죠.

노무현 대통령이 이 사회의 비주류인 것은 틀림없고요. 주류에 속한 사람들이 보기에 저 사람이 대통령이 된다는 건 상상할 수 없는 일이죠. 민중의 꿈 중에 '아기 장수' 설화가 있어요. 주변의 끔찍한 방해만 없다면 민중을 구원할 거라는 꿈이죠. 그런데 대부분 같은 민중이 아기 장수를 죽이잖아요. 엄마가, 아버지가 엎어버리고. 노사모 사람들은 노무현을 아기 장수 비슷한 존재로 느꼈던 것 같아요. 저 아기 장수가 민중을 구원할 때까지 살아 있게 하자, 그게 언제일지는 모르지만 노무현은 대통령이 된다고 생각했거든요. 저마다 언제쯤 되었으면 좋겠다는 소망 의식이 따로 있잖아요. 어떤 사람은 오늘 당장 대통령이 됐으면, 어떤 사람은 우리가 준비한 후에 등장해 화룡점정을 했으면. 저마다의 스케줄은 달랐지만 바깥에서 보는 사람들과는 달리 노사모 사람들 중에 노무현이 대통령이 안 될 거라고 생각한 사람은 없었던 것 같아요.

대선 승리했을 때 앞으로 펼쳐질 세상에 대한 꿈을 꾸죠. 어떤 꿈을 꿨을까요?

노사모 사람들에게 민주주의는 당연한 거였고요. 공화주의적인 나라를 꿈꿨다는 생각이 들어요. 다수결에 의한 무조건적인 선거를 하자는 게 아니라 끊임없이 토론하는 정치, 국민들이 참여할 수 있는 정치, 협치와 협의. 경선이 끝난 직후 부산 노사모들이 영도에 모여 축제를 벌이는데 서울에서 카메라가 내려왔어요. 인터뷰하자고 해서 얘기한 적이 있었어요. "이 많은 노사모들이 꿈꾸는 나라를 한마디로 하면 뭡니까?" "민주공화국. 민주주의에 대해서는 많이 이야기하지만 공화국에 대해서는 이야기 안 합니다. 노사모는 공화국까지 꿈꿔요"라고 이야기한 적이 있어요. 공화국이라는 건 나라의 중요한 일들을 국민들이 토론하고 숙의하고 협의해서 결정하고 실천하는. 지방 자치도 공화주의에 가까운 거죠. 그야말로 우리 반, 동네 반상회에서 하는 것들이 실현되고 그다음에 지자체, 광역, 나라. 밑에서부터 퍼져올라가는 시스템이니까요. 자치 분권을 꿈꿨다는 것 자체가 공화적인 거죠.

노무현 대통령에게 당장의 열매를 요구했던 건 아닌가요?

(웃음) 기본적으로 우리 사회는 진보가 권력을 잡았던 적이 없잖아요. 보수당, 진보당이라 하지만 사실은 민주당도 한국당도 보수 정당이잖아요.

보수들은 자기네들이 권력을 가지는 한도 내에서만 국민들에게 잘 보이려 하지, 실제로 세상이 바뀌어야 되는 상황에서는 안 바뀌는 쪽으로, 자기들한테는 그게 편하거든요. 노무현 대통령은 바꿀 수 있는 도구가 없었던 거죠. 그 도구는 민중들의 지지라고 하는, 보이지 않는 막연한 힘인데 이 힘과 대통령이 소통할 수 있는 가능성을 언론들이 굉장히 차단했거든요. 우리는 준비돼 있고 우리가 준비되어 있다는 걸 아는 사람을 대통령으로 뽑았는데 중간이 (웃음) 힘이 너무 센 거야. 노무현 대통령이 절묘하게 표현했잖아요. 기득권들의 바다 위에 조그마한 돛단배 하나 올라타고 자기 혼자 앉아 있다고, 탄핵 때. 그 말을 듣는 우리도 외로웠죠. 우리가 미쳤구나. (웃음) 왜 혼자 놔뒀을까? 큰 착각을 한 거죠.

지금도 문재인 대통령을 가장 심하게 방해하는 세력이 두 세력이잖아요. 재벌 세력과 관료들. 이명박근혜 10년을 놓쳤기 때문에 노무현 대통령 때보다 더 세요. 노대통령 때는 적어도 5급 공무원들이 노무현과 합심해서 정부 혁신이라는 걸 했어요. 당시 공무원 될 때는 우리나라를 좋은 나라로 만들겠다는 애국심이 있었잖아요. 그런데 그다음 9년이 있었고. 때로는 암담할 지경인데 문재인을 뽑아놨으니까 잘 안 되겠나 (웃음) 하고 사람들이 생각하는 것 같아서 너무 걱정돼요.

노무현 대통령 재임 초반도 그런 맥락에서 이해할 수 있을까요?

대통령의 권력이 굉장히 센 줄 알았어요. 실제로 헌법에 규정되어 있는 권력은 세지 않거든요. 제왕적 대통령이라고 하는데, 대통령이 정부 수도를 옮기겠다고 하면 관습법으로 가로막혀요. 관습적인 권력들이 많은데 노무현 대통령은 초과 권력이라고 표현했거든요. 대부분 사람들은 권력자가 초과 권력을 행사하는 걸 당연하게 여겨요. 별로 지탄하지 않죠. 그런데 노무현이 행사하면 저 비주류가, 낮은 것이, 천것이 지한테 주어지지도 않은 팔자를 누리려고 한다고 태클이 들어오죠. 노무현은 법을 지킬 수밖에 없었어요. 대부분 우리나라 권력자들은 법을 안 지키고 그걸 카리스마라고 불러요. 대통령이 되어 무소불위의 권력을 휘두르는 것이 당연한 것인 줄 알았기 때문에 노무현이 용기를 지니고 칼자루를 휘두르면 된다고 생각했거든요. 휘두를 수 없다는 걸 몰랐어요. 박근혜가 국정 농단해서 탄핵까지 갔는데, 노무현의 힘이라고 봐요. 노무현 대통령이 대통령에게 그런 권력이 없다는 거를 국민들한테 투명하게 보여줬기 때문에 박근혜는 옛날 아버지서부터 휘둘러왔던 걸 마음대로 휘두르다 걸려든 거죠.

보이지 않는 곳에서 헌신한 노사모들의 가치에 대해 말씀해주시면.

2002년 대선 끝나고 나서 다문님이 저를 꼬셔요. 100만 원 줄 테니까 글 하나 쓰라고. (웃음) 민주당 대선 백서. 100만 원 안 준 거 다문님 알고 있지? (웃음) 이자 쳐줘야 돼요. 백서에 뭐라고 썼냐면 노사모는 두 종류가 있다. 하나는 노사모 사이트에 가입하고 닉네임 정해서 글 쓰고 희망돼지 팔고 쫓아다니면서 노란 옷 입고 설쳐대는 조직에 속한 노사모. 나머지 하나는 노무현의 생각에 동의하고 노무현한테 표를 주고 사람들한테 노무현 지지한다고 말할 수 있는 사람들. 이념적으로는 다르지 않으나 활동의 활발함을 드러내는 차이가 있겠죠. 전자의 노사모는 많아야 2~3만 명이지만 후자의 노사모는 아무리 작게 잡아도 몇백만이다. 나중에 노무현 대통령이 돌아가셨을 때 문상하고 조문한 인파가 몇백만 명이라고 그랬잖아요. 숨어 있는 노사모라고 할 때 노사모에 적을 얹어놨던 사람들이 아니고 정말 노무현의 죽음 앞에 하늘 무너진 듯이 울어봤던 사람들을 노사모라고 부르는 게 좋겠고요. 사람들이 그 눈물을 잊지 않는 한, 사회의 수많은 문제점에도 불구하고 공동체를 이루어 좋은 나라로 살아가겠다고 꿈꾸는 사람들이 있을 거고, 노무현이 계속 영감을 줄 거라고 생각합니다.

노란 풍선을 많이 불었다고.

H.O.T. 팬클럽들 본따자는 이야기를 다문님하고 저하고 절세미녀하고. 노사모라고 하는 모임의 구성과 운영 방식에 대해 수많은 의견들이 있었는데 노사모라고 하는 새 모임의 신선함을 드러내지 못하는 거예요. 그래서 제가 제안한 게 H.O.T. 팬클럽 흉내. 사람들은 팬클럽 하면 빠순이, 빠돌이만 생각해요. 그런데 이 사람들 조직 원리가 재밌는 거예요. 공식 팬클럽이 있는데 회원 수가 너무 많으니까 거기에서는 소통이 안 돼요. 공식 팬클럽은 가입해놓고 공지 사항만 봐요. 공지 사항만 보고, 그때는 야후가 대세였는데, 야후 포털에 20명, 30명씩 커뮤니티를 만드는 거예요. (웃음) 자고 일어나면 40개씩, 50개씩 생겨 있는데 이 조롱조롱한 것들 들어가서 보면 H.O.T. 얘기는 하나도 없어요. 대부분 동네 애들끼리 만드니까. 선생님이 어떠어떠한 숙제를 내줬다고 중학교 2학년짜리가 쓰면 3학년짜리가 "작년에도 그런 숙제 있었어, 내 노트 빌려줄게". 그러다 H.O.T. 팬클럽 공식 홈페이지에 공지 사항이 올라와요. 음반 발매합니다, 어느 지역에서 콘서트 엽니다. 그러면 순식간에 팬클럽들에 전해지는 거예요. 인터넷에서 긁어와서 홈페이지에 공지하는 데 얼마 안 걸리잖아요. 공지 사항 올라가고 5분도 안 걸려 전국 모든 팬클럽이 공유하는 거죠.

대박이다, 어떻게 이런 생각을 했을까? 보고 나니까 사고가 말랑말랑해져서 베꼈어요. 활력, 결속력. 20명짜리 팬클럽은 무슨 일이든 다 할 수 있거든요, 친하니까. 저희들 같은 늙은이들은 조직 만들고 피라미드로 내려오고밖에 모르잖아요. 그런데 중심 하나 갖다놓으면 알아서 접속하는 거예요. 그렇게 하고 나니까 또 베껴올 게 많죠. 지금 식으로 하면 굿즈. 노란색으로 색깔이 바뀐 거는 경선 직전인데요, 우연히 됐어요. 노란색이 등장하자마자 모든 사람들이 노무현이어서 노란색이라고 생각하는 거예요. 게시판에 '장사하는 사람들 참 무지하다, 노무현 유세할 때 노란색 머플러 팔아라, 우리가 사줄 텐데'라고 썼는데 다음날 노란 머플러를 진짜 팔고 있는 거예요. (웃음) 하루는 노란 풍선이 등장했어요. 팬클럽들은 풍선을 많이 써요. 우비하고 풍선. 초기에는 다 입으로 불었어요. 풍선 불고 나면 다이어트 된다고 할 지경이었어요. 쓰러지고 난리도 아니었죠. 되도록 크게 불고 싶으니까 불다가 터지고. (웃음) 상징적인 의미가 있죠. 풍선이 점점 커지는 만큼 생명이 커가는 느낌도 들고 풍선이 하늘에서 흔들리는 것만큼 우리의 생명이 노무현과 함께 성장할 것이라는 생각도 하고.

노랑이란 색깔이 희망이에요, 희망과 정열. 노무현의 색깔이 노랑이 되었다고 하는 거는, 시작은 우연이었지만 나중에는 필연이었다는 생각이 들었어요. 평화민주당이 노란색이었거든요. 노사모의 노란색보다 진한 겨자색이었는데, 부산 노사모가 볼 때는 노랑이 금기 색깔이었어요. 평화민주당을 부산 사람들은 황건적이라 했어요. 도둑놈들이라는 거죠. 그런데 거기에 노무현이라고 노란색을 갖다 넣는 건 상상할 수도 없는 건데 노랑을 가지고 온 사람은 정치를 아무것도 모르는 친구였어요. (웃음) 굿즈 하나를 만들어야겠는데 시장에 갔더니 노란색 천이 떨이라고 하잖아요, 되게 싸게 남았더래요. 얼마나 큰 우연이에요? 전혀 몰랐기 때문에 예쁜 색깔이라고 노란색을 가져왔는데 알고 보니 김대중의 색깔이었고. 우연 같은 필연이죠. 노란색에 많은 의미를 부여했어요. 노란 풍선의 의미는 숨결을 불어넣어 하늘로 띄워 올리는 우리의 소망이다. (웃음)

김수영의 시에 이런 구절이 있어요. 꽃은 열매의 상부에 핀다. 상부, 위에. 대부분 꽃이 지면 열매가 맺힌다고 생각하잖아요. 그런데 김수영은 꽃이 열매의 상부에 핀다고 했어요. 열매라는 것이 꽃 속에 이미 가능체로 존재하고 있잖아요. 가능체로 존재하는 열매 위에 꽃이 핀다고 이야기한 거예요. 똑같은 얘기를 노사모에게도 할 수 있죠. 노무현은 노사모라는 열매의 상부에 핀 꽃일 수 있고 노사모가 노무현이라는 열매 위에 핀 꽃일 수도 있고. 나아가 2000년도에 만들어진 노사모와 노무현의 만남, 이 만남이 열매고 앞으로 필 우리의 역사가 꽃이라고. 꽃은 열매의 상부에 핍니다.

노무현과 바보들, 영화 제목이거든요.

자꾸 사람들이 "바보 노무현" 하는데 처음에는 안 좋아했어요. 노무현이 얼마나 똑똑한데 어따 대고 바보냐. 사람들이 바보라고 하는 것은 얼마든지 자기 이익을 차리고 출세하고 성공할 수 있는데 왜 계속 우직하게 어려운 길을 가느냐는 칭찬이죠. 저는 칭찬을 부정적으로 하는 걸 싫어하거든요. 칭찬은 칭찬으로 해야죠. 그런데 당사자가 바보라는 소리 듣는 거 싫지 않다고 하는 바람에 (웃음) 깨갱했어요. 우리가 자부심을 느끼면서 '바보 노무현과 천재 노사모' 이런 식으로 스스로를 한번 불러봤으면 좋겠다. 발견자잖아요, 우리가.

오랜만에 노사모 분들에게 인사를.

쑥스럽네요. 안녕하세요, 여러분. 노혜경입니다. 인생이 길대요. 사실 그렇게 길게 살고 싶은 생각은 없으나 어쨌든 앞으로 10년은 더 살 거잖아요. 그러니까 우리 최소 1년에 번개 2번씩은 꼭 합시다. 이상 끝.

2부

당선

當選

KT
노
짱

존경하는 국민 여러분. 저 노무현은 겸손한 대통령이 되겠습니다. 저 멀리 높은 곳에 있는 권력자가 아니라, 언제나 가까운 곳에 있겠습니다. 여러분이 손을 내밀면 잡을 수 있는 곳에 있겠습니다. 저는 열린 자세로 일하는 민주적인 리더십을 추구하겠습니다. 비서들과 공무원들이 대통령의 눈치를 보지 않고 소신껏 일하게 될 것입니다. 때로는 가벼운 농담도 주고받을 것입니다. 총리와 장관들도 할일을 알아서 하게 될 것입니다. 국무회의는 자유로운 토론장이 될 것입니다. 국민들과 눈높이를 맞추는 지도자가 되겠습니다. 경호원 한두 명과 남대문시장에, 자갈치시장에, 동성로에, 금남로에, 은행동 거리에 모습을 나타내는 대통령, 거기서 마주친 시민들과 소주 한 잔을 기울일 수 있는 대통령, 그런 친구 같은 대통령이 되겠습니다.

_제16대 대통령 후보 수락 연설(2002년 4월 27일, 잠실 실내체육관)

노무현이 뭐했냐고 한다면, 감히 부조리의 핵심에 들어와 유착과 부조리의 핵심적 구조를 해체하고 있다고 말하고 싶습니다. 이것을 하자면 저비용 정치를 구현하고 제도화해야 합니다. 유착구조의 해체만이 우리의 목표는 아닙니다. 엘리트 민주주의가 아니라 대중 민주주의 시대를 열어야 합니다. 모든 국민이 민주적 권리를 누리고 참여하는 문화가 대중적 토대 위에 섰을 때 진정한 민주주의가 실현될 수 있습니다. 그렇다면 이 길을 어떻게 갈 것입니까. 원칙을 바로 세우고 국민들의 신뢰를 받아야 합니다. 투명한 정치, 투명한 사회가 공정한 사회를 만들고, 한 사람보다 열 사람의 아이디어가 좋다는 믿음을 가져야 합니다. 창의를 목표로 한 분권과 자율, 대화와 타협이라는 새로운 국정운영의 패러다임을 가져야 합니다.

_'대통령비서실 직원 연수 특강'에서(2004년 1월 10일)

꼭 안아드리고 싶어요

하마 박시영

조그맣게 사업을 하고 있었는데 잘되지는 않았고. 예전에 제가 학생운동을 했었는데 지방자치 선거가 있었어요. 그때 알던 분이 정치권에 들어가서 민주당의 당직자로 활동을 했었는데 갑자기 연락이 왔었어요. 여의도 가서 만났죠. 2001년 6월경이었습니다. 대뜸 노무현에 대해서 어떻게 생각하느냐고 묻더라고요. 그래서 노무현 좋아한다고 얘기했더니 노사모라고 들어본 적 있느냐고 묻더라고요. 자기가 노사모가 잘됐으면 좋겠는데 좀더 적극적으로 활동하려면 준비된 사람들이 참여해야 한다고 권유하더라고요. 그분이 그렇게까지 부탁하니까 회원 가입은 했지만 아무것도 안 했어요.

한 달쯤 되니까 계속 문자와 전화가 오는 거예요. 신입 회원들 번개팅을 한다고 나와달래요. 바쁘다는 핑계로 3번인가 거절을 했어요. 괜히 나가기가 싫더라고요. 그런데 계속 연락이 와서 미안한 마음에 '그럼 한번 나가겠다'고 했더니 서울 지역에 있는 새내기들 환영회 같은 걸 한대요. 7월인가 8월인가 그랬을 겁니다. 혼자 나가긴 좀 쭈뼛쭈뼛하잖아요. 대학 후배 한 명을 가입시켜서 같이 갔어요. 서울에서 한 70~80명 정도가 모여 있더라고요. 저 같은 새내기 회원이 한 30~40명 있고 기존 회원들도 한 30~40명 있는데, 놀랐던 건 적어도 운동권이라든가 시민운동이라든가 진보적 성향을 가진 사람들이 참여하지 않을까 하고 선입견을 갖고 있었는데, 제 옆에 옆에는 현직 형사도 있더라고요. 형사가 노사모를? 조금 건너니까 아이 키우는 아주머님, 재수생도 있고 굉장히 다양한 사람들이 일어나서 얘기하는데 중요한 건 20대부터 60대까지 나이도 다양했어요. 더 놀라웠던 것은 그 사람들이 쓰는 말을 들어보면 어떻게 살아왔는지 대충 감이 잡히잖아요. 말을 하는데 어떤 사람은 군대에서 호남 출신이라는 이유만으로 괴롭힘을 너무 많이 당했다는 거야. 그래서 자기가 이번에 지역감정 문제는 꼭 해결됐으면 좋겠다고 노무현을 지지한다는 거. 그런 사연들을 쭉 발표하는데 정말 다양한 거예요. 평범한 생활들이 이렇게 많이 참여한다면 폭발력 있다, 잠재력 있다, 확장력 있다 이런 느낌이 왔어요.

그리고 제 옆에 명계남씨가 앉아 있었고, 정동영이란 친구가 있습니다. 그 친구가 나중에 2004년인가 3년에 애석하게 심장마비로 먼저 갔는데. 그 친구가 거기 있는 거예요. 그 친구를 알고 보니까 노사모에 저보다 두세 달 먼저 가입했는데 조직국장 비슷하게 하고 있더라고요. 92년 대선 때 강동 송파 지역 시민회의에서 활동했던 친구예요. 제가 건국대 부총학생회장을 하고 그다음에 수배 받으면서 얼굴 몇 번 봤던 친군데 십몇 년이 흘렀는데 딱 보니까 '어? 저 친구 그 친구 같은데?' 그 친구가 먼저 와서 인사를 하더라고요. 10년 만에 만난 거죠. 자기 코가 꿰서 이 일을 한다면서 저한테 하소연을 하는 거예요. 사무국에 상근자가 너무 없다, 시간 좀 빼서 참여해달라고 계속 간절하게 얘기하더라고요. 그래서 '바쁩니다, 죄송합니다' 거절했어요. 회사일을 하고 있는데 계속 연락이 오더라고요. 거의 한 달 정도를 실랑이를 벌여요. 못 나간다, 못 나간다 그랬더니 딱 마지막 하나만 들어줬으면 좋겠대. 뭐냐 그랬더니 명계남씨가 노사모를 홍보하기 위해서 홍보단을 조직하는데 각 지역의 산에 다니면서 홍보 활동을 하고 싶다는 거예요. 주말마다 다닐 텐데 한 십여 명 정도의 상대, 홍보단 활동하는 사람이 필요한데 거기는 좀 올 수 있지 않냐, 평일은 바쁘다고 하더라도 주말은 애정이 있다면 나올 수 있지 않냐고 권유를 하는데 그것까지 뿌리치면 안 될 것 같더라고요. 질기다, 이 친구도.

노사모가 실제로 어떻게 활동하는지 보고 싶기도 했어요. 그러던 차에 합류했어요. 그게 아마 9월 중하순 정도 됐을 겁니다. 한 2~3개월을 했거든요. 오대산, 한라산까지 다니면서 '노무현을 사랑하는 사람입니다' 글이 쓰인 흰 티를 입고 다닌 거예요. 한 열 명, 열댓 명이 산에 올라가면 사람들이 다 쳐다보는 거죠. 명계남씨도 유명하니까 같이 사진 찍자. 그 과정에서 이 친구들을 좀더 들여다보게 된 거예요. 사람들이 어떤 사연을 가지고 노사모에 들어왔고 어떤 바람이 있는지.

대선 이후에는요.

대선 승리하자마자 그다음날 문성근씨한테 전화가 왔어요. '노사모를 해체해야 될 것 같다. 노사모를 어떻게 했으면 좋겠냐?'라고 묻더라고요. '고민중입니다' 이랬더니 '윗사람들이 노사모를 해체했으면 좋겠다는 의견이라고 전화를 받았다'. 제가 느끼기에는 그게 마치 대통령의 뜻인 것처럼 비쳤어요. 대통령이 됐기 때문에 노사모라는 틀을 가지고 있는 것이 위험할 수 있다. 저도 그 점에 동의했거든요. 노사모는 누구나 들어올 수 있는 조직이기에 회원 자격 요건이 없잖아요. 당시만 해도 노무현 대통령이 보수 언론들과 불편했거든요. 노사모 공간에 이상한 글을 쓰면 노사모 전체의 의견인 것처럼 폄하될 수도 있고 악용될 소지가 있어 걱정이 많았죠. 그래서 핵심적으로 활동했던 분들과 논의를 했습니다. 발전적 해체 하는 게 좋겠다는 의견과 회원들한테 투표에 부쳐야 한다는 의견이 다수였습니다. 온라인 투표를 했습니다. 부결되었고, 존속을 결정하게 됐습니다. 대선이 끝나고 차분하게 논의가 이루어져야 하는데 충분하게 공론화가 되지 못한 상태에서 조급하게 추진한 거죠.

국민 경선 전에 노사모 회원이 3만 명 정도에서 국민 경선 이후에는 한 8만 명까지 늘어나거든요. 전후 회원들의 인식이 약간 달라요. 다수는 뭐냐면 '이제 노사모 재미 좀 붙이고 사람들과 친해지고 놀고 싶은데 승리의 기분도 맛보고도 싶고 고생한 거 어루만져주면서 어떻게 할까 차분하게 생각하고 있었는데 조급했다'라는 생각이 있었죠. 그러면서 국민 경선 때 핵심적으로 뛰었던 사람들이 '국민의 힘'이라는 별도의 조직으로 뛰쳐나왔고요.

대선이 끝나자마자 백원호 의원이 와요. 그 당시에 의원이 아니었어요. 캠프의 온라인 담당이었죠. 백원호씨가 와서 미키루크와 저를 불러서 '언론이 주목한다'고 말하더군요. 노사모 출신들이 청와대 들어가면 안 된다. 빛나는 자리에 가면 안 된다. 저는 100% 동의했습니다. 이후 열린우리당을 만드는 데 참여하여 당직자로 근무하다가 총선을 마치고 청와대에 들어가서 한 4년 동안 여론조사 일을 하면서 국정 마치고 나왔죠. 청와대 들어간 뒤로는 실제로 노사모의 활동에 대해서는 그렇게 잘 알지는 못합니다.

대선 때 이야기를 해주세요.

저는 지금 여론조사를 업으로 하고 있거든요. 여론조사를 할 때 호감도라는 지표가 있어요. 지지도의 선행 지표가 호감도예요. 노무현은 당시에 이인제에 비해서 호감도는 좋았어요. 호감도가 높은 사람은 지지도가 약하지만 어느 계기, 모멘텀이 딱 만들어지면 확 올라갈 수가 있어요. 노무현이 딱 그 케이스예요.

일단 경선 초기에 제주에서 바람이 일기 시작합니다. 한화갑이 1등을 한 거예요. 이인제가 2등 하고 노무현이 3등을 한 거예요. '에이, 해보나마나 이인제가 먹겠지' 했는데 깨진 거야. 나중에 들은 얘기는 동교동 쪽에서도 '특정 후보에 줄 서지 마라' 그런 미션이 내려왔다고 들었어요. 그러면서 이인제 때 줄 섰던 사람들 중에 상당수가 빠져나와 중립이 돼요. 노사모는 잘 모르는데 정치권에 있는 사람들은 동교동 쪽 얘기를 해요. 김대중 대통령께서 직접 했는지는 모르겠지만 중립을 지켜라 쪽으로 메시지가 가면서 어쨌든 제주에서 반란이 일어나는 거죠. 이인제 대통령 구상에 금이 간 거예요.

그러면서 이제 울산을 맞이했고 울산 경선에 노무현 연설이 있습니다. 감동적이거든요, 울산에 어떤 연고가 있고 어떻게 기여했고 울산이란 데가 어떤 데인가를 이 양반이 너무나 잘 아는 거야. 뭐라고 얘기하냐면 "제가 이다음에 가는 곳이 광주입니다. 광주 사람들이 저에게 묻습니다. '너 영남에 표 있냐? 증명해봐라. 너 영남에서 표 있으면 우리가 몰아줄게' 이 얘기를 너무나 많이 들었습니다. 호남에 가서 '영남에서 노무현 표 있다' 한번 보여주십시오. 입증해주십시오!" 그때 김중권이 나왔어요, 김대중 대통령 비서실장 출신인데 보수 쪽이죠. 울산 출신. 그래서 김중권 바람이 불었어요. 그걸 꺾고 노무현 후보가 1등을 해요. 1등을 하니까 어떻게 됐냐면 제주와 울산을 합하니까 통합 1등이 된 거예요.

통합 1등을 가지고 광주로 갔어요. 그 와중에 SBS와 TNS가 한 여론조사가 나와요. 이인제는 이회창한테 지는데 노무현은 이기는 걸로 나오는 거예요. 노풍이 바람이 불었는데 그 효과로 여론조사를 하니까 뒤집어진 거예요. 아까 제가 얘기했던 호감도가 높은 인물이기에 노풍이 되는 거예요. 계기가 주어지면 발화가 되거든요. 이게 지지도에도 연결이 돼요. 그 과정에서 노사모도 조명되기 시작해요. 언론에서. 이거 정말 새로운 문화가 나타났다고. 광주에서 1등 하니까 사실 끝난 거지. 사람들 울먹거리면서 감동의 도가니였죠. 광주 경선 끝나고 나서 뭐한 줄 아세요? 밖에 나와서 행진하면서 '광주 시민 고맙습니다' 인사하고 다녔습니다. 그만큼 벅찼고 광주 시민이 위대해 보이더라고요.

마지막 분수령이 강원도였어요. 강원도가 광주 경선 못지않게 노사모들한테 주는 감동이 있었어요. 왜냐면 강원도가 보수적인 동네입니다. 춘천에서 경선을 했는데요. 노사모는 전날 집결했어요. 잠 안 자고 플래카드를 달았는데 아니나 다를까 새벽에 연락이 막 오는 거예요. 전봇대 이런 데에다 빨갛게 '노무현 빨갱이' 이런 흑색선전들이 도배가 된 거예요. 그거 떼러 다녔어요. 이거 두들겨맞는 거 아니야? 무섭기도 하고요. 삼삼오오 짝을 지어 그거 뜯으러 다닌 게 강원도 경선이었어요. 아주 근소하게 이겼어요. 판이 완전히 끝난 거였죠.

그리고 인천 경선에서는 조중동 이런 데에서 공격을 했죠. 장인이 좌익이다 할 때 "아내를 버리라는 겁니까!" 그게 인천 경선 때 나온 거예요. 그다음에 수도권 와서 사실 끝난 거였고. 제가 볼 땐 울산 경선, 광주 경선, 그리고 강원 경선, 이게 세 가지가 국민 경선으로 중요했죠.

그뒤에 민주당의 후보가 됐는데 지지율이 곤두박질을 치죠. 그때 진짜 미치겠더라고. 왜냐면 노짱님 스스로가 자초한 것도 있어요. YS 시계 차고 김영삼 앞에서 약간 굽실거리면서 절하고 이게. 대중한테 당당하게 보였던 노무현 그게 매력적이었는데, 삼김 정치와 차별화될 거라는 기대감이 있었는데. IMF를 초래했던 장본인으로 김영삼에 대한 국민들의 감정이 안 좋았거든요. 구태같이 보여진 거예요. 그리고 지방선거에서 폭망하죠. 지방선거는 투표율이 낮잖아요. 과거에 민주당을 지지한 젊은층들의 지지세가 강했는데 이 사람들이 투표를 안 한 거예요. 지방선거에 폭망하면서 노무현도 당내에서 입지가 흔들렸죠.

정말 힘든 시기를 보내던 차에 한 20일인가 보름 지나니까 유시민이 나타난 거야. 그러면서 '진짜 선수가 나타났다. 우리 같은 아마추어가 아니라 진짜 선수가 나타났다. 그래서 이제 다시 한번 해보자' 이런 흐름이 형성이 됐었죠. 그런데 유시민 전 장관, 유시민씨는 당시에 개혁당이라는

별도의 당을 만든 거예요. 문성근씨도 거기 참여했어요. 참여 여부를 놓고 고민했어요. 노사모 1차 분화가 거기서 시작돼요. 소수지만 개혁당으로 간 사람이 있었고, 다수는 당원이 아니라도 민주당 안에서 뭔가 해야 하는 거 아니냐 하는 생각들. 그래서 다수의 세력이 희망돼지 사업을 하면서 국민참여운동본부로 안착이 된 게 '백만 서포터즈'예요.

노사모는 좋게 말하면 다양성이고 조직적인 관점에서 보면 비전문성. 그런 면도 걱정이나 불안 요소로 보였을 거 같은데요.

노짱이 특권 없는 사회, 지역감정 타파 이런 얘기를 많이 했지만, 실질적으로는 상식적인 사회를 만들자는 주문이었거든요. 노사모가 움직이는 것도 상식적인 선이었어요. 개별 자유성을 최대한 보장하되 스스로가 투표에 참여해서 난 결정은 따르자. 우리가 잘못하면 노무현 후보한테 큰 타격이 있다. 우리가 행동거지를 조심해야 한다. 우리 스스로가 강제하는 게 있었어요. 그니까 밥을 먹을 때 뭐 술을 마실 때도 깽판을 치면 안 되는 거고, 어디 가서 막 욕설을 한다든가 문제를 일으키고, 그게 노무현 후보한테 지장이 있고. 언론 환경이 좋지 않았기 때문에 꼬투리 잡으려고 하는 거죠. 빌미를 주면 안 되기 때문에 스스로가 긴장했어요. 적어도 대통령에 당선되기까지의 노사모 문화는 어떻게 보면 절제고 유쾌한 반란…… 정치 반란이라고 얘기하잖아요. '정치야 놀자' 이런 걸 만들어낸 거죠. 정치가 엄숙주의만 있는 게 아니라 밝고 경쾌하게 신나게 할 수 있다. 시민들이 직접 민주주의 장을 보여준 거잖아요. 시민이 쉽게 참여할 수 있는. 국민이 주권자라는 것을 사람들한테 각인한 거죠. 그래서 여의도 정치권이 이제 국민을 무서워하고 두려워하잖아요.

대통령 당선 직후 노사모는 대통령을 감시해야 한다고.

저도 깜짝 놀랐는데 그걸 사전에 '어떻게 합시다' 이러고 입을 맞춘 게 아니에요. 당시만 해도 '노무현이라는 사람은 대통령 되면 진짜 잘할 거야. 완벽하게 할 거야. 못 믿어서가 아니라 오히려 저분이 혹시 잘못 가면 우리가 감시하면서 올바른 목소리, 원래 초심을 잃지 않도록 만들어야지'라는 생각, 믿음에서 출발해서 그 얘기가 나왔어요. 지나고 보면 감시할 대상이 노무현 대통령이 아니었잖아요. 조중동을 감시하고, 물어뜯는 사람들을 감시해야 하는데. 대선이 끝난 뒤 상당수는 일상으로 복귀해요. 이제 잘하실 거라 믿고 실제로 본업으로 많이 돌아갑니다. 그런데 그뒤에 흔들리는 모습 보고 놀랐죠.

저희가 노무현 대통령 대선 1주년 행사를 했습니다. 2003년 12월 19일. 여의도 광장에서 '리멤버 1219'라는 대선, 대통령이 된 다음에 1주년 행사를 하는데 저희는 대통령이 오실 줄 몰랐어요. 그런데 갑자기 행사를 며칠 앞두고 청와대에서 연락이 오더라고요. 발칵 뒤집어졌죠. 이거 공격당할 텐데…… 노사모만의 대통령이 아닌데…… 이거 먹잇감인데…… 대통령이 된 사람이 자기 팬클럽 행사에 참여해?

그 1년 사이에 노무현 대통령께서 굉장히 많이 수세에 몰립니다. 화물연대 파업, 네이스 문제 등 지지율이 떨어지고 부안에서 핵폐기장 관련해서 마찰도 컸고요. 그다음에 선거 자금 관련한 10분의 1 발언도 그렇고, 난닝구와 백바지 논쟁(2003년 여권 내에서 발생한 갈등으로, 4월 유시민 의원이 백바지를 입고 국회 본회의장에 등원하면서, 이를 문제 제기한 호남을 기반으로 한 중진 의원들과의 논쟁). 흔히 말하는 머리끄덩이 잡고 민주당이 갈라서죠. 그러면서 열린우리당이 만들어지는 계기가 되죠. 아무튼 지지율도 많이 떨어졌을 뿐만 아니라 동력이 상실되고 정당이 분열됐죠.

우리도 위기의식을 느꼈기 때문에 '대통령, 우리가 잊지 않고 있습니다. 저희 보시고 힘내십시오. 힘을 얻고 국정을 잘 챙겨주십시오. 아직도 당신을 믿는 사람이 이렇게 많습니다'라는 걸 보여주기 위해서 기획한 리멤버 1219를 여의도에서 해요. 그런데 그날 행사장이 얼마나 추웠냐면 아마 체감온도가 영하 20도는 됐습니다, 제가 한 4~5시간 동안 밖에 서서 대기를 하는데 콧물이 이렇게 나오다 여기서 얼더라고요. 그때 노무현 대통령 하신 말씀이 "1급수가 없다면 2급수를 찾아서 지지해주십시오. 당신들이 생각하는 1급수 별로 없습니다. 눈에 안 차더라도 그나마 나은 사람들 지지해주고 키워주시고 다음 총선에서 밀어주십시오"라는 메시지를 던져요. 간접적으로 열린우리당을 지지해달라는 얘기였죠. 사실은 저희들한테 실망 많이 하셨죠. 그때 모였던 노사모들이 막 눈물을 흘립니다.

아군이라고 생각했던 진보 진영이 노무현이라는 사람이 대통령 되니까 저분은 개혁적이고 우리의 요구를 다 들어줄 거라고 생각하고 그동안 억눌려왔던 모든 걸 분출하는 거예요. 화물연대 파업부터 시작해서 전교

조, 여러 군데서 목소리가 다 나와요. 이라크 파병 문제까지 있었죠. 순수 정치인으로서 노무현은 이라크 파병 원하겠습니까? 그러나 노무현이라는 사람은 대통령 자리에 있잖아요. 대통령 노무현과 정치인 노무현은 다른 거죠. 미국과 북한과의 관계가 대립되는 시점이었어요. 파병을 요구했고. 대통령으로서 남북 관계나 여러 가지 고려했을 때 들어줄 수밖에 없는 상황이었거든요. 그게 눈에 보였는데, 그걸 빌미로 노무현한테 실망했다, 대통령한테 실망했다, 막 떠나는 사람들 보면서 저는 굉장히 서운했어요. 파병은 전투 부대가 아니라 비전투 부대를 파병했잖아요. 2005년에 자이툰 부대에 가서 해병대 병사를 확 안는 모습. 파병에 대해 본인의 회한이 얼마나 있었겠습니까. 장병을 안을 때 그 마음이 다 드러나잖아요.

그때 제가 청와대 있었어요. 노무현 대통령이 일곱시 반에 여론조사비서관실에 오셨어요. 깜짝 놀랐어요. "국민들 반응이 어떤 거 같아? 지지율은 좀 오를까?" 그동안에 지지율 얘기를 한 번도 안 하셨거든요. 왜? 지지율이 떨어지는 거 뻔히 알았기 때문에. '민심과 무관하게 나는 내가 정해진 목표대로 한다' 이런 스탠스였는데 그게 말이 되느냐고요. 정책을 확실하게 밀어붙일 수 있는 힘은 민심에서 나오는 지지도거든요. 얼마나 아킬레스건이었겠습니까. 지지 정당이 먼저 딱 갈라졌잖아요. 민주당이 반이 떨어져나간 거 아닙니까. 그래서 저흰 지금 당장은 지지도가 오르진 않겠지만 이런 것들이 몇 번 쌓이면 당연히 올라갑니다. 폭발적으로 올라가진 않았지만 이렇게 보입니다. 그때 노무현 대통령의 인간적인 고뇌랄까요? 그런 걸 좀 읽었었는데 어쨌든 이라크 파병하면서 지지자들 떠나니까 가슴이 아팠잖아요.

리멤버 1219 행사할 때 사람들이 1년 사이 일어났던 일들이 다 그려지는 거예요. 노무현…… 우리가 좋아하는 노짱님이 나와서 연설하는데 그게 다 그려지는 거예요. 얼마나 저분이 힘들었을까. 이런 게 그려지면서 사람들이 펑펑 울고 '다시 한번 뛥시다' 그게 계기가 됐고 그뒤에 열린우리당으로 대거 당원들이 가입합니다. 그러다가 탄핵이 터진 거죠. 그러면서 그게 대중적으로 폭발했고 열린우리당이 1당이 된 거죠.

되돌아볼 때 개인적으로 가장 안타깝거나 빛났던 시기는?

안타까웠던 거는 대선을 앞두고 돼지저금통 모으는 활동을 했어요. 그때 제가 실무자였기 때문에 선관위를 상대했어요. 정말 열받더라고요. 처음에는 허용해준다고 했어요. 그런데 어느새 이게 '돼지저금통=노무현'을 상징하는 걸로 사람들한테 인식됐기 때문에 노무현 홍보 활동의 일환으로 본다는 거예요. 그래서 거리에서 배포하거나 모금 활동은 안 된다는 거예요. 길거리에서 돼지저금통 분양 활동, 모금 활동을 했던 사람들이 고소가 되고 법적 조치를 받았습니다. 벌금을 받아요. 많은 사람이 선거법 위반이 됐어요. 그때 사람들이 캠프에 대해서 아쉬움도 있죠. 뭔가 해결해주길 바랐는데 사실 캠프에서는 어찌할 수가 없죠. 노사모 내에서 변호사 출신이 변론도 하면서 벌금을 좀 줄이긴 했습니다만, 실제로 벌금을 낸 사람이 굉장히 많아요.

나중에 일을 잘할 수 있는 사람들, 어려워진 사람들이 있는데 이런 사람을 어디다 추천을 해주고 싶어도 노사모 중에는 커리어가 없어요. 사회적으로 몇 가지 경력은 있어야 이력서라도 보고 추천이라도 해볼 수 있다는 것이 사회 통념이잖아요. 거기에 부합되는 사람이 많지가 않았어요. 그분들이 그뒤로 1년, 2년, 3년이 지나면서 어떤 생각을 가질까요? '내가 노사모 하면서 신세 조졌네' 이런 생각이 술 한잔 마시다보면 들 수도 있잖아요. 우리한테 직접적으로 말하지 않지만 사람이라는 게 그럴 수 있는 거 아닙니까. 가슴이 아프더라고요. 헌신적으로 한 친구들 중에 선배들, 후배들도. 그뒤로 한 공백기를 4~5년, 지금도 힘들어하는 친구도 있고요. 그럴 때 보면 참 가슴이 미어지고 그런 게 있죠. 부채의식 같은 것도 있고 그렇습니다.

빛났던 순간은 대선 때 승리한 거죠. 대선 전날 정몽준 의원이 지지 철회를 종로에서 했거든요. 종로 유세 직전이 명동 유세였습니다. 그때 저는 무대 바로 밑에 있었어요. 그 당시 정몽준 의원을 핵심적으로 지지했던 분이 가수 김흥국씨였어요. 그분이 막 무대 올라가려는 거를 민주당 선대위 관계자들이 막았어요. 왜냐면 무대에 올라갈 사람 정해져 있었거든요. 김흥국씨 얼굴 표정이 안 좋더라고. '에이, 뭐 그래도 별일 있겠어?' 저는 그렇게 생각했어요. 그다음 마지막 유세인 종로에는 안 갔거든요. 정몽준 의원이 거기에서 지지 철회를 했는데 그걸 듣고 후보 사무실이 있는 민주당사로 갔어요.

이제 어떻게 해야 하나 다 발을 동동거리고 있는데 노무현 후보가 나타났어요. 나중에 들어보니까 노무현 후보는 너무나 담대한 거야. 담담하게. 다른 의원들은 난리가 난 거예요. '이걸 어떻게 수습할 거냐, 당신 빨리 정몽준 의원 집에 가야 한다'는 등의 별 얘기 다 들렸어요. 그러면서 저희한테도 비상이 떨어진 거예요. 이거 노사모 미션, 노사모 뭐해야 하는가. 딱 생각이 들다가 이제 우리는 온라인 조직이니까 바로 사무실에 왔어요. 한 10시 반인가? 그때부터 노사모 비상 상임 위원회를 개최했죠. 온라인 채팅방이 있거든요. 지금 이런 상황이다. 지방에서도 난리가 난 거죠. 이거 어떻게 해야 되나, 어떻게 해야 되나. 그래서 나온 게 뭐냐면 두 가지였던 거 같아요. 하나는 새벽에 〈조선일보〉가 배포될 거다, 이거 다 수거하자. 그게 미션 1. 정말 잠 안 자고 〈조선일보〉 수거하는 운동 한 거예요. 그 다음 두번째는 분명히 젊은층들이 열받아 술 마시고 늦잠 잘 거다. 아침에 주변 친구들부터 깨워야 한다. 위급하다고 계속 채팅 날리고 문성근 선배 이런 분들이 그 당시에 울고 동영상 찍고 그런 거 한 거예요. 우리가 할 일을 놓치지 말자. 지금은 감정에 빠질 때가 아니라 당신이 지역을 사수한다 생각하고. 미션이 떨어지니까 일제히 자기 지역의 게시판에 '우리 이거 해야 합니다, 이거 해야 합니다'라고 퍼진 거예요.

그러고 나서 저는 홍대 근처에 살았었는데 아침에 투표하자마자 민주당사에 9시 반에 갔어요. 얼마나 웃긴지 아십니까. 민주당사에 방송국 차량이 한 대도 없었어요. 전부 다 한나라당 가 있는 거야. 이회창 후보로 이미 판 끝났다. 아무도 없는 거예요. 딱 들어가니까 당직자들도 없고. 미치겠는 거야. 그런데 10시 반, 11시쯤 되니까 꾸역꾸역 투표하고 당직자들 오고 우리 노사모 멤버들도 모여들기 시작하더라고요. 그러다가 한 두시쯤에, 두시쯤에 소문이 하나 돌았어요. 그게 진실인지 아닌지 지금도 확인된 바는 없는데 이제 거짓이든 사실에 기초했든 출구 조사 결과가 막 떠돌아요. 한 두시쯤 되면 '오전에 그 출구 조사가 어떻더라' 이런 게 이제 떠돈다고요. 어디서 모 기자가 얘기했는데 '오전에 격차가 그렇게 크지 않고 점점 노무현 후보가 따라붙은 추세이기 때문에 오후에는 젊은층들이 투표할 거니까 괜찮다, 노무현 후보가 비관적이지 않다' 이 얘기가 한 두시쯤에 들리기 시작하더라고요. 사람 심리가 믿고 싶잖아요. 어쨌든 그날 개표 과정을 지켜보면서 사람들이 진짜 울먹이고 광화문 나가서 그걸 지켜봤던 감동을 잊을 수가 없죠.

대선 때 노사모가 모인 자리에서 연설을 하시는데 참모가 옆에서 딱 중지하려고 신호를 보내요. 왜 저러지? 나중에 들어보니 노무현 대통령이 그다음 참석해야 할 행사가 후원금 낼 사람들 있잖아요, 그분들 만나서 인사해야 하는 자리였어요. 가기 싫으니까, 8시에 인사말이 끝나야 하는데 이 양반이 8시 20분, 30분이 되도록 계속 연설을 끄는 거예요. 이 양반 표현에 의하면 조아리기 싫어서. 합법적이지만 인사하러 가기 싫어서 막 시간을 끌었다고. 나중에 듣고 나서 노무현 대통령이 진짜 인간적으로 느껴져요. 너무나 인간적인 정치인이었어요.

사람마다 대통령으로서의 노무현의 평가는 다를 수도 있어요. 돌아가신 이후에 조사해보면 역대 대통령 중에 노무현 대통령에 대한 호감도가 제일 높잖아요. 살아생전 호감을 못 받으시고…… 노무현 재단에 저도 후원금을 내고 있는데 노무현 정신이 무엇인지에 대해서 깨치고 있거든요. 거기서 아카데미 같은 걸 하는 과정을 통해서 20~30대 분들이 정치적으로 자각하고 참여하는 걸 본다면 아무튼 의미 있다고 생각해요.

다시 만난다면 하고 싶은 말 있어요?

하고 싶은 말은 없고 제가 꼭 안아드리고 싶어요. 아까 노무현 대통령이

해병대 병사를 꽉 안아주듯이. 마지막 가시는 길에 꽉 안아드리고 싶어요. 지켜주지 못한, 미안함이죠. 노사모 사람들 모든 사람이 그런 마음 가지고 있습니다. 그나마 아까 얘기했던 노무현에 대한 재조명 그리고 많은 국민이 사랑하고 있고 그 정신을 계승하고자 하는 젊은 사람들이 계속 이어지고 있어 미안하고 죄송스러운 마음을 덜고 있는 거지. 그리고 문재인 대통령이 됐잖아요. 이제 하늘에 계셔도 흐뭇하게 보고 계시지 않을까 그런 생각이 듭니다.

보고 싶으신 분이라도 혹시 있으신가요?

'일목'님이라고 보고 싶어요. 그분이 논객 중 하나였거든요. 한의사예요. 우리 사회에서 전문가들이 폼 잡을 수도 있잖아요. 그런 게 전혀 없고 되게 반듯하고 겸손하세요. 자기주장도 있지만 경청할 줄 알고. 지금은 한의사 일을 안 하세요. 문 닫고 조용히 책도 쓰고 뭐 그러기도 해요.

지독한
낙관주의자

박범계 국회의원

노무현 캠프에 합류하시기 전에 판사로 계셨죠. 왜 갑자기 캠프에 합류하게 되셨는지.

당시 아주 절친한 동지인, 지금은 더불어민주당 민주연구원장님이신데, 김민석 의원께서 2002년 6월 지방선거 이후 탈당했어요. 날짜를 정확하게 기억하는데 2002년 10월 18일이었습니다. 저에게 인생에 분수령을 그은 날이기 때문에 기억해요. 저는 새천년민주당의 적통 대통령 후보 노무현 대통령을 존경하다 못해 열렬한 흠모자였고요. 김민석 의원도 나름 이유가 있던 상황이었는데, 당시 저로서는 이해하기 힘들어서 저라도 도와야겠다고 생각했죠. 많은 분들이 탈당하고 떠나가는 상황이었고요. 도움이 되지 않더라도 의미 있겠다 싶어 그날 바로 사직을 결행했습니다.

당선 가능성도 없는 분한테 왜 가셨어요?

김민석 의원이 탈당했다는 기사가 나온 날 사직서를 썼어요. 저는 목요일에 판결하는 목판이었는데 재판 끝나고 올라와서 인터넷을 클릭하니까 탈당 기사가 떴어요. 그 자리에서 사직서 썼습니다. 잘 모르겠어요, 왜 그랬는지. 도와드려야겠다는 생각이 들더라고요. 그때 법원장님이 최모 원장님이셨는데 사직서 내니까 자네 미쳤냐고 묻더라고요.

캠프에 참여하면서 깜짝 놀랐던 것이 노무현 대통령을 '노무현이'라고 하더라고요. 민주당 의원들조차도. 당선되는 그날조차도 그랬고 대통령이 되고도 그러더라고요. 일류 엘리트 코스를 밟아오지 않는 이단자에 대한 무의식적인 홀대와 경시? 원장님도 그랬습니다. "노무현이 당선될 거 같아?" 저를 설득하는 말씀이었지만 이미 먹은 마음 돌이킬 수 없는 거고요. 당선되든 안 되든 제 생각이 옳다고 생각한다고 했어요. 법원 인사는 2월, 9월에 있는데 그사이에는 사표를 내도 수리되지 않습니다. 그런데 법원은 전례, 과거의 사례를 존중하는 게 있거든요, 좋은 거든 나쁜 거든. (웃음) 그런데 10월 18일에 사표 내기 전 열흘인가 보름 전 10월 초에 나경원 판사가 이회창 후보 지지 선언하면서 사표 냈습니다. 무슨 곡절인지 모르겠지만 수리되지 않을 사표가 수리된 거예요. 나경원 판사의 전례 때문에 10월 18일에 낸 사표가 수리된 거죠. 역사가 또 그렇더라고요.

어찌됐건 경선 거쳐서 대선 후보가 됐는데 당시 분위기가?

상당수 민주당 의원님들이 후단협에 동참했고요. 분명히 부정한 일이었다고 생각했습니다. 전국의 주요 도시를 돌면서 드라마와 같은 연출이지 않았습니까? 노무현이라는 예상치 못한 후보가 국민 경선을 통해 야당의 대통령 후보가 된 거거든요. 그렇게 뽑힌 대통령 후보 지지율이 한 달 사이에 직하했죠. 당시 정몽준씨가 하는 제3당이 있었거든요, 국민승리21인가? 노무현 후보와 정몽준 후보를 단일화해야 한다, 그래야 정권을 지킬 수 있다. 정몽준 후보가 지지율이 한참 앞섰기 때문에 사실상 대통령 후보로 정몽준 후보를 전제했던 거죠. 상당히 분개했습니다.

노무현 대통령은 어떤 심정이었을까요?

국민 대중들을 흥분케 했던 노무현 후보의 매력적인 요소가 있었습니다. 대학이든 지역이든 자유로워지고 해방되는 것을 지향하셨죠. 그분은 일류를 거부했습니다. 당시 젊은이들에게 파괴력 있게 먹혀들어갔지만 기성세대에게는 거부감이 들었던. 법복을 벗고 여의도 민주당 캠프에 참여하고 이튿날 노무현 후보를 뵀는데요. 담배를 권하시더라고요. 대통령 후보이기도 하지만 법조 선배고 나이 차도 있는데 맞담배 하는 게 웃기잖아요. 두 번 거절했더니, 제가 흉내낼 수도 없는 경상도 특유의 억양으로 피우라고 말씀하시더라고요. 노무현이라는 분의 가장 큰 특징은 격식과 주류 사회, 일류 사회 형식들을 파괴하는 데 있죠.

대통령 당선되고서도 흔들기가 많았고 지근에서 많이 보셨을 텐데요.

노무현 대통령은 검찰 개혁 의지와 과정이 유연하고 단계적인, 검찰을 설득하는 방식을 생각하셨어요. 그것이 검사와의 대화로 간 거고 제가 주무비서관이라서 준비해드렸는데요. 대통령 당신의 임명권을 받을 검사들, 인사권에 복무할 검사들이 아닌 연수원 21기부터 23기, 24기 검사들과 대화하겠다는 것 자체가 격식 파괴거든요. 많은 청와대 참모들이 반대하는 분위기였죠. 그럼에도 대통령께서 강행한 것은 같은 법조 선후배로서 대화를 나누면 대통령의 의지를 이해할 것이다, 검사들이 소망하는 검찰 수사에 대한 독립성, 정치적 중립성을 보장하고 청와대가 인사에 개입하는 것을 줄여나가는 생각을 하고 계셨기 때문에 이해해줄 것이라고 생각하셨습니다.

주무비서관이다보니 들려오는 정보들이 있는데 그 친구들이 '노무현 대통령이 워낙 달변이고 말을 잘하니까 우리가 거기에 넘어가면 안 된다'는 분위기가 있었다고 해요. 자기들끼리 일종의 작전을 짰던 거 같아요. 아니나 다를까 검사와의 대화를 이어가는데 입을 맞춰 온 것처럼 건강한 대화 토론이 아닌, 대통령을 일방적으로 공박하고 문재인 당시 민정수석과 박범계 민정2비서관이 인사를 말아먹는다는 식의 정치적 공세와 다를 바 없는. 대통령께서도 화나기 시작했고 문재인 수석, 박범계 비서는 인사권을 가진 대통령의 참모인데 대통령의 참모가 대통령의 뜻을 받들어서 인사를 하는 것이 왜 외부 인사 개입이냐고 공박하게 되면서, 급기야는 지금 자유한국당 윤리위원장으로 있는 김한종 검사가 '부정한 지시를 한 적

없냐, 간섭을 한 적이 없냐'는, 정말로 있을 수 없는 발언을 하게 되면서 대통령이 "이쯤 되면 막가자는 거지요?" 하시고. 아름답게 끝나지 못했습니다. 질문하는 검사들이 저와 동기이거나 한 기 앞 또는 뒤인 검사들이었는데 제가 느끼는 시대상, 노무현 대통령에 대한 국민들의 기대와 어쩜 저리 다를 수 있는가. 참느라고 혼났습니다.

안 참으셨다면 어떻게 하려고 하셨어요?

노무현 대통령이나 문재인 수석님만 옆에 안 계셨어도 진짜 방송사고 크게 내고. 법복도 벗었는데 비서관직도 때려치우고 또 내려가면 되는 거죠. 당시 검사와의 대화에 참여했던 검사들의 면면을 알고 있는데요. 현직에 남아 있는 검사들이 거의 없습니다. 노무현 대통령과 참여정부의 검찰 개혁 방향에 이의를 제기하는, 마치 조국을 지키는 최일선 비무장지대에 배치된 초급 장교처럼 우국충정이 절절 끓어넘치던 그분들이 박근혜 정부의 국정 농단 핵심축 아니겠습니까? 그때 무슨 얘기 했는지 전혀 듣지 못했습니다. 그 절개들, 그 기개들 보지 못했습니다. 오로지 공익을 위한다는 선수들이 사랑하는 검찰 조직을 왜 그렇게 쉽게 버리고 떠났는지 이해되지 않습니다.

바보를 지지하는 사람 또한 바보다. 본인은 어떻다고 생각하시나요?

저는 절대 바보 아니고요. 고생을 많이 했죠, 여러 가지 정치 선택에 대해서. 청와대에 1년 있다 나오고 정치적 고난기가 8년간 지속됐는데요. 고향 아닌 대전에 갔는데 민주당 지지율이 11%였습니다. 5, 6년 이상. 보궐선거까지 합치면 경선에서 떨어지고 보궐선거에서 공천 못 받고 정식 선거에서 공천받았지만 2등으로 떨어지고. 총 3번 떨어진 셈이거든요. 8년의 대고난 행군기가 있었는데 (웃음) 그럼에도 저는 역사는 발전한다, 지금 보다 나아질 거라는 지독한 낙관주의가 있습니다. 바보라고 표현하시는 것처럼 바보스러운 선택이었을지 모르지만, 기저에는 극도의 낙관주의를 갖고 있기 때문에 크게 고통스럽지 않았습니다.

왜 그렇게 검찰을 풀어줬을까요? 무모한 결정 아니었을까? 의원님 생각은 어떠세요?

결국 노무현 대통령이 이 세상을 등지게 된 계기는 검찰에서 시작됐습니다. 검찰을 장악한 이명박 정부의 정치적 보복이 배경이었고요. 노무현 대통령 얘기할 때 검찰과의 인연 내지는 악연을 얘기하지 않을 수 없는데

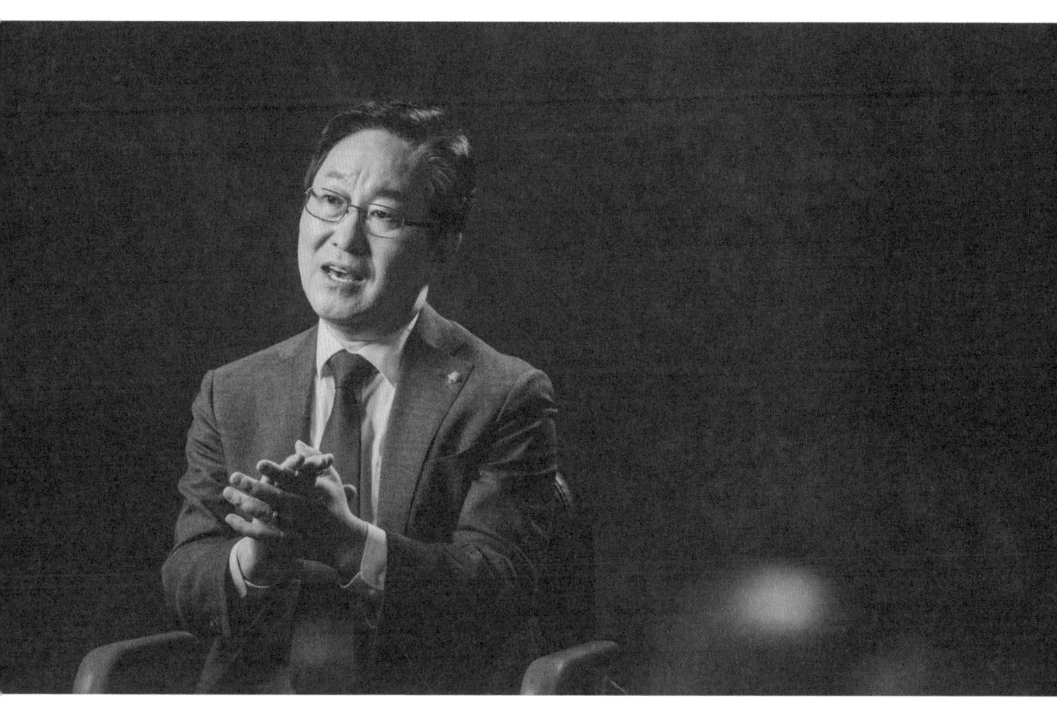

요. 대통령은 검찰이란 조직을 결코 싫어하지 않았습니다. 젊은 검사들이 개혁의 주체가 되길 원했고. 노무현 대통령께 가장 많이 들은 얘기가 무슨 개혁이든 제도나 인사보다 조직의 문화가 바뀌지 않으면 안 된다는 것입니다. 하지만 검사와의 대화부터 단추가 잘못 끼워지게 됐고, 그뒤 대선자금 수사가 중요한 대목인데요. 안대희씨가 중수부장이었는데 수사해야 할까 말까, 한다면 어디까지 해야 되는지에 대한 고민들이 포착되기도 했습니다. 그런데 노무현 대통령은 하라 말라고 한 적 없습니다. 대선 자금에 문제가 있으면 수사하는 것이 옳고, 문제가 없으면 과도하게 수사하지 않는 것이 옳고.

이게 다 노무현 대통령 때문이다. 한때 우리 사회를 관통했던 유행어가 있었죠?

비서관을 마치고 2004년 1월 7일에 대전에 변호사 사무실을 내면서 정치를 시작했는데요. 비서관 나오고 나서 세 번쯤 뵌 거 같아요. 여름휴가지에서 한 번, 청와대 오라고 하셔서 저녁 먹은 기억이 나고. 대전에서 정치하면서 뵙기도 민망하고. 저는 수사를 받게 되면서 많은 분들이 옆에 계실 줄 알았습니다. 그런데 계시지 않았습니다. 노무현 대통령께서 이명박 정부 당시 받았던 수사 과정이 가장 외롭지 않았을까 생각하고요. 대통령 참모들 중에 법률 전문가들 많지 않으신데, 문재인 수석님이 옆에 계셨지만, 저라도 가서 도와드렸어야 한다는 회한과 자책이 기억납니다.

노무현 대통령에 대한 평가 간단하게 부탁드리고요.

사법연수원 때 편집부에서 인터뷰한 것이 계기가 돼 노무현이라는 분을 알게 되고 비주류가 언제나 주류가 될 수 있는 열린 사회를 만들고자 한 그분의 억척스러운 의지와 정신에 반했던. "노무현 대통령은 상남자였다." 제가 만들어낸 말은 아니고, 대통령이 돌아가셨을 때 대전 시청 분향소에서 시민들 30만 명이 조문했는데요. 그때 찾아왔던 이름 모를 아주머니께서 저를 끌어안고 우시면서 "노무현 대통령은 진짜 상남자였다". 인생 참 인상 깊게 살다 가신 분 아니겠습니까? 있는 그대로의 원칙과 소신에 투철했던, 한 시대를 풍미했던 상남자. 제가 기억하는 노무현은 그런 분이었습니다.

한국 민주주의 역사에 비춰볼 때 노사모는 어떤 평가를 받을 만할까요?

긍정적인 지점 80%, 그러나 다시 한번 되짚을 필요 있는 부분 20%. 노사모는 신화였고, 꿈이었고, 폭죽이었습니다. 노사모가 만들어낸 2002년 승리는 전대미문의 선거였고요. 그뒤에 대통령 지도자들에 대한 팬클럽 문화가 만들어지고 박사모는 국정 농단의 견인차 아니었습니까? 또 문재인 대통령의 엄청난 팬클럽이 있고요. 이제는 훨씬 주도면밀할 필요가 있지 않을까. 열정이란 이름만으로 좋아하는 분을 지키는 것은 노사모의 20% 한계에서 보여줬다. 우리 스스로 그랬지 않았습니까, 끝까지 지켜드리지 못하고. 열정만이 아니라 주도면밀하고 냉철하고, 그러면서 민주적이어야 한다는 교훈을 줬다고 생각합니다.

한 대 맞아야 될 거를
열 대, 백 대를 맞았다

김성재 국무총리 공보실장

저는 노사모 활동을 한 적이 없습니다. 2006년 7월 노무현 대통령 당시에 청와대 홍보수석실 행정관으로 일하기 시작했는데 그전에는 기자 생활했고요. 청와대 홍보수석실에서 했던 일은 언론을 모니터링하고, 왜곡된 보도나 과도한 비판이 있을 경우 어떻게 대응할 것인가 기획하고, 실제로 대응하는 것이었습니다. 1년 정도 일해보니까 생각했던 것보다 훨씬 터무니없는 보도들이 너무나 많이 쏟아지고 있고요. 비판이나 왜곡 보도뿐 아니라 대통령을 조롱하는 악의적인 보도들도 많고요. 그래서 청와대 근무하던 중에 언론의 과도한 비판이나 왜곡 보도 사례들을 모아서 국민들한테 알려야겠다, 책을 내든 자료집을 내든 알려야겠다는 생각이 들었고요. 자료를 모으기로 하고 준비했는데 청와대 행정관이 직접 나서는 거는 모양새가 좋지 않겠다, 언론과 참여정부가 싸우는 것처럼 알려졌는데 거기에다 또 싸움을 붙이는 모습은 좋지 않다는 의견이 많아서 접었고요. 언젠가는 준비한 자료로 책을 내서 언론이 제 길을 가고 있는지 국민들한테 보여주고 싶었어요. 물론 어떤 정부든지 잘못한 부분이 있겠죠. 한 대 맞아야 될 거를 열 대, 백 대를 맞았다. 그게 국민들이 오해하고 돌아서게 만드는 역할을 하지 않았느냐. 2009년에 대통령이 돌아가셨죠. 책을 더 일찍 내지 못한 게 너무 아쉬웠고요. 아쉬운 정도가 아니라 가슴이 너무 아팠고 빨리 책을 내자고 해서 『야만의 언론』이라는 책을 급하게 냈죠. 준비했던 자료들을 다시 모으고 다시 취재해서 책을 내게 됐습니다.

비판이 언론의 본질인데 '야만'이라는 글자가 붙을 만큼 심했던 건가요?

기억나는 게 너무 많지만. (웃음) 사실 지금은 잘 기억도 안 나요. 왜냐하면 요즘에 너무 심한 왜곡 보도와 과도한 비판이 홍수처럼 쏟아져 뒤죽박죽돼서 그때 보도인지 지금 보도인지 헷갈리는데, 예를 들면 〈조선일보〉

에 당시 한 컷짜리 카툰이 있었죠. 노무현 대통령을 비판하는 만평이 이틀에 한 번씩 나왔으니까요. 주인공은 늘 노무현 대통령이었고 대놓고 고졸 대통령이라고 조롱하고…… 〈중앙일보〉에도 그런 만평들이 많이 나왔고요. 또, 노대통령이 검찰 수사 받을 때 쏟아지기 시작한 기사, 칼럼. 얼굴에 똥을 발랐다는 비하도 있었고요. 퇴임 이후죠. 퇴임 전에는 특히 종부세 문제라든지 왜곡이 심했던 것 같고요. 종부세, 부동산 정책에 극렬하게 저항했던 이유는 종부세가 싫기도 했지만 노무현 대통령이, 참여정부가 실패한 정부라는 거를 국민들한테 심어주려고 한 거거든요.

기사를 쓰는 방식, 헤드라인을 뽑는 방식 등 팩트인 척 풀어내는 여러 방법이 있을 것 같아요.

제일 흔한 방법이 프레임 씌우기입니다. 프레임 씌우기. 틀을 짜놓고 계속 보여주는 겁니다. 대표적인 프레임이 경제 실패 프레임이었던 거고요. 김대중 대통령 시절부터 보수 언론이 얘기했던 게 좌파는 무능하고 경제를 못한다, 망친다는 프레임이었죠. 2003년 2월에 참여정부가 출범했는데 출범한 지 불과 3개월 만에 경제 위기론이 나오기 시작했거든요. 정부가 출범하고 1년 정도는 지나고 봐야 경제가 어떻게 되는지 알 텐데, 딱 3개월 만에 5월부터 한국 경제 성장 엔진이 꺼졌다, 한국 경제 이대로 좋은가, 위기라는 얘기가 나오기 시작했고요. 2003년 후반기에는 경제 위기설이 본격적으로 나오기 시작했고요. 2006년, 2007년에는 대놓고 노골적으로 '민생 파탄, 경제 파탄'이라는 제목들이 나오고요.

그런데 실제로 경제가 그렇게 어려웠느냐? 아니었거든요. 지표가 모든 걸 설명하진 않지만, 적어도 지표상으로는 경제가 파탄나지는 않았다. 다만 양극화가 해소되진 않았다. 당시에도 인정했던 거고요. 예를 들어 지니 계수, 소득 10분위 배율 등 대표적인 지표로 봤을 때 양극화가 해소되지 못한 겁니다. 양극화가 심해지기 시작한 게 IMF 영향이 굉장히 컸죠. 양극화가 쉽게 잘 풀릴 수 있는 문제는 아니니까요. 모 일간지 기사였던 것 같은데, 경제 성장률이 역대 정부에서 꼴찌라는 제목이 나온 적 있는데 대표적인 경제 파탄, 경제 무능 프레임의 기사거든요. 박정희, 전두환, 노태우 정부 시절 경제 성장률이 굉장히 높았죠. 9%, 7%, 6%. IMF 사태가 김영삼 정부 막판에 터진 거고 김대중 정부 첫해에 성장률이 마이너스까지 떨어졌다가 다시 올라서 회복된 게 6%까지로 기억나는데 참여정부 첫해에 다시 떨어져서 3%, 마지막 해에 5%까지 회복된 걸로 알고 있습니다.

그때 저희가 어떻게 설명했냐면 어린 시절에 키가 1년에 10cm씩 자라는데 사춘기 겪고 청년이 되면 1년에 그렇게 크지 못한다. 어떻게 계속 고성장할 수 있느냐? 노무현 정부 시절에 1인당 국민 소득이 15,000불까지 갔어요. 선진국이라고 하는 나라들이 1인당 국민 소득이 만 불, 만오천 불, 이만 불 가면 성장률이 4%를 넘지 못합니다. 잠재 성장률이 점점 낮아져요. 잠재 성장률보다 높은 성장을 하면 과열 경제라고 하죠. 경제가 과열되면 거품이 생겼다는 거고 거품이 꺼지면 경제 침체기가 오는 거거든요. 한국 경제는 당시 잠재 성장률이 3%에서 4% 정도였어요. 그 정도면 성장을 제대로 한 겁니다. 그런데 경제 성장률이 역대 정부에 비해 꼴찌다, 무능하다, 경제 실패했다, 경제 못한다는 프레임 안에 가둬놓고 비난한 거죠. 유럽의 다른 나라들도 국민 소득 만오천 불 시절에 대체로 2%, 3% 성장을 했어요. 반면에 중국, 인도, 남미 같은 나라들은 국민 소득이 낮죠. 이런 나라들이 7%, 8% 성장하는 거고요. 노무현 정부한테 거품을 왜 일으키지 않느냐고 요구하는 것과 똑같습니다. 아주 왜곡된, 악의적인 보도죠.

몰라서 그랬던 걸까요?

다 알죠. 그때도 보고서들이 다 나왔어요. 경제 연구소들이 다 냈어요. 우리 경제가 4% 이상 성장하면 거품이라고 했습니다. 2003년 첫해에 한국 경제가 대단히 어려운 상황이었죠. 김대중 정부가 IMF를 극복하기 위해 부동산 규제를 풀고 돈을 많이 풀어서 경기를 살리려고 경기 부양 정책을 썼다는 거죠. 풀린 돈 때문에 카드 사태 있었잖아요. LG 카드 망했지 않습니까? 카드사가 망한 거예요. 카드사들이 국민들한테 카드를 남발해서 1인당 평균 신용카드 4개씩 들고 돈을 쓸 때였거든요. 거품이 생기면 언젠가 거품이 꺼집니다. 만약 2003년에 카드 사태를 해결하지 못했다든지, SK 글로벌 같은 기업이 망하는 것은 부채 때문에 생긴 건데, 수습하지 못

했다면 경제를 잘못한 정부였다고 해도 좋겠지만 해결이 잘됐어요. 외국 자본들이 빠져나가기는커녕 해외에서 돈이 들어왔죠. 주가가 쭉 오르지 않았습니까? 참여정부 때 2000 찍었잖아요. 김대중 정부 때 코스피 지수가 아마 800, 그전에 IMF 사태 때 더 내려갔죠. 조금씩 회복되다가 노무현 정부 때 주가 1000, 1500 찍고 2007년에 2000까지 가지 않았습니까? 해외에서 돈이 들어온 거예요. 한국 경제가 굉장히 탄탄하다는 것을 알기 때문에. 경제가 무너지고 경제가 망한다고 얘기한 게 너무나 악의적이고 왜곡된 보도들이었던 거죠.

어떻게 먹혔을까요? 지금 들어보면 터무니없는데.

조중동, 야당이었던 한나라당이 좌파 무능, 경제 무능을 계속 주입했고요. 결정적으로는 양극화를 해소하지 못한 점, 민생 경제가 크게 개선되지 않았다는 점, 집값을 잡지 못했다는 점 때문에 사람들이 이 정부는 정말 못하나보다고 생각했던 거고. 경제뿐 아니라 정책에도 왜곡 보도와 과도한 비판들이 쏟아졌죠. FTA, 이라크 파병 이슈가 터졌을 때는 보수 언론이나 야당뿐 아니라 진보 시민단체, 상대적으로 진보적인 언론들조차도 노무현 정부에 매우 비판적인 입장을, 기자들이 흔히 쓰는 말로 마구 조져댔기 때문에 노무현 정부는 다 잘못한다는 생각을 가지게 되었고. 유행하던 말이 '다 노무현 탓이다', 길 가다가 넘어져도 노무현 탓, 여름에 비가 안 오면 노무현 탓, 태풍이 와도 노무현 탓. 노무현 대통령과 참여정부에 부정적인 인식이 굉장히 많이 잡혀 있었던 시기였던 것 같습니다. 대통령이 직접 말씀하신 적이 있습니다. 최초로 국내 기술로 만든 군함인지 잠수함인지 진수식을 하는데, 앞으로 우리나라에도 훌륭한 우리 기술로 만든 군함, 잠수함 있으니 무슨 걱정이 있겠느냐는 연설을 한 적이 있어요. 군사력에 대한 자신감, 자부심을 설명했던 얘기였는데 모 신문에서 앞뒤 말을 다 빼 버리고 제목을 뽑은 게 '노무현 대통령, 우리 군사력 키울 필요 없어'. 굉장히 무책임한, 안보에 무책임한 대통령이 돼버린 거죠. 경제만이 아니라 안보까지 무능한 대통령이 된 거죠. 기사가 나고 온라인에 댓글이 붙기 시작했는데, '기자인 줄 알았는데 소설가구나' 하는 댓글이 붙기 시작하는 거예요. 쫘르륵 붙었습니다. 사람들은 이제 아는 거죠, 언론이 얼마나 심하게 왜곡하는지. 앞뒤 다 잘라버리고 제목 뽑아서 맥락을 완전히 바꿔버리는 기사들도 굉장히 많이 나왔고. 무조건 반대하는 식.

예를 들어 노무현 대통령 때 전시작전권 환수하려는 움직임이 있었죠. 전시작전권을 환수해야 된다는 사설을 〈조선일보〉가 예전에 쓴 게 있습니다. 그런데 노무현 대통령이 전시작전권을 환수한다고 하니까 그때부터 사설이 바뀌었죠. 안보 무능, 안보는 내팽개친 대통령으로 몰고 가기도 하고요. 개헌이 필요하다고 〈조선일보〉가 사설도 쓰고 기사도 쓰고 외부 칼럼까지 쓰고 그랬습니다. 〈조선일보〉뿐 아니라 〈한겨레〉도 그랬고. 〈한겨레〉는 개헌에 굉장히 긍정적이었습니다. 5년 단임제로는 충분히 정부가 일할 수 없다, 성과를 내기 어렵다는 취지도 있었고. 87년 체제를 벗어나야 된다는 논조로 개헌에 대해 정치학 교수의 칼럼을 받고 사설도 썼는데 노무현 대통령이 2007년 1월에 원 포인트 개헌, 다음 대통령부터 적용이 되는 개헌을 제안했는데 다들 경제가 이렇게 어려운데 무슨 개헌이냐며 무책임한 대통령이라고 말을 바꾼 거죠. 대통령이 이야기하면 다 잘못된 걸로. 또하나 대표적인 게 기자단이고요.

기자단을 모르는 사람이 많거든요. 청와대 출입 기자단에 대해 설명해주실 수 있을까요?

지금도 기자단 있죠. 2000년대 초반에 기자 생활 할 때 말씀드리면 일간신문, 경제지까지 열서너 개, 영자 신문, 지상파 방송 4개 정도. 합쳐서 20여 개의 매체들을 기자단이라 해서, 출입처에서 기자단에 속해 있는 기자들이라고 인정받는 겁니다. 그 기자들한테 보도 자료 보내주고 프린트도 해주고 무슨 일 있으면 연락도 해주고 기관장의 동정이나 일정도 다 공개해주고. 언제든지 와서 정해진 자리에 가서 전화하면서 취재하고 일도 하는 특혜 구조가 있는 거죠. 주로 기자단을 통해 언론사는 민원합니다. 광고 협조라든지. 대표적으로 자기네 회사 기자가 음주 단속에 걸렸다, 그러면 경찰청 출입하는 자기 회사 기자 통해 연락해서 '봐주십시오' 하면 봐주기도 하는 거고. 어떤 부분을 강조해서 홍보하고 싶다고 하면 출입 기자한테 부탁도 하는 거죠. 이 부분은 정부한테 불리한 내용이니 약하게 보도하든지 빼든지 부탁하는 거죠. 노무현 대통령은 담합이라는 표현을 썼는데 명절 때는 출입처에서 봉투를 돌리고. 대체로 연조가 높은 기자가 간사 역할을 하는데 간사한테 공보실에서 봉투를 여러 개 줍니다. (웃음) 간사가 돈을 세서 봉투에 넣고 이건 어느 신문, 매체력이 약하니까 절반, 해서 기자들한테 줍니다. 촌지를 주기도 하고.

제일 중요한 거는 정보를 독점하는 거죠, 출입 기자들이. 독점한 정보를 입맛에 맞게 자기네들끼리 쓰자고 해서 국민한테 알리면 누가 손해를 보는 겁니까? 국민들이죠. IMF 사태가 대표적인 예라고 생각합니다. 재경부 장관이 IMF 총재 만나서 "돈 빌려주세요, 우리 경제 망했어요"라고 하기 직전 한 해, 두 해 동안 대부분의 언론이 어떻게 기사를 썼는지 아세요? 한국 경제 멀쩡하다, 문제없다고 썼어요. 그러다가 갑자기 쫄딱 망한 거 아닙니까? 나랏빚이 엄청나게 늘어나고 신용도 떨어지고. 당시 〈조선일보〉 기사 찾아보면 '한국 경제 위기라고 하는 사람들이 나쁜 사람들'이라는 사설을 쓴 적이 있습니다. 경제지는 다 우리 경제 문제없다고 썼어요. 국민들은 아무것도 모르고 당한 거 아니에요? IMF 사태가 다 언론 탓이라는 이야기는 아니지만, 제대로 역할을 하지 못하고 자기네들만 가지고 있는 정보로 엉터리 기사를 쓴 거죠. IMF 사태를 막지 못하고 경고조차 못한 언론 때문에 IMF 사태가 오고. 수많은 국민들이 직장에서 쫓겨나고 일자리를 잃고 노숙자 되고 자살하고 그랬던 거 아니에요?

지지율이 많이 떨어지고 있죠? 비슷한 경제 프레임으로 시작된 것 같은데요.

많이 떨어졌죠. 40%대라고 하니까. 경제 프레임으로 열심히 정부를 몰아세우고 있는데 느낌이 굉장히 안 좋아요. 경제가 어려워지면 정부 싫어하거든요. 먹고사는 게 힘든데 적폐 청산이 뭐가 중요하겠어요. 지지율이 떨어져 정책을 추진할 동력이 떨어지면 적폐 청산이든 복지 정책이든 계속 밀고 나가기 힘들거든요. 이 정부가 촛불 시민들이 만들어준 정부인데 촛불 시민들이 원하는 것들을 제대로 못하면 또 이야기하겠죠, 실패한 정부라고. 우리는 왜 계속 실패해야 되느냐, 민주 정부가 왜 실패해야 되느냐, 더 잘하고서도 실패했다고 욕을 먹는. 그러다가 정권 저쪽에 내주면 역사가 또 10년 후퇴하고 양극화 해소는커녕 양극화가 더 벌어지고 서민들은 더 힘들어지고. 걱정인 거죠.

학습효과가 있는데도 그런가요? 한 번의 실패가 있었잖아요.

참여정부 때처럼 속수무책으로 당하진 않을 것 같고. 상황이 어떻게 전개

될지 모르겠어요. 그런데 이대로만 가면…… 아마 민주 정부에 또 한번 국민들의 실망이 쌓일 것 같고. 정부도 더 적극적으로 대응했으면 좋겠는, 지금 저도 정부에서 일하고 있지만, 이 위기를 잘 극복해야 된다는. 다른 어려움도 있겠지만 언론에 잘 대응해야 될 필요가 있다는 생각을 아주 자주 하고 있습니다. ◘

당신이 자랑스럽습니다
환영합니다

참여정부가 처음 시작한 것이 첫째, 특권을 인정하지 않는다. 그래서 검찰도 제 측근을 임명하지 않고 그 안에서 가장 신망 있다는 사람을 임명했습니다. 그러니까 일선 검사들과 토론까지 했는데 그게 좀 흉했다고 말하는 사람도 있었고요. 어떻든 그들에게 특권을 주지 않고 그들의 도움을 받지 않겠다는 것입니다. 소위 특권과 유착의 구조가 제게 큰 과제였지요. 그래서 검찰, 국정원, 국세청, 경찰 전부 각기 자기 일들을 하게 하고 그들의 특별한 도움, 말하자면 법적으로 허용되지 않는 일체의 도움을 내가 받지 않는 대신에 그들도 가외의 권력을 행사할 이유가 없고 잘못이 있어도 비호 받을 수 없습니다. 제가 불법적인 명령이 아니라 청탁을 해서 그 사람들이 나를 위해 불법적인 일을 하고 나면, 그다음에 그 사람들의 오류, 과오가 발견됐을 때도 제가 징계할 수가 없지요. 그런 것 아니겠습니까? 그런 공생관계를 청산했습니다.

_한국PD연합회 창립 20주년 축사(2007년 8월 31일)

이제는 우리가 함께 이루어야 할 때

김경수 경남도지사

노대통령과의 첫 만남은?

대통령을 처음 뵌 건 제가 국회에서 다른 의원실에서 일할 때 청년단체 창립식을 하고 뒤풀이를 여의도에 있는 건물 지하 식당에서 했는데 그때 처음 뵈었어요. (웃음) 잠바 걸치고 오셔서 청년들과 함께 앉아서 소주도 한잔하시고 뭐 그런 모습이었는데, 워낙 청문회 스타고 대중에게 잘 알려진 분인데, 소탈할 거라고는 생각했지만 생각보다 훨씬 더 소탈하게 젊은 사람들과 어울리셨어요. 그뒤 대선 때 선대위에서 처음 같이 일을 했었죠.

평소에 노사모에 대해서 노대통령이 어떤 표현 하신 게 있나요?

애정이 각별하셨죠. 재임중에는 노사모 행사 때 동영상을 찍어 보내시고, 퇴임하신 뒤에는 봉하마을에서 자원봉사자들이 하도 많이 와서 활동을 하고 가는데 와도 뭘 어디 짐 하나 둘 곳도 없고 이러니까, 동네에서 공동으로 쓰던 마을 창고를 노사모 자원봉사센터로 개조해서 개소식을 했거든요. 대통령께서 축하하러 같이 가셔가지고 방명록에 그때 쓰셨던 게 '강물은 바다를 포기하지 않습니다. 강물처럼'이라는 문구입니다. 그래서 그 자리에서 축하 말씀을 하시면서 본인 당신이 대통령 재임이나 퇴임 후 제일 기억에 남는 것 또는 제일 자랑스럽게 생각하는 업적이 뭐냐는 질문들을 가끔 받으신다. 당신은 노사모 활동을 통해서 노사모 운동, 노사모라는 대중의 정치 참여 운동을 통해서 나라는 사람이 대통령에 당선됐다는 것 자체가 역사적으로 가장 의미 있는 일이라고 생각한다. 그 말씀을 하셨어요. 퇴임하시면서 시민민주주의에 대한 기여 이런 걸 강조하셨던 이유도 변호사 하시다가 시민운동을 시작하시면서 이쪽에 뛰어드신 거 아닙니까? 막상 대통령이 되어서 5년 동안 일을 해보니까 국민들이 동의하지 않고 찬성하지 않으면 아무리 내가 하고 싶어도 그 일을 해낼 수가 없는 거예요. 결국은 다시 답은 시민이다 하고 그래서 노사모에 대해서는 대통령께서 '그런 노사모 운동, 노사모의 정치 참여라고 하는 게 역사적인 사건이기도 하고 역사적으로 높게 평가받아야 된다'라는 말씀을 자주 하셨던 거 같아요. 노사모 현상이라고 표현하셨는데 노사모 회원들만을 얘기하는 것 같진 않고요.

국정 운영을 하시면서 옆에서 지켜보셨는데 어떤 때 제일 힘드셨을까요?

여소야대가 제일 힘들었죠. 대통령께서 처음 국회 연설을, 취임하신 뒤 3월에 국회에 가서 연설을 하셨습니다. 제 기억이 맞을 텐데 다른 대통령에 비해서 훨씬 일찍 가시고 그 국회 연설 마지막 부분에 보면 '선거 제도를 바꿀 수 있으면 대통령 권력의 일부를 내놓을 수도 있다', 그러니까 그 안에 야권에 대한 일종의 연정 제안 같은 게 들어가 있었어요. '선거 제도가 바뀌지 않으면 원활하게 국정을 운영하는 것도 어렵고 우리 사회가 바뀌기도 어렵다'라고 보셨던 건데, 막상 대통령이 되어 국정을 운영해보니까, 정부가 어떤 안을 내놓더라도 국회에서 통과가 안 되면 제도를 바꿀 수 없는 거 아닙니까? 대통령은 정치를 했던 이유 중에 하나가, 법 하나 바뀌면 세상이 엄청나게 바뀌는데 시민운동 할 때는 그렇게 길거리에서 머리를 싸매고 외치고 돌 던지고 그렇게 싸워도 안 바뀌던 게 국회에서 법 하나 바뀌니까, 특히 그렇게 싸워댔던 노동자들의 권리나 이런 부분은 언제 싸웠냐는 듯이 바뀌는 걸 보면서 '아, 이래서 제도권도 중요하구나' 그렇게 느끼셨다는 거 아닙니까? 정치에 뛰어든 계기도 그런 거였는데 대통령이 돼서 막상 국정을 운영하려고 하는데 국회가 사사건건 발목을 잡다가 탄핵까지 간 거잖아요. 이게 대통령이 정책을 내릴 수 있는 건 한계가 있는 거죠. 국민의 지지를 계속해서 유지하는 데 힘들어하셨고, 특히 진보 진영이 대통령과 하고 싶어하는 일에 의견이 안 맞으면 바로 돌아서서. (웃음) 그러면서 그 지지조차 없는 상태에서 국회를 통해서 세상을 바꾸려 했던 두 가지 다 한계가 있었던 건데, 그런 두 가지의 한계를 제일 힘들어하셨던 거 같아요.

곁에 계시면서 강직한 부분이나 인간적인 고뇌 같은 거는 보셨나요?

겉으로 보면 강한 분이신데요. 불의와 반칙이나 특권. 소위 우리가 개혁해야 될 세상의 부조리에 대해서는 강한 분이셨는데 한편으로는 대단히 여린 분이셨어요. 지지했던 분들이 등을 돌릴 때 상처를 크게 받으시는. 그러니까 내가 믿고 갈 수 있는 유일한 힘이고 내가 믿고 갈 수 있는 유일한 언덕인데 그게 없어졌을 때 받는 상처가 대단히 컸던 거 아닌가 싶고요. 주변에 대통령 본인이 '힘들다'라는 것을 내색하기도 어렵고 그런 게 대통령의 가장 큰 고뇌였을 거라고 생각합니다. 우리나라의 대통령제라고 하는 제도에서 오는 부분이기도 하겠고요.

그다음 청와대라고 하는 공간의 문제도 있습니다. 국민들과 지지층들과 소통하는 그런 게 되게 필요하다고 생각을 하는데 대통령이 되고 나면 그런 기회나 시간을 갖기가 자꾸 힘들어져요. 경호 문제도 있고. 청와대라는 공간이 비서실에서 본관에 가려면 차를 타고 가야 됩니다. 완전히 구중궁궐에 고립된 대통령으로서는 국정을 운영하기 어려운 거 아니냐. 그래서 취임하시자마자 본관에 비서실이 옮겨올 수 있도록 본관을 개조할 수 있는 방안을 찾아봐라 하셨어요. 그래서 이창동 감독을 중심으로 해서 본관 자체를 층고도 높고 하니까 거기를 2층으로 만드는 방안부터 여러 가지 검토를 했는데 본관 건물 자체가 역사적 사료로서의 가치가 있는 거예요. 지어진 것 자체가 손을 대기 어렵게 돼 있어서 결국 연설비서실만 옮겨놓으라고, 대신 비서동 건물 옆에다가 대통령 집무실 작은 걸 하나 새로 짓자고 만든 것이 영빈관입니다. 예산 배정하고 짓고 하는 데 한 3년 걸린 거 같네요. (웃음) 영빈관이 만들어진 다음에는 그쪽에 자주 오시고 집무를 보셨습니다. 심리적으로도 외로운데 이게 물리적 공간에서도 그렇게 되면 힘들고 외로워지는 건 전 당연하다고 봅니다. 그래서 문재인 대통령이 광화문 대통령 집무실 공약을 한 것도 본인이 옆에서 다 지켜보셨잖아요. 노무현 대통령께서 왜 힘들어하는지를. 그래서 나온 공약이기도 하고요.

노대통령을 가까이서 지켜보셨을 텐데 실제로도 소탈하신가요?

조금 샤이하시죠. 처음 보는 사람들한테는 약간 낯가림이 있긴 한데 시간이 조금 지나면 금방 스스럼없이 사람들하고 오랜 친구처럼 이렇게 대하는, 그래서 사람을 편안하게 만드는 그런 재주가 있으신 분이죠. (웃음) 대통령께서 어쨌든 어떤 사람들을 만나도 반말하는 걸 별로 본 적이 없습니다. 대통령께서 반말하시는 몇 안 되는 사람들이 이호철 수석. "호철아"라고. 저만 해도 마지막까지 "김비서관" 또는 "경수씨" 이렇게 부르고 존대하면서도 "편하게 말씀을 하시게" 같은 식으로 대해주셨죠.

어쨌든 사람에 대한 존중이나 배려 이런 게 몸에 배어 있는 분이고. 회의를 하다보면 대통령이 보시기에 보고하는 장관이 제대로 준비 안 된 경우에는 질책이나 야단을 할 수밖에 없잖아요? 그게 마음에 걸리는 거예요. 회의 마칠 때쯤 되면 야단맞은 장관을 꼭 격려하는 그런 (웃음) 말씀을 꼭 하셨어요. 돌아가신 농림부 박홍수 장관이라고 계시는데 보고 자리에서 기본적인 통계나 자료가 제대로 준비도 안 되어 있는데 무슨 농업 정책을 하겠냐고 호되게 야단을 치셨는데 마칠 때쯤 되니까 한참 머뭇머뭇하시더니 (웃음) 박홍수 장관한테 격려를 하시더라고요. 병 주고 약 주고 하시는. (웃음) 대통령 임기 말에 수입 쇠고기 문제로 농림부와 외교부가 세게 붙었죠. 검역 과정에서 뼛조각 하나가 섞여 있어 농림부에서 수입 금지 조치를 내렸거든요. 검역은 농림부 소관인데 외교부는 '아니, 무슨 뼛조각 하나 나온 거 가지고 수입 금지 조치를 하는 게 말이 되느냐'면서. 그때 대통령께서는 농림부 손을 들어주시기도 했어요.

대통령께서 봉하마을로 돌아가실 때 왜 따라가셨어요?

저는 출마할 생각은 전혀 없었고요. 결혼할 때 결혼 조건 중에 하나가 '출마하지 않는다'가 조건이었으니까. (웃음) 실제로 처가에서, 국회 보좌진 생활을 하고 있으니까 출마할 거면 딸 못 준다고 (웃음) 하니까 '참모로서 일을 하는 게 편하기도 하고 제가 가진 능력을 제일 잘 발휘할 수 있는 일이다'라고 늘 생각했기 때문에 출마한다는 것은 전혀 생각도 안 했었어요. 그래서 대통령 재임중에 제가 경남 고성이 고향이고 진주에서 초중고를 나와서 진주 쪽에 선거가 있으면 한 번씩 툭툭 지나가듯이 출마해보라고 말씀하셨는데 그때마다 질색을 하고 저는 죽어도 안 한다고. (웃음)

제가 국정상황실로 들어갔잖아요? 이광재 실장과 함께 2년 정도 일을 했는데 대통령 탄핵이 됐어요. 헌법재판소 판결이 나와서 5월 15일로 기억하는데 그날 대통령 직무에 다시 복귀하시는 날이에요. 그래서 이제 문용옥 실장이 선임행정관으로 가 있었는데 '와서 같이 일을 해보지 않겠나'라고 제안을 받고 아내랑 상의를 했어요. 왜 했냐고 하면 1부속실 가서 대통령 바로 옆에서 일을 하니까 대통령과 같이 꼭 일을 해보고 싶었거든요. 1부속실 가면 분명히 빠져나오지 못하면 퇴임하실 때 따라가야 될 텐데 아내한테 그럴 수 있겠냐고 물었더니 아내도 흔쾌히 대통령과 같이 가게 되면 좋은 일이라고 말하더라고요. 아내가 저보다 더 대통령 좋아하는 편이에요. 퇴임 준비하시면서 아니나 다를까 같이 가자고 제안을 하시길래, 대통령 모시고 가는 게 당연하다고 생각했어요. 모셨으니까 끝까지 모시고 가야 한다고.

또하나는 중간에 봉하마을로 간다고 할 때 저는 오히려 더 좋았어요. 어차피 출마하거나 그럴 생각이 전혀 없었으니까 한 50대쯤 돼서 시골로 귀촌하는 게 꿈으로, 일종의 제 버킷리스트 중에 하나였는데 이제 애들이 시골에서도 좀 살아볼 필요가 있다 이런 생각이 있었으니까요. 봉하마을에 오는 데는 큰 어려움은 없었습니다.

봉하에 있었던 게 한 1년 정도 되거든요. 2월 말에 와서 다음해 2월까지. 제 인생에서도 가장 행복했던 순간을 꼽으라면 봉하에 있던 1년입니다. 바쁘고 정신없긴 했는데 어쨌든 그때는 뭘 해도 좋았어요. 대통령하고 하포천 청소하는데 무슨 이게 소파도 나오고 냉장고도 나오고 (웃음) 하천에서. 하여간 그다음에 마을 가꾸기하고 방문객들한테 조금이라도 마을에 와서 뭔가를 얻어갈 수 있는 그런 마을로 만드는 게 우선이라 거기에 집중했습니다. 중간쯤부터는 마을에 도서관 같은 걸 좀 만들어보고 싶어 하시고, 그걸 어떻게 만들지 계속 같이 상의하고 하는데 애들이 와서 자연 생태계도 경험하고 그다음에 어릴 때부터 민주주의라고 하는 걸, 민주주의가 뭔지 하는 것을 손쉽게 체험하고 갈 수 있는 그런 공간? 이런 걸 어떻게 만들어볼까 이런 고민들을 하셨어요. 그다음에 마을 가꾸기는 하나하나 이제 실제로 마을이 바뀌어갔잖아요. 하포천 같은 경우는 완전히 쓰레기천이었는데 지금은 정부에서 인정하는 아름다운 100대 하천에 들어갈 정도로 바뀌어서 저는 그런 일들 자체가 즐겁고 좋았던 거 같아요.

방금 "인생에서 제일 행복했다"라고 말씀을 하셨는데 대통령도 그때가?

그렇죠. 저도 그랬을 것이라고 생각합니다. 제일 편안해하셨던 거 같아요. 대통령이 되기 전과 후의 가장 큰 차이가 9시 뉴스를 편하게 볼 수 있다는 거. (웃음) 그래서 본인이 의무감, 책임감, 사명감 그런 걸 짐처럼 지고 살아오셨는데 다 벗어놓고 내가 진짜 하고 싶은 일들을 가지고 사셨던 기간이라고 볼 수 있겠죠. 하지만 서거 당시, 본인 스스로가 '정말 혼자 됐다' 이런 생각을 많이 하신 거 같아요. 봉하산이 주변 한 40~50리에 다른 산이 없습니다. 다 들판이나 그다음에 조금 넘어가면 낙동강이고 불쑥 솟아 있는 산이에요. "연결된 산맥이나 다른 산이 없이 혼자 불쑥 솟아 있는 내 신세가 그런 신세다"라는 말씀도 그런 취지인 거 같습니다. 태어난 곳의 기운에 인생이 많이 닮는다고 하는데 봉하산이 주변에 산맥 없이 혼자 불쑥 솟아 있는 산인데 그 봉하산 기운을 받고 태어나서 늘 혼자라고 '모난 돌이다' 이런 표현도 가끔 하셨잖아요?

서거 당시에 문재인 대통령한테 직접 알리셨다는 말이 있던데요?

저도 집에 있다가 문정옥 실장 연락을 받았고요. 그때 표현이 '대통령께서 봉하산에서 뛰어내리신 거 같다' 이렇게 연락을 받았고 진영에 있는 병원에 가고 있다고 해서 제가 연락을 했죠. 그때 제일 먼저 문재인 실장님한테 전화해서 상황을 알려드리고 저는 병원으로 가다가, 이때 나도 상황을 빨리 파악해야 되니까 혹시나 해서 바로 병원으로 안 가고 사저로 갔었어요. 거실에 가서 컴퓨터가 켜져 있었는데 보니까 화면에 유서가 떠 있었죠. 그걸 출력해서 양산 부산대 병원으로 갔었어요.

노사모가 진짜 한국의 정치 지형을 조금은 바꿨다고 생각하시는지?

네, 저도 대통령 생각에 동의합니다. 노무현 대통령께서 대통령에 당선되시고 참여정부 5년 동안 어려운 여건에서도 개혁 작업을 줄기차게 추진하셨고 진보 진영·개혁 진영이 어디로 가야 하는가에 대한 이정표를 제시하셨다고 봅니다. 그 힘이 지금까지 계속 이어져오고 있는 거고요. 지금까지 이런 역사가 이어져올 수 있는 첫번째 단추가 저는 노사모였다고 보고요. 대통령도 역사에서 노사모 운동이 갖는 의미가 당신이 대통령 재임중에 했던 그 어떤 일보다 중요하다 이렇게 생각하셨던 거고요. 저도 그렇게 생각합니다. 그 이후에 있었던 뭐 여러 가지 일들은 우리가 반면교사로 삼아야 되는 거고. 그래서 문재인 대통령께서도 늘 어디 강연 가면 그 얘기 합니다. 그러니까 소위 친문 진영에 대해서 이런저런 비판들을 많이 하는데 그거는 노무현 대통령을 지키지 못했던 우리 진영 사람들의 반성에서 나온 거지, 그게 맹목적 지지가 아니다, 그건 전략적 지지다, 이렇게 판단을 하는데 당시에 노무현 대통령을 지지했던 분들이 대통령을 끝까지 지키지 못했던 결과가 너무 참담했기 때문에 '이번에 문재인 대통령만큼은 꼭 지켜서 성공시키겠다'라고 하는 그런 전략적인 선택이다. 그걸 맹목적인 지지라고 하는 건 적절하지 않다, 그 얘기를 늘 하죠.

기억하고 있는 노사모 분들한테 한마디만 해주세요.

대한민국을 바꿔나가는 힘이 저는 노무현 대통령께서 꿈꾸었던 가치, 그 꿈을 함께 꾸는 사람들이 지금 대한민국을 바꿔나가는 거라고 생각합니다. 그리고 그 꿈의 시작이 노사모였다고 생각합니다. 노사모가 처음 대통령과 함께 꾸었던 꿈을 이제는 우리가 함께 이루어야 할 때가 아닌가 싶고요. 꿈을 잃지 않는 그런 노사모가 되었으면 좋겠습니다. 이 영화가 개봉할 때면 대통령 10주기 다가올 때쯤일 거 같은데요. 대통령 10주기 그리고 노사모 창립한 지가 20년 가까이 되는데 이제는 우리가 그 꿈을 이룰 때가 되지 않았나 합니다. 여러분들과 함께 꿈이 현실로 바뀌는 그런 대한민국 함께 만들었으면 좋겠습니다. 노사모 화이팅!

제 남편이 주인공.
여보, 가자!

튄다 이순영

오래전부터 노사모 활동을 하고 있습니다. 노사모가 처음 만들어질 때 남편의 권유로 함께하게 되었습니다. 개인 이순영의 활동보다는 늘 남편과 함께 활동했습니다. 그래서 이런 뜻깊은 자리에 남편의 이야기를, 남편과 함께 있었던 노무현 대통령의 이야기를 할 수 있게 되어 한편으로는 다행이다 싶고 한편으로는 영광스럽기도 합니다. 감회가 새롭습니다. 닉네임은 제가 젊었을 때 언제나 처지지 말고 톡톡 튀자는 의미에서 '튄다'라는 닉네임을 썼습니다. 그러다가 언어순화운동, 우리말을 찾자 싶어 튀지 말자는 생각이 들고 나이가 들으니 '튄다'라는 별명을 안 써야겠구나, 닉네임을 바꿔볼까 생각하고 그렇습니다.

당시에 좀 튀셨나요?

많이 튀었죠. 제가 지금 동화 작가이기도 하기 때문에 가라앉고 퇴색될까 싶어 스스로 늘 깨어 있자는 측면에서 튄다라고. 음성적 의미에서 튄다가 아니고 언제나 새로운 것을 추구하자, 창의적인 생각을 하자, 튀는 생각을 하자는 것에서 튄다라는 닉네임을 쓰게 되었습니다.

남편분께서 뭐라고 하면서 가입을 권유하시던가요?

정치에 의식이 없을 때였고 아이들 키우느라 바쁠 때였습니다. 남편이 노무현 대통령의 후배입니다. 어느 날 선거 과정에서 제가 일하던 공장에 오셨는데 선거운동원들에게 저희가 신발을 한 켤레씩 쭉 나누어주고 구내식당에서 김밥과 수육으로 노무현 대통령과 운동원들에게 저녁식사를 제공했던 적이 있습니다. 그때 폴라로이드 사진으로 노무현 대통령과 한 컷 찍었습니다, 기념으로. 노무현 대통령께서 제 남편에게 "남태야, 니는 성격상 정치할 사람 같지 않고 느그 집사람을 내한테 좀 보내다오." 이렇게 말씀하셨습니다. 이듬해인가 노무현 대통령께서 『여보, 나 좀 도와줘』라는 책을 쓰셨죠. 노무현 대통령이 선거에 계속 떨어지고 당시에 저는 애기 키우고 공부도 하고 있었기 때문에 대통령을 도와드리지 못했습니다. 그런데 계속 떨어지고 부산시장 선거에도 떨어져서 '아, 힘이 되어드릴걸' 하고 굉장히 후회했거든요. 그러고 나서 노사모 가입도 하게 되고 돼시저금통이라든지 전국을 돌면서 경선 과정에도 참여하고. 노무현과 함께하는 사람들은 다 뜨거움과 열정으로 노사모 가입을 안 했겠습니까? 노무현 대통령이 좋았다기보다는 노무현 대통령의 가치를 함께해야 한다는 당위성이 컸던 것 같습니다. 당시에는 노무현이 좋다 안 좋다 선택할 수 있는 상황이 아니었고요. 서민들을 위한 가치, 나라를 이대로 둬서는 안 되겠다는, 우리가 지금도 알고 있는 노무현의 정신이라고 말하는 가치들. 가진 자들의 부당함. 정치가 변화되어야 대한민국이 변화된다는. 함께, 우리가 모두 함께해줬어야 됐다고 생각했습니다. 모두가 노무현과 함께해야 한다는 공감대 속에서 저도 자연스럽게 함께했던 것 같습니다.

당시 시대 상황이 어땠길래요?

아무도 노무현이 대통령이 될 거라고 믿지 않던 상황이었습니다. 경선을 했고, 경선의 결과가 도출되기까지 극비리에 모였고. 노무현이 후보가 되느냐, 다른 사람이 되느냐에 대해서 살얼음 딛는 마음으로 지켜보고 있었고. 남편한테 그랬죠. "여보, 월드컵 때 골 들어가는 게 떨리나, 아니면 노무현 대통령이 되냐 안 되냐가 더 떨리나?" "이 상황이 더 떨린다." 둘이서 얘기를 나눴던 적이 있거든요.

이 지역은 대선 활동할 때 반민주당 정서가 강해서 에피소드가 있었을 거 같은데요.

많죠. 연설원 할 때는 차 댈 곳도 없었고 명함을 주면 앞에서 침을 뱉어 발로 비비기도 하고. 직접 겪은 일입니다. 로고송 틀면 일부러 침 뱉고 지나가면서 싸움 걸고. 다반사였습니다. 그런 속에서 묵묵히 참자. 저뿐만이 아니고 부산이나 영남 지역 사람들이 그때를 생각하면 너무나 가슴이 쓰린 부분인데, 심지어는 선거 사무실을 계약했다가 민주당이라 하면 선거 사무실 계약이 파기되는 경우도 얼마 전까지 왕왕 있었습니다. 조직적으로 민주당 후보한테는 선거 사무실을 임대하지 말자. 계약금을 줬다가 민주당이 들어온다 하면 계약 파기가 되는. 십여 년 전에 시장 선거 사무실을 못 구해서 굉장히 곤욕을 겪었던 적도 있습니다.

정치에 관심 없던 주부가 어떻게 시의원이 되셨습니까?

당시만 하더라도 여성의 생활 정치에 대해서는 사람들이 관심 없었을 때였습니다. 20년, 25년 전이었으니까요. 당시에 권양숙 여사와 상고 출신인 대통령 후보를 폄훼하고 인정하고 싶어하지 않는 분위기였습니다. 권양숙 여사가 고등학교를 졸업한 걸로 알고 있습니다. 제 선배이기도 하더라고요. 그런데 고등학교 졸업이라고 영부인으로서 자질이 없다고 이야기하고. 당시 권양숙 여사에 대해서 제가 연설할 때, 우리 언니도 공장 다니면서 우리들을 공부시켰다고 하면서, 이 자리에 계시는 여러분들도 동생들 공부시키느라 학업을 미처 마치지 못했던, 공장에 다니면서 동생 학비를 보탰던 언니 오빠들이 많이 있을 걸로 안다는 이야기를 했더니 거기에 계시는 많은 분들이 눈물을 흘렸다고. 노무현과 권양숙 여사에 대해 달리 생각하게 되었다는 이야기를 들었습니다.

정치에 어떻게 입문하게 됐냐면 2004년 노무현이 탄핵 때 목이 터져라 노무현을 외치면서, 청와대로 보내놨는데 불과 얼마 안 있어서 꼼짝도 못하는 상황이 돼서 '아, 노무현을 위해서 다시 마이크를 들어야겠다'는 생각이 들었습니다. 제가 다시 이철 선거운동 지지 연설원 하고 2005년도에 열린우리당 생기면서 열린우리당 여성 위원장을 하게 되었죠. 자연스럽게 여성의 정치, 생활 정치에 대해서 함께 고민해봐야 되겠다, 정치가 남성의 전유물이 아니고 여성이 하면 더 잘할 수 있겠다는 확신이 보였습니다. 여성들이 정치에 눈을 떠야 사회가 변화하겠다는 문제의식을 자연스럽게 느끼지 않았을까. 내가 정치 활동하면 여성의 삶과 질을 변화시킬 수 있겠다는 마음으로 참여하게 된 것 같습니다.

어쨌든 출발은 노사모에서 하셨다는.

정치에 입문한 어떤 계기는 노사모 활동을 통해서지만, 여성이 생활 정치를 하면 좋겠다는 계기는 봉사 활동에 있었던 것 같습니다. 복지관에서 설거지를 하고 있는데 어머니들, 할머니들 점심이 너무 부실하게 나오기에 '도대체 구청에서 예산을 얼마 주는 걸까? 구의회에 들어가서 예산서를 한번 봐야겠다'는 게 제가 구의원을 결심하게 된 계기였고. 여성들이 직접 정치에 참여해야 아이들의 삶, 우리 딸들의 삶이 바뀐다는, 나의 세대보다는 우리 딸들의 세대를 위해서 여성인 내가 생활 정치에 참여해야 되겠다는 문제의식을 자연스럽게 느끼게 됐던 것 같습니다.

일각에서는 노사모 했던 사람들이 정치하는 거 보기 싫다고 비판하시는 분들도 있거든요.

질문 참 잘 해주셨습니다. 예전에는 시민 사회 단체들이 바깥에서 문제점

을 지적하고 바깥에서 구호를 외칩니다. 그러나 이후로 시민 사회 단체에서 이제는 이래서는 안 되겠다, 구호로 외쳐서는 효과가 적다, 안에 직접 들어가 제도를 바꿔보자 해서 활동하시는 분들이 많이 있습니다. 바깥에서 구호를 외치는 활동들도 중요하지만 문제의식을 느낀 사람이 직접 참여해서 문제를 함께 바꾸어보는. 바깥에서 구호만 외치는 것보다는 적극적인 노력의 일환이 아닐까? 그렇게 봐야 될 거라고 생각합니다.

특별한 기억이나 일화가 있으실까요?

12월 19일 선거였고 우연히 노무현 대통령께 꽃다발을 드리게 되었어요, 영광스럽게도. 대통령 후보가 되고 내일모레면 선거가 있으니까 많은 사람들이 귀빈실을 꽉꽉 채웠거든요. 꽃다발을 어찌어찌 드렸지만 남편은 구석에 있었죠. 사람들한테 떠밀려가다가 노무현 대통령께서 악수하고 있는데 딱 보더니 '어? 남태' 이런 눈길로 보더니 사람 사이를 비집고 와서 "그래, 남태, 니 욕봤다" 얘기하면서 꽉 안아주고 가는. 다른 사람들은 아무도 기억 못하겠죠. 자이툰 부대 장병 안아주는 듯한 느낌으로 한번 껴안아주고 가는. 남편이 중앙에 있었던 것이 아니고 구석에 있었거든요. 멀리 구석에 있는 말 없고 숫기 없는 후배를 눈길로 좇아줬다는 게 노무현 대통령의 성정이 아닌가. 그렇게 느끼고 있습니다.

노사모를 만나서 뒨다님 인생에서 달라진 점이 있다면?

노사모라는 커다란 내 편. 언제나 나의 이야기를 들어주고 그분들한테 누가 되지 않는 활동, 삶을 살아야겠다고 생각하죠. 노사모 활동 하면 시 한 편이 생각납니다. 이현주님의 〈한 송이 이름 없는 들꽃으로〉라는 시가 있습니다. 욕심이 생길 때마다 속으로 되뇌곤 하는데 노사모 하시는 분들이 한 송이 이름 없는 들꽃으로 생활하고 계시는, 정말 까만 씨앗 하나 남기려는 마음들이 모여서 한 송이 이름 없는 들꽃으로 피고자 하는 활동이 아닌가. 제가 정치 활동하고 다른 분들은 다른 활동들을 하고 있지 않습니까? 다 같은 일환으로 노무현 정신과 함께 간다고 생각하고 있습니다.

인터뷰에서 꼭 한번 해보고 싶었던 이야기가 있을까요?

오늘 이 자리를 오면서 어떤 이야기를 물을지, 해야 될지 전혀 지향점을 잡지 못하고 왔어요. 약속만 하고 왔는데 만약에 바보들이라는 이야기가 있으면 노무현과 관련된 이야기인가보다 하면서 남편의 영정 사진을 가지고 왔어요. 노사모 이야기를 하면 제 남편이 주인공이지, 저는 주인공이 아니에요. 남편은 4월 5일 선거를 한창 준비하고 있을 때 세상을 떠났고, 아내가 당선되기를 간절히 바랐는데 당선을 보지 못하고 떠났고…… 시의원 아내의 따뜻한 밥 한 끼 먹고 가기를 늘 바랐는데 그걸 못하고 가서 안타깝습니다. 아무튼 남편 영정 사진을 차 옆에 두고 '여보, 가자' 하고.

영정 사진을 옆에 태우니까 이 사람이 늘 집에만 있다가 바람 쐬러 나온 듯한 느낌이 드는 거예요. 여보, 지금 만덕 지나고 있어. 그래. 영정 사진을 사무실에 가서 제 자리에 한번 앉혔어요. 여보, 당신 덕택에 내가 여기 와 있는 것 같아. 내 사무실이야. 남편의 사진과 노사모 이야기를, 남편과 노무현과 함께 있었던 이야기를 하게 된다면 남편 이야기가 제 이야기보다 조금이라도 더 나와주면 좋지 않을까 하는 바람이 있습니다.

각별한 사이셨으면 노무현 대통령 서거하셨을 때 슬픔도 크셨겠어요.

49재까지 내내 주일마다 함께 갔고요. 늘 너무너무 컸죠, 그 슬픔은……

봉하에 갈 때마다 '아, 언제 내가 봉하에 눈물 없이, 손수건 없이 올 수 있을까' 생각했을 정도로 봉하에 가는 것이 너무 괴롭고. 저희 결혼기념일이 5월이고 제 생일이 양력으로 5월입니다. 나의 생일은 정말 잔인한 5월이겠구나, 우리의 찬란한 봄은 이제 없겠구나 생각했습니다.

언제쯤 눈물 없이 가실 수 있을까요?

눈물 없이 갈 수는 없을 것 같습니다. 노사모 하시는 분들이나 노무현과 그 시대를 함께 살았던 우리들은 눈물 없이, 가슴 먹먹함 없이 노무현이라는 이름을 떠올리지 못할 것 같습니다. 자신 없습니다. 봉하 음악회도 하고 이제 슬픔에서 벗어나야 된다고 말씀들 하시죠. 그런데 벗어나자고 하는 말 속에는 아직도 슬픔이 함의되어 있지 않습니까? 털고 잊어버리자고 해서 사람의 마음이, 일이, 생각이, 추억이, 기억이, 시간이 없어지는 거 아니기 때문에 털자. 슬퍼만 하고 있을 수는 없지 않느냐고. 그렇다고 해서 노무현이 잊히지는 않죠. 문득 슬퍼질 것이고. 그런데 우리가 봉하에 가서 또 웃을 일이 안 있겠습니까? 노무현을 생각하면서 웃을 것이고 울 것이고 먹먹해질 것이고. 안 그렇겠습니까? 잊자고 잊힐 일은 아닐 것 같습니다.

대한민국 정치사에서 노사모가 기여한 것은 뭐가 있을까요?

굉장히 큰 의미가 있죠. 딱 한 가지라기보다는 세상을 바라보는 방향성의 물꼬를 달리했다, 정치를 바라보는 물꼬를 다른 방향으로 틀었다고 생각하고 있습니다. 대한민국 정치가 서민 중심으로, 서민들의 삶을 되돌아보고 함께 챙기는 정치로 바뀌어야 된다고 생각하게 한 계기가 되었다. 노사모 활동이 앞으로 후세대들한테 어떻게 비칠지 모르겠으나 그런 의미에서 큰 평가를 받아야 된다고 생각하고 있습니다.

대통령 자리가 봉사하는 자리입니다. 그런데 대통령이 되고 보니 누리는 것이 참 많았습니다. 해외 나갈 때는 전용기나 전세기를 타기도 하고, 공식적인 나들이할 때는 도로 교통을 적절하게 통제해 신호 대기하지 않고 가기도 하는 등 누리는 것이 있습니다.
처음 대통령 되고서 제일 기분이 좋았던 것이 북악산을 누릴 수 있다는 것이었습니다. 올라와보니 참 좋아요. 처음에는 혼자 누리는 것이 특권인 것 같아 기분좋았는데, 시간이 지날수록 미안한 생각이 들었습니다.
와보면 옛날 사람들이 다녔던 자국이 남아 있습니다. 돌계단도 그렇고 약수터도 있습니다. 그런 것을 보면서 어느 때인가 사정이 있어서 막았겠지만 시민들에게 돌려주자고 마음먹었습니다. 돌려주려고 하고 나니까 여러 가지 문제들이 있었습니다. 막아 놓고 지키면 부담이 적은데 사람들이 다니기 시작하는 상황에서 경비하는 것이 군부대로서는 난감한 일이었습니다. 거기다가 처음엔 문만 열면 되는 것이라고 생각했던 것이, 아름답게 역사를 느낄 수 있도록 다듬어서 열겠다는 생각으로 좀 더 늦춰지게 되었습니다.

_북악산 개방 시범답사(2006년 2월 12일)

힘에 의한 강요보다는
스스로 바꿔나가는

박남춘 인천시장

노무현 대통령과의 인연은요?

전에는 한 번도 뵌 적이 없어요. 국장 승진해서 국방대학원을 가는 걸로 인사안이 잡혀 차관까지 결재받고 마지막 장관 결재만 남아 있는 상황이었어요. 국장 승진한다고 축하받고. 기대에 차 있는데 장관이 찾는다는 겁니다. 꼭 면담을 하고 싶다고 장관이 말씀하셨다고. 저는 특별히 생각 안 했는데 전날 장관 비서한테 전화가 왔어요. (웃음) 내일 장관이 뵈면 국장 승진을 만류하고 뭔가를 부탁하려고 할 거라는 귀띔을 하더라고요. (웃음) 아무 면식도 없는데 나한테 왜 그럴까? 마음의 준비를 단단히 하고 장관을 뵀어요. 장관으로 부임한 지 4개월이 됐는데, 해양수산부의 변화와 혁신을 주문했는데 누구도 같이 수행 안 해주더라, 그러니 총무과장을 맡아 달라고 부탁하시더라고요. 그때만 해도 그분이 대통령 될 줄 알았겠어요? (웃음) 지지도도 제일 뒤처진 정치인이었고 솔직히 호감 갖고 있는 정치인도 아니었어요. 진급을 포기하면서까지 도와야겠다는 생각이 들지 않더라고요. 못하겠다고 버텼죠, 20분 이상을. 면식도 없고 저를 직접 겪은 것도 아니면 통상으로는 단념하는 게 상식적인 일이라고 생각이 드는데 그러지 않으시더라고요. 갑자기 인터폰을 집으시더니 차관을 호출하셔요. (웃음) 차관이 나타나시니까 장관께서 국장 승진 결재판을 돌려주시면서 말씀하시더라고요. 이 사람 국장 할 자격 없는 사람이라고. 간절한 마음으로 조직을 위해서 일해달라고 하는데 자기 얘기만 하는 사람이 어떻게 국장 자격이 있냐고. 인사안을 이 사람을 빼고 (웃음) 다시 가져오라고 말씀하시더라고요. 차관께서 제 팔을 끌면서 나가서 얘기 좀 하자고. 차관실 가서 20~30분 설득하시더라고요. 장관이 저렇게 의지가 강력한데 이번에는 장관 뜻대로 해주면 좋지 않냐. (웃음) 아무리 생각해봐도 장관을 못 이길 것 같아요. 다시 들어가서 장관님한테 아까 생각이 짧았다고, "말씀하신 대로 총무과장 일 해서 변화와 혁신이 일어나게끔 해보겠습니다" 하며 항복했죠. (웃음) 그게 인연이 된 겁니다.

그렇게까지 고집한 이유가 뭘까요?

그때만 해도 잘 몰랐는데 대통령 되셔서 하시고 싶었던 일을 해수부 장관 시절부터 해보고 싶었던 거예요. 명칭이 '이지원'이라고 모든 업무를 투명하고 공개적으로 양방향 소통하면서. (웃음) 서로 의견을 주고받으면서 일이 이루어지고, 투명하게 남기고 과제로 관리가 되고. 대통령 시절에도 한참 걸려서 만드셨던 이지원을 장관 시절에도 하시고 싶어했어요. 지시 사항이 누락되지 않고 등록되는 시스템을 만들고 싶어했어요. 그런 지시도 받았어요. 음성으로 이야기하면 문자로 전환되는 걸 구축해볼 필요가 있지 않냐. 업계 여기저기 수소문했는데 당시의 기술력으로는 안 되는 거였어요. 장관 시절부터 노무현 대통령은 혁신하고 싶어했던 겁니다. 위로부터 힘에 의한 강요보다는 자발적 동기에 호소해서 스스로 바꿔나가는 공직 풍토를 만들고 싶어하셨던 거예요. 그게 말로만 되는 건 아니잖아요. 그러니 성과 평가, 승진과 상호 연계가 되어야만 동력도 살아나고 동기 부여도 될 것이다. 그래서 총무과장직을 줘서 주도하고 싶으셨던 거예요. 오래 장관 하실 줄 알았어요. (웃음) 그런데 불과 4개월 18일 정도만 같이 근무하고 장관님은 떠나셨어요. (웃음) 저만 남았어요, 총무과장으로.

인연이 돼서 이후 참여정부 때 처음부터 참여하셨잖아요.

처음에는 청문회 스타지, 대통령 될 거라고는 생각 안 했어요. 그런데 4개월 18일 동안 모시고 일하는데 이렇게 멋진 정치인이 있구나. 기회가 될 때마다 참 많이 배웠어요. 세상을 저런 눈으로 바라보고 끊임없이 힘든 길

을 가는구나. 잘됐으면 좋겠다고 생각하게 됐고 4개월 18일 동안에 대외적으로도 "노무현이 대통령감이야" 하고 다녔어요. 그분이 너무 좋았어요.

2002년도에 현직에 앉아 있는 것보단 자유로울 것 같아서 고위 정책과정이라고 중앙공무원교육원에서 국장급들 교육하는 과정에 자청을 해서 갔어요. 교육을 받으면서 간절히 바랐죠. 그런데 정말 가장 낮은 지지율에서 경선을 거쳐서 대통령 후보가 되셨고, 후단협 문제도 생겼지만 다 돌파해내 대통령이 되시더라고요. 당선되시고 많이 지나지 않았는데 전화를 주셨더라고요. "뭘 하고 있습니까?" "교육받고 있습니다. 1년 정도가 되어야 해서 앞으로 한 달 남아 있는데 마쳐야 됩니다"라고 했더니 "마치고 와서 도와줬으면 좋겠습니다". 구체적인 말씀은 안 하셨는데 그후에 인수위에서 연락이 왔어요. 교육 마치고 인수위에 합류하게 됐어요. 인수위원회 갔더니 당선자께서 특별히 저를 부르시더라고요. 같이 정치적 길을 걸어온 사람도 있고 각 부처 공무원들도 있으니 인수위 과정에서 불협화음이 있을 수 있지 않느냐, 그러니 우리 박부장이 공무원들의 여론을 잘

수렴했으면 좋겠다, 불협화음 없도록 사안들 있으면 얘기해줬으면 좋겠다. 과업을 주시더라고요. 마치는 시점에 청와대로 같이 가자는 말씀도 있으셨고. 구체적인 자리까지 제안받았어요. 그래서 청와대에 가게 됐어요.

운명이네요, 운명.

그 4개월 18일로 그렇게 긴 인연을 맺게 될 줄 몰랐어요. 공식 조직 틀이 잡혀 있는 조직의 장은 그게 처음이셨잖아요. 저는 공직에서의 경험이 있고 노무현 대통령을 만나기 전에 김영삼 대통령 시절에 청와대에 근무했어요. 그때의 경험에 대해서도 흥미로워하셨어요. 그래서 약속 없으신 점심에는 제 방에 수시로 오셨어요. (웃음) 식사하러 가자고. 질문을 많이 하셨어요. 가장 가슴 아팠던 일은 당시 정권이 김대중 대통령께로 넘어갈 시점에 작성했던 소중한 기록물들을 불태우는 일이었다고 말씀드렸어요. 대통령 기록물이죠. 그러니까 굉장히 충격받으시더라고요. 왜 그런 거냐고 물으시고. 정권이 바뀌었으니까, 보호받지 못하니까 없애는 게 상수 아니겠습니까? 저도 너무 가슴 아팠다고 말씀드렸어요.

국정상황실 실장, 인사수석도 하셨는데.

처음 들어갈 때는 국정상황실장이 아니었어요. 국장 자리를 이미 두 자리 했거든요. 노무현 대통령께서는 국정상황실을, 김대중 대통령 시절에도 있었지만 명실상부하게 기획실 역할로 구상하셨던 것 같아요. 초대 실장이 이광재 지사예요. 저는 처음에 들어갈 때 국장 두 자리 했는데, 비서관으로 발탁하지 못한 것 미안하다고 하셨어요. 이광재 국정상황실장이 비서관급이에요, 수석급이 아니고. 그래서 처음에는 행정관으로 들어간 거예요. 노무현 대통령께서 보기에 당시에 가장 큰 문제점은 정보기관들의 일방적 보고에 청와대가 움직이는 것이었어요. 국정원, 기무사, 경찰의 보고를 대통령이 직접 받지 않도록 하겠다는 원칙을 세우셨어요. 국정상황실은 그와 같이 생산된 정보를 경중에 따라 분류하고 관련 부서에 배포하고 사실 확인 절차를 거쳐 중요한 정책 의제로 갈 것은 의제로 관리하고 대통령께 시급히 보고드려야 될 것은 보고하고. 각 부처로부터 피드백 받아서 개선해야 될 건 절차를 밟아 정책실이라는 청와대 내의 조직에 통보하는 역할도 했고요. 일반 부처로 따지면 기획관리실의 역할을 했다고 보시면 돼요.

인사 적재적소 적소적재 이야기를 해주셨으면.

대통령님께서는 굉장히 깊으세요. 사람을 먼저 찾아놓고 자리를 찾으면 위인설관(爲人設官) 이지 않느냐. 자리가 있으면 어떤 자리인지 분석을 먼저 해야 되지 않느냐. 거기에 필요한 역량과 자질에 맞는 사람을 찾고 배치하는 게 맞지 않느냐. 적재적소(適材適所)와 적소적재(適所適材)가 똑같은 말 같지만 원리는 완전히 다른 거죠. '적재적소'는 사람을 먼저 찾고 자리에 억지로 끼워맞추는 개념일 수 있으니 '적소적재'라고 씁시다. 참여정부 당시에는 적소적재라는 말을 훨씬 많이 썼어요.

당선 이후에 참여정부 흔들기가 상당했지 않습니까?

말도 못했죠. 참 속상했어요. 계란으로 바위 치기 했다고 하잖아요, 통상적으로. 그걸 몰라서 노무현 대통령이 어려운 길을 걸으셨다고 생각하진 않아요. 현실은 현실이에요. (웃음) 지금 생각해보면 그때 노무현 대통령 손에 트위터만 주어져 있었다면 해볼 만한 싸움이었다고 생각해요. 당시의 기술 수준으로는 할 수 있는 게 겨우 홈페이지 구축해서 청와대 브리핑

하는 거였어요. 국민들에게 전파하는 데 한계가 있지 않습니까. 트럼프 대통령이 트위터로 대외 언론에 대응하듯이. 글 잘 쓰시고 말 잘하시는 노무현 대통령 손에 트위터가 들려 있었다면 어땠을까? (웃음) 대통령님께서 참 답답해하셨어요. 정말 사실과 다르게 왜곡됐거든요. 대응하고 싶은 거예요. 그런데 참모들은 한계를 예측하고 말리는 거예요. (웃음) 대표적 얘기가 대통령 못해먹겠다는 거잖아요. 취임하신 지 몇 달 안 돼서 5·18 기념식에 내려가셨다가 유가족들께서 섭섭함을 표시하시느라고 시위하고 그러니까 기념식장에 제때 못 들어가고. 다 마치시고 상경하니까 미안함을 표시하러 오셨던 거예요. 그때도 대통령 말씀은 그거였거든요. 그렇게 힘으로 자꾸 의사 표시하면 대통령인 내가 느끼기에도 못해먹겠더라. 그런 말씀이셨어요. 그런데 언론에는 그냥 대통령 못해먹겠다고 하면서 굉장히 경박스러운 말로 나가버리더라고요.

노사모가 세상을 바꾸는 데 어떤 영향을 줬다고 생각하십니까?

어쨌든 노무현 대통령을 만들었잖아요. 노무현 개인을 만들었다기보다 노무현이 몸으로 부딪쳐 싸웠던 지역주의, 특권의식. 지금도 완벽히 무너져내렸다고 생각하진 않아요. 2018년 6월 13일 지방선거에서 무너지기 시작하는 모습은 보였지만. 그런 것들을 부여잡고 끊임없이 역사 발전을 추구했던 정치인을 대통령으로 만들었다는 것에서 큰 의미를 찾고 있고, 도전받는다면 강력하게 저항하는 사람을 또다시 지지할 것이고 함께 갈 것이라고 생각하죠.

누군가는 문재인 대통령이 참여정부 시즌 2다.

노무현 대통령께서 몸으로 부딪쳤던 정치적 의제들이 해결됐느냐? 아니잖아요. 공수처의 가장 큰 화두를 그때 이미 던졌잖아요. 안 됐잖아요. 그나마 당시에 근무하고 의미를 깊숙이 알고 있던 분들이 국회에도 많이 진출해 있고 정부 내에도 많이 있으니까 그것의 계승을 어떻게 관철해야 되는지에 대한 깊은 생각들을 많이 한 거죠. 법안까지 만들어져 있지만 아직도 국회에 머물고 있지 않습니까? 그러니까 누구를 물려받았다는 것보다는 민주주의 발전을 위해서 의제로 제시했던 것들이 참여정부가 끝나면서 9년간 오히려 후퇴했던 거예요. 그러니 문재인 대통령은 다시 정상적인 발전 방향으로 되돌리기 위해 의제를 계속 꺼내서 국민들께 말씀드리고 앞으로 나아가자고 할 수밖에 없는 거 아니겠습니까? 보수 정권 두 차례를 겪으면서 정체 내지 후퇴했던 것들을 다시 정상 궤도로 돌려놓는 과정이다. 다만 이제는 시민들이 많이 바뀌었다, 참여정부 시절보다. 이라크 파병이나 한미 FTA 등 국가 이익을 위해서 일했던 대통령을 등짐으로 대통령이 어떠한 운명을 맞는가에 대한 학습, 경험을 우리 시민들이 많이 하셨다. 그러니 문재인 대통령에 대해서 어떻게 해야 되는지를 많이 생각한

시민들이 생겨난 것이다. 흐름이 잘 잡혀갈 거라고 봅니다.

참여정부 이후에 출마하시고 약간 주춤하셨던 시기가 있잖아요. 대통령 서거하셨을 때랑 겹치는 시기 이야기를 해주십시오.

이번에 시장 선거 나왔더니 도피했다고 상대방들이 하는데. 노무현 대통령이 나오셔도 인천에 안 되는 데가 있어요. 옹진군입니다. (웃음) 그 지역에 제가 출마하겠다고. 그때 기억나실 거예요, 독수리 3형제. 윤승용 홍보수석, 전해철 민정수석, 박남춘 인사수석. 셋이서 임기 두 달 남겨놓고 딱 나왔어요. 도전했죠. 그 지역에 도전하게 된 거는 현역 의원이 우리 당 소속 의원이에요. 그런데 이분이 노대통령이 나아가는 방향과는 너무나 다른 이야기를 하는 거예요. 제가 태어난 곳이기도 하고 해양수산부에서 잔뼈도 굵었고 생각이 다른 정치인에게 도전해서 노무현의 정신을 위해, 작은 동네고 가장 힘든 곳이지만 기필코 당선 한번 해봐야지 했어요.

인천 제물포고등학교를 나왔는데 선배 국회의원이 몇 분 계셨어요, 당에. 정말 철없는 짓이래요. 친노라는 걸 갖고 가서는 천하 없는 사람도 안 된다, 왜 하필이면 거길 가려고 하느냐, 우리 당이 가장 좋은 부평 쪽으로 출마하면 좋겠다고 하셨지만 무조건 가서 도전했어요. 그런데 당내에서 공천도 못 받았죠. (웃음) 참 허탈하더라고요. 저를 위로하는 사람들은 "자네가 그냥 노무현 대통령을 좋아하는데 대통령 인기가 없어서 그런 거지, 자네의 문제는 아니야". 그런데 그게 이유겠습니까? 출마 못하고 정치하기가 싫더라고요. (웃음) 그러던 차에 친구들이 자기네 회사 와서 도와줘라, 자문도 하고. 정권이 바뀌니까 압박도 있고. 눈에서 좀 사라져주면 안 되겠냐는 제안도 들어오고. (웃음) 그렇게 이야기하는 친구들이 있었어요. 3년 이상은 아예 정치 쪽에 들어오려고 하지도 않았고 의욕도 없었고.

하루는 송영길 인천시장이 연락 와서 정무부 실장(?)을 맡아주면 안 되겠느냐는 제안을 했어요. 한 정권의 인사수석을 했던 사람이 달랑 수락할 사안은 아니라 여기저기 물어봤어요. 의견이 갈려요. 봉하마을에 대통령께 참배도 하고 권여사님한테도 말씀드리는 게 예의일 것 같아서 찾아뵀어요. 권여사님께서도 그러시더라고요. 대통령께서 박수석님 정치하면 할 사람이라는 얘기 (하신 것을) 들으신 적 있다. 정치하시기에 아주 좋은 목소리다. 목소리가 아까워서라도 총선에 출마하시면 좋을 것 같다고 하시더라고요. 거기서 딱 정했죠. 출마해야 되나보다. 국회의원 두 번 재선한 인천 남동구에 가서 도전하게 된 거죠.

정치인 분들 인터뷰해보면, 정치권력 잡으면 될 줄 알았는데 관료들이 더 큰 벽이더라는 이야기 하시더라고요. 그런데 관료 출신이시니까.

노무현 대통령도 이미 다 느끼셨던 거예요. 국민들의 삶 속에 접목하기 위해서는 제도와 법률, 문화가 바뀌어야 되잖아요. 그리고 수족이 돼서 역할을 수행하는 조직이 관료잖아요. 이분들의 생각이 굉장히 중요한 거죠. 속도가 결정되지 않겠어요? 저도 시장을 하면서 느끼는 것이, 시장 임기가 있잖아요. 시장보다는 선배 공무원들과 훨씬 오래 같이 근무하지 않겠어요? 그걸 다 무시하고 내 생각이 옳으니 무조건 따르라고 공무원 조직이 바뀔까요?

시장을 하면서 보니까 직장 교육이 없어요. 몇 년간 안 했다는 거예요. 블록체인 얘기하잖아요. 뭔지 알아야 일에서 찾을 거 아닙니까? 저는 인문학적 소양이 굉장히 중요하다고 생각해요. 그래야 융합적 사고도 되는 거 아니겠어요? 몇 년간 그런 게 없었다는 겁니다. 그러니 공직 사회에 변화가 일어날 것이고 시민들을 향해서 관점을 바꾸려고 노력하고 시민 편에 설 수 있는 자발심이 생겨날 수 있을까요? 공무원도 끊임없이 각성하고 깨어야 되지 않겠어요? 관료제는 자기 이익을 향해 가게 되어 있는데 그런 노력조차 안 했으니 너무 간고하게 굳어져 있는 거다. 그러면 중앙부처에는 그게 없나? 똑같습니다. 누구나 겪을 문제이기 때문에 어떻게 하면 변화를 이끌어낼 거냐에 관한 고민을 해야 돼요. 그렇다고 관료 집단들을 싸잡아 비난할 소재는 아니고요. 어떻게 보면 본성에 가까운 속성이다. 박원순 시장님도 3선째 하시니까 조금 숨 쉬는 거지, 초창기에 똑같은 애로 사항을 말씀하셨을 거예요. 시민단체 활동하시던 분이 공무원 조직에 들어오셔서 느꼈을 갑갑함은 더 심했을 수도 있어요. 저는 공무원 생활도 해봤고 공무원 생활을 바꿔보고 싶어 하는 장관을 모셨고 실무적 도움을 주면서 지냈고 청와대 5년간의 생활 속에서 문제의식을 공유하고 어떻게 하면 좋을까에 대해 고민했고. 그래서 당시 청와대에 혁신수석을 뒀고 행정자치부 자체를 정부 부처의 자체 혁신하는 부처로 만들었던 것이고. 끊임없이 노력했던 거예요.

벽, 그게 벽이 아니고.

관료제는 그런 겁니다. 오히려 그렇게 있을 수밖에 없는 현상인데 그걸 어떻게 극복하고 발전적 방향으로 나아갈 거냐에 대한 고민을 해야 되는 거죠. 완전히 극복은 안 됩니다. 누가 할 수 있습니까? 그것을 당연시하면서 어떻게 하면 시민들을 위한 조직으로 끌어당겨 바꿀 것이냐, 변모시킬 것이냐에 대해 고민해야겠죠.

우리는 무엇을 해야 할 것인가? 여러분께 제시한 것이 국정목표입니다. '참여정부'라고 이름 지었습니다. '국민과 함께 하는 민주주의', '더불어 사는 균형발전사회', '평화와 번영의 동북아 시대' 이렇게 국정목표를 내걸었습니다. (…) 개혁이 무엇인가? 자기 극복입니다. 개혁의 첫번째 조건은 절제입니다. 불편 없는 개혁, 현재 서 있는 자리가 위험해지지 않는 개혁이 어디 있습니까? 그러나 개혁이 성공하면 훨씬 더 좋은 기회를 가질 수 있습니다. 안주하면 우리가 타고 있는 배는 가라앉거나 기껏해야 현상유지입니다. 아이들에게 현상유지하는 대한민국을 물려줄 수는 없지 않습니까? 개혁주체세력에 대해 너무 복잡하게 생각하지 맙시다. 어느 사회나 앞서가는 사람이 있게 마련입니다. 제가 말하는 '개혁적'이라는 것은 진보를 말하는 것이 아닙니다. 합리적인 것을 합리적으로 하자는 것입니다.

_'제1차 중앙부처 실·국장과의 대화 연설'에서(2003년 6월 20일)

그런 부탁 하려면
내 시키지 마이소

새벽들판 허성무(창원시장)

시장님이 노사모에 있다는 사실에 놀랐어요.

큰 의미에서 노사모 하면 노무현을 사랑하는 사람들의 모임이지 않습니까? 노무현 대통령과 인연도 오래됐고. 86년 겨울에 제가 구속될 때 변론해주기 위해 오셔서 만났으니까. 85년도에 구속됐던 사람들 변론하고 있을 때 방청 가서 처음 뵀고, 노무현 변호사 사무실에 가서 차 마시면서 이야기도 듣고. 제가 대구교도소에 있다가 87년 8월 말에 출감했고. 87년 대통령 선거 들어가면서 공정선거감시본부라는 게 만들어졌습니다. 노무현 변호사님이 부산 지역 본부장을 맡으셨고 그 밑에서 제가 선거법 교육 실무자를 했죠. 다니면서 활동 같이하고 지도도 많이 받고. 그 인연으로 그다음 해 88년 국회의원 선거 때 자원봉사 팀장으로 초량 1동부터 6동까지 맡았죠. 2000년 부산 북강서을 국회의원 선거에서 낙선을 하시고부터 바보 노무현 이야기도 나오고 대선을 준비하면서 그해 늦가을에 제가 본격 다시 합류하게 되죠. "대선 가고 싶으니까 니도 내 좀 돕지" 말씀하셔서 창원을 중심으로 활동하고. 노사모가 만들어질 때 본격 활동해서 노사모를 만들어내는 핵심으로 갈 거냐, 당에서 열심히 할 거냐, 선대본부로 할 거냐는 이야기들이 오고갈 때 저는 당과 선대본부 일을 하겠다고 판단 내렸습니다. 노사모 활동을 열심히 하는 것도 중요하지만 당에 들어가서 대의원을 장악하는 것이 선거인단 수백 명 모집하는 것보다 더 큰 효과가 있을 거다. 일단 효과가 큰 쪽을 먼저 해야 되니까 양다리를 걸쳤죠.

닉네임이?

처음엔 '민삼'이라는 걸 썼을 텐데요. 그다음에 '새벽들판'으로 갔습니다. 민삼은 대학 다닐 때 학생운동 때 가명인데요. 민족, 민주, 민중. 세 개의 민, 삼민이 되어야 되는데 거꾸로 민삼이라고 썼던 가명이고요. 그뒤에는 새벽들판으로 바꾸었죠. 제가 다닌 대학 이름이 새벽들판이에요, 효원. 한글로 풀면 새벽들판.

어떻게 하다가 학생운동에 뛰어드셨나요?

80년대 초반 학번이지 않습니까? 마산에는 3·15라는 게 60년대에 있지 않았습니까? 마산에서 고등학교 79년에 입학하니까 중학생 시절에 겪었던 3·15 경험담 말씀해주는 선생님들이 계셨고. 그해 가을에 부마항쟁이 일어났습니다. 대검을 착검한, 완전 군장한 계엄군들이, 위수령이 떨어졌거든요. 군용 트럭 타고 다니고 시내 교통을 통제하고 위협하는 것을 체험했죠. 열흘 후 박정희 전 대통령 사망 사건이 생긴 거죠. 격동의 청소년기를 보내고 80년 5월에 광주민주화항쟁이 있었고. 대학 진학 때 민주화운동 하러 간 게 아니지 않습니까? 미 문화원도 잠시 가고 그 과정에서 노무현 전 대통령을 변호인으로서 만나게 됐고. 자연스럽게 연결된 과정입니다. 학창 시절은 그렇게 보냈고요. 노무현 대통령이 국회의원 당선돼서 서울 가시고 뭘 할 건가 저도 고민해야 되잖아요. 87년 노동자 대투쟁으로 노동자들이 전면에 나섰고 제가 할 수 있는 역할이 별로 없고 저도 20대 중반 넘어서는 나이이기 때문에 경제적으로 독립해야 되고. 1년 동안 방황했습니다, 뭘 할 것인가. 그러다가 고향으로 돌아왔죠. 상행위하면서 먹고살아야겠다. 위장취업을 안 하는 이상 취직은 안 되니까. 경제활동을 하기 위해 구상하는 중에 우연히 잠깐 학원에서 영어 선생 할 계기가 생겼어요. 그것도 해보니까 사업에 성공하려면 강사 해서 되는 게 아니고 비즈니스를 해야 되는. 직접 경영하는 게 맞다 싶어 창원에서 제일 큰 학원으로 재빠르게 성장시켜서 돈을 벌었던 적이 있습니다.

노무현 대통령이 낙선하다가 종로에서 국회의원 보궐선거 당선되잖아요? 종로 지역구 국회의원 신분으로 경남 지부장으로 오시게 됩니다. 연락이 한번 왔어요. 니 돈 버는 거 먹고사는 거 그만하고 내 좀 도와달라 하시길래 제가 말씀드렸어요. 국회의원 선거 나가는 데 제가 특별히 도와드릴 게 없지 않습니까? 사람이 많이 모이니까. 그때 북강서을 준비하고 계시면서 중간 단계로 경남 지부장 오셨거든요. 다음에 큰일 하실 때 도와드리겠다고 얘기했는데 국회의원 떨어지면서 바로 큰일로 가니까 저도 바로 같이 일하게 됐던 거죠.

세상을 바꾸는 데 노사모가 어떤 역할을 했다고 보시나요.

엄청나게 기여했다고 생각합니다. 후보 경쟁에서 노사모의 힘 없이 당내 세력만으로 싸웠다면 이인제 후보한테 졌습니다. 노사모라는 바람이 있었기 때문에 힘이 어마어마하게 느껴진 거죠. 만약에 노사모라는 조직이 없었다면 구도나 역학 관계만 보고 '노무현 후보가 될 거 같다, 노무현 밀자'고 동교동계나 DJ가 판단을 쉽게 하진 않았다고 봅니다. 아무리 노무현 후보가 잘해도. 옛날에는 정치 자금을 모으는 게 합법이었으니까요. 군사독재 정권 때는 권력으로 돈 모으는 것을 불법으로 했지만 김영삼 대통령이나 김대중 대통령은 합법적으로 법률적 범위 내에서 정치 자금을 모으고 풀어서 조직 관리했던 거 아닙니까? 그런데 노무현은 10원도 없이 조직이 스스로 만들어지니까, 과거에 자기들은 연청이다 민주산악회다 어마어마한 자금을 투자해야 운영됐는데, 전부 자기 돈 써가면서 차비 내고 음식 사 먹고 플래카드 만들고 소리지르고, 이런 자발적 조직을 처음 보면서 새로운 시대의 변화를 예민하게 느끼거든요. 핵심은 노사모라는 조직의 자발성 때문에 세상이 바뀐 거죠.

본선 유세할 때 유세단장으로 지금 임종석 비서실장이 다녔거든요.

창원 유세 마지막 와서 저녁에 소주 한잔 먹으면서 송인배하고 저하고 세 명이 자리에 앉아 있는데 거기에서 임종석한테 이야기했어요. 이번 대선에서 지면 해방 이후 반민특위가 해체된 것과 똑같은 과정을 겪게 된다, 임단장이 노후보를 꼭 대통령으로 만들어줘야 한다고. 역사적 계기가 있을 때 돌파해내지 못하면 역사는 반드시 더 크게 후퇴한다. 해방 직후에 반민특위가 제대로 자리 잡고 돌파했더라면 우리 사회가 완전히 새롭게 거듭나게 되고 갈등과 분열도 훨씬 적었을 텐데. 자기 정당성은 있고 존중해드려야 되지만 그걸 뛰어넘는 소통과 합리적 의사 결정을 못했기 때문에 분열이. 이번 문재인 정권도 성공하지 않으면 후퇴가 생깁니다. 반드시 성공해야 되는데 그러기 위해서는 문재인을 당선시키는 데 힘을 모았던 모든 세력의 소통과 이해, 타협과 양보가 필요합니다.

또 저희처럼 지방 권력에 진출한 자치단체의 장들이 어려운 환경에 있지만 성과를 내야 됩니다. 창원이 만들어지고 난 이후 가장 큰 위기와 어려움을 겪고 있습니다. 전력 질주해서 뭔가를 해내야 됩니다. 청와대도 잘해야 되고 저희들도 잘해야 되고 국회도 잘해야 되고. 노무현은 선구자적이고 예언적 눈을 가진 그런 사람이었다. 지방 분권이 필요하고 지방자치가 제대로 되어야 하고 혁신을 통한 새로운 성장이 있어야 한다. 노무현 대통령이 혁신을 외쳤을 때 전 산업과 전 국가 기관의 혁신이 제대로 일어났다면 지금보다 훨씬 빠른 속도로 가지 않았을까 생각하고요. 그분을 생각하면 늘 가슴이 먹먹한 그거죠.

노대통령 말씀 가운데 특별히 기억나는 구절이 있다면?

집권 기간에 대통령 옆에 붙어 있던 사람들에게 들은 이야기가 있는데. 부산의 삼북도라고 하잖아요? 과거 침례병원 주변으로 밑동네와 삼북도 윗

동네가 소득 형편이 극단적 양극화된. 산동네를 같이 모시다보면 사람들이 등산 갔다가 내려오면서 골목에서 만나요. "노후보님, 당선되시면 골목 넓혀주시고 정리도 해주시고" 하니까 딱 정색하면서 "그런 거 시키려면 내 뽑지 마소. 구청장이 하면 돼요, 나는 대한민국을 위한 큰 정치 할 거요". 그때 저는 큰 정치를 민주주의를 똑바로 세우겠다는 정도로 이해했는데 결과적으로 보면 대통령이 되겠다는 꿈을 갖고 계셨는지 모르겠고요. (웃는) 저도 후보를 수없이 해보고 낙선해봤지 않습니까? 너덧 번 해봤는데 유권자한테 그렇게 말하기 어렵습니다. 어느 후보도 유권자가 해달라 하면 "네, 제가 잘 챙겨보겠습니다. 잘할게요, 그래요? 제가 잘 부탁하겠습니다" 이야기하지, "내 안 찍어도 됩니다. 그런 거 부탁하려면 내 시키지 마이소" 하고 소신 있게 할 수 있는 사람이 과연 대한민국에 출마하는 사람 중에 있겠습니까? 참 당황스럽기도 하지만 반할 수밖에 없는 게 있죠.

경선이나 오프라인에서 뵀던 분들에게 한말씀.

초기 노사모 동지들에게 늘 큰 빚을 지고 있습니다. 늘 감사하게 생각하고요. 그때의 열정, 그때의 순수, 우직하기조차 했던 것이 세상을 바꾸어내지 않았나 생각합니다. 저는 정치권으로 와 있기 때문에 열정과 순수, 우직함만 있는 건 아니고요. 여러 고민도 하고 있습니다. 때로는 못 미더워 보일 때도 있으시겠지만 상대가 있는 정치이기 때문에 차근차근할 수밖에 없다는 걸 이해해주시고요. 변치 않고 지지해주셔서 감사하다는 말씀도 드립니다. 그런 열정이 대한민국을 바꾼다고 생각합니다. 저도 그때의 마음들 늘 간직하고 가겠습니다. 항상 감사하고요. 늘 건강하시고, 언제 어디서나 함께해주시길 바랍니다. 고맙습니다.

가슴앓이만 무던히 했어요

진일보 한인수

아이디는 '한국김치'고요. 닉네임은 '진일보'. 이름은 한인수입니다. 부천에 살고 있고요. 자영업 하고 있습니다. 2002년도 상반기쯤 노사모에 가입했고 당시에 중국에서 사업하고 있었기 때문에 한국에 없었습니다. 온라인 활동만 열심히 했고 귀국해서 2006년도에 오프라인 가입해서 모임에 나가기 시작했죠.

왜 노사모 가입을 하셨어요?

5공 청문회 때 노무현 의원이 완전히 각인이 되었어요. 대통령 후보 경선에 나서면서 너무 자연스럽게 저분이 반드시 되어야 된다. 청문회 이후로 돌아가실 때까지 제 마음에 조금도 흔들림 없이. 노사모 게시판은 초창기에 잘 안 들어갔고 서프라이즈 노짱 토론방에 글을 많이 올렸죠. 그 글 때문에 선거법 위반으로 벌금도 맞고 그랬죠.

보통 가족들이나 친척들한테는 정치 이야기를 잘 안 하잖아요.

잘 안 하는 편인데요. 아버지가 정치 이야기를 많이 하십니다. 제가 들을 적엔 왜곡되는 말씀을 많이 하셔요. (웃음) 언론에서 들은 이야기를 그대로 믿고 사실인 것처럼 말씀하실 때 바로잡는 게 쉽지가 않더라고요. 아버지로서 본인이 아는 것이 맞는다고 우기시니까. 저는 저대로 그분을 설득해야 되는데 쉽지 않더란 말이죠. 만나뵐 때마다 자연스럽게 말씀드려도 그 자리에선 절대 긍정 안 합니다. 수긍 안 하는데 속으로 그러시는 것 같아요, 저놈 말이 맞긴 맞는 것 같다.

당시에 확고한 지지자로 노사모 활동을 하셨을 텐데 주변 반응은?

굉장히 괴롭고 사람들 만날 때마다, 당시에 40대였는데, 지인들, 특히 친구들이 노대통령 비난하는 것들이 터무니없지 않습니까? 가장 큰 원흉은 언론이었지만 대다수가 그걸 믿고 있는 상황에서 아무리 설득력 있게 사실에 근거해 얘기해도 극히 소수다보니까. 10명이 모이면 저와 같은 생각을 갖거나 비슷한 생각을 갖고 있는 사람조차 하나둘에 불과했으니까. 어떤 경우는 아예 전무했고요. 예를 들어 상갓집을 가든 친구끼리 또는 다른 지인들을 만나든 욕하고 조롱하는 게 주류다보니까 나중에는 나만 바보 된 듯한. 저런 정신 나간 놈이구나, 어떤 상황인데 노무현을 지지하냐. 한마디로 맹목적 지지자 이상도 이하도 아닌. 때로는 침묵도 하고. 말이 조금 되겠다 싶으면 거들고. 적극적 항변은 못하겠더라고요. 오히려 바보, 미친놈 취급받고. 노무현 대통령을 도와주기에는 전혀 상황이 아니다보니까 가슴앓이만 무던히 했던 것 같아요.

노무현 대통령 때와 문재인 대통령한테 공격하는 패턴이 같지 않나요?

그런 경향이 없지 않은데 그나마 국민 지지율이 노무현 대통령 때보다는 훨씬 높다보니까 자기들 원하는 대로 하진 못하는 거죠. 상당히 제어할 수밖에 없는. 옛날에는 강력하게 앞장서 방어막을 치는 지지자들도 너무 센 벽 앞에서 포기하는 수준이었다면 지금은 문재인을 지켜야 되겠다, 다시는 노무현 대통령 때의 어리석음을 반복해서는 안 되겠다는 숫자가 굉장히 많다고 봐요. 옛날 참여정부 때처럼 쉽게 공격은 못할 것이고 공격해도 그만큼 일반 네티즌들이 방어하니까 그렇게 비관적으로 보진 않습니다. 그러나 방어 자세를 갖고는 있어야 되겠다. 옛날보다 방어에 훨씬 집중, 아직까지는. 전에는 초등학교 동창들한테 말도 못 꺼냈는데, 노대통령이 돌아가시고 선거 과정과 그 이후가 상당히 조명되지 않았습니까? 인기도 올라가고 존경하는 대통령 1등 달리고. 문재인 대통령 당선되고. 제가 노사모 활동을 열심히 한다는 것을 다 알아요. 문재인 대통령에 대해서도 제 앞에서는 (웃음) 욕을 안 합니다. 못하죠. 저에 대해서 모르는 친구들은, 비판은 괜찮은데, 터무니없이 비난할 때도 있는데 이제 제 앞에서는 노대통령에 대한 비난은 아예 안 할 겁니다. (웃음) 그만큼 예전에 비해 환경이 좋아졌다고 할까요? 비관적으로 보진 않습니다. 다행스럽게 옛날에 미친놈이라고 했던 사람들이 재 말이 틀린 게 아니었구나. 아버지조차도 말씀하셨거든요, 미친놈이다. (웃음) 지금 와서는 해소가 돼서 마음이 조금 편하죠. 그럼에도 인기가 떨어지면 다시 각지에서 일어날 겁니다. 그것을 경계해야 되고. 반대편에서는 맹목적 지지라고, 갖다붙일 수 있는 모든 수사어구로 어떻게든 폄하하겠지만 숫자가 많으면 그렇게 못할 겁니다.

노무현 대통령이 흔들릴 때 에피소드 같은 게 있을까요?

한 번인가 모임이 거의 깨질 뻔했어요. 초등학교 동창 모임이라기보다는 동네 불알친구라고 하죠. 꽤 많아요. 13명 중에 10명 정도가 모였는데 자연스럽게 노무현에 대한 조롱이 이어지면서 제가 너무 욱하는 바람에 욕을 한마디 하고 (웃음) 심하게 화를 낸 적이 있습니다. 조곤조곤 이야기해야 되는데 그 상황에서는 도저히 화내지 않고는 화병으로 죽을 것 같은. (웃음) 그런 극한 상황에서 스스로 제어하지 못하고 심하게 욕하고 나를 벗어났던 거죠. 분위기가 완전히 판이 깨지는 듯한. 한동안 전체가 서로 말리고. 주먹다짐은 안 했는데 분위기 해소하는 데만 한 시간은 걸렸을 겁니다. 다음부터는 이야기를 일절 꺼내지 않고 하지도 않고.

예전이랑 현재 노사모는 뭐가 다를까요? 이미지라든지 느낌이라든지.

상당히 많은 굴곡과 변화를 겪어왔죠. 지향점은 다 똑같은데 실천 방법이

나 바라보는 목표 지점이 다 다르다보니까. 해석이 각양각색이었죠. 노무현 대통령을 좋아한다는 것 하나 말고는 많은 차이점이 있더라고요. 노무현 대통령의 철학과 하나의 시민운동으로 크게, 나아가서 대한민국 전체 사회를 변화시키는 쪽으로 갔으면 하는 바람이 있었는데 잘 이루어지지 않고 있어서 안타까운 면이 있어요.

노대통령이 '민주주의의 최후의 보루는 깨어 있는 시민의 조직된 힘'이라고 하셨는데 그 말에 노사모가 부합했는지요?

조직된 힘을 한때 많이 보여줬죠. 탄핵 때 가장 크게 보여줬고 시작할 때 보여줬고. 종종 보여주는데 돌아가신 이후에는 개별적으로, 집단으로. 소수 지역별로는 보여주고 있지만 하나의 단일화된 집단으로서 조직된 힘을 보여주지 못하고 있는 것이 안타깝죠. 노무현 재단이 있다보니까 거기에 치우쳐지게 되고. 의견이 양분되다보니 어려운 것 같아요.

왜 노무현 대통령을 지키지 못하고 잃었을까요?

노무현 대통령이 취했던 정책 또는 철학적 사고에 대해 총론에서는 대부분 찬성했어요. 다만 각론에서 정책을 펼치는 과정에서 반대한 거고. 가장 큰 이유가 조중동을 위시하는 언론이라고 봅니다. 조중동도 그랬지만 더 큰 책임은 소위 우리 편이라고 했던 〈경향신문〉, 〈오마이뉴스〉, 〈한겨레〉. 지금이라면 다르겠죠. 당시만 해도 언론 영향력이 너무 컸고 감히 일반 개인들이 힘을 합쳐서 여론을 우리 분위기로 만들 수 있을 거란 생각을 전혀 못했죠. 계란으로 바위 치는 경우라고 생각했고. 우리 편이라고 믿었던 3개 언론사, 가장 초창기부터 노무현 대통령을 지지해주고 같이했던 〈경향신문〉, 〈오마이뉴스〉, 〈한겨레〉가 앞장서서 비난하고 같이 조롱하고. 잊을 수 없는 것이 노무현 대통령 서거하시기 일주일, 열흘 전, 보름 전까지만 해도 〈오마이뉴스〉 대표 기자, 오연호를 잊을 수 없어요. 돌아가시기 일주일, 열흘 전에 쓴 칼럼을 보면 '저게 오연호 맞을까?' 싶을 정도입니다. 돌아가신 후의 관점과 이전의 글은 천양지차입니다, 천양지차.

이대근 칼럼은 말할 수도 없이 〈조선일보〉보다 10배는 더 악의적인 글을 썼고요. 대통령을 반대하던 일반 대중들한테 니네들 편인 〈한겨레〉, 〈경향신문〉도 이렇게 하지 않느냐는 말 앞에서 항변하고 설득할 수 있는 힘이 완전히 빠지는 거죠. 그것이 가장 크지 않았나. 아무리 지키려고 해도 지킬 수 없는 시대적 흐름이랄까? 운명이라고 봐요. 기득권의 정점에 조중동이 있고 같이 합심하는 〈경향신문〉, 〈한겨레〉, 〈오마이뉴스〉가 버티고 있었죠. 일반 지지자들이 거대한 벽을 깨려고 하다 도저히 못한 거죠. 언론이 가장 큰 원흉이라고 봅니다. 이제는 개인 SNS를 통해 개개인이 언론 역할을 해서 집단 지성을 발휘하여 여론의 흐름을 차단하고 여론을 조성해갈 수도 있겠지만 쉽지 않죠. 반면에 가짜 뉴스들이 유튜브나 SNS를 통해서 확산되고 그걸 믿고. 아직도 20~30%가 믿지 않습니까? 가짜를.

우리는 뭘 해야 될까요?

얘기가 되는 지인들한테 지혜와 슬기를 발휘해야 될 것 같아요. 스스로 논리적으로 설명할 수 있는, 설득력 있게 전달할 수 있는 지식을 갖춰야 되고. 사실관계를 우선 완벽하게 파악해야 될 것이고. 가장 가까이 있는 가족부터 시작해서 친척, 지인들, 아니면 각종 모임에서. 주장만 강하게 펼 것이 아니라 상황에 맞게 케이스 바이 케이스로. 또 여론 주도층이라고 할까? 정파 문제를 떠나서 문재인 정부가 성공하고 뒤를 이어서 사람 사는 세상을 만들어가는 데 도움이 되려면 오피니언 리더들도 예전과는 달리

자기 양심껏 소신을 발휘했으면 좋겠어요. 너무 눈치보지 말고 하고 싶은 얘기 하고.

노사모 동지들한테 한말씀?

안녕하십니까. 부천 노사모 진일보입니다. 2000년도부터 최근까지 우리 노사모 동지들 동지로서 무한히 사랑합니다. 저도 그랬지만 우리끼리 알력도 있고 다툼도 있었지만 모두가 뜻은 하나라고 봅니다. 우리나라 잘되기를 바라고 노무현 대통령 사랑하고 존경하고 문재인 대통령 역시 지지하는 우리들로서 대한민국이 잘 되기를 바라는 마음 한 가지이기 때문에. 방법이 다르다는 것은 저도 압니다. 어쨌든 우리끼리 앞으로 민주 정부, 문재인 정부를 위해서 다 같이 노력합시다. 내년쯤에는 다큐멘터리 〈노무현과 바보들〉이 상영된다고 합니다. 전국에 있는 노사모 동지 여러분, 항상 사랑하고 감사하고 약간의 알력이나 이견이 있어도 서로 이해하고 보듬고 갔으면 좋겠습니다. 고맙습니다.

지도자에게 가장 중요한 것은 '역사적으로 이 시기에 우리가 해야 될 일이 뭐냐'는 것을 아는 것입니다. 역사에 대한 인식이 가장 중요한 것입니다. 저는 어떤 정치인을 평가할 때 가장 중요한 요소로 그 사람이 그 시기의 역사적 과제를 어떻게 이해하고 있었으며, 그 역사적 과제를 풀기 위해 어떤 노력을 했는가를 가장 중요한 평가의 잣대로 삼고 있습니다.

_KTV 특집 인터뷰에서(2007년 11월 11일)

우리의 운명을 우리 스스로 결정할 수 없는 비루한 국가의 모습

김종대 국회의원

참여정부 당시에 전시작전권 회수를 놓고 비난 여론이 좀 있었습니다.

국가 주권의 핵심이 군사주권인데, 군사주권은 누가 뭐래도 내 의지대로 군을 통제하고 지휘할 수 있느냐 하는 부분이 핵심 중의 핵심이라고 할 수가 있죠. 근데 이게 한국전쟁 당시 미군의 맥아더 UN군 사령관한테 우리 군의 작전통제권이 넘어가게 된 경위가 졸속으로 이루어졌습니다. 당시에 한국군이 패전을 거듭하고 또 스스로 작전을 지휘할 능력이 안 되니까 이승만 대통령이 서한으로 맥아더 사령관한테 우리 한국군이 귀하의 휘하에서 작전 지휘를 받으면서 임무를 수행했으면 좋겠다는 희망을 전달하고 맥아더는 그걸 수락한다 답장했어요. 어떤 조약이나 협정도 없이. 국가 간의 공식적인 절차도 없이 전쟁중에 다급하다는 이유만으로 단지 개인적인 서신의 형식을 취해서 이 작전권 전체가 미국에 넘어간 것이기 때문에, 이후에 전쟁이 끝난 뒤에라도 뭔가 문서로 제대로 좀 정리라도 해뒀으면 좋았을 걸, 결국은 아무런 근거 없이 대통령의 의중, 그 서신 하나로 오늘날까지 이 작전권을 미국이 행사하게 된 겁니다. 주권 국가로서는 참으로 부끄러운 일이죠. 전 세계에 유례없는 일이라고 할 수 있습니다.

'한국군이 아주 잘 싸웠다'라고 얘기를 들었는데.

그러니까 한국전쟁 당시에 한국군이 정규 여섯 개 사단으로 동부에 세 개 사단, 서부에 세 개 사단이 38선을 지키고 있었어요. 그런데 동서고금 어느 전사에 사흘이 채 안 걸려서 불과 하루이틀 만에 여섯 개 정규 사단이 지키는 전선이 무너졌다, 저는 그런 기록을 본 적이 없습니다. 그중에서도 동부의 3개 사단은 그런대로 버텼는데 이 서울 인근을 지키는 서부 3개 사단은 하루 만에 다 무너졌어요. 정식으로 편제가 되어 있고 무기 체계를 갖고 있고 또 위협적인 적이 바로 인접해 있는 상태에 3개 사단이 하루이틀 만에 무너지고 서울이 불과 사흘 만에 함락되지 않았습니까? 전투라고 할 만한 전투 자체가 없었고요. 거의 유일한 작전이었다면 후퇴 작전 하나만 있었을 뿐이죠. 정규 사단이 국경선을 지키고 있는 이런 어떤 전선이 믿을 수 없이 허무하게 무너져내리면서 한국전쟁 때 인천상륙작전이 있기 전에는 거의 뭐 방어와 후퇴 작전밖에는 존재하지 않았죠. 전투다운 전투도 없었다고 봐야 됩니다.

'현리전투(한국전쟁 초입인 1951년 5월 강원도 인제군 기린면 현리에서 벌어진 전투)로 인해 UN군의 신뢰를 상실하게 됐다'라는 얘기가 있는데?

현리전투에서 이제 그 당시에 군단장이 아마 지금은 돌아가신 유재홍씨였을 겁니다. 근데 이분이 상급 부대하고 회의를 좀 할 게 있다고 그러면서 헬기를 타고 어디론가 가버렸는데, 그사이 북한군이 내려와 우리 군단이 완전히 괴멸되어 사라져버렸습니다. 부하들은 단장이 어디 있는지도 모르고. 결국은 이런 어떤 상황을 보면서 도저히 한국군이 스스로 작전을 할 만한 준비가 안 되어 있다. 현리전투는 작전 지휘권을 완전히 미국이 행사하게 된 결정적 이유였습니다. 당시 국군통수권자는 이승만 대통령인데 군을 지휘할 수가 없고 군 스스로도 어떤 그 전투 준비를 할 수 있는 역량을 발휘하지 못하니까 미군한테 우리가 사정해서 넘겨준 것이죠. 오히려 미군은 그런 한국의 부탁을 허용하고 수락했다고 볼 수 있습니다. 작전권이 미국에 넘어가게 된 전말이죠. 이거는 어떠한 공식적인 협의라든가 또는 조약이라든가 합의서라든가 이런 것 없이 오로지 그냥 개인 서신 하나만으로 넘어간 것이고, 이후에 전쟁이 끝난 뒤에도 이거를 법적으로 좀 정리를 해야 하는데, 우리가 군사작전권을 행사하지 못한다 그러면 어떤 법적 근거가 있어야 되거든요. 중요한 주권의 양도이고 헌법적인 사항이니까. 거기에 대한 법을 만든다든가 국내법과 동일한 효력을 가지는 국가 간의 약속이 있어야 될 거 아닙니까? 그런데 일체 그런 것이 없이 오늘날까지도 사실상 비정상적으로 이런 의존적인 상황들이 이어져오고 있는 것입니다.

그러고보니 일본도 자위대가 헌법에 포함되어 있잖아요.

일본은 항복문서가 있죠. 그래서 맥아더 장군한테 정식으로 모든 주권을 양도한 항복문서가 조약에 해당하는 겁니다. 그리고 또 헌법에다가도 '군을 보유하지 않는다' 이렇게 자기네 주권을 행사하지 않는 근거가 명확하게 존재하거든요. 그런데 한미 관계에서는 그런 게 없어요. 거짓말처럼 없습니다. 지금까지도 어떠한 법적인 구속력이 있는 문서 체계, 규범 체계에 의해서 우리가 전시작전권을 미국에 양도한 것인지 존재하지 않습니다. 무규범 상태라고 할 수가 있고 어떤 주권 국가로서는 있을 수 없는 일이 벌어진 것이죠.

전쟁 이후에 역대 대통령들은 작전권과 관련한 어떤 노력들은 없었나요?

네. 한국전쟁을 UN군 휘하에서 다국적 UN군 체제로 전쟁을 수행하다보니 전쟁이 끝난 후에도 한반도의 관할권은 여전히 UN군 사령관 휘하에 놓여 있었습니다. 그리고 더 결정적인 것은 전시작전권, 당시에는 그냥 작전권인데 이것을 미국의 UN군 사령부에 넘겨줬다는 것뿐만이 아니라 우리 정부는 정전 협정에도 서명하지 않았다는 것입니다. 작전권을 행사하지 않는다, 그다음에 정전 협정에도 우리는 당사자가 아니다. 이 두 가지가 지금껏 이어져내려오는, 우리 국가의 취약성으로 그대로 이어져내려오고 있는 것이죠. 작전권이 없으면서 휴전 협정이나 정전 협정의 어떤 당사자도 아니라면 우리는 대한민국 안보에 아무런 주권이 없다는 얘기거든요. 오늘날까지도 한반도 안보의 주체는 UN군 사령관입니다. 이런 비정상적인 상황이 도저히 시대 상황에 맞지가 않았죠.

박정희 대통령 때 와서는 한미 관계가 극도로 악화되었습니다. 당시 카터 대통령의 인권 외교는 주한미군의 철수를 불사하면서까지도 박정희 정권에 민주화 압력을 넣는 방향으로 전개가 됐습니다. 그 결과 한국에 주둔하던 미 7사단을 철수해버렸습니다. 이렇게 되면 박정희 대통령 입장에서는 미국에 안보를 의존하다가는 자주성이라고는 완전히 없어지고 또 내정 간섭을 받겠구나 생각하면서 자주국방을 표방하기에 이릅니다. 그것이 한국군의 독자적인 무장력을 강화하는 것이고 또 한편으로는 여차하면 작전권도 미국으로부터 환수하겠다 이런 어떤 의사 표시로 표출이 됐어요. 물론 미완성으로 그쳤죠.

그러다가 1987년 대선에서 노태우 대통령 후보가 선거 공약으로 작전권 환수를 내걸었습니다. 재임 기간 내내 미국으로부터 작전권을 환수하고 용산에서 미군을 철수시켜서 지방으로 내려보내겠다는 일련의 자주화 조치를 시행하게 되는데 이걸 일컬어 방위의 한국화라고 합니다. 그래서 노태우 대통령 때에 방위의 한국화 정책이 자주화 정책을 굉장히 가속화했어요. 그 배경의 결정적인 계기는 1980년 광주민주화운동 때 우리 군의 작전 병력이 진압군으로 시민을 탄압하는데 '광주에 출동했으니까 이거의 책임은 미국이 아니냐, 미국이 이런 전투 병력의 출동을 용인했으니까 이런 참극이 벌어진 거 아니냐'는 반미 정서가 굉장히 들끓어 올랐습니다. 그게 미국에서도 작전권을 갖고 있다는 게 동맹국의 내정 문제에 휘말리거나 연루될 수 있다는 위험으로 인식되게 된 것이죠. 80년 광주 이후에 80년대 전반에 반미 감정의 발화는 미국으로 하여금 '빨리 작전권을 한국

에 줘버리자, 짐을 좀 가볍게 하자'는 요인으로 작동해서 노태우 대통령하고 의도가 딱 맞아떨어졌습니다. 미국은 주겠다 그러고 한국은 받겠다는 거니까. 역시 국방부와 육군과 예비역 장성들을 비롯한 국내 안보 세력들이 격렬하게 반발해서 노태우 대통령이 레임덕에 이르게 된 이유가 바로 이 작전권 문제였어요. 대부분의 군 장성들이 등을 돌리기 시작을 했죠.

노태우 대통령도 군 출신이고 왜 반대를? 반대하는 이유가 뭔가요?

그러니까 오랫동안 미군에 의존해서 순치되어온 어떤 우리 군 문화가 되다시피 한 의존적인 심리, 또 미군하고 촘촘하게 연결되어 있는 어떤 연합방위 체제의 뿌리깊은 여러 제도와 문화 이런 것들이 결부되니까, 작전권을 가져온다니까 '미군이 떠나가는 거다, 주한미군이 철수하고 우리 안 지켜준다' 이런 불안 심리 이런 게 범벅이 되어서. 갓난아이가 젖 뗄 때 얼마나 울어댑니까? 엄마한테 젖을 떼야 더 성장하는 건데도 떨어지지 않으려고 엄청나게 떼를 쓰잖아요. 그 양상과 똑같이 이 동맹에 대한 맹신론이 하나의 신앙이 되어버렸죠. 한국 군인은 이 전작권 전환을 수용하기가 어려웠습니다. 그래서 당시 청와대의 김종휘 안보수석이 노태우 대통령과 함께 일련의 자주화 조치를 진행하는데 안팎으로 거센 반발에 휩싸여 나중에 역풍을 맞기에 이르렀죠. 결국 미국과 반쪽 합의만 하게 됩니다. 당시 1990년에 미국과 작전권 환수에 대한 협상이 시작돼서 그해에 국방장관 회담에서는 92년까지 평시작전권을 먼저 가져오고 그다음에 94년에서 5년경에는 전시작전권을 가져오는 것으로 이원화를 해버렸어요. 사실 작전권이면 작전권이지, 평시작전권이 따로 있고 전시작전권이 따로 있다는 건 참 해괴한 발상이었습니다.

전시작전권이란 말도 그때 생긴 거네요?

그렇습니다. 노태우 대통령은 전시·평시를 나누지 않았는데 굳이 나눈 이유는 한꺼번에 환수하면 너무 충격이 크니까, 일단 평시에 우리가 먼저 작전권을 행사해보고 그 한 1~2년의 여유 기간을 둬서 바로 전시작전권까지 가져오면 된다, 이런 2단계의 작전권 환수안을 미국과 합의를 한 겁니다. 그런데 이마저도 집요한 방해에 부딪혀 실제 평시작전권을 가져오게 되는 것은 김영삼 정부 때인 1994년입니다. 노태우 대통령이 임기중에는 평시작전권도 못 가져온 거예요. 그런데 이렇게 전시와 평시를 나눈 이유는 평시작전권을 가져오면 바로 뒤이어서 전시작전권을 가져온다는 전제가 있었기 때문에 쪼개놓은 겁니다. 안 그러면 쪼개선 안 되는 것이죠. 세상의 어느 나라 군대가 전시, 평시 지휘관이 다르겠습니까. 그러면 우리 국가대표팀이 평소 훈련은 허정무 감독이 국가대표팀 훈련시키다가 월드컵 본선 나가면 히딩크 감독이 와서 지휘한다 이 얘기거든요? 아니, 훈련을 자기가 시켰으면 시합도 자기가 책임지는 거지, 어떻게 이게 전 · 평시가 다릅니까?

그런데 결과는 어땠냐면 평시작전권을 1994년 12월 1일부로 환수하고 뒤이어 환수하기로 되어 있는 전시작전권이 그뒤로도 25년이 지난 오늘날까지도 못 가져왔거든요. 이러려면 평시작전권도 가져오지 말았어야죠. 지금 이 나라의 안보가 전시와 평시의 지휘관이 다르다는 얘기인데 이런 상태의 비정상적인 안보가 오히려 지금 대한민국의 안보 불안의, 안보 허점의 가장 큰 이유로 손꼽히고 있는 겁니다. 그러니까 노태우 대통령이 아무리 추진해도 엉거주춤한 반쪽만 가져오는.

또 반쪽이라도 제대로 가지고 오면 모르겠는데 그 평시작전권에서도 코다(Combined Delegated Authority)라는 조항이 있어요. 그게 연합권한 위임사항이라고 제일 중요한 7개 사항에 대해서는 빼놓고 가져오는 겁니다. 정보, 작전, JSA의 그 판문점 같은 데 경비 같은 정전협정관리 연합, 연습, 위기관리, 한미연합군사훈련 이런 거. 이런 것들은 평시작전권을 가져와도 빼고 나머지만 쭉정이만 가져오니까 사실은 2분의 1을 가져오는 게 아니라 4분의 1을 가져오는 걸로 흉내만 내니까 어떻게 되느냐?

한국이 작전권을 가져오면 그 주체가 있어야 되지 않습니까? 이 작전권을 행사하는 주체로 1990년에 합참을 미리 창설해놓고도 이 합참은 결국 4분의 1쪼가리의 군사 지휘 기구가 된 겁니다. 그렇게 되니까 오늘날까지도 연평도에 천안함 사건이 났을 때 제일 어려움을 겪은 게 우리 합참의장이 결심하고 전투기를 띄워도 되느냐, 미국한테 물어봐야 되느냐. 그 다음에 저기 연평도 사건 때 북한에서 포탄이 날아오는데 우리도 응사해서 자주포를 쏴야 되거든요. 그런데 그냥 우리가 결심해서 하면 될 걸, 계속 한미연합사에 전화해서 "쏠까요, 말까요?" 이거를 2분 단위로 물어봤다는 거 아닙니까. 그러니까 우리도 모르는 거예요. 큰 전쟁이 되면 주한미군이 지휘관이고 작은 전쟁이면 우리 건데 지금 우리가 자주포를 쏘면 큰 전쟁이 될지도 모르거든. 애매하잖아요? 이럴 때 한국 합참의장이 자기 권한을 행사하려고 하지 않고 미국한테 물어보는 거예요. "쏠까요, 말까요?" 2010년 11월 23일 연평도 포격 사건이 일어나고 이튿날 한미연합사 맥도널드 장군이 간부들 모아놓고 벌컥 화를 냈다는 겁니다. "어제 한국 합참이 매분 나한테 전화해서 '쏠까요, 말까요?' 물어봤다. 저기 지금 이라크 전쟁 끝나고 신생 이라크 나라에 그 조잡한 군대가 창설되어 있는데 그 나라도 자기 작전권을 행사한다, 이라크도. 그런데 어제 한국 합참은 계속 나한테 매분 전화해서 '쏠까요, 말까요?' 이렇게 물어봤는데 이게 무슨 놈의 군대냐?" 이렇게 벌컥 화를 냈다는 거 아닙니까? 이게 가져온 것도 아

니고 안 가져온 것도 아니고 이러니까 실전 상황이 벌어졌을 때 한국 합참은 이러지도 저러지도 못하고 거의 맥빠진 놀음만 하다가 결국 작전에 실패하는 이런 양상이 계속 벌어집니다.

그게 그 노태우 대통령 때 전시와 평시를 쪼갠 다음에 김영삼 대통령은 그것도 너무 많이 가져오지 말라고 해서 반은 빼놓고 가져온 이런 그 이상한 작전 지휘 체계는 전 세계에 유례가 없을 뿐만 아니라 이걸 아무리 외국 사람들한테 설명해도 이해를 못해요. 무슨 작전권이 그런 게 있냐? 전시고 평시고 이렇게 나눈 것도 이상하고, 그걸 행사하는 방식도 이상하고. 우리 군 장교들이 자기 상관이 누군지 모릅니다. 이게 합참의장이 나한테 명령을 하는 건지, 주한미군사령관이 나한테 명령하는 건지 아직도 몰라요. 합참의 최고 엘리트 장군들이 의장한테 물어봐야 되나, 주한미군사령관한테 물어봐야 되나? 연평도 포격전 때는 전투기를 띄우는데 장군들 반은 '미군들 통제 없이 우리 전투기 띄워도 된다', 나머지 반은 '아니다, 물어보고 해야 된다'. 우리 맘대로 띄워도 된다는 건 'UN헌장의 국가의 고유 권한이 자위권이거든, 자위권 행사 차원에서 우리는 하면 된다'. 아니라고 하는 측은 '아니다, 우리나라는 UN사 권한이기 때문에 UN사 정전식 교정 교칙에 의해 통제받아야 되니까 UN사령관, 즉 한미연합사령관한테 물어보고 띄워야 된다'. 이거를 하루종일 싸웠어요, 교전중에. 결국 작전권을 가져온다는 건 우리 국방을 정상화한다는 뜻이고 이거 이상 국방을 튼튼하게 하는 게 없어요. 그런데도 이런 기형적이고 비정상적인 국방이 마치 당연한 것처럼, 미군이 옆에 있어주면 안보가 저절로 되는 것처럼 생각해왔던 사람들. 이런 어떤 군사 지휘 지도자들이 실전 상황에서는 거의 마비 상태에 빠지더라는 겁니다.

당시 노태우 대통령이나 김영삼 대통령이 전시작전권을 반쪽짜리든 4분의 1쪽짜리든 환수할 때 언론의 분위기는 어땠나요?

김영삼 대통령이 1994년에 평시작전권을 한국 합참으로 전환하니까 당시 〈조선일보〉가 큰 쾌거라면서 이왕 이 기세를 몰아 전시작전권까지도 조속히 환수해야 된다고 찬사를 늘어놨죠. 똑같은 일이 노무현 대통령 때 벌어졌을 때 적대감으로 돌아섰지만. 국가가 전시가 아니라 평시만이라도 훈련은 우리 군 스스로 해보자는데 그걸 반대할 사람이 어딨겠습니까? 당연한 일이었고 아무런 이견이 없었어요.

참여정부 때는 보수 언론들이 전시작전권 환수에 반대했고 회의적인 반응들을 많이 보였던 걸로 기억하는데요.

참여정부가 출범한 것은 2003년이었습니다. 당시 노무현 대통령의 전작권 환수는 조금 더 절박한 면이 있었어요. 조지 부시 미국 대통령이 연일 북한을 악의 축이다, 또 뭐 정권을 교체한다, 체제를 붕괴시킨다 이러면서 초강경 발언에다가 미국 단독으로 북한을 선제공격하는 군사 계획까지 수립하고 이런 걸 언론에 내지르니까 당시 신생 참여정부로서는 참으로 감당하기 어려운 안보 불안이었습니다. 이런 일련의 사안들은 노무현 대통령이 보기에는 우리의 운명을 우리 스스로 결정할 수 없는, 말하자면 미국의 선의에 의지해서 연명이나 해야 되는 아주 비루한 국가의 모습 아니냐는 한탄을 자주 했고, 제가 대통령직 인수위에 참여하면서 당시 대통령 당선자의 그런 어떤 의중들을 여러 차례 확인했습니다. 무엇보다도 우리가 원치 않는 전쟁에 연루될 수밖에 없는 구조는 바로 군사주권이 결여되어 있기 때문이다.

참여정부가 출범하자마자 2003년 6월경에는 이미 전작권 환수를 위한 핵심 참모 회의를 대통령이 직접 주재하기에 이릅니다. 거기에서 국방부가 영 말을 안 들었고 또 예비역 장성들이 이런 걸 집요하게 방해하다보니까, 당시 청와대의 국가안전보장회의(NSC) 사무처로 하여금 자주국방에 대한 어떤 전위 집단이 돼서 밀고 나가게 힘을 실어줬던 것이죠. 청와대 내에도 두 기류가 있었습니다. 자주파와 동맹파로 작전권을 가져오자는 것과 반대하는 측이 청와대 내에서도 대결했는데 결국 자주파의 승리로 끝납니다. 그것이 노무현 대통령의 협력적 자주국방의 본격적인 시작이었다고 볼 수 있는 것이죠.

저도 거기에 대해서는 개인적인 추억이 있어요. 노무현 대통령은 집권하고 4월쯤부터 청와대 국방보좌관실, NSC 이런 어떤 안보 관련 기관들에다가 '빨리 작전권 환수를 위한 업무 추진 계획을 나한테 보고해라'. 그런데 누구도 그 보고서를 올리지 못하는 겁니다. 이게 보통 일이라야죠. 아는 사람도 별로 없었고. 그래서 제가 보다못해, 2001년부터 이 문제를 노무현 당시 새천년민주당의 최고의원 시절에 만나면서 대화를 나눴던 건 저였기 때문에 제가 한번 그 보고서를 올리고 싶다 해서 행정관인 사람 자격으로 보고서를 하나 써가지고 주변에 회람을 시켰는데, 이게 의도치 않게 대통령한테 전해졌습니다. 그래서 4월에 수석보좌관 회의에서 국방보좌관과 NSC 이종석 사무처장을 크게 질책하면서 '김종대 행정관이 쓴 보고서를 보고 당신들이 회의를 해서 합의된 계획서를 가져와보라' 얘기를 하시니까 저는 졸지에 유명인사가 됐고 또 대통령의 비선 라인처럼 되어버린 겁니다. 엄청난 견제를 받았죠. 그런데 그 사건 이후로 작전권 환수 속도가 빨라지기 시작해서 NSC가 주축이 되어 6월경에는 이미 자주국방 추진을 위한 관계 부처 또 청와대 합동 회의를 청와대에서 개최하기에 이릅니다.

보수 언론과 예비역 장성들의 반발은 단순히 참여정부에 대한 반감이었을까요?

보수 언론들의 반대는 노무현 대통령에 대한 반감이 주된 이유였습니다만 사실상 작전권에 관한 문제는 그 이상의 의미를 가지고 있었습니다. 당시에 어떤 일방주의적인 정책을 구상하는 조지 부시가 등장하고 한반도 안보가 워낙 불안해지니까 그런 안보 불안 심리에서는 주로 무언가 체제를 바꾸는 것보다는 현 체제에서 안정감을 기하는 게 우선이라고 보수적 판단으로 기울어지는 경향이 있습니다. 버스가 흔들리면 나도 모르게 손잡이를 움켜잡듯이, 세상이 어지럽고 흔들리고 불안할 때는 불변하는 그 무엇에 의존해서 안정하고 싶은 거거든요. 당시 북한에 대한 선제공격론이 기승을 부리던 때라 이제는 거의 초읽기에 들어간 줄 알았어요. 당시 2003년에 미국의 중부군 사령부가 본격 전격적으로 이라크 사담 후세인을 침공하지 않았습니까? 그럴 때 3주 만에 전쟁을 끝내고 그다음엔 북한 차례라 그랬거든요. 이게 곧 무슨 일이 벌어질지도 모르는데 아무리 좋은 일이라 할지라도 비 오는데 지붕 고치는 건 좀 너무 우매한 짓 아니냐, 좀 편안할 때 하지. 그리고 주한미군 공짜로 쓰는 건데 뭘 저렇게 서두르냐? 중도 안정을 희구하는 세력들도 작전권 환수를 못마땅해했죠.

그런데 당시 국민들이 모르는 사안들이 있었어요. 한미 간에 비밀리에 오고가던 협의는 첫째는 이라크 파병, 둘째는 주한미군 감축입니다. 이게 극비리에 2003년에 그 한미 군사 당국 사이에 협상이 되고 있던 건데, 노무현 대통령 입장에서는 국민들은 불안해서 저러지만 언제든지 미군은 떠나겠다고 주한미군 감축을 통보해왔고 미국은 점점 우리한테 멀어져가면서 언제든 북한을 일방적으로 공격할 수 있을 때, 거기에 질질 끌려다니는 한국군의 현 비루한 체제로는 아무런 위기관리를 못한다. 일단은 우리게 뭔지, 우리 정체성은 뭔지 확인해놓고 나중에 싸울 때 싸우더라도, 아니 피를 흘리더라도 우리가 흘려야지. 동맹에 의지해 동맹군이 와가지고 몇십만 피를 흘릴 것도 아니고 결국 우리가 흘릴 건데. 전쟁을 해도 우리가 하는 거지, 미국 국민들 다치는 거 아니지 않냐. 그럼 결심도 우리가 해야지. 군사주권이 있느냐 없느냐는 전쟁을 할 것이냐 말 것이냐를 결정하는 주권이에요. 단순한 작전권이 아닙니다. 노무현 대통령은 그렇게 보신 거예요. 결국은 우리 운명을 이제 우리가 개척하지 않으면 그 누구의 선의도 믿고 의존할 수가 없어요. 오히려 '지금의 안보 불안은 그런 면에서 자주국방을 추진하라는 준엄한 시대적인 명령이다' 이런 그 판단으로 기울었던 거거든요.

판단은 옳았습니다. 당시 국민들은 비밀리에 한미 간에 주한미군 감축에 대한 이런 이야기가 오고가는지는 아무도 몰랐어요. 그건 부시 대통령의 일방적 통보였어요. 당시 3만 7천 명이던 미군을 2만 8천 명까지 감축하겠다. 미 국방부 차관보가 와서 우리한테 통보해버린 겁니다. 협의가 아니에요. 결국에는 그런 와중에 이라크에 파병까지 해달라고 그러니까. 이건 갑질하는 동맹. 힘 좀 세다고 그냥 뭐 막 휘둘리는 이런 식의 일방주의 정책을 펴오니까. '아, 이러다가는 언젠가 우리 운명을 누군가에 위탁하는 형태로 국가의 운명이 이어질 수밖에 없고, 이렇게 비루하게 연명하는 체제는 이제는 21세기에 우리의 생존에 가장 취약한 점이다.' 이게 노무현 대통령이 더더욱 자주국방에 경도되게 된 이유라고 할 수가 있고요.

나중에 좀 평화로운 분위기가 왔어요. 9·19 공동성명이 2005년에 나왔고 6자 회담이 열려서 한반도의 군사적 긴장이 어느 정도 잦아들었거든요. 집권 후반기에는 평화적인 시기가 왔다 해도 우리가 정전 협정의 서명국도 아닌데 작전권도 없다면 무슨 자격으로 북한과 협상을 하고 또 북한은 무슨 이유로 남한을 인정을 해주겠냐? 앞으로 한반도 평화 체제의 당사자가 되기 위해서는 견고한 주권의 토대 위에서 주권을 관리할 능력이 되는 정상적 국가의 품격을 갖고 나서 당당하게 평화를 이야기할 수 있어야 하기에, 오히려 동북아의 중심 국가가 되고자 하는 우리나라는 전시작전권을 조속히 전환해서 군사주권을 확립하고 그 주권의 토대 위에 북한하고 평화협정을 이야기해야 된다는 이런 사고로 더 진화해나갑니다.

참여정부 시절 작전권 환수에 반대한 사람은요?

누가 노무현 대통령의 전작권 전환에 대해 반대했느냐는 거의 99% 전부라고 보면 됩니다. 전직 국방장관, 전직 합참의장, 전직 총장 외에도 우리나라에는 예비역 장성 숫자가 제 기억엔 수천 명이니까 이 사람들이 뭐 전부 다라고 볼 수 있습니다. 지금 현역 장성이 440명인데 퇴직해서 쌓이고 쌓이면 수천 명. 엄청난 별들의 잔치죠. 오랫동안 전쟁을 하지 않고 관리형 군대로 오랫동안 군이 이어져오다보니 계급의 인플레이션이 수시로, 군의 환심을 살려는 권력자에 의해서 이제 장성 숫자가 팽창이 되어왔죠. 아무튼 거의 전체가 머리띠 둘러매고 드러누워버린 거예요.

제가 알기로는 대놓고 참여정부의 자주국방에 찬성한다고 얘기한 장성은 거의 육사 5적 반열에 들어가는 (웃음) 다섯 손가락 안에 해당한다고 볼 수 있어요. 당시 육사 5적이 있었습니다. 임동한 장관같이 햇볕 정책 추진한 양반, DJ 때 국방장관 한 천용택 장관, 또 군인연금 잘못 처리해서 욕먹은 조성택 국방장관 같은 분들이 있었고, 당시 해군 출신의 국방장관으로 이 궂은일을 다 했던 윤광훈 국방장관 같은 경우에는 그때 찍혀서 지금도 군 골프장에 못 가요. 목욕탕에 가면 다 자기를 쳐다보는 거 같거든. 군인들 왕따시키는 방법은 골프장에 못 가게 하는 거예요. 저 5적 반열에 든 몇 분들 빼놓고는 다 반대라고 봐야죠.

결국은 성우회 재향군인회가 집단적인 정치행동을 하기에 이르렀고 이럴 때 우리가 노무현 대통령을 생각하면 참 가슴이 아린 측면이, 정권의 지지율이나 잘 관리하고 현상을 유지하려는 대통령 같으면 이런 귀찮은 문제에 절대 뛰어들지 않습니다. 뭐하러 무리수를 둡니까? 예비역 장성들 시끄러운데. 걸핏하면 궐기대회하고 그러면 또 언론이 움직이고, 그 파워가 보통 센 게 아니거든요. 그러니까 노무현 대통령도 한때는 좀 달래주려고 예비역 장성들한테 여러 가지 복지 혜택을 높인다든가 선심 쓰는 정책도 많이 썼어요. 그래도 소용없거든요. 이 양반들은 워낙 사상이 박혀서 미국하고 멀어지는 건 무조건 반대예요. 동서고금에 군인이라면 마땅히 그 본성이 '내 군대는 나한테 지휘권을 달라' 이렇게 자기가 지휘권을 행사하겠다고 주장을 하지, 어느 나라 군사 지휘자가 '나 지휘권 필요 없으니 동맹국에 넘겨주십시오', 아니 전 세계에 그런 군인이 있을까요? 이거는 군인의 본성이거든요. 자기가 작전을 한번 통제하고 지휘하겠다. 군인이라면 그렇게 나와야 되는데 그런데 대한민국은 희한하거든. 군 장성들이 나서서 오히려 반대한단 말이에요.

그래서 노무현 대통령이 결국 화를 못 참고 2007년인가요? 민주평통 연설에서 양복 주머니에 손을 찔러넣고 빼딱하게 서가지고 "그러면서 나 국방장관이오, 나 총장이오 거들먹거렸단 말입니까?" 이렇게 말해버리니까. 이건 정면으로 부딪쳐버린 거예요. '니들이 군인이라면, 당신들이 제대로 군인의 영혼을 가진 사람들이라면 그렇게 할 수 없다. 그게 어디 군인이냐? 시정잡배지.' 이 말을 한 거예요. 부끄러운 줄 알아야지. 그다음날 군 장성들이 다 드러누웠습니다. 듣자하니 노인네들 밤에 잠 한숨 못 잤다고 그럽디다. 이런 식의 모욕과 도발적인 (웃음) 언행은 처음 들어봤다는 거거든. 그런데 사실 많은 국민들은 그 연설에 박수를 쳤죠. 왜냐? '무슨 군인이 이렇게 쪼잔하냐? 나 작전권 행사 못하겠다고 엎어져버리는데, 이건 학교에 가라고 책가방 사주고 옷 입히고 학용품 사주고 가방까지 둘러메줬더니 학교 못 가겠다고 징징 우는 애들도 아니고.'

평시작전권을 가져왔으면 그걸 디딤돌로 해서 전시작전권을 가져오는 건데 25년째 안 가져왔다는 얘기는 뭐냐? 고등학교를 졸업했으면 대학을 가야 될 거 아닙니까? 1, 2년은 재수할 수 있는 거예요. 1, 2년 텀을 둔 겁니다. 재수 생활 하라고. 그런데 25년째 재수 생활 하겠대. 앞으로 30년 재수 생활 하는 겁니다. 그게 전시하고 평시가 벌어진 그런 비정상적인 모습인데 이것 좀 제대로 되돌리자 이 얘기인데 군인들이 나자빠지고 이러니까 노대통령은 '이건 뭐 막가자는 거지요?' 그렇게 되어버린 거예요.

그런데 그뒤에 일어난 놀라운 변화가 있습니다. 실제로 2006년에 전시작전권을 2012년까지 한국군에게 전환한다는 합의가 이루어지잖아요. 그때부터 합참이 '아, 우리가 옛날에 몰랐던 한국 안보의 중요한 문제가 이렇게 많구나' 하면서 작전 계획을 실제 짜보거든. 이때 합참의 능력이 눈부시게 발전하는 겁니다. 그래서 그 옛날에 노무현 대통령한테 반기를 들었던 원로 장성들과 달리, 최근 한국군의 중견 장교 이상 신진 장성들은 거의 90% 이상 작전권 전환 찬성이에요.

한국이 작전권 전체를 가진다고 해서 지금 상황에서 달라질 게 있을까요?

전쟁에 대한 결심, 그다음에 그 전장에서 핵심 작전을 판단하는 주체가 한국군으로 전환이 되면 주도권을 우리가 가져오는 것입니다. 과거에는 미군이 전쟁을 하고 한국군은 서포트하는 관계였다면, 이제는 한국군이 전쟁을 하고 미군이 서포트하는 관계입니다. 그리고 미군이 한국군의 지휘를 받는 겁니다. 이것은 엄청난 전환이에요. 그런 면에서 한국군은 '우리가 안보 책임자야' 하는 마음가짐부터 군사 시스템에 이르기까지 안 바뀌는 게 없다고 할 정도로 어떤 혁명적인 변화가 이제 초래되는 것이고요.

작전권 환수에 대해 반대했던 군 장성들의 우려에 대한 부분은요?

반대하는 측의 논리는 첫째, 한국군은 준비가 안 되어 있다, 그거 준비하려면 국방 예산 70% 이상 올려야 된다. 결국 돈입니다. 세계 6위의 국방비를 쓰는 나라가 돈이 없다. (웃음) 준비가 안 돼 있다는 건 일견 맞는 측면도 있어요. 그간 미국에 너무 의존하다보니 우리 군이 약한 게 눈과 귀, 정찰 전략입니다. 그다음에 신경과 혈관, 이게 지휘 통제 시스템 능력입니다. 형편없습니다. 한국군이 그럼 뭘 해온 거냐? 근육과 뼈 이런 것만 증명시켜왔어요. 미군이 눈과 귀, 신경과 혈관 역할을 해주니까 근육과 뼈만 붙이면 된다고 해서 돈을 거기다가 다 써오니까 실제로 미군이 없으면 위태위태합니다. 기형적으로 재수 생활 25년 하다보니 실제로 대학을 가는 방법을 잃어버린 거예요. 공부할 줄 몰라요. 가정교사가 없으면 자기 스스로 공부를 못해. 이렇게 되니 실제 능력이 제한된 면이 분명히 존재했습니다. 그런데 이제 내일모레 가져와버린다 이렇게 합의해버리니까 큰일났거든요. 이때는 벼락치기 공부라도 해야 되거든요. 스스로 그러면서 능력이 늘어나고 있는 거고 미국측에서는 한국군 준비가 아주 잘되어 있다고 보는 거예요.

두번째는 한국군의 준비 능력과 별개로 '작전권을 우리가 가져오면 미군이 철수한다' 이 논리입니다. 노무현 대통령은 주한미군은 언제든 자기들이 필요할 때는 떠난다고, 본인이 한번 겪어봤거든요. 그런 면에서 '연합 방위로 그렇게 비루하게 물고 늘어진다고 한들 미군이 자기 판단 안

바꾼다' 이런 이야기로 반박이 되는 것이죠. 이런 찬반의 논리가 있고요

한미상호방위조약이야말로 정말 형편없는 조약입니다. 여섯 개 조항, A4지 한 장 분량입니다 그런데 나토(NATO)조약, 미국이 유럽 국가들과 맺은 나토조약은 책 한 권입니다. 미일 안보 전략 같은 걸 보면 상세하게 이 동맹은 뭘 하는 동맹이고 또 가이드라인을 만들면 2년마다 개정하고 그게 각 의회에서 심의를 받게 돼 있어 규범 체계가 촘촘해요. 우리는 종이 한 장이에요. 그것도 뜬구름 잡는 얘기예요. 각자 국내법 절차에 의해서 상호 돕는다, 이렇게 되어 있는 겁니다. 언제 도와준다는 건지, 뭘 어떻게 한다는 건지 없어요. 의외로 한미 동맹이 규범이 없습니다. 전작권도 아무런 조약이나 협정 없이 넘어가고, 한미상호방위조약이라는 것도 그냥 뭐 A4지 한 장에 알 듯 모를 듯 한 얘기. 실체가 없으니까 더 맹신하는 겁니다. 한미 동맹은 보이지가 않습니다. 깊이 들어가면 어떤 법규, 규범도 없어요. 완전히 치외법권인데다 그 규범적인 체계가 보이지가 않으니까 한반도에 전쟁 났을 때 미국이 자동으로 개입해준다는 조항이 없습니다. 상호방위조약에 미국이 와도 되고 안 와도 돼요. 이건 어음 조각에 불과하거든요.

상호방위조약 그러니까 현물이 필요하니까 미군이 깃발이라도 전방에 꽂고 있어야 개입이 된다, 이걸 일컬어 임계철선이라고 하는 겁니다. 임계철선에 왜 그리 목을 매겠습니까? 안 그럼 미국이 우리한테 저기 책임과 의무를 명기한 조약이 없으니까. 미군 장성들의 구호에 차렷 열중쉬어만 해온 한국군 입장에서는 미군이 어쩌면 한국에 개입 안 할 수도 있다 했을 때는 우리 안보는 미국에 달렸다고 보는 과도한 의존 심리가 결국 합리적인 접근법을 다 차단해버려요. 그 결과 이제는 전시작전권이 이데올로기가 되어버렸습니다. 어떻게 합리적으로 우리가 행사할 수 있는 수단,

방법, 시기 이런 부분들을 잘 우리가 판을 짜면 되는데 이 자체를 가로막는 하나의 이데올로기가 되어버렸다는 거죠. 그것이 작전권 환수 반대입니다. ◘

우리가 작전을 통제할 만한 실력이 없나? 대한민국 군대는 지금까지 뭐했노 말입니다. 나도 군대 갔다 왔고 예비군 훈련까지 다 받았는데 심심하면 세금 내고 불러다가 뺑뺑이 돌리고 훈련시키고 했는데, 그 위의 사람들은 뭐해서 작전권 통제권 자기들 나라 자기 군대 작전 통제도 할 수 없는 군대를 만들어 놓고 했습니까? '나 국방장관이오, 나 참모총장이오' 그렇게 별들 달고 거들먹거리고 말았다는 얘깁니까? 작통권 회수하면 안 된다고 줄줄이 몰려가서 성명 내고, 자기들이 직무유기 아닙니까? 부끄러운 줄 알아야지. 이렇게 수치스러운 일들을 하고.

작통권 돌려받으면 우리 한국은 잘해요. 경제도 잘하고 문화도 잘하고 영화도 잘하고, 외국 나가보니까 한국 사람들이 외국 나가보니 못하는 것이 없는데 전화기도 잘 만들고 차도 잘 만들고 배도 잘 만들고 못하는 것이 없는데, 왜 작전통제권만 왜 못한다는 얘깁니까?

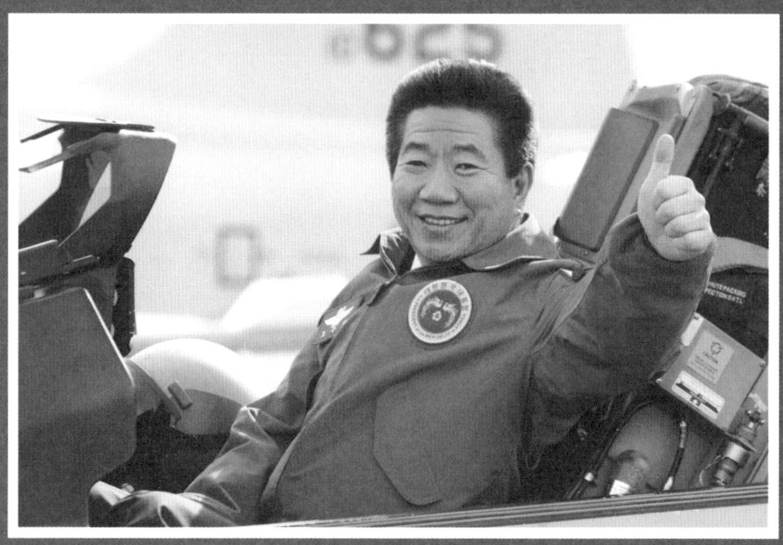

실제로요 남북 간에도 외교가 있고 한국과 중국 사이에도 외교가 있는데, 북한의 유사시란 건 있을 수도 없지만 전쟁도 유사시도 있을 수가 없지만, 그러나 전쟁과 유사시도 항상 우리도 전제하고 준비하고 있는데 중국도 그렇게 준비하고 있지 않겠습니까. 한국군이 작전통제권을 가지고 있을 때 북한과 우리가 대화하는 관계, 중국과 우리가 외교상의 대화를 할 때 동북아시아 안보문제를 놓고 대화할 때 그래도 한국이 말발이 좀 있지 않겠습니까. 작전통제권도 없는 사람이 민간 시설에 폭격을 할 건가 말 건가 그것도 자기 맘대로 결정 못하고, 어느 시설에 폭격을 할 것인지 그것도 마음대로 결정도 못하는 나라가 중국한테 가서 무슨 할말이 있겠습니까. 북한에게 가서 무슨 말을 하겠어요. 이것은 외교상의 실리에 매우 중요한 문제 아니겠습니까.

_민주평화통일자문회의 제50차 상임위원회 연설(2006년 12월 21일)

작은 바보들이
큰 바보를
더불어 만들었듯

칠천사 홍인성(인천광역시 중구청장)

닉네임 '칠천사'입니다. 세상이 워낙 험악하고 힘드니까 천사들의 도움을 받아야겠다, 7명 있으면 힘들고 어려운 사람들과 같이 살 수 있겠다 생각해서 지었습니다. 전화번호 뒷자리도 7004로 만들었죠. 대통령 출마하시고 2000년도 초반 되는 것 같아요. 대학 다닐 때라 많이 활동하지는 못했습니다.

노사모 활동을 시작한 동기가 있으실까요?

노무현 대통령이 말씀하셨던 '사람 사는 세상'과 문재인 대통령이 얘기했던 '사람이 먼저다'. 사람을 존중하는 기본 틀. 사람을 볼 때 보통 그 사람의 본질을 보는 것보다 이력이나 쌓아놓은 캐릭터를 봅니다. 그것과 다르게 생각하는 모습이 새로웠고 개체의 한 부분으로 동참할 수 있겠다고 생각했어요. 사회 변혁의 한 틀로 갈 수 있지 않을까 생각했습니다.

참여정부 초반에 보수 정당과 언론의 흔들기가 심했잖아요.

당연히 존재할 수 있는 부분이라고 생각해요. 대통령이라는 직함을 가졌고 어느 정도 호흡을 맞출 수 있는 부분을 위해서는 지금껏 가지고 계셨던 정신과 생각, 가치를 변화시켜야 하는데 그렇지 못해서 언론과도 척을 지게 되는 거고요. 척을 졌던 가장 큰 부분은 가판을 없앤 거예요. 본판 찍기 전에 가판 만들어서 광화문에 뿌렸잖아요. 가판 보고 관료들과 사람들이 기사 내용을 빼고 넣고 하기 위해 언론사에 로비하는데 그걸 없애니까 언론이 쓸 수 있는 권력이 줄어든 거죠. 남북정상회담 하고 오신 후 청와대 수석들과 참모들이 "지금부터는 언론과 관계를 좋게 가지면 어떻습니까?" 말씀드린 적이 있어요. 지금 인천시장인 박남춘 인사수석님이 참모들과 같이 말씀드렸는데 대통령이 하신 말씀이 이거예요. "인기도 좋고 임기도 많이 남지 않으니까 이 상태로도 편안하게 갈 수 있다고 생각한다. 관계를 개선하는 게 옳은 것인가. 또 언론과의 관계가 좋아지면 레임덕이 온 지금 직원들이 잘못할 수도 있다. 언론과 긴장 관계에 있어야 직원들도 더 조심하고 바르게 행동할 것이다."

노무현 대통령에 대한 개인적인 감흥 말씀해주세요.

노무현 대통령은 정치가 냄새가 안 나고 사람 냄새가 났죠. 그래서 사람들이 모이고 변혁의 흐름을 만들었던 게 아니었을까. 전까지만 해도 대통령 선거에는 거대 자금이 들어갔는데 노무현 대통령은 희망돼지라든지 당시에 생각해도 우스운 것들로 힘을 만들어냈잖아요. 국민들의 응축된 내면에 갈무리되었던 것을 분출하는 모티브를 제공한 것이 아니었을까 합니다.

서거 소식 들으셨을 때 기억나십니까?

TV에 처음 나왔을 때는 오보라고 생각했어요. 지금까지 봤던 노무현 대통령은 그럴 분이 아니었다고 생각했죠. 사회적 굴레나 위압감, 압박감이 있으면 정면 돌파하셨죠. 지켜야 할 가치가 있으면 지키셨던 분인데 이해가 안 가잖아요. 뉴스를 보고 10분 동안 아무 생각이 없었고 점심이 됐는데도 밥 생각이 안 났어요. 믿어지지가 않았어요.

한 시대를 공유했던 노사모 회원들한테 영상 편지 한번.

노무현 대통령을 사랑했던 여러분, 보고 싶습니다. 여러분의 얼굴 속에 노무현 대통령을 그려보고 싶습니다. 한 사람, 한 사람이 작은 노무현이 되고 작은 향기로서 대한민국을 사람 사는 세상으로 만드는 데 작은 역할을 나누고 싶습니다. 꼭 한번 뵙고 싶습니다. 인천 중구로 오세요. 인천 중구

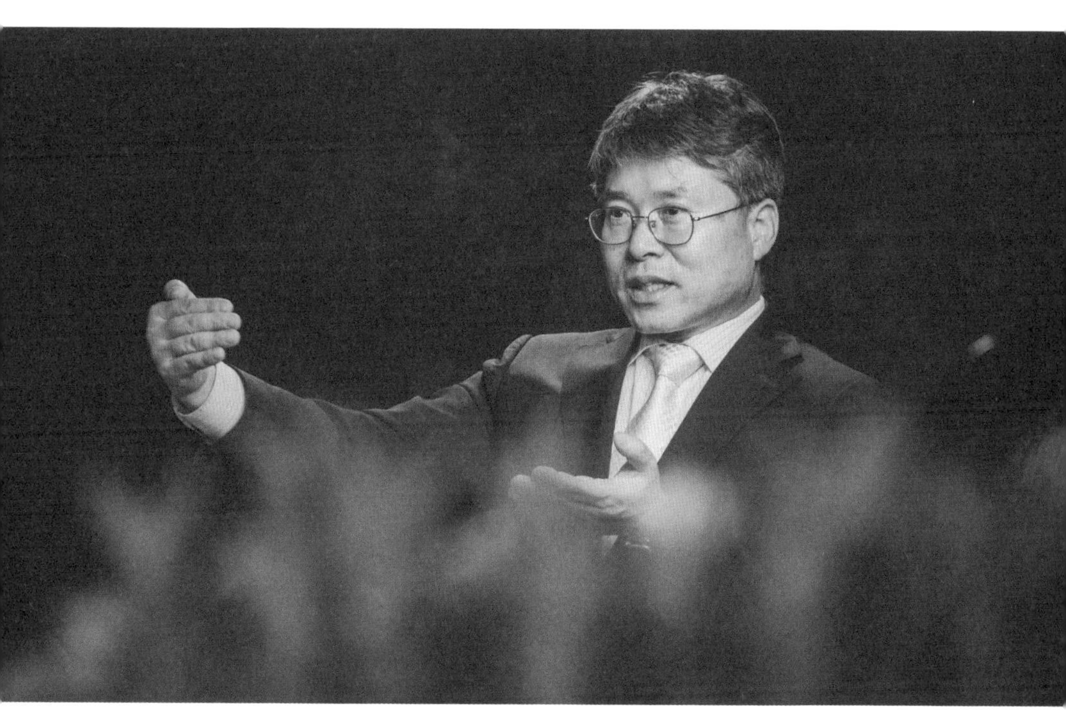

는 교양, 역사, 문화가 있는 곳입니다. 인천항과 인천공항이 있고 차이나타운, 월미도, 연안부두, 자유공원 등 모든 역사 문화 순례길을 가지고 있습니다. 닉네임 칠천사이며 인천 중구청장입니다. 환영합니다. 노사모 이야기를 담은 〈노무현과 바보들〉이 영화로 제작된다고 합니다. 한 사람 한 사람의 작은 바보들이 큰 바보를 더불어 만들었듯이 앞으로 후배들, 미래 세대에게도 바보들이 될 수 있는, 바보들을 바라볼 수 있는 영화가 나올 거 같습니다. 많이 격려해주시고 많이 응원해주시길 부탁드립니다. 고맙습니다!

그때도 지금도
제 인생을 송두리째
흔들었어요

뽀롱티 이종우

저는 이종우고요. 통영 출신입니다. 노사모 닉네임은 '뽀롱티'입니다. 표준말로 하면 '뾰로통'인데 통영식 표현은 보롱티가 맞습니다. 약간 볼살이 통통하고 잘 삐치는 애들을 보롱티라고 하는데, 보롱티로 하면 밋밋할 것 같아서 '뽀' 자에 액센트를 줘서 뽀롱티라고 부릅니다.

노사모를 하게 된 계기는요?

제 주변에 있는 사람들이 사회 부조리나 그런 현상들에 대해서 불만을 가진 사람들이 많았어요. 같은 업에 종사하는 사람들이 저한테 권유했죠. 그때는 한창 인터넷 커뮤니티가 활성화되는 시점이었고요. 노무현 대통령이 선거에 떨어지고 제가 알기로는 〈PD수첩〉이었던 걸로 기억하는데 방송에서 노대통령께서 뚝방길을 걸어가는 모습을 봤거든요. 한국 정치 현실에 대해서 뭐랄까 무기력감 같은 마음을 가지고 있을 때 주변에 수산업을 같이하는 분들이 "우리 노사모에 들어가서 같이 한번 활동을 해보자" 해서 같이 노사모에 가입하게 됐습니다.

노사모 활동하시면서 정말 긴 시간이셨을 텐데 떠오르는 순간이 많을 것 같아요.

사람들이 노사모를 했다면 광주 경선이라든지, 후단협이 노무현 대통령을 흔들 때 우리가 노무현 대통령님을 지켜내는 일련의 과정, 그때는 후보셨지만 당선이 되고 난 다음에 기쁨이야 뭐 이루 말할 수도 없죠. 그런데 저는 다른 분들과 다른 게 노사모를 통해서 지금의 제 아내를 만났거든요. 물론 (웃음) 노사모 활동도 열심히 했는데 평생을 같이할 사람, 뜻이 맞는 사람들을 만나고, 그중에서 제 반려자도 만나 아들도 태어나고…… 지금 생각해보면 예전에는 그냥 매일 순간순간 기억나는 순간들이 있었는데,

아까 나오면서도 그런 생각이 들었는데요. 명계남 선생님이 주로 하시는 표현인데, 노무현 대통령을 볼 때 섬광처럼 번쩍인다는 말씀이 맞는 것 같아요. 그때도 지금도 제 인생을 송두리째 흔들었다고 할까요.

당선된 이후 그 어느 대통령보다 많이 힘드셨는데 혹시 그때 떠오르시는 기억은요?

일단은 그전에 국민의 정부가 출범하게 된 것은 IMF가 일어나고 우리나라가 부도의 사태가 일어나지 않습니까. 그들이 나라를, 경제를 망쳐놓고 그들이 망친 경제를 국민의 정부 5년, 그리고 그 바통을 노무현 대통령님이 이어받아 경제의 투명성 확보와 정경유착의 고리를 끊어내는 일들을 많이 하셨는데, IMF를 만들었던 그 장본인들이 오히려 적반하장 격으로 노무현 대통령을 마치 경제 정책이나 이런 데서 무능한 대통령으로 몰아가는 것을 볼 때 정말…… 그때는 정말 참기 힘들었죠.

전 시대와 참여정부 시절을 비교했을 때, 어떻게 생각하십니까?

저는 지금의 가짜 뉴스가 그때와 연장선상에 있다고 생각하거든요. 그러니까 이야기하자면 예전에 강준만 교수가 썼던 『노무현과 국민사기극』이라는 책이 있는데, 거기에 보면 우리 국민들이 거대 언론이나 거대 자본 그리고 수구 세력들한테 볼모로 잡혀가지고 그들이 끊임없이 주입식으로 거짓 정보를 계속 주입하면……

이게 하나 아쉬운 점인데 노무현 대통령께서 당선이 되고 저희들이 언론에 대응하는 방식이 덜 적극적이었던 거 같아요. 그들이 목소리를 내면 우리는 더 큰 목소리를 내고 "아니다"라고 끊임없이 이야기했어야 하는데. 지금처럼 SNS가 다양하진 않았습니다만, 그때도 이미 국민의 정부

5년 동안에 우리나라에 인터넷이 보급화되어 있었고 인터넷에서 정보 창구들은 많았거든요. 다만 종이신문의 힘이 꺾일 무렵이었지만, 그래도 종이신문이 힘을 발휘할 때죠. 소위 말하는 조중동이 끊임없이 가짜 뉴스를 생산할 때인데, 지금 이 문재인 정부가 소득주도성장을 하고 있지 않습니까? 소득주도성장의 최저임금 문제를 대표적으로 얘기하는데 수구 언론 같은 경우엔 이렇게 싣는 거죠. "문재인 정부가 소득주도성장을 경제 정책으로 내걸면서 최저시급을 올리니까 중소기업의 30년 된 숙련공이 할 수 없이 회사를 떠나야 된다." 이거를 일반 국민들이 텍스트만 딱 볼 때는 '아~ 이런 놈' 이렇게 생각하는데 조금만 들여다보면 '아니, 그 회사가 30년 된 숙련공을 아직까지 최저임금 수준으로 월급을 준단 말입니까?' 최저임금이 올랐다고 해서 최저임금 수준으로 새 직원을 뽑는다고 친다면, 숙련공을 내보내고 최저임금을 받는 새 직원을 뽑을 정도로 회사의 구조와 업무가 단순하다는 이야기입니까? 이거 말도 안 되는 이야기거든요. 그런데 이런 것을 마치 "소득주도성장 때문에 이 나라가 뭐 무너진다, 최저임금을 올려서 자영업자들이 다 죽는다" 이런 식으로 몰아가거든요.

지금은 우리가 노무현 대통령 때 겪었기 때문에 대응하는 방법도 다르고 각종 1인 미디어나 채널들이 있기 때문에 우리가 대응할 수 있는 방법이 많은데, 당시만 해도 그런 식으로 공격하면 소위 말하는 어르신 세대들은 거의 사실로 받아들인 거죠. 태극기부대나 대한애국당은 참 안쓰럽다고 생각하거든요. 왜 그러냐면 그분들은 이미 몇십 년 동안 그런 식의 세뇌를 받아왔기 때문에 편향을 가지고 있는 거 같아요. 자기들이 공격의 수단으로 '아, 이 사람들은 뭐 빨갱이다, 이 사람들은 뭐 김정은한테 바친다' 이렇게 하는 것이 아니라 수구 언론과 수구 정당에 의해서 이분들이 현실을 직시하지 못하는 거죠. 그런 편향을 갖게 된 게 그런 과격시위를 하게 된 오늘날 현실이 끊임없이 이어져오고 있기 때문에, '아, 진짜 우리가 원하는 세상을 얻는 그날이 우리 자식 세대까지 오기란 참 쉽지 않은 일이다' 그렇게 생각하고 있습니다.

혹자들은 지금 또 어르신들 세대나 과거의 군사 정권 때 '경제가 좋았다'고 그렇게 말씀하시는 분들이 있는데, 군사 정권 때 산업화가 되면서 많은 건물을 짓고 많은 건설 경기 붐이 일었지 않습니까? 경제적인 측면에서 보면 경제라는 게, 저는 뭐 경제를 따로 공부하거나 지식을 쌓은 것은 아니지만 대체로 학자분들 하는 말씀이 경제라는 거는 거시적으로 봐야 된다는 거죠. 멀리 봐야 된다는 거죠. 우리가 당장 경제를 부흥시키려고 하면 나라에서 SOC 사업 실행하고 단기에 돈을 투자해서 돈이 돌 수는 있긴 하겠죠. 그러면 그 이후에는 인플레가 오고 여러 가지 상황들이 있지 않습니까? 그런데 군사 독재 시절이 건설경제나 이런 버블경제 그런 거품이 무너지면서 결과적으로 그게 IMF를 초래했고…… 경제라는 것이 우리나라같이 자원이 풍부하지 않은 나라가 원료를 수입해와서 그걸 가공해서 역수출하는 이런 나라들이 중공업 기반 도시를 만들고 이런 일련의 성장 과정을 거치면서 서서히 거품이 꺼져갔단 말이죠. 그렇게 하다보니까 정경유착도 심해지고 경제가 불투명성, 소위 말하는 주식 투자나 투자 자본들의 활성화를 저해하는 요소거든요. 특히나 남북문제. 과거의 수구 정권들이나 이런 사람들은 툭하면 뭐 총풍 사건 일으키고 이러면서 끊임없이 긴장을 만든단 말이죠. 그래서 사실은 경제가 나빠지는 거고 거품이 꺼지면서 전반적인 경제의 어떤 틀이 바뀌는 시기인데, 그런 거를 멀리 내다보고 노무현 대통령이 어떤 정책을 하나 내면 언론들이 도와주지는 못할 망정 (웃음) 이게 뭐 허위 보도는 안 해야 되는데…… 마치 옛날 과거 정권에는 과거에는 뭐 잘살고 누구는 뭐 직장 잘 다니고 이렇게 호도하는 거죠. 근데 사실상 일반 시민들이나 주변에 우리 친구들한테 하나하나 들먹이면서 소위 말하는 버블경제 이런 걸 이야기하고 거시경제 이런 걸 이야기해서 설득해가며 말하기가 쉽지 않단 말이에요. 그런 어려움들이 있었던 거죠.

이제는 국민들이 정보의 홍수 시대를 살고 있지 않습니까. 물론 가짜뉴스도 있지만. 지금은 우리가 대응하는 방법이나 정보를 받아들이는 사람들의 수도 많이 나아진 거 같아요.

당시 아무래도 노무현 대통령을 사랑하는 마음이 있다보니 언론 내용에 대해서 유심히 보셨겠네요?

유심히 봤죠. 특히나 노짱께서 레토릭이라 할까요, 언어적 수사가 정치인들이라면 유불리를 따지게 되니까 두루뭉술하게 얘기를 하거든요. 근데 노짱께서는 말씀하실 때 위트도 있고 직설적으로 표현하신단 말이죠. 그런 부분이 일종의 언론들에는 먹잇감이죠. 저희들은 그래서 노무현 대통령을 더 좋아하는 그런 측면도 있는데. 하여튼 저는 (웃음) 문재인 대통령이 먼저 대통령직을 수행하고 노무현 대통령이 지금 대통령을 하셨으면 어떨까, 그럼 더 좋지 않았을까. 역사에는 가정이 없지만 요즘 들어서 그런 생각도 하곤 합니다.

노대통령을 혹시 다시 만나게 되신다면 어떤 말씀을 해드리고 싶습니까?

제가 노사모 활동을 하다가 아예 민주당으로 들어갔거든요. 통영에 새천년민주당 지역위원회에 들어가서 유세 단장을 했거든요. 광역지원 유세도 가고 해서 노짱을 이렇게 뵐 기회가 많았었는데, 저는 되도록이면 시민들이나 다른 사람들이 노짱과 함께 사진 찍게 하고 저는 그러지를 못했어요. 그래서 제게 남아 있는 사진은 노짱 먼발치에서 찍은 사진이 있고, 또 돌아가시기 전에 봉하마을에 오셨을 때 비가 왔었는데 아들을 제가 목마 태우고, 그때 나오셔서 말씀 들을 때 지근 거리에 찍은 사진밖에 없거든요. 지금은 그냥 어떤 말보다도 옆에서 꼭 껴안고 사진 한 장 찍었으면 좋겠다는 그런 생각이 듭니다.

이제 인터뷰한다고 오시면서 이런저런 생각이 드셨을 텐데요. 혹시 하시고 싶었던 말씀은?

노사모 활동을 하고 제 인생에서 커다란 어떤 변곡점이라고 하기에도 부족한 거 같아요. 앞으로도 남은 인생에도 제가 노사모이고 노사모였고 노사모일 것이거든요. 노무현 대통령께서 당선되고 노사모에서 제일 먼저 통영 노사모가 해체 선언을 했습니다. 노사모 해체 선언을 한 이유가 노무현 대통령께서 당선되고 난 다음에 노사모가 유지되면서 뒤에 들어오는 회원들에 대한 문제점들 때문에 저희들이 해체 선언하고 각자의 길을 모색하자 이렇게 했는데, 주변에서 '대통령이 당선됐다고 이게 다 끝났는 줄 아느냐?' 이런 말씀들을 하시는 분들이 많았거든요. 저 역시도 대통령이 당선되고 난 다음에 뭐 약간 긴장을 좀 풀었다고 할까요? 그런 측면도 있었지만…… 이게 아까도 제가 말씀드렸지만 세상을 바꾸는 게 하루아침에 손바닥 뒤집듯이 되는 게 아니더라고요. 민주주의가 후퇴하는 지난 9년의 세월을 겪었고, 이게 한번 뒤집어져가지고 다시 원상복구하는 데는 엄청난 시간이 걸리고 노력이 필요하다는 거죠. 그래서 지금 촛불로 문재인 정부가 탄생했지만 항상 긴장해야 하고 우리가 이 세상을 살아가면서 삶의 부조리나 세상의 부조리들을 매 순간순간 놓치면 안 된다, 저는 그렇게 생각해요. 주어진 삶 속에서 노무현 대통령께서 말씀하셨던 '깨어 있는 시민'으로 커뮤니티 속에서 항상 우리가 이야기해야 하고, 저들이 어떤 가짜 뉴스나 부당한 공격을 할 때는 소리 높여서 맞서서 이야기해야 된다. 그렇게 하지 않으면 어쨌든 거대 권력은 아직까지도 살아 있거든요. 그래서 '항상 우리는 깨어 있는 시민으로 살아가야 된다, 그리고 다음 세대에도 그런 걸 전해줘야 된다' 저는 그렇게 생각합니다.

이제 노사모 분들에게 한마디만 해주십시오

아유~ 아하하하하 다른 분들, 훌륭하신 노사모 분들이 많은데 제가 송구스럽게 이렇게 인터뷰를 하게 됐습니다. 경선이 끝나고 당시에 뭐 통영용, 뭐 태양인 외 여러 선배님들과 같이 경남 전역을 다니면서 참 재밌게 활동했었는데요. 그때 기억이 새롭습니다. 지금은 각자 삶들로 바쁘고 잘 못 만나는데 10주기 때는 우리 다 같이 봉하마을에 모여서 신명나게 웃으면서 그때 일들 회상합시다. 고맙습니다.

부딪치다보면
끝내 언젠가는 깨질 것

문짝 문성근

노사모 이제 가물가물하시겠어요.

네. 선명했던 기억들만 남고 나머진 다 지워지고. 특히 연기하면서 점점 뇌가 그렇게 변해간 게 아닌가 싶은데 이렇게 단락별로 기억을 해요. 배우는 어떤 작품을 했잖아요. 그럼 그 역할 하다가 끝나고 다른 작품으로 들어가잖아요. 그전 기억을 지워야 다음 작품이 되거든요. 그게 뇌에 익숙해지다보니 과거가 자꾸 잊혀요. 노사모는…… 명계남이 저를 빨아들였죠. 70년대 학번들은 학생 시절 학생운동 한 친구들도 대중 연설을 할 기회가 없었어요. 저는 학생운동도 안 했고 연설한 적도 없는데, 부산 롯데호텔에서 후원의 밤 같은 노무현 후보 출정식을 하는데 명계남씨가 사회를 보다가 느닷없이 저를 불러올리는 거예요. 연단에서 한 50m 떨어진 데 앉아 있었는데 사전 귀띔도 없이 걔가 느닷없이 저를 불러올리는 거예요. 너무 놀라서 뛰어갔죠. 저 때문에 행사가 늦어지면 안 되니까 걸어갈 수가 없는 거예요. 막 뛰어갔어요. 뛰어가는 동안에 내가 무슨 말을 할지 생각하면서. 몇 분? 모르겠어요. 한 3~4분 한 것 같아요. 막 얘기하고 돌아왔는데 이창동이 옆에 있다가 "이야 연설 죽인다, 너" 그러더라고요. 근데 그게 동영상이 있는지 모르겠는데 저는 본 적이 없어요. 그다음부터 이제 노 후보가 계신 행사에 제가 바로 직전 연사로 나가기 시작한 거죠. 여러 군데 다녔지만 생각지도 못한 건데 나중에 보니까 노혜경과 명계남이 짰다고 하더라고요. "사전에 알려주지 말고 그냥 시켜봅시다" 그랬다고. 이미 다 인생 조졌는데, 그러고 나서 〈그것이 알고 싶다〉에서 나온 거죠.

〈그것이 알고 싶다〉 MC를 정치 참여 때문에 내려놓으신 거예요?

그랬죠. 그전까지는 정치 발언을 일절 하지 않았으니까요. 그런데 처음에 제가 2001년 3~4월경에 노사모 활동을 시작했는데, 당시 노사모를 언론에서 아무도 관심 안 가지다가 처음 가진 게 광주 경선이에요. 광주 경선 끝났을 때 이렇게 얽히는 거죠. YTN 뉴스에 매시간 나오는 거예요. 그러니까 SBS에서 경영진에 있는 사람들이 재 뭐냐, 저거. 그전까진 테레비 안 나왔으니까, 〈그것이 알고 싶다〉 외에 테레비에 나온 적이 없으니까 괜찮은데 매 뉴스에 나오니까 시사 프로 하는 사람이 특정 정당을 지지하면 되느냐고 시비를 걸었어요. 이미 이겼다고 생각하고 인천 경선부터 안 갔는데. 후보만 되면 당선된다고 생각했기 때문에 저는 할 일 다 끝났다고 생각했어요. 방송국에서 이런 문제 제기가 있으니 선택해달라고 그러더라고요. 지금부터 선거판에 안 가고 방송만 하실 것인지 아니면 방송을 그만둘 건지, 이렇게. 방송을 하겠다고 약속했어요. 이겼다고 생각했으니까.

생업이니까요.

인천, 강원 다 안 갔는데. 경선 통과된 다음에 충청도 어디서 노사모가 노 후보를 모시고 전국 축하 집회를 한 거예요. 그 자리엔 간 거죠. 그때도 거기서 막 맥주 마시고 있는데 또 명계남이가 무대에서 부르는 거예요. 하여튼 그놈이 문제라니까. 하여튼 그 새끼가 문제야. (웃음) 이번엔 100m를 뛰어갔어요. 그러곤 가서 술도 한잔했겠다, "〈조선일보〉, 〈동아일보〉 백만 부 떨어뜨립시다!" 이렇게 이야기를 했죠. 그랬더니 〈조선일보〉, 〈동아일보〉가 이만하게 기사를 내고 그러니까 SBS에서 뭐라 그러겠어요? 내가 약속을 어겼으니 그만두겠다 말했죠. 약속을 깬 것은 저였기에 실질적으로는 절차상 자의예요. 〈조선일보〉, 〈동아일보〉를 씹어놨으니 너무 커서 주워담을 수가 없어서 앞으로 안 하겠다고 해도 의미가 없는 거고. 방송국에서는 내보내기로 결정한 건데 내가 그걸 조용히 수용하느냐 아니면 저항을 하느냐의 문제만 남은 건데, 내가 약속을 깼으니까 그냥 수용한 거죠.

언제부터인가 악역만 많이 하셨는데 사연이 있나요? 아니면 배우로서의 의지인가요?

처음은 〈경마장 가는 길〉이죠. 근데 〈경마장 가는 길〉이 호감이 안 가는 인물이거든요, 노출이 많고. 그런 영화를 찍으면 광고가 없어집니다. 지금은 조금 달라졌더라고요. 예전에는 악역을 하면 거리에서 야단맞기도 하고 그랬잖아요. 배우들이 나쁜 이미지의 역을 맡으면 광고가 떨어지니까 피해요, 상업 배우들이. 그게 굉장히 불쾌했어요. '네가 모델이냐, 배우냐? 배우는 대본이 요구하는 걸 충실히 전달하면 되는 건데 광고 떨어진다고 안 하면 그게 무슨 배우냐?' 이런 마음 때문에 맡은 측면이 있어요. 경마장 끝나고 나니까 〈너에게 나를 보낸다〉를 하자 그러더라고. 광고업계에 있는 사람들이 경악했다고 하더라고요. 미쳤구나, 저 사람. 이미지가 나빠지는 역도 하는 사람이구나. 그러니까 그다음부턴 그런 주문들이 더 들어오기 시작한 측면도 있고요.

근데 2000년 때의 얘기고 지금은 무려 18년이 지났으니까 이제는 20대 후반, 30대 초반 애들이 주인공인 거잖아요. 그러면 그 사람들하고 우호적인, 주인공과 우호적인 사람들은 일찍 죽어요. 그래야 얘들이 화가 나서 악의 근원과 싸울 거 아니에요? 악의 근원은 길게 나오는 거지. 그러니까 나이든 조연은 그런 식의 역을 하는 경우가 많죠. 주말연속극이면 대가족이 다 나오니까 거기 좋은 아버지도 있고 그렇지만 16부작 같은 경우는 대개 그런 성격이기 때문에 또 강한, 나쁜 느낌 나는 등의 역을 앞으로는 할 수밖에 없을 거라는 생각.

정치 쪽으로 나오시면서 어떤 불이익을 예상을 많이 했었거든요. 지나온 시간에 대해 어떠세요?

5공, 6공 이때 방송 출연이 안 됐다든지 그런 것들은 경험했던 거고요. 어떻게 보자면 〈그것이 알고 싶다〉도 제작진이 우당탕 저지른 형국이었다고 볼 수 있어요. 저도 프로그램을 만들었는데 '이형호 실종 사건'이거든요. 첫 회에 히트해 느닷없이 재방송이 되고 그랬었으니까요. 6공 때니까 문제 제기하려면 할 수 있는데 이미 기정사실로 해버린 거죠. 그다음 이명박 정권 때는 블랙리스트 잠깐 언급이 되고 그랬지만…… 참여정부 끝나고 해방감 느꼈다고 그랬잖아요, 아, 이제 마음대로 하면 되지. 그러고 〈신의 저울〉이라는 드라마를 했어요. 정의로운 검사 역을 했죠. 저쪽에서 긴장한 거고 그때 한나라당 의원이 방송국을 찾아가서 문제 제기를 했다고 해요. 그다음부터 캐스팅이 안 되기 시작한 거죠. 티브이는 방송 3사, 그다음에 CJ, JTBC만 압박하면 다 되는 거잖아요. 근데 영화의 경우는 CJ, 롯데, 메가박스 이런 데는 압박하면 되지만 독립 영화는 안 되잖아요. 독립 영화에 출연한 거죠. 10만 원, 100만 원 이렇게 출연료 주는 거. 그게 〈부러진 화살〉이 투자 형태로 출연했는데 그게 대박나는 바람에 수입이 생긴다든지 그런 식으로 산 거죠. 방송은 MB 2년 차부터 박근혜 정권까지 못했죠.

명계남 선배가 꼭 나오시게 하래요. 예정에 없었는데 갑자기 불러서.

그놈이 지 혼자 망하기 싫으니까 나도 갖다 쑤셔박은 건데. 걔는 어떤 사안에 꽂히면 막무가내로 밀고 나가는 캐릭터예요. 내가 옆에 있는 게 운동에도 도움이 된다고 판단했던 것 같고, 어떻게든 끄집어들이려고, 떠나지 못하게 하려고 자꾸 옭아맨 거죠. '망했다' 이건 그냥 농담이고, 정말 영광스럽게 생각하죠. 노사모 활동을 했던 거나 '국민의 명령' 했던 거나. 그 국민의 명령 결과로 야권이 다시 새롭게 모인 거거든요. 참여정부에 참여했던 사람 중에 거의 3분의 2 정도가 당을 떠난 상태였는데 다시 뭉쳤고, 그래서 12년에 실패했지만 여기까지 왔으니까. 이런 역사적인 변화나 과정에서 제가 뭐라도 할 수 있었다는 것에 대해서 무한한 영광으로 생각하죠. 한때 잘나갈 때 그런대로 돈을 벌어서 집도 갖고 있었고 그 집 갖고 역모기지 걸고 그러면 순두부에 막걸리 마시는 데야 문제없으니까.

명계남씨 같은 경우는 초대 노사모 일꾼이셨어요. 그분과의 인연도 궁금합니다.

특별한 관계라기보다는 73, 74년 이때는 전국에서 서강대학의 극장이 제일 좋았어요. 메리홀이라는 극장이 있었거든요. 그러니까 서강대학이 중심이 돼서 대학인의 무대라는 걸 만들었어요. 그때 걔가 연세대학 기둥 배우로 참여를 해서 알고 지낸 정도지. 친한 정도는 아니었고…… 그러다가 그 친구는 계속 연극을 했고 저는 취직을 해서 현대그룹에 다니고 있었어요. 제가 다닐 때 공간 사랑 있잖아요. 그건 현대그룹이 거기 있었으니까 점심시간에 나갔더니 걔가 공연하고 있으면서 담배 피우러 나와서 만난 적도 있고 그랬는데, 제가 회사 그만두고 영화 하러 나왔더니 걔가 없더라고요. 걔는 아기 분윳값이 없어서 취직을 한 거죠. 쌍방울 홍보실에 카피라이터로 들어가서 일하고 있다가, 지 말로는 내가 영화배우 하고 막 유명해지니까 '아, 저 새끼도 유명해지는데 내가 왜 안 되지?' 회사 그만두고 나온 거죠.

스크린쿼터 99년에 하고 나서 '다음은 노무현이지'라고 모두 다 동의한 상태에서 2000년 4·13 총선 때 그 친구는 부산에 가서 한 거예요. 노무현 후보를 도운 거죠. 저는 서울에서 386들을 도왔어요. 임종석, 이인영,

우상호, 이런 후보들 지역구 다니면서 선거운동을 했었는데 그 친구가 노사모에 참여하면서 계속 너 언제 들어올 거냐고, 노무현밖에 없다며. 근데 처음에 그 과정은 몰라요. 5월에 대전 PC방에서 모여서 시작을 했고 명계남이 회장으로 추대됐고, 그땐 투표한 거 같지 않고 반발하는 세력도 꽤 있었다고 그래요. '딴따라한테 회장을 시켜도 되겠냐?' 그런 얘기도 있었다고 그랬는데 그 특유의 편집적인 돌파력이 있는 사람이기 때문에 정말 의외로 엄청난 기여를 한 셈이죠. 노사모를 생활 권역별로 쪼갠 일. 그건 정말 신의 한 수였고 자연 발생적인 요구였기도 했겠지만 자유롭게 운영한 게 결국 더 큰 힘을 발휘하게 된 것이라고 생각해요. 그 점에 대해선 그 친구의 공로가 대단하다고 생각하죠.

한 시민으로서 노사모가 가지는 의미나 가치, 어떻게 평가하시는지.

제 삶을 송두리째 바꾼 거죠. 2002년 대선 때 노무현 후보밖에 없다고 생각한 건 2000년대 초, 스크린쿼터 투쟁하면서 지켜냈는데 결론은 이건 김대중 대통령이니까 지켰다는 거죠. 그러니까 그분의 소양이 정말 깊잖아요. 우리가 문화예술 분야에 대한 얘기를 장문의 호소문을 써서 청와대에 보냈고 분위기가 변하면서 지켜진 거거든요. 이건 김대중 대통령이니까 지켰다. 그럼 다음은 누구냐? 그냥 툭 나온 거죠. 스크린쿼터 투쟁을 함께 했던 이창동, 정지영, 명계남 등이 일산에 살아서 같은 차를 타고 집에 오곤 했는데, 네 명 중에 누구였는지는 기억은 안 나는데 그냥 동시에 "노무현" 그랬어요. 2000년 4월에 총선이었으니까 5월 그때 태동이 된 거잖아요. 근데 저는 1년 정도를 안 들어갔죠. 방송 진행자로서 영화배우로서 거의 절정기를 지금 지내고 있는데 (웃음) 여기 들어가면 망하는 걸 아니까 가담을 늦춘 거죠.

망하긴 하나요? 그쪽에 가면?

망했죠…… 지금은 달라지긴 했지만. 할리우드나 이런 데는 배우들이 다 지지 정당을 밝히고 하잖아요. 우리는 그렇게 하면 한나라당 지지한 분은 아무 영향이 없고 또 민노당도 별로 지장이 없어요. 민노당은 위협 세력이 아니니까. 근데 민주당을 지지하는 사람들은 여러 가지 불편을 겪게 되니까 그걸 알고 있었고 마지막에는 가족에게 '나 이제 돈 못 벌어도 되겠냐? 먹고사는 데 지장 없겠냐?' 이런 것까지 확인하고 마지막에 '이제 좋다, 그냥 하자' 이렇게 된 거죠.

제가 본업이 연기자고 체질적으로 정치나 행정을 할 수도 없고 할 생각도 없었거든요. 그러다보니 이제 대통령 당선되고 나서도 얼른 노사모

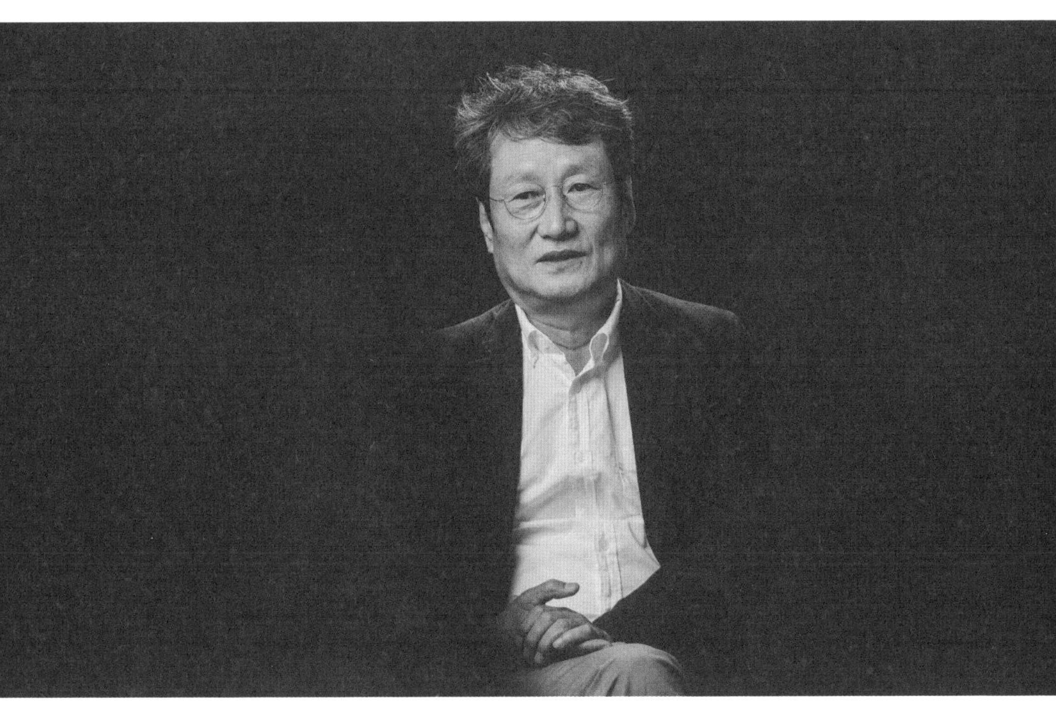

도 탈퇴하고 다시 본업으로 돌아가보고 그랬는데 한 번도 성공을 못한 거죠. 본업으로 돌아가도 계속 뒷골이 땅기는 것이 참여정부가 박살나고 씹히니까. 그래서 사실은 참여정부 끝나자마자는 정말 해방감이었어요, 오래간만에. 아, 이제 내 맘대로 살란다. 살아도 되겠네? 그러고 이제 방송 드라마를…… 하다가 돌아가신 거죠. 다시 돌아와 국민의 명령을 하고 뭐…… 제 팔자에 무슨 당 최고위원도 하고 별짓 다 한 거죠.

가족들하고 '나 이제 정치 참여해도 되겠니?' 상의했을 때 어떤 반응들을 보이셨을까요?

그때는 이혼한 후니까 엑스 와이프인데, 그래도 이제 경제가 굴러가니까 지금까지 준 걸로 살 수 있다고 이야기를 해줬고, 그다음에 어머니나 형제, 이쪽은 가서 얘기를 드렸죠. '이 상태에서 노무현 외에 정권 교체 가능성이 없습니다. 그러니 이제 적극적으로 해보겠습니다'라고 말씀을 드렸습니다. 그런데 사실은 문익환 목사가 김근태 선배를 거의 지명하다시피 마음에 두고 있었던 상태였기 때문에 재야 운동권이 전체적으로 김근태 선배를 생각하고 있었거든요. 그러니까 가족들과 얘기할 수밖에 없었죠. '김근태 선배가 아니고 이번에는 노무현 후보로 갑니다'라는 걸 가족들과 상의했어야 했던 거죠. 근데 특별히 이의를 제기하거나 그러시진 않았어요. 제 생활이 얼마나 달라질 건지 이런 것도 가족들은 별로 의식을 안 하시는 거죠. 저는 상업 배우니까 민감하게 알고 있지만 문목사는 평생 그렇게 사셨는데 애가 기특하게 뭐하겠다니까 '그거 열심히 해라' 이러는 거지. (웃음)

아무래도 환경에서 김근태 쪽이 더 끌렸을 텐데 어쩌다가 노무현 대통령과의 인연이?

가족사하고도 조금 관계가 될 텐데 문목사가 쉰아홉에 감방에 가서 일흔여섯에 돌아가셨는데 17년 중에서 여섯번 걸쳐 11년 3개월을 교도소 생활을 해요. 근데 그분에 대해서 시비 걸 게 없어요. 그렇게 살았는데 뭐라 그러겠어요? 근데 딱 하나 남는 게 87년 분열에 대해서 왜 그때 못 막으셨냐. 그러니까 정치권이 있고 재야, 그땐 재야가 매우 컸으니까 재야의 리더였는데 그걸 왜 못 막았냐는 게 언급이 돼야 되거든요. 평전을 쓰는 작가한테 제가 두 가지만 부탁했는데 하나는 87년 분열에 대해서 언급하지 않는 일은 없어야 된다, 두번째는 한글 풀어쓰기를 꼭 언급하라. 이렇게 얘기를 했었는데 두 가지만 부탁하고. 물론 그 모든 근본 책임은 양김(김영삼·김대중)에게 있지만 그걸 적극적으로 막았더라면 하는 아쉬움이 있는 거죠. 근데 이제 정치인 노무현이라는 분의 목표는 그거를 극복하겠다는 거였으니까.

제가 문목사 사시는 동안 도와드리질 못했어요. 도와드리지 못한 건 제가 감당할 수 있는 삶이 아니었기 때문에, 흉내를 도저히 낼 수 없는 경지의 삶을 사신 분이기에 저는 도망만 다녔거든요. 근데 갑자기 세상을 떠나시고 나서 보니까 시빗거리 딱 하나 남아 있는 거죠. 그러니까 아버지에 대한 죄송한 마음, 그걸 겹으로 얹어서 이제 노무현 후보를 도와서 그분이 꼭 성공했으면 좋겠다.

퇴임 후 2008년 가을에 마지막으로 만났는데 그때 이창동하고 봉하에 갔어요. 밀양 연극제를 보고 그 아방궁이라는 데에 술 먹을 자리가 없습니다. 그래서 서재에서 그 회의 테이블 있잖아요. 거기 앉아서 맥주를 마셨죠. (웃음) 제가 뭐라 그랬냐면 부산시장 한번 더 출마하시죠. 실패했으니까. 참여정부 5년에 지역 구도 극복이 안 됐으니까 또 도전하시면 안 되느냐. 그러니까 이번엔 떨어지겠지만 다음엔 되지 않겠습니까? 그러면 2010년이 지방선거죠. 2010년 지방선거에 부산시장으로 한 번 또 출마하시라고 그랬더니. 그냥 어, 보시더니 한 2초? 3초? 굉장히 저한텐 길게 느껴졌어요. 근데 하시는 말씀이 "제가 왜 봉하에 내려왔겠습니까. 제가 여기 내려와 있으면 열린우리당이 전국 정당화하는 데 조금이라도 도움이 되지 않을까 싶었는데 참 안타깝습니다" 그런 얘기를 하시고 즉답은 안 하셨죠. 근데 누가 잠깐 기초의원 출마 이런 이야기도 하신 적이 있긴 있다고 그러는데…… 그분이 가시면서 거기 작은 비석 하나 세우라고 그랬잖아요, 봉하에다가. 그거까지 생각하신 거죠. 역사에 그 힘이 지금도 작용하고 계신 거고.

노무현 대통령도 마찬가지로 노사모도 당연히 지역주의 극복이.

엄청 큰 숙제였죠. 긴 시간 전이라 벌써 20년 가까이 된 시절이죠. 그 시절에 정말 중요한 화두였을 수밖에 없었죠. 대화가 안 되니까요. 토론이 안 되니까. 그냥 영남에서는 DJ 욕하면 다 당선되는 거고, 역으로도 마찬가지고. 이렇게 해서는 진보고 보수고 아무 의미가 없는 거잖아요. 정책적 차이에 대한 토론이 안 되는 환경. 그게 정치 지도자의 분열로 심화된 상태였던 거니까. 거기다가 실질적으로 경제 발전이나 이런 게 지역 불균형 상태에서 된 측면도 있고, 전체적으로 소득 불균형도 같이 있는 거거든요. 상당히 오랜 시간 걸릴 수밖에 없었던 일인 거고. 근데 이번에는 박근혜 몰락과 촛불을 거쳤기 때문에 예상보다 빨라진 거죠. 노사모의 근본, 기본은 87년 6월 항쟁 때 돌 던지는 사람 중심으로 짜인 거거든요. 지도부는 다 정치권으로 갔고 그러니까 개미들, 6월 항쟁 후에 모두 자기 생업으로 갔는데 아무것도 안 되는 거예요. 질적거리고만 있는 이 역사를 보면서 그거를 극복하겠다고 나선 분이니까. 그들이 이를테면 87년 6월 항쟁과 양김의 분열을 겪은 사람들. 그게 굉장히 강한 동력을 만들어낸 것이 아닌가.

지역주의를 극복하는 건 굉장히 어려운 문제라고 생각했거든요. '해결할 수 있는 확신을 가지고 계셨을까?'라는 생각은 하나 들고요.

노무현 대통령께서 돌아가시고 나서 서울역 분향소에 있었거든요. 이창동, 유시민, 저, 강금실 넷이 거기 서울역에 있었는데 이틀쯤 지나더니 이창동이가 "노무현은 이제 신화가 됐어" 그러더라고요. 근데 그 양반 서사구조에 대한 강의가 그야말로 세계적인 명강의래요. 그러니까 그 희랍 희비극 구조, 그 구조의 등장인물과 정확하게 일치한다는 거죠. 빈농의 아들에서부터 그다음에 '돌콩'이라는 별명을 들으면서 아주 깡다구 있는 소년으로 자라고 그 좋은 머리로 해서 다 성공하다가 그 캐릭터 때문에 비극적인 삶의 종말을 맞는. 그러면서 하는 얘기가 "다음 대선은 그래서 박정희 귀신과 노무현 귀신 간의 대결이다". 그러니까 그분이 거의 99% 불가능하지만 그래도 해야 되는 일에 도전한 사람인 거죠. 그가 그렇게 한다고 해서 그 문제가 해소될 거라고 기대한 건 아닌데, 조금 완화되고 그렇게 부딪치다보면 끝내 언젠가는 깨질 것이라는 것. 노사모가 형성된 게 그런 거죠. 2000년 4·13 총선에서 종로에서 내려간 거니까. 그러니까 정말 저 사람은 도와야 된다는 감동을 먹은 거예요.

아까 해방감 이야기를 하셨잖아요.

그 해방감은 참여정부 되고 얼마 있다가 제가 KBS에서 〈인물현대사〉라는 프로그램을 진행했어요. 그러니까 〈그것이 알고 싶다〉로 복귀가 안 되니까 새로운 프로그램을 했는데 그 프로그램을 권력의 힘으로 받았다고 공격하는 거예요. 그래서 내가 뭔가를 하고 있는 것 자체가, 언론에 자꾸 나오는 것 자체가 참여정부에 부담이 된다. 아예 없어지자, 그래서 언론에 안 비춰버렸어요. 아무것도 안 하고 산만 다녔죠. 그러고 이제 끝났으니까 활동해도 된다고 그렇게 생각했던 건데. 팩트로 이야기하면 저한테 문화부 장관을 하라고 말씀하신 건 맞아요. 제가 문목사에 대한 죄책감에 가까운 부채 등을 갖고서 국민께 대신 사죄하는 의미로 일하겠다고 마음을 먹었거든요. 당선되신 다음에 제가 뭔가 일을 맡으면, 영광된 자리를 맡으면 그건 속죄가 아니잖아요. 속죄로 성립이 안 되는 거잖아요. 그 약속을 깰 수가 없어서 못한다고 말씀을 드렸던 거고 해방감이 온 거는 그런 거죠. 이제 나는 참여정부에 내가 부담이 될까 안 될까를 걱정하지 않고 살아도 된다. 내 마음대로 살아도 된다. 이제 그렇게 해서 해방감이 온 거였죠.

노사모 닉네임은요?

'문짝'이었어요. 노짱, 명짱 그래버리는데 저도 짱 그럴 순 없는 거 아니에요. 이거 짱은 대장들이 다는 이름이고. 문목사가 '역사를 사는 건 벽을 문이라고 박차고 나가는 것이다' 이런 식의 시를 쓰신 적이 있어서 차고 나간다 그래서 문짝이라고 지었죠.

노무현 대통령 서거하실 때 어떻게 소식을 듣게 되셨어요?

그날 아침에 방송을 틀었더니 나왔죠. 방송 3사 다 돌려보는데 다 똑같이 얘기하는데요. 공항으로 갔죠. 부산대병원으로 가려고 했는데 김해공항 내리니까 방송에서 벌써 노사모를 씹고 있더라고요. 봉하마을에서 〈조선일보〉 언론의 취재를 방해하고 있다. 그래서 봉하마을로 갔죠. 가서 취재하게 하자고, 공격거리를 주지 말자고, 제가 이렇게 얘기를 하니까 그냥 울죠. 하루라도 〈조선일보〉 없는 세상에 살면 안 되느냐고. 결국 취재를 다 허용했어요.

마지막으로 뵙거나 기억하시는 모습은?

아까 얘기한 2008년 가을에 뵌 게 마지막이고 그때 부산시장 출마하시라고 얘기했던 게 마지막이죠. 그 양반이 저한테 한 번도 반말을 하신 적이 없어요. 그때 저한테 "요새 어떻게 지내요?" 물었는데 이창동이가 옆에 있다가 "제가 완전히 망한 사람 둘을 아는데요, 그중에 하나입니다" 그랬더니 그 모진 사람 옆에 있어서 힘들어서 미안하다고 그러시더라고요. 유서를 보니까 기가 막혔죠. 그 작은 비석 하나 집에 하라는 거는 금방 알아들었어요. 내가 여기 와서 살면 열린우리당의 전국 정당화에 도움이 되지 않겠냐는 생각. 그러니까 나 죽거든 거기다 묻으라는 것은 그 생각까지 하신 거라고 이해해요. 그분이 국립묘지에 있다면 지역 구도가 허물어지는 데 기여하지 못했을 수도 있어요. 정말정말 지독한 분이구나, 그랬죠. 그 유서 보고.

돌아가시고 뒤늦게 국민들이 많이 슬퍼했잖아요.

언론의 폭격을 워낙 당하니까 사람들이 그렇게 믿어버리기도 하고, 또 그 공격당하는 게 짜증이 나잖아요. 왜 이렇게 자꾸 빌미를 주지? 이런 식으로 그분이 무엇을 하려고 했는지 실제로 전달되지 않은 측면이 있는 거고. 조기숙 교수가 그때 얘기를 했는데 〈조선일보〉 문제 이야기를 했더니 노 대통령이 "내가 지독하게 당하는 것을 보여주는 것이 개혁하는 데 도움이 될 거다"라는 이야기를 하셨다고 그래요. 참여정부 5년의 움직임은 안 되는 줄 알면서도 그냥 공화국, 민주공화국은 어떻게 가야, 어떤 상태여야 되는지, 어떤 모습이어야 되는지를 그냥 보여준 거죠. 안 될 거 알고 저항이 많을 거 알지만 그 모습을 보여줘서 나중에라도 그게 화두가 되게 하겠다.

언젠가 한번 뵙게 될 날이 온다면 어떤 말을 해주시고 싶으신가요?

참 멋지게 사셨습니다. 정말 멋지게 사셨습니다.

돌이켜보면 무모하게 부딪치면서 어떤 가능성이나 약간의 분열을 만들어 우리 사회에 변화를 준 것 같아요.

그러니까 의제의 폭을 굉장히 광범위하게 두고 가신 거죠. 지금 문재인 정부가 뭘 해도 다 그때 제시한 의제 안에 있기 때문에 거부감이 없는 거죠. 그때는 거부감이 있었는데.

"민주주의 최후의 보루는 깨어 있는 시민들의 조직적인 힘이다"라고 늘 얘기를 하셨거든요.

노사모 총회에서 하신 말씀이라고 그러더라고요. '민심과 여론은 다르다' 그런 식의 얘기를 하시긴 하셨지만 결국 국민의 수준과 국민의 그 마음 정도, 허용하는 정도, 지지하는 정도에 따라서 모든 것이 결정되기 때문에, 시민들을 토대로 하지 않는 한 정치 세력이 지속 가능하지 않다는 것. 그런데 그분의 어법은 아니죠, 그게. 복문을 쓰시지 않으니까. 아마 연설에서는 "깨어 있어야 합니다. 조직되어야 합니다. 그래야 힘이 커집니다" 이렇게 얘기하셨을 거예요. 글로 옮기다보니까 이제 그런 문장이 된 건데. 저는 노대통령이 정책적으로 어떻게 가겠다는 것인지 사실 잘 모르는 측면이 있었어요. 저는 '지역 구도를 극복한다, 남북 관계를 개선한다'에 꽂혀 있었어요. 돌아가시고 나서 다시 공부를 했어요. 한 100일쯤 걸린 것 같아요. 그러니까 모든 동영상, 인터넷에 있는 거, 참평 포럼의 강연은 세 번, 네 번씩 듣고 그거 4시간짜리거든요. 그러면서 결론은 온오프 결합 시민 참여형 정당이다. 그분이 얘기하신 '깨어 있는 시민의 조직된 힘'이라는 것 자체가 정당 구조로 옮겨오면 정당이 시민 참여형이 되어야 된다는 결론을 낸 거죠. 그러고 국민의 명령을 한 거죠.

노사모가 대통령 가능성이 전혀 없었는데 대세로 만들었잖아요.

아니, 저는 처음에 들어갈 때 된다고 생각했어요. 우리는 그랬어요. 게시판에서 계속 얘기 서로 나누면서 번개 해서 맥주 마시면서 얘기해보면 다 그러는 거죠. 그런데 정치공학적으로 이야기하면 산수다. 영남에서 40% 받으면 이긴다. 근데 받을 사람이 누구냐? 그냥 단순하게 공학적으로 분석하면 그런 거고요. 그 노사모에서 모이면서 조직 자체의 즐거움도 컸을 거예요. 비슷한 사람들이 모여 앉아서 '어떻게 하면 좀 잘 보이게 할까?' 그러니까 그 자동차 뒤에 노란 스티커 붙이고 다니면서 교통 위반을 안 했거든요. 우리가 교통 위반하면 이게 노무현한테 해가 된다, 뭐 이런 마음으로 했으니까. 쓰레기 깨끗하게 치우고 이런 것들이. 처음엔 모르는데 오프에서 자꾸 만나다보면 직업이 나오잖아요. 그러면 아파트 관리하는 분도 계시고 막노동하는 분도 계시고 교수도 있고 등등 그런데 사회적 지위와 완벽하게 무관하게 N분의 1로 활동을 했으니까요. 더 힘이 생기고 기쁜 거죠. 아주 즐거운 마음이 드는 거죠.

인간 노무현에 대해서는 어떻게 평가하세요?

4대 권력 기관 놨을 때…… 저는 안 그러셨으면 했죠. 우선 당신이 괴롭고 그다음에 현실적으로 변호하는 게 없으니까 지는 거다. 노대통령도 마지막에 그 생각을 하셨을 거예요. 이게 마지막 승부수다. 그거를 승부수라고 생각했다기보다 이렇게 함으로써 내가 꿈꿨던 세상이라는 것 자체가 살아서 추구하게 될 것이다. 그러니까 막판에 나를 버리십시오. 나는 더이상 진보의 상징이 못 됩니다. 나를 공격해서 진보 전체를 수장하려는 거지? 〈조선일보〉, 검찰, MB 그걸 원하는 거지? 그러니까 나를 버리십시오. 나와 관계없습니다. 이렇게 이야기를 했는데 이 공격은 그치지 않잖아요. 이 고리는 사슬은 내가 끊는 수밖에 없는 거죠. 진보와 나의 연결 고리를 내가 끊어야 되는 거고 내가 끊어야 진보가 사는 거고.

마지막날 집에서 나가셔서 이게 부엉이바위에…… 10분이면 가는 거잖아요. 10분 후에 몸을 던질 양반이 10m 걸었다가 왼쪽에, 화단도 아닌 거기에 풀을 뽑거든요. 그 동영상 한번 보세요. 풀을 뽑아요. 죽겠다는 사람들은 거의 공황 상태같이 돼요. 막 떨어요. 투신하는 순간 혼절한다는 거잖아요. 근데 왜 풀을 뽑냐고. 그 동영상이 공개됐을 때 이창동이가 전화를 해서는 "야, 그거 봤냐?" "못 봤는데?" "한번 봐라. 풀을 뽑아, 이 양반이". 그러니까 그 친구는 연출자잖아요. 연출은 배우에게 어떤 행동을 요구하거든요. 모든 움직임에는 동기가 있거든요. 저 풀을 뽑을 때 동기가 뭐냐고, 미치겠다고 그러더라고요. 근데 그게 육신은 떠나지만 생명은 떠나지만 역사적인 인물로서 또는 내가 꿈꿨던 세상을 향한 인간의 노력, 이건 살아난다. 그러니까 어제 풀을 뽑았듯이 오늘도 뽑은 거고, 내일도 뽑을 거다. 그러니까 그가 꿈꿨던 세상을 향한 인간의 노력이라는 면에서 각자 할 수 있는 일들을 하자.

말투 때문에 되게 공격 많이 받으셨거든요.

작년에 『한국은 하나의 철학이다』라는 책이 번역돼 나왔어요. 오구라 기조라는 일본 사람이 쓴 건데, 우리나라가 성리학 국가라는 거예요. 이해가 돼요. 조선 500년을 그랬기 때문에. 유교적 지도자관이 매우 강하죠. 노무현이라는 정치인은 3당 합당 때 "이의 있습니다" 소리지르고 그전에 5공 청문회에서 장세동·정주영을 야단치는 그런 모습에 반한 거거든요. 거기다가 지역 구도를 극복하겠다는 정치의 최대 모순에 정면으로 지 머리 깨지는 거 알면서 들이박은 사람이니까. 그 매력으로 당선이 됐는데 되자마자 어진 임금이 되어달라고 요구한 거죠. 세종대왕이 되어달라고 그런 거죠. 그가 국민에게 어필한 것과 그에게 요구한 것이 달랐기 때문에 충돌이 벌어질 수밖에 없었던 것이 바탕에 깔려 있을 것이 하나이고, 그다음에 하나는 어느 지도자도 그렇게 서민의 언어를 쓴 사람이 없으니까 그 점이 충돌이 있고. 이것은 제가 부산에 출마해보고 나서 정말 절감했는데 부산 분들이 말을 그렇게 하더라고요. 이렇게 사람을 푹푹 찔러요. 그러니까 저는 서울 사람이잖아요. 서울에 살아가지고 부드럽게 말하고, 가급적 예의를 지켜서 돌려가면서 얘기하는데 부산 분들은 푹푹 찌르는데 너무 힘들더라고. 선거운동 시작하고 불과 며칠 만에 '야, 내가 진짜 잘못 왔다. 근데 이건 어떻게 할 수가 없다'. 그러니까 편안하게 마음을 털어놓고 대화하기가 너무 힘든 거예요. 언어의 공격성 때문에. 부산 분들이 이회창이 미워서 나 찍었지, 나 좋아서 찍었나? 그런 식으로 몰래 말을 한다고. 그러니까 이게 증폭을 시킨 측면이 있죠. 그런데 문재인 대통령은 그렇게 말씀 안 하시거든요. 부산 사람 특유의 공격적 언어가 없어요. 아주 인자한 아버지 같기도 하고.

노사모 회원들에게 한말씀.

안녕하세요. 저 문성근입니다. 노사모 닉네임 문짝입니다. 영화 〈노무현과 바보들〉이 만들어지고 있습니다. 노무현 대통령을 조명하는 영화는 여러 편 나왔는데. 노사모가 어떤 새로운 정치운동 현상이었지 않습니까? 이 노사모를 조명하는 영화가 만들어지고 있습니다. 많이 응원해주시고요. 노사모로 활동하셨던 많은 회원 여러분, 노무현, 우리 노짱이 꿈꿨던 세상을 앞당기는 데 또 각자 자리에서 할 수 있는 일을 다하면 좋겠습니다. 자 바보들, 파이팅!

역사를 산다는 건 말이야
밤을 낮으로 낮을 밤으로 뒤바꾸는 일이라구
하늘을 땅으로 땅을 하늘로 뒤엎는 일이라구
맨발로 바위를 걷어차 무너뜨리고
그 속에 묻히는 일이라고
넋만은 살아 자유의 깃발을 드높이 나부끼는 일이라고
벽을 문이라고 지르고 나가야 하는 이땅에서
오늘 역사를 산다는 건 말이야
온몸으로 분단을 거부하는 일이라고
휴전선은 없다고 소리치는 일이라고
서울역이나 부산, 광주역에 가서
평양 가는 기차표를 내놓으라고
주장하는 일이라고

_문익환, 「잠꼬대 아닌 잠꼬대」에서

민주주의
깨어있는시민의

후의 보루는
조직된 힘입니다.

노무현과 바보들 1

영화 〈노무현과 바보들〉에서 못다 한 말들

초판 1쇄 인쇄 2019년 3월 28일
초판 1쇄 발행 2019년 4월 8일

엮음 (주)바보들 **펴낸이** 염현숙 **편집인** 신정민

기획 손현욱 **편집** 신정민 **디자인** 이효진 **마케팅** 정민호 정현민 김도윤
모니터링 이희연 양은희 황지연 류희경 **홍보** 김희숙 김상만 이천희
제작 강신은 김동욱 임현식 **제작처** 영신사

펴낸곳 (주)문학동네
출판등록 1993년 10월 22일 제406-2003-000045호
임프린트 싱긋

주소 10881 경기도 파주시 회동길 210
문의전화 031) 955-8891(마케팅) 031) 955-3583(편집)
팩스 031) 955-8855
전자우편 paper@munhak.com
ISBN 978-89-546-5577-4 04300
978-89-546-5576-7(세트)

• 이 도서의 국립중앙도서관 출판예정도서목록(CIP)은
서지정보유통지원시스템 홈페이지(http://seoji.nl.go.kr)와
국가자료공동목록시스템(http://www.nl.go.kr/kolisnet)에서 이용하실 수 있습니다.
(CIP제어번호: CIP2019011260)

www.munhak.com

3부

탄핵

彈劾

왜 연정문제를 들고나왔느냐, 한국사회 발전을 위해 극복해야 될 가장 큰 장애요소가 바로 불신과 적대의 문화입니다. 지금 갑자기 생각한 것이 아니라 1990년 3당합당에 참여하지 않고부터 생각한 것입니다. 독재의 시대가 지난 다음에 분열의 시대라고 하는 이 질곡을 하나 더 넘어야 비로소 합리적인 발전이 보장되는 사회로 간다고 생각 했습니다. (…)

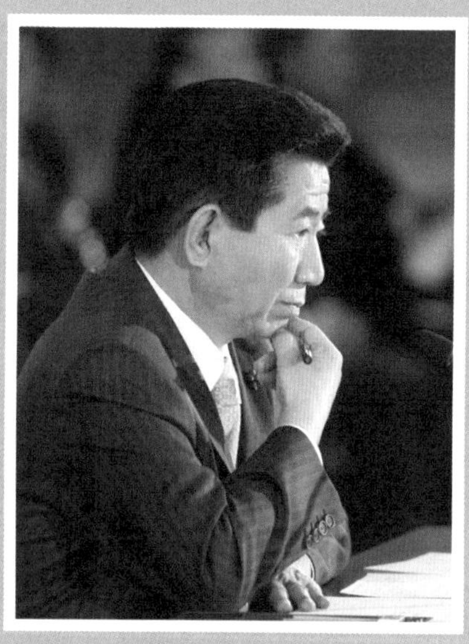

게다가 우리 정부가 약체정부입니다. 여소야대가 구조화돼 있습니다. 지역구도이기 때문에 그렇습니다. 약체정부가 구조화돼 있는데 이 구조를 고치지 않고 대통령한테 결과만 내놓으라고 합니다. 답은 나와 있습니다. 새로운 것도 아닙니다. 이미 수십 년 전부터 답은 그것인데 못한 것 아닙니까? 약체정부로서는 중요한 일을 할 수가 없습니다.

_'국민과의 대화'에서(2005년 8월 5일)

국정원, 검찰, 경찰, 국세청, 이것을 4대 권력기구라고 하지 않습니까. 국회에서 이 기관장들은 꼭 따져보도록 했습니다. 그 기관들이 과거에 권력을 위해 본의든 아니든 이용된 측면이 있습니다. 국정원으로선 갈등과 시련을 보낸 시기였습니다. 여러분도 엉뚱하게 정권의 몇몇 사례로 신뢰를 잃어버린 적이 있었습니다. 그러나 이제 바뀌고 있음을 느끼고 있습니다. 잘하겠습니다. 개혁은 밖에서 타율적으로 요구하면 일회성에 그치고 맙니다. 여러분 스스로가 개혁을 주도해야지 1차 개혁에 이어 2차 3차 개혁이 지속될 수 있습니다. 개혁의 보람을 느끼기 때문입니다. 개혁은 자기 살을 도려내는 어려운 일이자, 불편한 것입니다. 그러나 잘 하시리라 확실히 믿고 여러분에게 다 맡기겠습니다.

국정원 개혁의 첫번째는 국가를 위해 국민을 위해 일하는 것입니다. 정권을 위해서는 그만하십시오. 정권이 국정원에 대해 지금 묻지도 않고 요구하지도 않아서 여러분들이 불안해할지 모릅니다. 그렇지만 정권을 위한 국정원 시대는 이제 끝내달라는 것이 나의 뜻입니다.
개혁의 두번째 목표는 국정원이 국가 안전을 위한 전문적 정보기관으로 거듭나는 것입니다. 세계 최고의 국가정보기관이 되는 것입니다. 정치사찰 같은 것은 당연히 폐기됩니다. 갈등조정과 국정 일반을 위한 정보 이것도 여러분들이 오랫동안 할 일은 아닙니다. 국가 안전 정보에 전념해 주십시오. 그러나 과도기적으로 해주십시오. 그 역량이 폐기되기에는 너무 아깝습니다. 갑자기 다 바꾸다보면 사람에 대해서도 구조조정을 하게 되는데 여러분 한 분 한 분에게 얼마나 많은 국민의 세금이 투자되었는지도 생각해야 합니다. 그만큼 여러분은 소중한 사람들입니다. 이 취지를 잘 살려 말 그대로 정보전문가, 프로페셔널이 되어주길 바랍니다.
자세를 바꾸는 것도 중요합니다. 제가 국회의원 시절 지역에 내려가보니 국정원 간부들이 대접을 잘 받고 있었습니다. 즐거운 일일 수 있겠지만 여러분 조직에 가장 부담되는 일이라 할 수 있습니다. 이제 국정원은 세계 최고의 정보기관으로 거듭난다는 자세로 일을 해주십시오. 과거처럼 이른바 '끗발'이 아니라 자부심과 보람으로 여러분이 제 위치를 찾아주십시오. 내 임기 안에 자랑스러운 국정원이 될 수 있도록, 국가와 국민을 위한 국정원이 될 수 있도록 확실히 밀어드리겠습니다.

_'국가정보원 업무보고 및 직원 오찬 간담회'에서(2003년 6월 20일)

고통스럽더라도
깨어 있어야 한다

바밤바 명계남

명계남 배우님 닉네임은 뭐였나요?

저는 얼음과자 이름으로 유명한 '바밤바'였어요. 제 닉네임이 바밤바가 된 건 그 시절에 나이도 먹고 인터넷이나 이런 거 잘 몰랐어요. 그리고 닉네임이 있어야 된다는 걸 몰랐는데 노사모 회원들이랑 첫번째 집회에서 만났을 때 닉네임이 있어야 된다는 걸 알았죠. 그때 첫번째 집회에서 광날모라고 광안리에서 밤을 새우면서 만나는 모임이 있었는데 거기서 노사모 회원들을 처음 만났고 서로 인사 나누고. 다른 데서도 술이 취하면 제가 술 깨려고 얼음과자를 사 먹는데, 그 바밤바를 사서 몇십 명에게 다 돌렸죠. 아마 그게 재밌어서 바밤바로다 정했을 겁니다, 아마.

노사모 초대 회장이 좀 부담스럽지는 않으셨나요?

부담스러울 것도 없죠. 그때 노사모 회장에 제가 된 것은 초기에 노사모 회원들이 한 백여 명도 안 되게 모였을 때, 노사모라는 걸 만들자고 한 사람들이 모여서 인터넷에 모임을 만들고 저도 신문을 통해선가 보고 활동하기 시작했죠. 노무현 대통령이 총선에서 낙선한 것을 안타까워하는 사람들이 전국에서 인터넷으로 모여들고 있다. 이런 얘기를 들어서 '어? 그래? 나만 그렇게 생각하는 게 아니라 그렇게 생각하는 사람들이 전국에 많구나' 그러고서 저도 더듬더듬 인터넷을 들어가서 노사모에 가입을 한 겁니다, 초기에.

한국에서는 배우나 연예인들이 정치적 표현은 잘 안 하지 않습니까?

그렇죠. 유명인들이나 그런 사람들의 정치적인 의사 표현을 이상하게 보는 풍토가 우리는 아직도 많죠. 지금도 그렇고요. 저는 그것을 특별하게 생각하거나 배우다, 유명인이다, 생각하고 살지도 않고 그런 거는 별로 없습니다. 그냥 유명세보다는 '힘들고 소외되고 어려운 사람들한테 보탬이 되면 내가 나선다' 이런 생각은 가지고 있었어요. 근데 노사모 활동 하게 된 거는 순전히 '내가 유명했다' 이런 거하고는 전혀 관계없이 노무현이라는 사람이, 노무현이라는 정치인이 올곧고 우리나라에 바람직하고 귀한 정치인인데 유권자로부터 정치판에서 인정받지 못하는 우리 정치 현실이 안타깝고 그런 것 때문에 노사모라는 활동을 하게 된 거죠.

정치인 팬클럽 회장을 한다고 할 때 주변에 뭐…… 반응 없었나요?

아니, 누구도 주목하지 않았기 때문에 그런 건 없어요. 그리고 우리는 회장이라고 부르지 않습니다. 노사모는 대표 일꾼이라고 제가 이름을 만들었고, 각자 모인 사람들 중에 이제는 무슨 대표가 하나 있었으면 좋겠다. 온라인 모임이고 지역 모임들이 생겨나니까 번개 치고 오프라인에서 만날 사람들을 연락할 분이 있어야 하니까 일꾼들이 필요했죠. 그런 점에서 대표 일꾼이라고 이름을 정했고 다른 거는 없습니다.

초기 활동하실 때 특별히 기억나는 에피소드 같은 게 있으시다면요?

2000년 4월 13일 총선입니다. 그게 촉발된 거거든요. 지역 갈등 해소를 위해서 저렇게 맨몸을 던지는 사람. 이런 가치를 보고서 사람들이 모여든 거라고 생각을 합니다. 저도 물론 그중 하나고요. 4·13 총선 때 유명인으로서, 연예인으로서 선거 유세를 지원하러 그 선거구에 갔었습니다. 가서 유세도 했었는데 분위기로는 당선되는 줄 알았어요. 그런데 떨어지더라고요. '이야, 이거 기가 막히다. 이건 뭐 도저히 방법이 없구나' 이러고 있었는데 그 떨어진 다음다음날부터 신문에 노무현의 낙선을 안타까워하는 전국의 네티즌들이 인터넷에 글을 올리기 시작하고 그것이 봇물처럼 분노와 응원의 물결들을 이루고 있다고 나왔어요. 깜짝 놀라서 그래? 그러고선 이제 더듬더듬 독수리 타법으로 거길 찾아들어가서 나도 한두 줄 쓰고 한 게 이제 그렇게…… 따로 떨어졌던 사람들이, 서로 잘 알지도 못하는 사람들이 그 노무현이라는, 노무현의 가치, 그것 때문에 인터넷에서 이렇게 소통하기 시작하게 된 게 출발이죠.

노무현 대통령과 인연이 어떻게 시작되셨습니까?

총선 때 유세하러 갔었던 겁니다. 민주당, 그 당시에 그 새정치국민회의인가요? 이렇게 가까웠으니까 선거 지원 요청이 왔어요. 유명한 사람이니까. 그 세력들이 많이 당선되면 좋겠다는 게 제 개인적인 소신이었으니까. 내가 가서 보탬이 된다면 하고 가서 후보자들이랑 어깨띠 매고 시장통도 돌고 그런 일들은 하긴 했었죠. 선거에는 그렇게 다니다보니까 제가 모르는 후보자와 같이 다닐 때도 많고 그래요. 그게 좀 재미가 없더라고요. 그래서 난 이번엔 가면 내가 잘 모르지만, 한 번도 본 적이 없지만 노무현이라는 사람이 서울을 버리고 부산에서 그렇게 또 도전한다는데 저거 진짜 가치 있다. 나는 저기 가겠다. 이렇게 당에다 얘기를 해서 그리로 배정받아서 가게 되고 거기서 뵌 거죠. 개인적인 인연은 전혀 없었습니다.

다른 정치인들과 차별된 가장 큰 건 뭐가 있었나요?

제 짧은 식견으로 한두 마디로 정리할 수 있을까요. 많이 알려진 대로 원칙과 소신에 따라서 정치를 하는 것, 그다음에 이게…… 안 된다고 생각하지 말고 역사 인식을 가지고 덤벼드는 자세, 이런 것들이 당시로는 보기 힘든 것이 아니었나. 요즘도 그렇지 않나. 그런 것들이 분명히 다른 정치인하고는 다른 부분이죠. 그래서 주목을 받은 거고 그분이 대통령까지 되셨을 거고. 상고를 졸업하시고 학벌이 없음에도 투철한 역사 인식과 자기가 세워놓은 원칙과 신념이 흐트러지는 것을 거부하고 그렇게 뚜벅뚜벅 걸어가는 것. 이런 것들이 주목해야 될 것이 아니었나 생각을 해봅니다.

광날모 다리 부상 사건, 다들 그 이야기 많이 하시더라고요.

제가 노사모에 온라인으로다가 가입하고 나서 오프라인에 처음으로 간 게 광날모입니다. 그 전국에서 그날이 첫번째 대표를 뽑는, 그날 밤에 온라인 결과에 따라 제가 대표가 되는 날이었는데 굉장히 신기했죠. 전국 각지에서 사람들이 장삼이사 모여서 서로 노무현이라는 그 가치 하나, 그 사람 덕분에 전혀 모르던 사람들이 모여서 서로 악수하고 "당신도야?" "당신도야?" 이러면서 어울리는 그런 자리였죠. 그날 여러 얘기들도 많았고 술도 마시고 했죠. 저는 알려진 사람이라 거기 모인 회원들이 다 반겨 하고 좋아해서 제가 바밤바도 사서 돌리고 그랬습니다. 대표가 됐다는 대표 일꾼 뽑는 온라인 집계 결과도 나오고 그때 회원들이 한잔도 하고 해서 취기가 오른 김에 헹가래 친다고 여럿이 저를 들고 가서 바다에 던지는데 몇 사람이 발을 헛디뎠는지 제대로 던지질 못해서 발부터 잘못 떨어졌죠. 발등뼈 3개가 부러졌는데 저도 몰랐어요. 아침이 되니까 이렇게 부어올랐습니다. 그래서 사람들도 다 몰랐던 거고, 제가 그때 무슨 드라마 촬영을 하고 있을 땐데 문제가 되긴 했죠. 촬영할 때 굉장히 힘들었죠. 깁스를 했으니까 뭐…… 그런 일이 있었습니다.

대통령 흔들기가 한창일 때 탄핵 직전이나 기억나는 장면이 있으십니까?

수도 없이 많죠, 수도 없이. 거짓 뉴스, 가짜 뉴스, 어떤 걸 얘기해야 되나? 검사와의 대화? 대통령님의 말투가 자연스럽고 서민적이고 한데 흠잡을

게 없으니까 말꼬리를 잡아서 말투만 가지고 한다든지, 검사와의 대화 같은 거 진짜 유례가 없는 통치자로서의 정치 행위를 했는데 아마 일반 국민들은 굉장히 신선하고 충격적으로 받아들였을 겁니다. 근데 그걸 당시에 일부 검사들이나 기득권층에서는 아주 아프면서도 문제로 받아들였고 그래서 야, 저 사람, 아마 그랬지 않았을까? 반대하는 세력 중에서는 노무현 대통령 마음대로 하게 내버려뒀다가 진짜 큰일나겠다는 생각을 검사와의 대화 같은 걸 보고 더 하지 않았을까? 더 공격적으로다 전열을 다듬었지 않았을까. 주요 언론도 그렇고 그다음부터는 아마 더 심해졌을 겁니다.

예전에는 대통령이 9시 뉴스 딱 하면 대통령 동정부터 뉴스가 나왔는데, 당시 노무현 대통령 때는 9시 뉴스에 아마 중간 한 9시 20분 지나서 지방으로 뉴스가 넘어가기 전에 잠깐 나오거나 안 나오거나 이랬을 겁니다. 거의 그런 취급을 받았죠. 개혁적인 일들에 대해서 계속 딴지걸었고 그거는 수구 보수 세력뿐만이 아니라 민주 진보 진영에서도 대통령을 흔들기 바빴습니다. 아픈 일이고 이해가 가지만 진보 쪽에서는 "야, 당신이 우리랑 똑같은 사람이라고 해서 대통령 만들어줬잖아. 그러니까 빨리 재네들 것 뺏어와야지" 하고서 안 뺏어온다고 난리를 치고, 또 수구 보수 세력에서는 "말도 안 되는 저런 사람이 대통령이 됐으니 큰일났다. 이거 뺏기면 안 된다"고 해서 안 뺏기려고 또 공격하고. 아마 찾아보면 양쪽으로 다 공격받았던 굉장히 가슴이 아프고 힘들었던 일입니다. 민주 진보 진영 세력으로부터도 아프게 공격받았던 거. 그게 제일 가슴이 아팠어요. 나중에 진보 쪽 언론에서는 스스로 반성하기도 하는 부분이기도 한데…… 심했죠. 어떻게 할 방법도 없고 그래서 그후로 노사모를 비롯해서 작은 시민단체들에서 언론 바로 세우기 운동을 하는 것의 촉발제가 되기도 했고, 노사모는 노사모대로 노력했고, 아마 사회 각 부분에서도 그런 일들이 지금은 많이 돼 있을 겁니다. 그럼에도 불구하고 아직도 문제가 많다고 생각하죠.

내가 만난 노사모는 어떤 사람들이었습니까?

보통 사람들이고 저도 정치에는 그렇게 관심이 있는 사람은 아니었어요. 그저 테레비에 나와서 어쨌다 그러면 "하여튼 다 똑같은 놈들이지" 하면서 그래도 내가 지지하는 쪽에 투표는 하고, 또 투표할 때마다 "이거 소용 있나?" 이렇게 패배주의에 젖어 있던 사람 중의 하나입니다. 그 많은 수의 사람들, 386으로 민주화운동을 대변하는 세력들, 그 사람들이 87년 6월 항쟁 겪으면서 '이 세계가, 이 세상이 이렇게 바뀌어야 될 텐데' 하고 몸을 던졌다가…… 몸에다 기름을 붓고 그것도 모자라서 불을 붙이고 그것도 모자라서 옥상에서 뛰어내리고 이런 대학생들과 그런 사람들의 희생으로 민주화를 성취했는데도 불구하고 정치권에서 그걸 담아내지 못하고 다시 군부 기득권 세력으로 정권이 넘어가는 91년, 87년을 보면서 많은 사람이 좌절하고 뒤로 물러앉았죠. "아이, 정치 몰라. 이 나라는 안 돼" 이랬던 것들, 그랬던 사람들이 노무현이라는 사람을 보고서 "맞아, 우리가 이렇게 뒤에 물러서 있으면 안 돼" 이러면서 나온 거죠. 자기가 사는 곳에서 조금씩 행동하는 사람들. 그 사람들이 노사모였고 그렇죠……. 보통 사람들이에요, 노사모 사람들은.

시민들이 만든 대통령. 그런 대통령을 우리는 잃었잖아요.

대통령을 잃은 것과 관계없이…… 저는 우리 사회의 일부가 그런 조급증이 많은 것 같아요. 내가 이렇게 했으니까 빨리 다 해야 할 것 아니야. 그러고 뒤로 물러나는 경우가 많아요. 근데 대통령이나 국가 권력이라는 것은 저는 잘 모르지만 한꺼번에 모든 문제를 해결하기는 어려울 거라고 봐

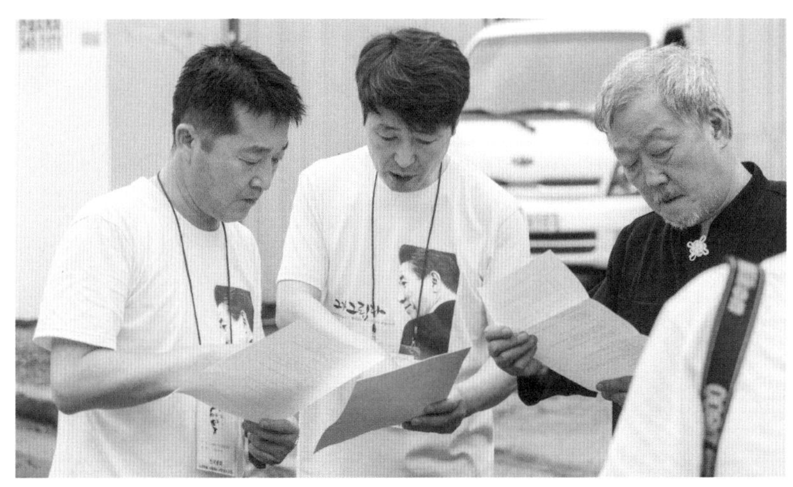

요. 여기서 저기 가는데 길도 넓혀야죠. 그래야 물류비가 싸게 먹히죠. 그렇지만 소외되고 어려운 이웃들, 할아버지 할머니들이 겨울에 따뜻한 방에서 쉴 수 있게도 해야 되죠. 그러면 이걸 우선순위를 어떻게 배분하느냐의 문제가 있습니다. 우리한테 권력을 위임받은 봉사자, 공무원과 정치인들이 해야 될 일이거든요. 근데 아래쪽에서는 "이거 먼저 해. 왜 내 것 안 챙겨?" 이렇게 하고 있단 말입니다. 그러니까 그 갈등 구조 속에서 그런 것에 대해 조급증을 내고 개인이 자신의 이익에만 몰두해서 서로 갈등을 만들어내는 게 우리들 스스로한테도 굉장히 많았다는 느낌이 드는 거죠. 이건 유치원 봐도 그럴걸요? 저 유치원 저분들이 선거 때마다 굉장히 큰 세력입니다. 굉장한 이익단체입니다. 그런데 최근에 불거졌던 사안들을 어떻게 봐야 돼요? 그리고 최저 임금을 올린다. 시급 올린다, 그거 올려야 되잖아요. 그런데 올리니까 자영업자들이 우리 또 죽겠다 그래. 어떻게 해야 되죠? (웃음) 저는 대통령님이 돌아가시고와 관계없이 우리가 공공선에 관한 인식들 없이 내 거, 내 식구, 우리 동네, 뭐 이렇게만 몰아가는 이런 것들이 사회의 통합을 해치고 발전을 더디게 하는 요소가 있다. 저는 그런 생각을 해봅니다.

공공선을 회복해야 된다.

우리는 거의 벌을 안 주고 정리를 잘 안 하는 것 같아. 그냥 좋게좋게 넘어가는 것들이 있는 것 같아요. 이번 촛불혁명 이후에 이제 그 적폐 청산이라는 것이 어느 때보다도 사람들 귀에 먹히는 것이죠. 정리할 건 해야지. 아닌 건 아닌 건데 "됐어. 야, 시끄러우면 뭐해. 자, 그냥 가" 이런 식의 것들이 자꾸 우리 사회를 곪게 만드는 게 아닌가. 그러면 그 틈에 그런 사람들은 "야, 이거 좀 있으면 잠잠해지고 대충 넘어갈 거야. 뭉개면 돼" 이러고서 그냥 저지르고 저지르는 것을 방치하는 것. 그래서 시민들이 깨어 있어야 되는 거죠. 그래서 저는 두 분 대통령이 하신 말씀, 김대중 대통령은 행동하는 양심. 양심이 있으면 뭐하냐? 행동을 해야지. 돌을 던질 수 없으면 벽에다 대고 욕이라도 해야 되지 않느냐? 이거 기가 막힌 얘기거든요. 노무현 대통령, 깨어 있는 시민. 깨어 있어야지. 깨어 있다는 건 뭐냐? 이거 아니야. 그럼 아니다. 저게 어떻게 되는 거지? 따져봐야지. 동네 목소리 큰 사람 따라서는 아니라는 거죠. 그래서 깨어 있는 시민이 늘어나야 된다. 그러면 권력을 위임받은 사람들이 함부로 못한다. 시민들을, 국민들을 두려워하면서 일을 하게 된다. 그래서 깨어 있는 시민과 행동하는 양심이 굉장히 중요한 화두라고 생각합니다. 깨어 있는 시민으로 산다는 것은 굉장히 힘든 일이고 고통스러운 일이긴 합니다. 그런 것이 단박에 이루어지지 않을 것이라는 걸 아니까 고통스럽죠. 그렇더라도 깨어 있어야죠.

노대통령님은 변호사를 하셨잖아요. 정작 대통령이 되고 나서는 타인들의 심판질, 판사질에 엄청 시달리고 많이 외로우셨을 것 같은데 가까이서 보셨을 때 어땠어요?

저는 가까이서 본 적 없습니다. 제가 어떻게 가까이서 봐요? 그러셨겠죠. 그분도 인간인데 외롭고 힘드셨겠죠. 근데 그거를 잘 견뎌내셨을 거란 생각은 듭니다. 짐작하건대 그 양반의 성정으로 봐서 외롭다고 저 같은 놈처럼, 화나고 힘들고 남들이 나를 다 욕하고 그러면 혼자 벽에다 머리 찧고 퍼져 있고 그렇게 대처하진 않으시는 분이니까. 전해들리는 이야기로는 돌아가시기 전 한두 달 동안의 그 외로움과 고뇌의 깊이가 상당했다. 비서관들 이야기가. 그런 얘기만 듣죠. 들었죠. 오죽하셨겠는가. 자신의 잘못도

아니고 자기 주변 가까운 곳의 잘못으로 인해서 당신으로 상징되는 민주 진보 세력들이 그렇게까지, 아니면 명계남이 같은 사람이 앞으로 고개를 똑바로 쳐들고 세상을 살지 못할까봐. '모두 다 도매꾼으로 매도되어서 치욕 속에 살게끔 해서는 안 되겠다'라는 그 결단. 그 참…… 무서운 결단이죠. 최근에 노회찬 의원의 결단에서도 보듯이……. 뭐 흠결이라면 흠결일 수 있겠죠. 그것이…… 다른 가치를 다 무너뜨리는 것들은 절대로 막아야 한다는 신념에 의한 적극적인 의사 표시고 행동이었다고 생각합니다. 노회찬 의원이나 노대통령이나……. 대통령이 그렇게, 내가 함부로 이야기하긴 진짜 싫은데 대통령이 그렇게 되셨으니까 당신들이 이 영화 찍는 거 아니에요? 이 영화 찍을 수 있게 해준 거 아니에요?

문성근씨와 인터뷰를 하다보니 꼬셨다고 그러시더라고요.

꼬셨다기보다도 문성근이랑은 자주 만나고 영화판에서 같이 있을 때인데 이야기를 많이 했어요. 그래서 김대중 대통령이 되고 나서도 다음은 노무현이다, 이런 얘기 사석에서도 나누고 했었죠. 문성근은 열렬한 지지자였고 민주 세력이 계속 집권해야 된다는 것에 저보다도 정치적인 식견이 높았죠. 자라온 환경 때문에 그런 논리와 역사성을 가지고 있는 친구죠. 그런데 제가 노사모를 나서서 하게 될 때 문성근이는 좀 샤이한 성격이 있습니다. 적극적으로 나서지는 않습니다. 그냥 오케이. 잘하고 있다. 야, 잘되냐? 이렇게 물어보는 정도였죠.

노사모 초기보다도 좀 지나면서 노무현 해양수산부 장관이 다음 대선에 출마를 결심하게 되면서부터 지지 세력을 확산해야 될 필요성도 있고 진보 쪽 진영에서도 비주류였지 않습니까? 이를테면 김근태나 저쪽 어르신보다도 재야 운동권에서도 비주류에 속했고요. 재야 운동권이나 박형균 목사님, 함세웅 신부님과 정의구현사제단을 비롯해서 재야 민주화 세력을 이끌어가는 분들과는 약간 거리가 있었다고 봐져요. 캠프 쪽에서 저한테, 그러니까 거리가 있다는 게 다른 게 아니라 서로 면식이 없는 거지, 노무현 대통령과 운동권의 주류 세력들하고.

그러니까 캠프 쪽에서 저한테 문성근 선배가 좀 나서주면 그분들한테 적극적으로 노무현, 그러니까 박형균 목사님이나 그 어르신들도 "노무현? 그게 누구야? 부산서 변호사 하다가 부산 민주화운동 할 때 거기 뭐 상임 본부장도 하고 그랬었나?" 그걸 알려줄 필요가 있어. 적극적으로…… 지지하고 도울 수 있게끔 만들 필요가 있었죠. 근데 노무현 대통령 후보의 캠프 쪽은 다들 어린데다가 거리가 있으니까. 문성근이는 문목사님도 있고 그러니까 그분들하고 다 알고 하다못해 지 어렸을 때 그 뭐야, 뭐 함세웅 신부님이나 그분들이 자기집 안방에서 문목사님이랑 의논하고 하는 것도 옆에서 보고 자랐으니까 다 아는 사이니까 좀 나서줬으면 어떻겠는가? 그게 참 필요하겠다. 문성근이보고 "이렇게이렇게 해서 네가 좀 나서서 그런 일들 좀 해주고 그분들 좀 만나고 알리고 했으면 좋겠다" 그랬더니 이제 문성근이도 마침 그런 생각을 하고 있었겠죠. 만나보자고 했고, 그때 제가 노사모 대표 일꾼이어서 노대통령님과 문성근이가 만나는 자릴 만들었죠.

대통령께서 문성근이가 이렇게 결심하니까 굉장히 고마워하셨는데 원하는 게 한 가지가 있다고 문성근이가 그때 조건을 달았어요. 당선되셔도 우리는 절대로 무슨 공직이나 이런 데 나가지 않는다. 김대중 대통령이 당선되고 나서 그 주변에 참모들이 벽을 쳐가지고서 일반 국민의 정서를 전하는 귀를 막게 하는 비서진들이 있었다. 그런 것들이 굉장히 답답해서 판단을 흐리게 하는 데도 일조했다고 보니, "노짱님은 당선이 되시면 명계남이가 이렇게 얘기하는 사람들 몇 사람하고 한 두 달이나 석 달에 한 번이라도 만나서 얘기를 들려주신다는 약속만 하시면 저도 적극적으로 나서겠습니다" 이런 조건을 냈어요. 그땐 뭐 노짱도 "아, 그거야 뭐 그럽시다" 하고. 꼬셨다기보다는 아마 문성근이가 스스로 나서는 성격이 아니었으니까 그런 기회를 보고 있었고 그때 이제 필요하다. 네가 나서야 돼, 가자. 이렇게 제가 말을 했을 뿐이지. 갠 항상 뒤에 있고 그런 거였으니까.

제가 혹시 놓친 게 있으면 말씀해주세요.

노사모에 대한 이야기인데 노사모에 대해 바보, 바보라고 이야기하시는데 노무현 대통령을 바보라고 이야기하는데 그 바보란 말을 중의적으로 쓰죠. 바로 보기라는 말의 줄임말로도 쓰곤 합니다.

노사모는 지금 이 영화에 등장하는 인터뷰되는 사람들, 이 사람들만 노사모라고 할 수 없다는 것. 혹시 노사모 홈페이지를 접속하셔서 담당자한테 '노사모에 이제까지 가입했던 사람들 DB를 뒤져보면 총 연인원이

10만 명이나 되던 그 사람들, 그 사람들이 노사모다'라고 생각하신다면 이 영화가 잘못 기획되고 있다는 거죠. 잘못 만들어져서 지금 보이고 있다는 얘기죠.

노사모에 인터넷에 가입은 하지 않았지만 그리고…… 경선 때 또는 선거운동 하는 과정에서 앞에 나와서 뭐 "노무현 짱! 국민 통합!" 이것을 한 번도 외치지 않았다 하더라도 그 당시에는 무지무지하게 많은 노사모가 있었다고 저는 봅니다. 물론 별사람이 많습니다. 대통령 당선된 뒤에 호주에 갔더니 그 호주의 시드니 노사모 친구들이 자기들이 고생한 이야기를 울면서 하는데, 관광객들이 시드니 공항에 내릴 때마다 대통령에 관한 잘못된 기사를 고친 전단을 만들어서 한국 관광객들한테 나눠주고 그러면 호주 공항 경찰들한테 쫓겨나고 그러면서도 "노무현입니다, 노무현입니다" 하면서 그걸 알리고 쫓겨나고. 한국에 돌아갈 수는 없고 멀리서 투표권도 없이 이 나라가 바로 서야 되는데 이거를 대통령이 연설한 거 인터넷에 쪼가리로 나온 거 들으면서 울면서 그렇게 뛰었던 사람들을 비롯

해서 겉으로 드러나지 않고 숨죽이면서 일궈낸 노무현이라는 신화, 역사를 이루어낸 사람들이. 노사모.org에 가입했던 사람들을 노사모라고 칭하고 명계남이랑 같이 뭐를 했던 사람들을 노사모라고 칭한다. 절대로 아니라는 것이죠. 노사모라는 것은 일반 명사라고 봐야…… 노무현이라는 사람으로, 그의 정신으로 그 시대에 세상에 섬광처럼 던져졌던 어떤…… 그런 것. 시대정신이다.

여기 조명이 있는데 이렇게 환하게 비치잖아요, 잘 보이게. 근데 노무현이라는 사람은 이런 빛이 아니라 섬광 같았다. 섬광 같은. 늘 있지 않아요. 어쩌다 보이긴 보이는데, 그리고 섬광이 있었는데 본 사람도 있고 못 본 사람들이 많아요. 그래서 섬광이 번쩍한 걸 본 사람도 다 다르게 기억해요. 환한 밝은 빛이었다, 화이트 아웃이 됐더라는 사람도 있고, 어떤 사람은 그 섬광이 무지갯빛이었어, 이렇게 얘기하는 사람이 있고 어떤 사람은 활활 타는 빛이었어, 이렇게 얘기하는 사람도 있어요. 노무현을 기억하는 사람들도 그래요. 다 가지각색이에요. "이런 사람이었어." "아니야, 이랬어." 그랬다가 또 그걸 못 본 사람은 "너 못 봤다"가 아니야. "이런 사람이 있었어." "진짜야? 그런 사람이 있었어? 난 그렇게 안 하는데?" "야, 찾아봐." "진짜 그런 사람이 있었네. 섬광이 있었는데 내가 그때 딴생각하느라고 못 봤네." 이런 사람들도 있고. 다시 그런 섬광을 볼 수 있을까? 그리고 이제는 그 섬광만이 역사를 만들어가진 않으니까. 그 섬광이 많은 사람을 이제 깨어 있는 시민으로 만들고 그 시민들이 이렇게…… 힘들게 우리 지나온 역사처럼 조금 조금씩 앞으로 가겠죠. 그걸 기대해보는 거죠.

근데 그분은 섬광이었습니다. 저는 봤어요. 저는 그게 자랑입니다. 섬광을 봤다는 게 자랑입니다. 제가 앞으로 뭐 경제적으로 어렵고 무슨 위해를 당하고 개인적으로 무슨 어려움이 있고 뭐가 있더라도 저는 진짜 그게 자랑입니다. 나는 그 섬광을 봤어. 그 섬광을 봤어. 그리고 그 본 얘기를 누구한테든지 이렇게 이야기할 수 있어. 저는 이게…… 내가 50 다 돼가면서 깨어나기 시작해서 본 세상을 통해 얻은 내 삶의 보람입니다. 명계남이 나오는 영화, 안 나오는 영화로 나뉘었던 한때의 배우, 연기 잘하는 명배우, 이거 말고 제 자랑은…… 나는 섬광을 봤어. 그리고 아직도 그 섬광이 다 이해가 되진 않아서 지금도 시간 날 때마다 그 섬광이 남긴 글과 말들을 복사해서 옮겨 쓰면서 찾으려고 하고 있지만, 그리고 그 생각을 계속 가지고 나도 세상을 위해서 뭘 해야겠다 하지만, 가끔 지치기도 하고 가끔 게으르기도 하고 가끔 내 것만 챙기는 예순일곱 살 노인으로 돌아가기도 하지만, 내가 봤던 섬광이 가끔 기억나면 다시 정신이 차려지는 그런 삶을 사는 사람이다. 저는 이 정도만이 우리 식구들한테 할 수 있는 그런 얘기라고 생각합니다. 씨발, 그만합시다.

옆에 있는 사람에 대한 신뢰

처리 장형철

닉네임은 '처리'입니다. 단순합니다. 이름이 장형철인데 '철이'라고 쓰면 〈은하철도 999〉가 연상되니까 자연스럽게 처리라고 했습니다.

닉네임 잘 지었다는 이야기 많이 들었습니다. 일 처리 잘한다고. 미키루크님 인터뷰하니까 제일 많이 등장하시는 분이 처리님이던데, 노래방 이야기부터.

미키님한테 미안한 게, 미키님이 악역을 하시고 저는 뒤를 살피는 선한 역할을 했어요. 칭찬 많이 받고. 사람들이 미키님은 존중하면서 두려워하고 비판하고. 미키님 등뒤에서 호사를 누렸다고 볼 수 있습니다. (웃음)

신문방송학과 나오셨다고? 경선 과정 준비하면서 면접 보러 가야 하는데 안 가고 일 처리를 하셨다고.

면접까지는 아니었을 겁니다. 중학교 2학년 때부터 기자가 되겠다는 생각이 있었고 대학도 운좋게 그 과를 갔고요. 그런데 기자를 할 수 있는 기회가 많지 않고 경쟁률도 높았으니까. 99년도에 졸업하고 기자 시험 준비하다가 노사모 일을 하게 됐어요. 제가 부산 노사모 사무국장이었기 때문에 기자를 하겠다는 것이 스스로도 맞지 않다는 생각이 들었습니다. 나중에 기회가 있으면 되는 거고 당장은 이 일이 훨씬 가치 있다고 생각했기 때문에 접었습니다. 준비 안 되기도 했고요. (웃음) 신방과 나와서 언론 관련 일을 처음 한 게 〈조선일보〉 폐간 운동이었기 때문에 언론이나 기자에 대한 인식들이 바뀌기도 했고. 여러 가지가 중첩되었던 겁니다. 미키님은 좋은 면만 보시는 건데, 개인적으로는 언론 일을 하는 것이 맞느냐 안 맞느냐에 대한 갈등이 있었고. 노사모 일을 하는 게 지배적이었기 때문에 큰 고민들은 없었습니다.

대학 때 운동을 좀 하셨죠?

제가 기존 학생운동권의 끝물이에요, 91학번이니까. 강경대 열사와 같은 학번이니까요. 자연스럽게 운동을 해야 된다. 신문방송학과이다보니까 다른 과에 비해 사회문제에 관심이 많았고. 부산대는 NL 쪽이 주류였는데 저는 PD 경향에 가까웠습니다. 형은 NL이었고 저는 PD였어요. 어머니가 고맙다고 하는 게, 둘이 같이했으면 마음고생 많이 했을 텐데 형이 군대를 갈 즈음에 제가 대학 가니까 겹치지 않았거든요. 한 놈만 관리하면 돼서 참 좋았다는 말씀입니다. 어머니는 잘 이해해주셨어요. 다치지 말라고 했고. 대학 때부터 민중당 청년학생위원회 일을 했고 졸업하고 나서도 민주노동당 당원이었습니다. 당시에는 세상을 바꾸기 위한 실리적인 부분들이 필요하다고 생각했기 때문에 가능성 있는 후보에 대한 갈증이 있었고 그러다가 자연스럽게 노사모라는 곳과 결합되어 대중적인 운동을 할 수 있겠다고 생각했고요.

노사모가 초반에는 진지한 조직은 아니지 않았나요?

가장 치열하고 진지한 것을 유쾌하게 풀었던 거지, 회원들은 너무나 진지하신 분들이에요. 처음에 미키님과 충돌한 게 그거였어요. 어디 춤을 춘단 말입니까. (웃는) 제가 몸치예요. 저는 그걸 너무 두려워하거든요. 제가 왜 사회를 많이 보게 되었냐면, 대중들 앞에 설 때 제가 가장 잘하는 게 말밖에 없었어요. 춤도 못 추고 노래도 못하고. 자신감이 없으니까. 그래서 미키님하고 참 잘 맞았어요. 그 부분은 진짜로 오해입니다. 노사모 했던 분들은 시대를 가장 치열하게 고민하고 가장 진지하고 무거운 분들인데 그걸 가볍게 표현하셨다고.

아기물고기님 기억나세요?

아기물고기님은 광주 경선 전에 처음으로 오프라인 나오신 분이거든요. 그때 저는 사무국장이었고 아기물고기라는 분이 사무실을 잠깐 찾겠다고 해요. 본명이 조희정입니다. 우리는 여성 활동가가 드디어 나타났구나. 그런데 (웃음) 어른육고기가 나타나서, 그것도 소주 두 박스를 딱 들고. 다음날 광주 경선을 간다고 하니까 버스에 소주, 안줏거리가 필요할 거다 싶어서. 당시 엘리베이터도 없는 5층 사무실이었는데 숨도 흔들리지 않고 올라오는 겁니다. 음식 보고 기뻐했고 사람 보고 실망했습니다.

아기물고기님은 그냥 미키 형이 하자고 해서.

정확합니다. 아기물고기님은 미키 형님이 하자고 해서 했습니다. 미키님을 동지로, 선배로. 그분에 대한 신뢰를 함축적으로 얘기하는 거지 않습니까? 노사모를 끌어가는 힘은 그겁니다. 옆에 있는 사람에 대한 신뢰. 제가 어떻게 노사모를 처음 하게 됐냐면, 제가 한 단체의 간사였어요. 그때 사무국장을 정말 존경했는데, 이분이 노사모 모임을 저희 사무실에서 했어요. 뒤편에서 보고 있는데, 제가 정말 존경하는 사무국장인데 사람들한테 욕 듣고 계시더라고요. 그래서 "부장님, 제가 여기에서 어떤 역할을 하면 국장님이 이런 꼴을 안 당합니까?" 하니까 들어와서 같이하면 안 되겠냐고 하시더라고요. 당시만 해도 정치인 팬클럽이라는 거에 개념이 잘 안 서 있는 상황이었기 때문에 옆 사람에 대한 신뢰가 노사모를 움직이는 동력이었습니다.

18년 동안 제일 안타까운 점이 뭘까요?

부담스러운 이야기인데 제일 안타까운 부분이 그거였어요. 2002년 대선이 끝나고 노사모에 대해 사람들이 고민했을 때 저는 노사모라는 이름을 내려놔야 되는 게 아니냐고 주장했던 사람이었습니다. 이유는 두 가지였습니다. 한 가지는 당선되신 분의 이름으로 모임 하는 게 대통령께 부담될 수 있다는 것이었고, 또하나는 대한민국 사회에서 권력이 만들어지는 데 기여했던 모임이나 조직이 권력을 성취했을 때 스스로 물러서는 경험이 별로 없다는 생각이 들었어요. 노사모가 정치운동의 새 장을 만들었기 때문에 마감조차도 큰 모델이 됐으면 좋겠다고 생각했습니다. 민감하고 무거운 문제입니다. 왜냐하면 그 이후에 제가 틀렸을 수도 있겠다는 생각도 들었고, 유지해야 된다고 생각하시는 분들은 그분들대로 가치를 지니고 지금까지도 활동하시고 계시기 때문에 제가 그분들의 활동을 부정하는 게 아니고요. 제가 안타까웠던 것은 만약에 다른 단위로 그 에너지들이 모여졌더라면 발전적인, 진보적인 역할을 했겠다 싶은 거죠.

재임 당시 노무현 대통령이 무엇을 힘들어했을까요?

대통령이 되기 전과 후 가치가 흔들린다는 게 아니고요. 위치가 바뀌면 보이는 전경이 다르지 않습니까? 대통령은 대한민국에서 가장 많은 정보를 가질 수 있지 않습니까. 북측에 관한 부분들이든 어떠한 사안이든. 대통령께서 원칙이나 가치가 워낙 분명하시기 때문에 거기에 정보가 많이 모이면 더 큰 미래와 더 넓은 세상을 보셨을 거라는 생각이 들어요. 그런데 문제는 그쪽으로 가기에 여전히 지반이 약한 거예요. 흔들려는 세력들도 너무 많고. 어찌 보면 지식인의 천형이라는 거죠. 아니까 안 움직이는 거에 대한 어려움이 있는 거고. 예를 들면 당시 대연정에 관해 지식인 사회에서 공격을 제기하고 대통령의 입장을 묻는 방식이 되었다면 논의가 훨씬 발전적으로 갔을 거라 생각해요. 대통령께서는 정치에 새로운 풍토가 필요

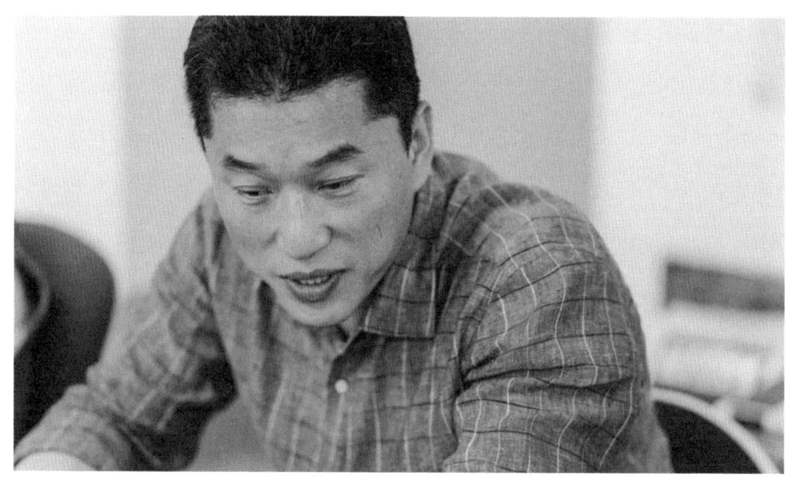

하다는 게 보이시는데 아무도 그 이야기를 하지 않는 겁니다. 보이는데 어떻게 이야기를 안 하시겠어요. 대통령은 우리 편인데 세상은 우리 것이 아니어서 괴리가 제일 힘드셨을 거라고 생각합니다.

노사모 내부에서도 논쟁이 있었지요?

엄청났습니다. 노사모 하면서 아픈 적이 없었는데 이틀을 쉰 적이 있습니다. 연락도 안 받고. 그게 언제냐면 부산에서 선거대책본부 발대식을 하는데, 벡스코 가보셨죠? 무대도 없잖아요. 설치해야 되니까. 처음에 갔는데 사람을 3천 명 이상 못 모으면 못 채우겠는 겁니다. 그런데 부산에 그 많은 사람들이 모였어요. 분위기를 잡기가 간단치가 않아요. 그래서 무대를 최대한 앞으로 세우자. 의자들을 앞으로 몰고 뒤에 풍선을 사람들이 들고 가게 하자. 감동적일 정도로 사람들이 많이 몰렸습니다. 성공적으로 하고 나서 다음이 서울의 선대본 발대식이었어요, 민주당 당사 앞에서. 밤새도록 버스를 타고 흥분된 기분으로 올라갔죠. 거기에서 정몽준 후보와의 단일화를 발표하셨어요. 난리 났어요, 울고. 명짱님, 문짝님 올라가서 춤추고. 미키님도 이 분위기로 끝내면 안 되겠다 싶어서 올라가서 춤추고. 울면서 춤추는 사람도 있었고 이해할 수 없지만 분위기를 이어가야 했기 때문에. 내려오면서 이해가 안 되는 거예요. 그래서 이틀 동안 연락을 안 하다가 아는 선배한테 한 방 맞았죠. 니 기분좋은 것보다 대중들한테 도움이 되는 게 더 필요하다. 이틀 만에 욕, 개같이 듣고 복귀했습니다.

노무현과 노사모는 닮아 있는 부분이 있다?

용기와 고집. 처음에 질문하실 때 고집이라고 답해야겠다고 생각했어요. 고집이라는 게 자기 확신이지 않습니까. 담대함도 있고요. 노사모 분들이 작은 말에 상처 받아요. 집에 애가 울고 있으면 하루종일 걱정하고 이래요. 그런데 조선일보사 가서 없애자 할 때는 겁 없어요. 믿는 가치에 대한 고집을 가지신 분들이고, 그걸 통해 무언가를 받겠다는 보상 심리가 없고, 이 자체가 제일 큰 의미이기 때문에 겁이 없는 거 같아요. 그 세상만 만들어지고 나의 것이 아니어도 괜찮다고 생각해버리면 겁나는 게 있겠습니까. 이 사람들은 별로 바라는 게 없구나, 세상 빼고. 저 조금 큰 거 빼고는.

노무현 대통령 흔들기가 지금 문재인 정권의 공격 패턴과 똑같을까요?

차이가 있다고 생각해요. 결과가 다르잖아요. 안 믿잖아요, 이제. 그때는 레드 콤플렉스가 정말 못 깰 부분이었잖아요. 아무리 부딪쳐도 깨질 수 없는 것들이었는데 이제는 저쪽 진영에서 평화 패러다임을 깰 수가 없는 거예요. 시민 참여나 정치 개혁을 가로막던 가장 큰 게 레드 콤플렉스지 않습니까. 파업을 해도 빨갱이, 전교조를 해도 빨갱이. 지금은 빨갱이라고 얘기하는 사람이 아작 나는 분위기. 시민의식의 성숙이라고 생각하고요.

시민들이 자생적으로 성장한 게 제일 큰 차이이기도 했고요. 참여정부 때이 정도의 기품이었으면 대통령께서 펄펄 날아다니셨을 수도 있겠다는 아쉬움과 안타까움이 있죠.

노무현 대통령의 권력과 다른 대통령의 권력이 달랐던 점이 있을까요?

연설 때 당신의 생각을 이야기하시면서 '그렇지 않습니까?' 물으시면서 반응을 보고 거기에 따라 대답하시고. 쌍방향이 가능해진 리더십으로 간 게 노무현 대통령이라는 생각이 들어요. 개인의 특출한 문제가 아니라 시대상 가능하냐 안 하냐의 문제였던 거 같습니다. 예를 들어 색깔론, '간첩이다'로 사람들을 죽이던 시대에 DJ께서 어떻게 소통을 원활하게 할 수 있겠습니까. 그때는 깃발을 들고 지향점을 정확하게 보여줘서 선도하는 것이 가장 중요한 리더십이었다는 생각이 들고요.

요즘의 문팬같이 노사모가 지속적으로 했더라면 참여정부가 힘을 더 받았을까요?

대통령 되셨으니까 우리는 생활에서 열심히 하면 된다는 생각도 있었고. 시스템으로서 정치 경험이 별로 없기도 했고요. 그때까지만 해도 정당, 행정 면에서 아마추어였다는 겁니다. 생활 정치였으니까. 리멤버 1219 행사 때 여의도 진짜 추웠거든요. 제 인생의 가장 추운 날 중의 하나였어요. 무대 위에 대통령께서 계셨고 보안과 경호 문제들이 있어서 자원봉사자들이 줄을 서서 앞에 있었어요. 사람들 흐트러지면 안 되니까 저는 뒤로 돌고 앞을 보는데 앞에서 "노짱 운다!"라고 하더라고요. "1급수, 1급수가 아니면 2급수, 2급수가 아니면 3급수. 당으로 들어갑시다." 그때 했던 이야기도 탄핵의 빌미가 됐을 거예요. 그 말이 바짝 정신 차릴 수 있는 계기였고 사람들 전부 다 당으로도 가자고 생각했던 거 같아요. 그다음에 탄핵이라는, 전 국민 학습의 계기가 또 한번 생기지 않았습니까. 아이러니했던 게 뭐냐면 그때 탄핵 반대하는 집회와 작년 탄핵하자는 집회, 이 두 집회에 나오는 노래가 똑같았어요. 윤민석 선배가 작곡하셨던 노래. 들으면서 너무 신기한 거예요. 같은 노래가 탄핵을 막기 위해서도, 탄핵하기 위해서도 쓰일 수 있구나.

노대통령이 소통에 집착하신 거 아닌가요?

그게 힘이고 그걸로 성공해보셨기 때문이에요. 또 대통령께서 되게 외로우셨을 거라고 생각하거든요. 무엇보다 대통령께서 소통을 중요시한 이유가 당시만 해도 저들이 갖지 못했던 힘의 근본적인 것이 인간에 대한 신뢰 아닙니까? 저쪽은 (웃음) '떡을 주면 움직일 거다'로 가지 않습니까. 그래서 소통 말고는 무기가 없는데 소통을 안 하면 어떻게 하겠습니까.

분향소를 강제 철거하는 일도 있었잖아요?

제가 국회에 있던 때인데 되게 힘들었어요. 노사모 같이했던 분들이 2007년 대선을 준비하면서 많이 갈라졌지 않습니까? 적대적인 수준까지 이를 정도로. 옆에서 같이하는 분들 중에 뜻을 같이 모으는 사람과 함께 정동영 의원님을 후보로 선택해서 쭉 갔죠. 그런데 무참하게 졌죠. 그러고 나서 부산 내려와서 한 1년 정도 지역운동 하시다가 국회의원 선거 다시 나오셨다고 했는데 사실은 동의할 수 없는 출마였어요. 무소속으로 전주에서. 그런데 미키님이 온갖 욕 다 들으면서 같이 일했던 사람들 거기 있다면서 "처리야 가자, 선거까지는 해야 되지 않냐" 해서 갔던 거예요. 용산 참사 때도 정동영 의원님하고 갔는데 신부님이 정동영 의원 아니었으면 사람들 안 죽었다고 이야기해요, 대놓고. 정권을 잃었기 때문에 죽었다는 거예요. 죄책감이 너무 컸어요. 그거 자체가 너무 힘들었던 때인데 전주 선거 끝나고 전주 쪽에 있다가 소식 듣고 차에서 오는 동안 계속 울었죠. 이런 상황 자체가 너무 절망스럽고 죄책감이 느껴지고 죄스럽고.

얼마 전에 열린 노사모 집단회의에서 '이제 얼려서 기록으로 남기자, 혹은 노무현 정신 계속 펼치자' 어느 쪽으로 가는 게 맞는 거 같습니까?

그것을 정한다는 생각이 잘못됐다고 생각해요. 다양한 방식으로 적극적으로 해야 된다고 생각해요. 한편으로는 노사모의 활동이라는 게 역사의 지침이 될 수 있도록 잘 축적하고 보관해야 한다는 생각도 들고. 노사모의 제일 큰 장점은 알아서 한다는 거예요. (웃음) 끊임없이 하는 일이 토론과 소통이지 않습니까? 더디게 가는데도 안 물러나는 거거든요. 어떤 방향이든 다 좋다고 생각해요. 노사모라는 조직이 하나를 결정했을 때 어떻게 모두에게 강제할 수 있는가. 노사모 이름으로 노무현 정신을 펼칠 수 있는 길을 더 발전시키고, 좋았던 것들을 기록하고 우리는 생활로 돌아가자는 분들은 거기에 집중할 수 있도록 하고. 그게 노사모다운 방식이 아닌가 생각해요. 한 사람이라도 깃발 들고 '나는 노사모다' 이러면 노사모는 없어지지 않는 거예요.

탄핵과 관련된 에피소드는?

서른한두 살이었을 텐데 처음에 백 명 모여서 했거든요, 한나라당 바로 앞에서. 100명이 40분 만에 전경들한테 뜯겼어요. 다음날에는 (웃음) 150명 됐고 그다음날은 숫자가 확 줄어서 60명 정도. 더 빨리 뜯겼죠. 어쨌든 계속해서 가보자. 그런데 탄핵안이 발의가 되어버렸잖아요. 명짱님도 계셨지만, 터져나오기 시작하는 겁니다. 5천 명, 만 명 모였을 때 사회를 보는데 명짱님이 "진지하게 하면 사람들 지치잖아! 웃겨!" 이러고. (웃음) 분노가 올라와 죽겠는데 어떻게 사람을 웃겨요. 어떻게든 웃겨봐야 되니까 "파도타기 한번 합시다. 숫자가 많으니까 너무 빨리하면 없어 보이지 않습니까, 슬로모션으로 갑시다" 하는데 거기에 얼마나 많은 연배들이 있습니까. 70대, 80대 어머님들이 표정까지 해요, 모션으로 맞춰서. 얼마나 두려운지 모릅니다, 이분들을 대표하고 있다는 게. 거기다가 제가 사회를 보는 동안 한 3만 명 모였으니까 불이 확 오르잖아요. 사회 역할이 뭡니까. 감정을 격발하는 거예요. 안 그래도 부담되어 죽겠다고 있는데 불이 확 붙었어요. 분신하신 분의 직업을 경찰들이 묻기 시작하고. 노사모도 묻기 시작하고. 지갑을 저한테 줬어요. 제일 먼저 발견하고 불 끄신 분이. 이게 나 때문인가 싶고. 지나고 나니까 이야기하죠. 옆에 누가 주머니에 넣어주는데 삼각김밥. 이런 것 때문에 죽는 거예요. 앉아서 울게 되는 거예요.

못 보신 분들한테 영상 편지.

처리입니다. 부산으로 공간을 옮기면서 갑자기 생전 없던 허리디스크 때문에 입원했던 적이 있는데 페이스북에 글을 올렸더니 새벽산님이, 단 한 번도 연락드리지도 못했던 새벽산님이 한의사이신데 전화주셔서 "한방이 훨씬 좋으니까 와라". 이게 노사모의 힘이구나 생각했습니다. 전국에 많은 분이 있으시겠지만 부산에 계신 노사모 선배님들, 동지들 차근차근 찾아 뵙고 인사드리겠습니다. 주신 사랑 많이 받았고 좋은 경험 많이 하고 왔으니까 같이 또 흥겹게 좋은 일 했으면 좋겠습니다. 자주 뵙겠습니다.

"우리는 승리했으나
대통령 선거는 끝나지 않았던 모양입니다.
그들은 승복하지 않았고 지속적으로 저를 흔들었습니다. (…)

여러분들이 희망입니다. 여러분들의 분노와 실망 잘 알고 있습니다.
그러나 다시 한번 떨쳐 일어서십시다. 그러나 우리에겐 포기할 수 없는 희망이 있습니다. 투명하고 공정한 세상, 부정부패 불법 반칙이 아니라 창의와 노력, 피와 땀으로 실력으로 정정당당하게 승부하는 사람이 승리하는 공정한 사회, 그 사회를 위해서 우리 다시 한번 뛰십시다.
누구를 위하여, 누구를 위하여 있는가. 우리가 그렇게 몸바쳐 뛰어야 할, 뛰어서 키워야 할 정치인은 누구인가.

여러분, 1급수가 없습니까? 1급수가 없으면 2급수라도 찾읍시다.
1급수는 그냥 마시고, 2급수는 약간 약을 타거나 정화하면 훌륭한 수돗물이 될 수 있습니다. 3급수는 공업용수입니다. 4급수는 목욕도 할 수 없습니다. 피부병 생깁니다. 큰일납니다.

감히 1급수라고 자부하지 않겠습니다. 2급수. 2급수를 찾아서 여러분이 뛰고 도우면 마침내 그들이 1급수가 됩니다. 여러분 그들이 우리 대한민국을 새롭게 만들어 줄 것입니다.

저도 이미 상처를 입었지만 열심히 나서겠습니다. 함께 하겠습니다.
우리는 할 수 있습니다. 저는 대한민국 국민들을 믿습니다. (…)

위대한 국민들을 믿고, 우리 위대한 노사모 다시 한번 뛰어주십시오.
여러분, 저 노무현 다시 국민들의 신임을 받기 위해서 노력하겠습니다. 분골쇄신하겠습니다.
여러분 함께 합시다. 손잡읍시다. 새로운 대한민국을 만듭시다.
대한민국을 인류 선진국으로 만들어갑시다.
춥습니다. 뜨거운 가슴으로 다시 손을 잡읍시다.

_'리멤버 1219 연설'에서(2003년 12월 19일)

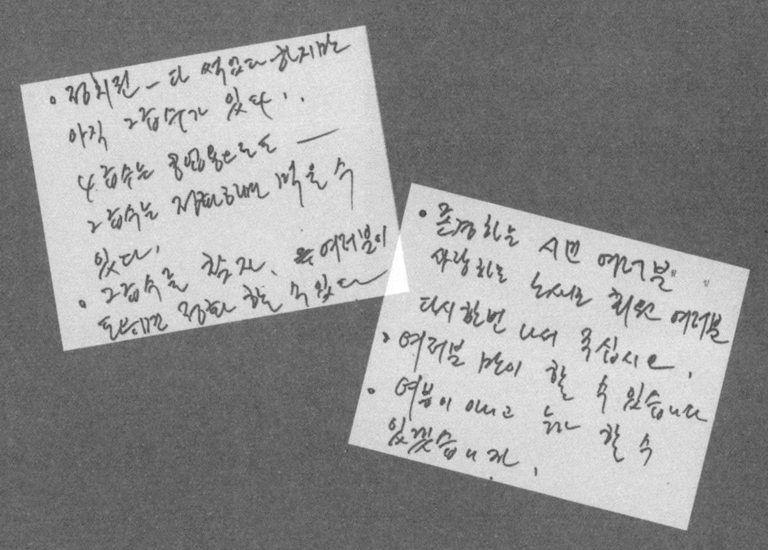

마지막 답은 시민에게 있다

부마 김부민

부산 노사모 '부마'라고 합니다. 가입하고 활동한 거는 2004년도부터고요. 정치 활동을 시작한 거는 한참 이후였는데 그전에는 학생운동, 시민 사회 단체 활동했고요. 당시에는 민주노동당 성향이었기 때문에, 노무현 대통령을 개인적으로 좋아하고 대통령으로 뽑았지만 노사모 활동을 늦게 했습니다. 저희 지역이 부산 사상이었는데 문재인 대통령의 지역구이기도 하고, 당시 사상에서는 2004년 총선 때 민주노동당 후보가 나오지 않았어요. 그러다보니 열린우리당 후보를 도와주면서 율동 팀, 유세 팀을 했거든요. 부산 노사모 분들이 결합하셔서 그때부터의 친분 관계로 노사모 활동하게 된 거죠.

그러면 대선 끝나고 재임중에 들어오셨던 거죠?

직접적이고 결정적인 거는 율동 팀 친구들이 수습 자원봉사로서 결합했던 거였어요. 율동 팀이 워낙 잘하고 흥이 나고 순수한 마음으로 시작했으니까 얼마나 신이 났겠습니까? 저희가 판을 열면 율동하는 친구가 한 10명이면 노사모 출신 봉사자들이 20명 정도가 붙어서. 지나고 나서 알았지만 노무현 대통령 대선 때처럼 판이 벌어졌던 거죠. 설날이라는 형이 있었는데 '노사모 한 번만 와봐라'라고 해서 가게 된 게 인연이 돼 그때부터 활동하게 된 거죠.

변절자 아닙니까?

이후에 제가 선출직 나가면서는 그렇게 생각하는 후배들도 있었지요. 선배들이 저보고는 당선을 목적으로 나가면 민주노동당 하지 말고 민주당으로 가라고. 2009년도 11월에 정당 가입을 했는데 2004년부터 2009년까지 노사모 활동을 나름 열심히 했거든요. 주위 선배들은 노무현 대통령에 대한 좋은 기억이 있었고 부산 지역은, 제가 시민 사회 단체랑 문화 단체에 있었는데, 대통령하고 관계가 아주 많았었거든요. 부산 지역에서는 이해해줬죠.

본인 스스로도 고민됐을 거 아닙니까? 내가 민노당인데 노사모에 들어가는 건 부담이 없으셨는지.

노사모는 정당 활동이라고 생각 안 했습니다. 통일운동하든 시민단체 운동하든 또 지역에서 풀뿌리운동하든 정당 활동이 아니라 운동이라고 봤거든요. 지역을 바꿀 수 있는 시민 활동, 단체 활동이라고 본 거죠. 노사모 활동했지만 정당은 민주노동당을 지지했거든요. 민주노동당 선배들하고 더 친했고. 이라크 파병이라든지 독도 문제라든지, 어떻게 보면 대통령을 이해하지만, 그래서 더 열심히 투쟁했거든요. 그렇기 때문에 노사모 활동이 곧 민주당 활동이라고 생각은 안 했었어요.

다양성이 있었죠, 노사모가.

노사모도 그걸 이해해줬고. 노사모 안에서도 다양한 정당이 있었거든요. 특히 부산 노사모는, 예를 들어 당시에는 한국당, 바른, 자유한국당 출신, 적을 둔 구의원도 계셨고. 민주노동당도 계셨고 정의당, 진보신당 계셨고. 그런 전체적인 게 있었기 때문에 부산 지역에서는 '노사모=민주당'은 아니었던 거 같아요.

노사모 활동하면서 제일 기억에 남는 분 있으신가요, 혹시?

제일 기억에 남는 건 대통령이 내려오셔서 하신 말씀 "야, 기분좋다". 전에 말했지만 이라크 파병, 독일, 독도 문제, 일본과의 문제들에서 대통령이 과연 원하는 게 뭘까? 이라크 파병할 때 대통령을 한창 좋아할 때인데 대통령 입장에서 이해하려고도 했죠. 우리가 거리에 나왔던 것들이 정말로 대통령을 반대해서가 아니라 대통령한테 더 힘을 실어주기 위해 갔다는 생각이 들고. 노사모 활동하면서 친한 분은 전에 설날만 와라, 그 형이 직접적으로 회원으로 가입하게끔. 지금은 제주도에서 열심히 살지만 그런 분이 계셨고. 저희가 사상 지역인데 사상 지역구는 이상하게 부산 노사모로 쳤을 때 성지 같은 지역이었고 출신들이 많습니다. 전국 노사모 대표도 사상에서 나오고 부산 노사모 대표도 사상에서 3명인가 4명 정도가 나왔었어요. 두리님이라든지 미키루크도 사상에서 살았고 반야이라든지 부산 노사모 대표죠. 소나무님 이런 분들이 사상에 계셨거든요.

혹시 델리님이라고 아시나요?

델리님 알죠. 델리님도 초창기 델리님 해서 델리빵으로 했죠. 암이었던 것 같아요. 하동에서 요양하셨어요. 그것도 기억에 남네요. 저희끼리 얘기를 했었죠. 어떻게 해야 될지 어떻게 도움을 줘야 될지 몰랐는데 당시 노사모는 십시일반이 당연시되는 거죠. 제가 그때 부산 노사모 사무국장이었기 때문에 일단 모금 활동하자고 해서 통장 계좌 번호를 올렸는데 천만 원 넘게 모이더라고요. 하동까지 집행부들과 가서 전달한 적이 있습니다.

노사모가 정치 단체라고 해야 되나요? 다른 점이 있을까요?

정당의 목표, 정치 세력의 목표는 정권 창출이잖아요. 노사모는 대통령 한 명에 대한 팬클럽이기도 하지만 시민단체, 하나의 정치운동이라고 보거든요. 만약에 정치 조직, 정당 조직이었으면 최소한 이득을 보려고 들어왔을 건데 노사모는 개인의 이득보다는 정말로 '정치운동해서 대한민국에 좋은 지도자가 나오면 만족한다'가 컸던 것 같아요. 저는 늦게 들어와서 정치 지도자가 마지막까지 잘할 수 있게끔 뒷받침해주는 역할을 한 게 조금 다르다, 그게 하나의 일반 정치 세력과 다르지 않나 생각이 듭니다.

닉네임은 무슨 뜻이에요?

제 이름이 김부민이거든요. 중학교 때 아무 생각 없이 부마라고 했는데 나중에 알고 보니까 부마가 임금의 사위더라고요. 나름대로 해석하기로 부유할 부 자에 말 마 자면 돈과 권력을 가진 게 부마. 그래서 아, 나는 세상을 다 가져야 되겠다고 생각해서, 돈만 가지는 게 아니고 사람의 마음을 가져야 되겠다는 생각으로 한 거고. 이후에 제가 부산 민주 항쟁 기념 사업회에 있었거든요. 그게 부마 항쟁 기념 사업회거든요. 사람들은 '네가 부마 항쟁을 어릴 때부터 생각한 거냐?' 하는데 그건 아니었고 아무 생각 없이 제 이름에서 땄는데 그게 노사모 닉네임도 되고요.

초기 노사모 분들은 대통령을 만들기 위해서 참여하셨던 분이고, 대통령이 되시고 난 다음에 들어오셨던 부마님 같은 경우는 어떤 부분에서 활동하셨을까요?

대통령 당선 당시에 활동 많이 하신 분들이 대통령 만들었으니까 노사모 해체하자 말자로 찬반이 붙었었어요. 팽팽했는데 반은 해체하자, 반은 그대로 가야 된다고 생각했는데 당시 저는 아예 노사모 관계도 안 되어 있었죠. 다만 저는 이후에 계속 같이했으니까 존재해야 된다고 생각했죠. 근데 세력화, 권력화돼서는 안 된다고 생각한 거죠. 노사모는 자체만으로도 충분히 영향력 있었고, 가만있어도 대단한 조직이었는데 당시에 없애자는 분들은 혹시나 정치 세력화가 커져서 대통령에 누를 끼치지 않을까 걱정

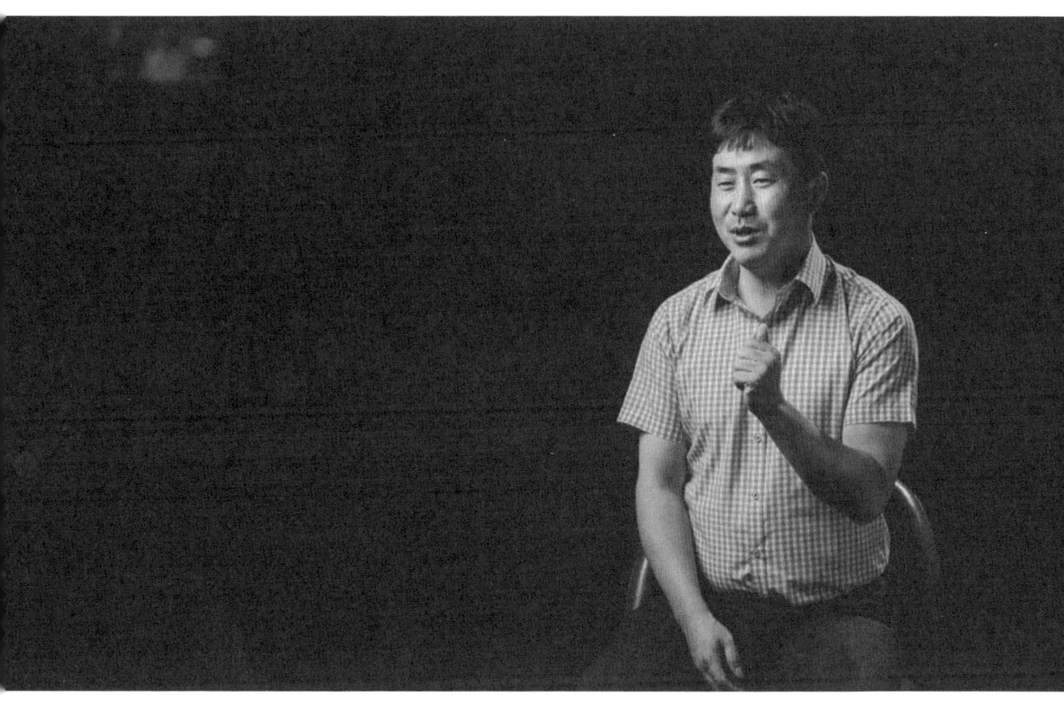

하신 분들이었던 것 같아요. 이분들이 거의 빠져버렸어요, 이후로. 지역에 내려가셔서 지인 동아리를 만들어서 활동하신 분도 계시고 정당 활동하신 분도 계시고 사업하는 분들도 계셨지요. 제가 노사모가 존속돼야 한다고 했던 점은 대통령이 끝날 때까지 힘이 되어줘야 된다는 거. 시민 사회단체에서 정당 활동을 하고 제가 지금도 하고 있는 것도 제도권 안에 들어가야지 목소리를 낼 수 있다는 것입니다. 대통령이 국정을 운영할 수 있게끔 국회의원도 150명 만들어야겠지만 그 여론을 같이 맡아줄 국민들이 뒷받침이 되어야지 대통령이 할 수 있다고 생각해서. 크게 기억에 남는 두 가지, 독도 문제랑 이라크 파병. 대통령이 아주 고민을 많이 하셨을 거고 국민들이, 시민들이 거리에서 반대하는 걸 듣고. 국민들이 반대하는데 내가 어떻게 하겠냐. 국민들이 독도 문제 얘기하는데 내가 일본하고 이야기 해야 되지 않냐? 거꾸로 일본 총리한테 국민들이 원한다, 나도 이렇게 못한다고 협상에서 대등한 위치로 있지 않았을까.

독도 문제는 그렇다 치고 파병 문제는……

그렇죠. 대통령의 입장에서 계속 생각해본 거죠. 그런데 미국이란 나라가 이라크 파병만 원하진 않았을 거거든요. 이만큼 원했을 것 같거든요. 대통령이 우리가 거리에 나가니까 전투병과를 뺀 것 같아요. '국민들이 전쟁을 반대하고 전투병과 못 나가게 하니까 최소한은 보낼게, 성의는 보내겠지만 나도 국민들을 못 보내겠다'라고 이야기하지 않았을까? 당시는 더 눈치를 보던 시기에 미국이 '이거 해' 하면 해야 되는데 대통령 입장에서는 최소한의 파병으로 막아내지 않았을까, 라는 게 제 생각이죠.

부산 노사모 없앤다고 표결했다고 들었거든요. 그래서 없애기로 했다고. 그런데 지금 부산 노사모가 있죠?

제가 알기로는 대표 이권하고. 사무국장은 없는데 재무를 보는 분은 있고, 그런데 재무가 재정이 없어요. (웃음) 듣기로는 차기 대표 이권하실 분이 계시다, 그래서 선관위 구성을 해야 되는데 선관위 구성이 잘 안 돼서 현재 상황은 그냥 가고 있는 상황이죠. 예전 부산 노사모는 온라인보다는 오프라인에서 활동을 많이 했고. 제가 2004년도부터 했으니까 14년 한 거죠. 저보다도 오래 하셨던 선배님들이 계셨기 때문에 그분들은 거진 2000년도부터 했다면 18년 정도를 하신 거잖아요. 그러다보니 더 개인적으로 합친 것 같아요, 두터워지신. 꼭 온라인 아니더라도 언제든지 오프.

노사모 회원 수가 12만인가요? 그 많던 노사모는 다 어디로 갔을까요?

저도 제도권 정치를 2010년도 하고부터는 노사모에 대해서, 특히 온라인에서 제 의견을 내세우지는 않거든요. 오해가 될까봐. 저 같은 사람들이 많지 않았나 생각이 드는 거죠. 조심스러운 거죠. 괜히 분란도 일으키기 싫지만 노사모 안에 다양한 의견들이 나와서 토론이 붙어지고 했을 때 누군가는 나서서 중재해야 되고 또다른 의견도 해야 되고 여러 역할을 해야 되고. 당시에는 부산 노사모 중심에 있기보다 아웃사이드에서 제 역할을 해야 되겠다는 게 판단이었고. 부산 노사모에 계신, 그리고 계셨던 분들 중에서 아마 자기의 역할은 다했다, 내 역할은 여기서 해야 되겠다고 하신 분들 있을 거고요. 그분들이 노사모 출신 아니라고 부정은 못할 거거든요. 지금 내 역할은 이거라는 거죠. 다한 건 아니고 언젠가 필요하면 들어오겠죠.

부산 노사모만의 특징이 있을까요?

오프도 있고. 다양한 정당의, 정파의 색깔을 가진 분들이 똑같은 한 명을 위해서 했다는 거죠. 싫어했든 미워했든 좋아했든 노무현이라는 하나의 공통분모는 있었다는 거죠. 애증이라든지. 저는 '노무현을 사랑하는 사람들의 모임'이라고는 하지만 노빠는 싫어하거든요. 맹목적인 거. 정말로 이 사람을 이해하고 그 사람의 입장에서 같이 힘이 되어주는 게 노사모지, 무조건 대통령이 가자고 했을 때 아무 생각 없이 가는 건 아니라고 보거든요. 하나의 문제를 가지고 거리에 나갔을 때 누구는 대통령이 하니까 무조건 하자는 주의가 있었을 거고 '과연 대통령이 원하는 건 뭘까?'라고 생각해서 행동한 사람도 있었고. 그 차이였던 거겠죠.

자한당 출신 노사모.

자한당 출신 노사모가 아니고 노사모 출신 자한당이죠. 노사모 활동하고, 나중에는 자유한국당 가서. 호랑이를 잡으려면 호랑이굴에 들어가야 된다고 하지만…… 그때 부산 상황은 그랬을 수도 있다고 이해를 하는 편이거든요. 어떻게 보면 그분들이 들어가서 차이나 간격을 줄였을 거라고 봐요. 저도 어떻게 보면…… 열린우리당, 민주당이 완전 진보는 아니었거든요. 지금도 민주당이 진보 정당이라 할 수는 없지만 그래도 자유한국당보다는 나은. 1990년 3당 합당된 이후로는 부산은 거의 보수 정당이어서 민주당도 못하는데 민주노동당은 하기 힘든 시기였고. 이분들이 제도권 안에 들어가기 위해서는 어쩔 수 없는 선택이었던 거겠죠.

노무현 대통령이 언제 무시를 당했다고 생각하세요?

탄핵 때가 제일 무시를 당한 거죠. 대통령의 권위에 첫 도전한 사건이기도 하고 감히 대통령을 탄핵한다는 거는 이전에는 상상도 못할 정도고. 국회의원이 다수인 정당에서 최고의 권한 횡포를 저지른 일이잖아요. 얼마나 무시를 당했으면. 절반이 넘었으니까 한 150명이 넘는 국회의원들 중에서, 일단 민주당 성향, 진보 정당을 뺀 나머지 정당에서 몇십 명이라도 제대로 생각했다면 탄핵까지는 안 갔을 것 같거든요. 여야를 떠나서 정치인 노무현은 정치인들 안에서 그렇게 큰 존재가 아니었다. 우리한테는 대통령이 억수로 대단한 존재인데 자기들 공간에서는 노무현이라는 존재는 운좋게 대통령 된 사람이지, 정통으로 밟아온 대통령은 아니라는 거죠. 그렇기 때문에 국회의원들이 대통령을 탄핵까지 했지 않았을까. 그만큼 무시를 했다는 거죠. 인정을 안 한 거고.

게시판에 유령 회원들이나 프락치들도 많이 분탕질했을 것 같은데 혹시 있었나요?

유령 회원, 분탕질보다는 의욕이 앞서신 분들이 들어오셔서…… 우려했던, 노무현 대통령을 파는 행동들을 하신 분들이 계시죠. 노사모를 지켜왔던 분들이 중심을 잡아주셨기 때문에 그런 분들이 있다가도 나간 적도 있고. 중앙 노사모에서 지원금이 내려올 때는 권력화, 세력화가 조금 있었기 때문에 대표 이권을 서로 하려 했던 시기도 있습니다. 부산은 슬기롭게 넘어가서 그런 분들한테 다시 기회를 안 준 거죠. 그게 사실 지금 노사모 대표 일꾼이 오래 해오셨기 때문에 나름 기준을 잡고 계십니다.

덕평에서 "제가 대통령이 되고 나면 여러분들 뭐하시겠습니까?"라고 노사모에게 물었을 때 "감시, 감시" 이렇게 얘기했거든요. 만약에 본인이 정치인이라면 어떠실 것 같아요? 현실 정치에서 얼마만큼 효율적이고 실질적이고, 또 올바르냐는 고민도 들 것 같은데.

감시가 당연하다고 생각이 들고요. 그런데 감시, 지적을 해서 뭔가를 하게 만들겠다는 게 아니라, 사람이다보면 유혹에 넘어갈 가능성도 있잖아요. 감시는 선을 딱 지켜주는 거. 넘어가려고 하면 옆에 있는 사람들이 '이건 안 돼, 안 되는 일이야, 이래 가는 게 맞아' 하는 게 감시이고. 남들은 훔쳐갈 때까지 놔뒀다가 훔치면 잡아가는 게 감시라면, 저희는 잡혀가기 전에 안내하는 거죠. 선을 넘어가지 않게끔. 지지해서 뽑은 사람이고 좋아하는 사람이면 그 사람이 잘되는 게 내가 잘되는 거고. 주위에 칭찬도 많이 하고 좋은 말 하는데 안 되어버리면 그렇잖아요. 그런 일들이 많잖아요. 내가 좋아하는 지지자들이 언론에서 안 좋은 뉴스가 나오는 건 쪽팔리고. 노사모나 누군가가 계속 감시를 했기 때문에 대통령이 그렇게까지 막 나가지 않았고 의식해서 갈 길을 가지 않았을까, 라는 생각이 드는 거죠.

노사모 하시면서 노사모로부터 영향을 받은 것이 있을까요?

제가 감히 대통령을 따라 하진 못하겠지만 흉내라도 내고 싶은 게 사실이잖아요. 저를 지지해준 분들이 많았기 때문에 일할 수 있는 기회가 된 건데 제가 그분들 얼굴에 먹칠을 안 하게끔, 그분들이 또 감시를 잘해주셔야 되는 거죠. 그런 것들이 노사모에서 배웠던 것이고 어떻게 되더라도 마지막 답은 시민들에게 있다는 생각이 드는 거죠.

왜 시민들에게 있어요?

탁상공론이라 하죠. 혼자 앉아서 이쪽저쪽 이야기를 들으면 힘들다는 거죠. 특히 요즘 소상공인들, 일반 음식점 사장님들, 주민들 너무 힘들잖아요. 앉아서 좋은 정책들을 내지만 이 정책들이 시민들한테 들어가기에는 시간이 없다는 거죠. 시민들이 원하는 게 바로 올라오지 않고, 위에서 내려가는 낙수 효과에 의한 정책들을 낸다는 거죠. 다 중요한 일이지만 선후가 조정이 되는 경우가 있더라는 거죠. 그래서 중요한 것들을 쭉 펼쳐놓고 시민들에게 물어보면 우선순위가 정해지더라는 게 제 생각이고. 협치, 공론화, 이런 것들이 다 그런 모델이고 지금 흐름이거든요. 이제는 관이 주도한다기보다는 민과 같이해야 된다는. 직접적으로 혜택을 줄 수 있고 뭘 할 건지는 국민들의 의견을 들어봐야 된다는 거죠.

마지막으로 노사모 회원들에게 한마디 해주시죠.

제가 노사모라고 감히 말씀드리기는 그렇지만…… 대통령을 좋아했고 대통령의 뜻을 받들어서 지금도 살아가고 있는 사람 중의 한 명이라서 인터뷰할 기회가 온 것 같습니다. 지금도 노사모로서 살아가려고 하고 있고 노무현 대통령의 이름에 부끄럽지 않게 살려고 양심을 가지고 살기 때문에 잘 지켜봐주시고 방금 말씀드렸듯이 감시해주시면서 함께해주시기를 부탁드립니다.

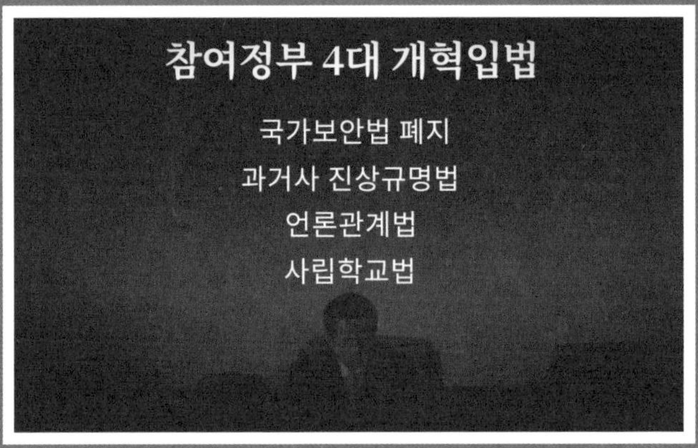

참여정부 4대 개혁입법

국가보안법 폐지
과거사 진상규명법
언론관계법
사립학교법

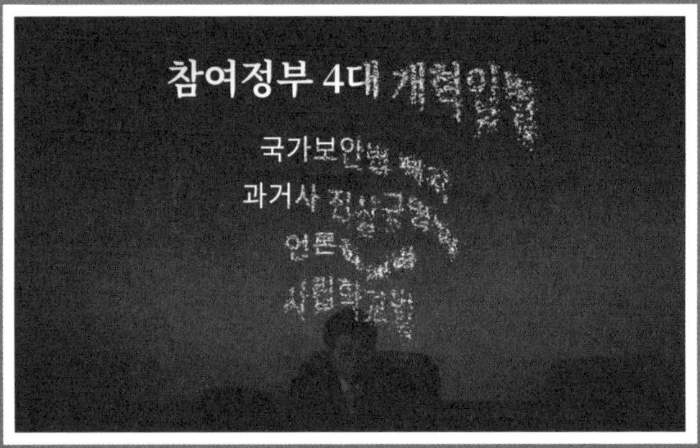

참여정부 4대 개혁입법

국가보안법 폐지
과거사 진상규명법
언론관계법
사립학교법

2월 25일 대통령 취임
3월 11일 취임 15일만에 탄핵 언급

노대통령의 일본 방문은 '등신외교'의 표상

_이상배 한나라당 정책위의장(2003년 6월 9일)

노무현을 이 나라 대통령으로 인정하지 않고 있습니다.
노무현이 계속 지금까지 기조를 바꾸지 않고 이대로 나간다면
저는 우리 당이 노무현의 퇴임 운동을 벌여야 한다고 생각합니다.

_김무성 한나라당 의원(2003년 9월 3일)

다음 대통령은 대학을 다닌 경험이 있는 분이 적절하지 않나

_전여옥 한나라당 의원(2005년 6월 3일)

대통령을 대통령으로 인정하고 싶지 않다.
대통령을 잘못 뽑았다.

_최병렬 한나라당 대표(2005년 7월 8일)

포퓰리즘 정부, 조폭 스타일 사회주의 정권

_이한구 한나라당 의원(2005년 8월 26일)

노무현 대통령은 사이코.
자기감정도 조절하지 못하고 자제력이 없다.
그러니 나라가 이 꼬라지지…

_김기춘 한나라당 국회의원(2006)

과거부터 쌓였던 것이 밖으로 표출되면서 춤추고 노래하고

터프가이 김찬

'터프가이'라는 닉네임을 사용하고 있습니다. 외모와 닉네임이 가장 안 어울리는 노사모 회원으로 뽑힌 적도 있습니다. (웃음) 외모는 터프하지 않은데 속에서는 올라오는 게 있고 표현할 방법이 없어 닉네임을 터프가이로 했습니다. 특별한 날짜라 기억하는데 첫 모임이 2001년 10월 26일이었어요. 그전에는 성격이 보수적이었어요. 투표도 보수 쪽으로 했고. 아버지는 공무원이고 형은 데모 주동자였어요. 위에서는 아버지한테 일 안 해도 좋으니 아들 붙잡아놓으라고 했죠. 전두환 시절이었으니까 힘들었죠. 저 군대에 있을 때 휴가 나오면 아버지랑 같이 형 찾으러 다녔어요. 경북에서는 구미 노사모가 처음으로 모임 가졌어요. 제가 마흔 살이었는데 나이가 제일 많았습니다. 나이 많으니까 대표를 하라고 하더라고요. (웃음)

가입 계기가 있으십니까?

제대했는데 형은 교도소에 있고 아버지는 명예퇴직 당해서 집에 계시더라고요. 빨리 취직해야겠다고 생각했어요. 취직하고 직장 생활만 했습니다. 정치에 관심도 없고 형과 말다툼도 많이 했죠. 왜 그렇게 어렵게 살려 하느냐고, 쉽게 살자고. 어느 날 형한테 전화가 오는데 노사모 가입하라고 하더라고요. '노무현을 사랑하는 사람들의 모임'이라고요. 안 한다 했죠. 회비 안 내니까 가입해보라고 하더라고요. 그래서 했는데 나이 많다고 대표를 시키는 거예요. 모임을 몇 번 가다보니까 사람들이 순수하고 평등한 거예요. 식사비 낸다고 위세 부리는 문화도 없고 어려운 일 있으면 솔선수범하고. 집에서 만든 음식 있으면 가져와서 같이 먹고. 노무현 대통령의 영향이었을까요? 떳떳하고 정의롭고 순수한 면들이 모임에 계속 참석하도록 만들더라고요. 지금까지 살아왔던 문화와 완전히 다르니까. 형과 말다툼하면서도 내심 한편으로는 자랑스러웠어요. 노사모 하면서 형님을 존경하기 시작했고요. 아버지는 형님 영향으로 퇴직하셨지만 아무 말씀 안 하셨어요. 저와 같이 찾으러 다녔지만 아무 말씀도 안 하셨어요. 아버지도 공무원이었으니까 독재가 얼마나 안 좋은지 알고 계셨죠. 아들이 나쁜 일 하는 게 아니라고 생각했던 것 같아요.

직장 생활에 지장은 없으셨어요?

있었죠. 노무현 대통령 탄핵 당시 구미역 앞에서 시위했습니다. 5시 반에 회사 근무 마치고 갔죠. 마침 회사 부사장님이 출장 다녀와서 구미역에 내리셨어요. 저를 보셨죠. 멀리서 가만히 보시다가 가셨어요. 진급에 영향이 있었다고 생각합니다. 그래도 진급보다 사회 활동 하는 게 낫다고 생각해서 지속적으로 하게 된 계기기도 했고요. 2009년에 회사가 굉장히 어려워졌는데 그때 정리해고당했습니다. 부산 건설회사에 기회가 있어서 가게 됐어요. 그 회사도 1년 만에 부도나고. 40대 후반이었는데 혼자라도 해야겠다고 생각해서 스낵카 한 대 사서 독일식 핫도그 개발해서 6개월 했어요. 그러던 중 회사에서 다시 전화가 와요. 나아졌으니까 돌아오라고. 그때 느낀 게 어디를 나오더라도 문을 쾅 닫고 나오지는 말자. (웃음) 올해 2월까지 근무했습니다. 지금은 그만두었고요.

노사모 활동이 개인의 삶에 분명히 영향을 준 거네요.

완전히 바뀌었죠. 삶의 의미와 제가 해야 될 일들이 뭔지를 알게 됐고요. 자본주의 사회에서 안 좋은 것들을 어떻게 하면 개선할 수 있는지 고민 많이 했고요. 공부도 많이 했고 책도 많이 읽었어요. 무엇보다 새로 시작한 것들이 많아요. 살사댄스도 해보고, 배드민턴, 수영도. 평범하게 살다가 노사모를 겪게 되니까 자신감이 생기더라고요. 안 되면 어쩔 수 없는 거고 안 해보면 평생 후회할 거라는 생각이 들었어요.

노사모 활동하면서 힘든 건 없으셨어요?

있었죠, 경상북도 구미니까. 박정희 대통령의 본고향이니까 빨갱이 소리도 많이 들었죠. 그럴 때마다 물었어요. "빨갱이가 뭐냐? 나도 독재 싫어하고 김정일이나 김정은 국방위원장 나도 안 좋아한다. 그런데 내가 왜 빨갱이냐? 떳떳하고 정의롭게 소신을 말하는데 어떻게 빨갱이냐?" 언쟁도 많이 했지만 사람들이 활동들에 감정적으로 다가오지는 않았어요. 자기들도 그렇게 나쁘지 않다는 것을 알고 있으니까. 정치 이념에 대한 고정관념과 자존심 때문에 안 굽히죠. 더 어려웠던 거는 진보 사회단체, 국민참여

연대나 사람 사는 세상 같은 구미 진보 사회단체 안에서도 생각이 다른 걸로 언쟁하는 게 더 어려웠습니다. 지나면 아무것도 아닌데 조그만 일로 싸우고. 발전의 계기가 됐을 수도 있습니다. 대화하면서 몰랐던 것을 서로 알게 되고 좋은 토론으로 이어지고. 하지만 당시에는 굉장히 어려웠죠.

국민 경선 참여할 거냐에 대해 지역 대표들이 모여서 토론했다고 하던데.

노사모 활동의 백미는 민주당 경선이었습니다. 전국 돌면서 민주당 경선할 때는 정말 신났습니다. 내 돈 내면서 했는데도 그렇게 재밌어요. 보람도 있고요. 내 안에도 과거부터 쌓여 있던 노무현 대통령의 정치 철학이 밖으로 표출되면서 춤추고 노래하고.

어떨 때 노대통령 생각나시나요?

노무현 대통령 돌아가셨을 때 부산 건설회사에 취직했을 때인데 부산역 앞 분향소 가서 분향하고 10분 동안 펑펑 울었습니다. 내 평생 그렇게 울기는 처음이었습니다. 노무현 대통령의 영향이 저한테도 있지만 우리나라 정치 문화에도 획기적인 발전을 가져왔죠. 자유한국당이 정권을 10년 가져갔지만 다시 되찾아올 수 있는 계기가 되었던 것 같고요. 그런 정치 문화를 겪어보았기 때문에 문재인 대통령을 당선시킬 수 있지 않았나 생각합니다.

같이 활동했던 노사모 회원들한테 한말씀.

안녕하세요, 터프가이입니다. 2001년에 처음 만나 즐기면서 선거운동하고 대화, 토론했던 것들이 기억에 많이 남습니다. 특히 우리가 먹은 밥값을 십시일반했던 문화가 굉장히 좋았고 그후로도 지속하려고 노력하고 있습니다. 촌닭님, 모레님, 모굴리님, 철망앞에서님. 처음 만났던 모습이 아직도 생생합니다. 잘 계시죠? 우리가 원하던 정치 문화는 시간이 더 필요해 보입니다. 그래도 해야 되지 않겠습니까? 좀더 관심을 가지고 앞으로도 계속 만났으면 좋겠습니다. 감사합니다.

대통령의 외로움과 지지자의 외로움

콩콩투투 안혜림

닉네임 '콩콩투투'입니다. 노무현 대통령을 찍었는데 내가 뽑은 대통령이 탄핵당하니까 너무 속상한 거예요. 어떻게 도와드릴까 고민하는데 할 수 있는 게 없더라고요. 그래서 노사모 가입했고요. 2004년 탄돌이고 스물네 살 때입니다. 직장 다니고 있었어요. 김해에 모임 있으면 다 참석했고요. 온라인 전국 게시판에 글 쓰고 소통하고 친해지다가 노사모 강성 지지자들 모임이 있었어요. 본의 아니게 촛불 동호회 회장이 되었습니다. 지지하는 것만 강성이고 성격은 되게 소심해요. 안 될 줄 알고 출마 포기를 안 한 건데 당선이 돼버린 거죠.

어쩌다 닉네임을 콩콩투투로 지으셨어요?

아무 뜻 없어요. 야후 닉네임이 영어로 콩콩에 숫자 22를 붙인 거였어요. 노사모 가입할 때는 급한 마음에 한글로 콩콩투투 적었어요. 노사모 열린생각님이 닉네임 예쁘다고 해주시고. 친한 사람은 콩투라고 부르세요.

노사모의 용기는 어디서 나왔을까요?

저는 용기라는 게 없었어요. 부당한 일에 분노하는 감정이 우선시되었던 거지. 용기를 내 험지에서 뭔가를 이루어야겠다는 사명감이 아니었어요. 화가 나서 활동한 거죠. 지속하는 단순함만 있었죠. 노사모의 용기라고 하면 그 근원은 안타까움인 것 같아요. 노무현이라는 사람이 계속 떨어지고 힘든 데서 출마하니까 안타까워서 점점 모이고 뭉치고 응원하고. 그게 용기로 발전된 게 아닐까 생각해요.

노사모 하면서 힘든 일은 없으셨어요?

없었는데 사람들이 가끔 제가 어리고 여자고, 아무것도 모르는 애가 민주당 지지한다고 하는데, 경상도에서는 그게 보편적인 정서여서 저는 딱히 불만이나 화가 안 났어요. 다들 그러니까. 기억을 더듬어보면 화난 적도 있겠죠. 지금 기억나는 건 없고요. 노사모끼리 잘 뭉치고 모이니까 우리끼리 힘들고 스트레스 받은 걸 위로했죠.

가족들은 정치 활동 하는 것에 뭐라고 안 하세요?

남편은 정치에 무관심한 사람이었어요. 그러다 친한 분들 인사드리려고 노사모 모임에 한번 데려갔어요. 노무현 대통령께서 퇴임 앞두고 봉하에 잠깐 내려오셨는데 그때 만났거든요. 둘이서 집으로 돌아오는데 오빠가 대통령한테 실망했다는 거예요. 서민 대통령인데 어떻게 벤츠를 타고 오느냐는 거예요. 아무것도 모르는 거죠. (웃음) 제가 사람들한테 얘기하니까 사람들이 다음날 오빠를 불렀어요. 불러서 신나게 뭐라고 하셨죠. 말이 되느냐. 서민 대통령이라고 마티즈 타야 되느냐, 그렇게 계속 만나다보니 지금은 남편도 노사모 회원이에요. 민주당원이고 같이 활동하고 있어요.

대통령 놀리기가 국민 스포츠였잖아요. 심정이 어떠셨어요?

대통령의 외로움과 지지자의 외로움이 연결되어 있다고 생각해요. 하지만 대통령이나 노사모 회원들이 느끼셨을 외로움은 저는 못 느꼈어요. 회원들과 같이 놀고 이야기하면서 하나씩 느끼고 어떻게 투쟁하고 정치가 가야 할 방향에 대해 듣는 입장이어서 저는 외롭지 않았습니다. 다만 활동을 주도적으로 하시는 분들은 부담이나 외로움의 무게가 저랑 달랐겠죠.

서거 당시 기억나시는 게 있을까요?

양산인가 부산대병원이었을 거예요. 토요일에 갔습니다. 그때도 안 믿었고요. 시즌 2가 시작되었다고도 하는데 세상이 바뀌어도 대통령은 돌아오지 않으니까요. 탈퇴한 게 후회가 됐어요. 검찰 조사 받으러 가셨을 때 가만히 있었던 것도 후회되고요. 막을 수는 없었더라도 노짱님이 보셨을 때 자기를 지지하는 사람들이 있다고 생각하셨을 것 같아서.

노무현 대통령에게 판사였나요, 검사였나요, 변호사였나요?

변호사요. 해맑은 강성 변호사. 노사모 안에 비판적 지지자들도 많으셨어요. 그분들이 옳다고 생각해요. 지지하는 마음은 똑같으니까. 다만 한 정책을 시행한다고 할 때 결과가 4, 5년 후에 나오는 것들이 많고 판단도 끝까지 지켜본 후에 하는 거잖아요. 그러니 임기 동안은 지지하고 나중에 평가해야 한다고 생각했어요. 이 문제로 온라인에서 싸웠던 기억도 나네요. 저는 강성주의자이면서 감성주의자였기 때문에 깊이나 이론, 지식이 없었어요.

노사모 가입 전에는 어떤 사람이었습니까?

혼자서 잘 못 다니는 사람. 학원, 모임, 식당도 마찬가지고 혼자 못 들어갔어요. 그런데 노사모 가입하면서 급하니까 그때부터는 혼자 다니게 되더라고요. 거창한 건 아니지만 저한테는 중요한 일이었어요. 노무현 만나고는 본격적으로 정치에 참여하기 시작했죠. 당원이 됐고요. 지금은 김해 을 소통위원회에서 홍보하고 있고요. 여성위원회에서 돕고 있습니다.

옛 동지들한테 영상 편지 한번.

짧아도 괜찮죠? 안녕하세요. 콩콩투투예요. 보고 싶고요. 건강하세요.

노사모는
마음의 고향 같은
존재거든요

미루 조슬기

닉네임은 '미루'라고 하고요. 이름은 조슬기입니다. 처음에는 닉네임이 특별하게 없었어요. 당시 닉네임이라는 게 활성화되지 않았기 때문에 영문을 쓰는 사람도 있고 좋아하는 단어를 쓰는 사람도 있었고. 미루나무를 좋아하기도 했고, 양귀자 소설 『천년의 사랑』에서 천년의 사랑을 이루어주는 가교 역할 하는 백구 강아지가 있는데 이름이 미루였어요. 애완동물을 키우면 미루라고 지어야겠다고 생각했는데 제 닉네임이 된 거죠.

처음 활동 시작할 때 몇 살이셨어요?

스물다섯. 대학원 다니다가 공부는 그만해야겠다 생각하고 서울 올라와서 컴퓨터 관련 자격증을 따려고 공부할 때였어요. 학원을 다니고 있었죠. 다니면서 만나게 된 거죠. 지나고 나서 생각하면 왜 그렇게까지 했을까? 첫 계기는 4·13 총선에서 내가 찍는 후보가 따로 있었죠. 제가 경북 구미니까 지지하는 후보는 당연히 안 되죠. 경상도에서 적어도 노무현이라는 사람이 됐으면 했어요. 떨어진 거를 보고 하루종일 기사 검색하면서 자연스럽게 노하우 홈페이지를 알게 되고 게시판의 글을 보게 된 거죠. 처음 반응들, 폭발하는 과정 다 봤어요. 나처럼 이렇게 화난 사람들이 많구나. 같은 생각을 가진 사람들이 많구나. 합류하게 됐고. 그렇게 잘될 줄 몰랐어요. 초반에는 부족할 정도로 소규모 팬클럽이었는데.

95학번이면 80년대 학번과 결이 완전히 달랐잖아요.

완전히 달랐죠. 90년대 초반 학번과도 달랐고. 혼란스러웠던 것 같아요. X세대라고 불리던 시기였는데 자유분방함과 대학교의 운동권 문화가 많이 부딪혔던 거예요. 학생운동에 관심이 많았어요. 공대임에도 불구하고 스스로 총학에 찾아가 관심 보이기도 했고 잠깐 활동하기도 했는데 그 안에서 느꼈던 것은 '이 사람들 변화할 생각이 없구나' 하는 것들. 이 방식으로는 아니라고 생각하고. 의미가 없다는 게 아니라 다른 방식의 운동이 필요하다고 생각했어요. 생활 정치이지 않을까 막연하게 생각했고요. 나중에 노사모가 잘되면서 '이거였구나'라는 것을 느꼈을 즈음에 노사모 활동에 대한 재미와 제가 지향했던 생활 정치가 맞아떨어진 거죠. 되게 짜릿했어요.

그전에는 그냥 학생이셨던 거예요? 공부하고.

공개적으로는 처음 하는 이야긴데 96년에 연세대에 있었어요, 마지막까지. 잡혀와서 사회 문제가 되고 학교에 대자보가 붙고. 그 과정에서 활동 자체가 부끄럽다는 게 아니라 운동에 대한 회의를 뼈저리게 느꼈던 거죠, 대학교 2학년 때. 사회적으로 엄청난 파장이 있었죠. 생각을 전환하는 큰 사건이었어요. 아직까지도 이야기 못하고 있는 부분이 많거든요. 상처에 대한 부분도. 저는 지원해서 갔거든요. 통일 선봉대라고 부르는. 전국을 돌고 선전하고 나중에 연대까지 들어가는 과정을 고스란히 다 봤던 거죠. 지도부의 무능함과 비겁함까지도. 젊은이들이 할 만한 사회운동이 될 수 없겠다고 생각했어요. 그 이후의 과정들은 분명히 당시 정권에서 잘못했죠. 잘못한 부분이 너무 많았고 당시에는 전두환보다 더 싫었던 게 김영삼이었으니까. 이 이야기는 노사모에서 한 번도 해본 적이 없어요.

노사모의 절정이라던 2001년에 미루님은 어떤 활동을 하셨는지.

서울 관악에 있었는데 가끔 지역 모임 나갔죠. 강남에 명계남 대표님이 당시에 카파이라는 영화인 카페 사무실을 운영하고 있었어요. 그 안쪽 정말 작은 골방에 처음 노사모 사무실이 차려지거든요. 컴퓨터 한 대만 딸랑 놓고. 상근이라고 하기도 그렇지만 거기서 홈페이지 구축하고 관리하는 역할 했던 거죠. 노사모 게시판도 직접 만들고 코딩도 하고. 사람들 소통 과정에서 윤활유 역할, 조력자, 관리자 역할을 했던 거죠. 다툼이 일어나면 정리하는 역할하고 인터넷을 전혀 못하는 분들도 되게 많았어요. 컴퓨터 강사 역할도 하고. 게시판에 글 쓰는 방법도 가르쳐주고. (웃음) 채팅방이 있었는데 항상 제가 방장인 거죠. 사람들이 일하다가 들어와서 대화 나누고. 소통의 공간을 관리하는 역할. 하루종일 켜져 있었어요, 그 채팅방은. 사생활이라는 것 자체가 없었죠. 명절에 사람들이 뿔뿔이 집으로 갈 거 아니에요. 저도 구미에 내려갔죠. 그런데 긴급 온라인 회의가 잡힌 거예요. 당시 시골집에는 컴퓨터가 없었어요. 차 타고 읍내 PC방에 가서 (웃음) 회의 주재하는 거예요, 채팅방 열어놓고. 엄마한테 전화 와서 왜 안 들어오냐고. (웃음) 누가 시켜서 하는 거면 못하죠.

집에서는 뭐라고 안 하셨나요.

엄마가 야당 성향이셨어요. 김대중 대통령 존경하고 어렸을 때도 언뜻 얘기했어요. 초등학교 때 뭣 모르고 얘기했던 게 있어요. 87년 대선인데, 상주에 살았거든요. 노씨 집성촌이 있었어요. 그 일대는 당연히 노태우가 되어야 하고 대통령 되는 걸로 알고 있죠. 그런데 제가 친구들한테 그랬어요. 김대중 대통령이 되는 게 맞지 않느냐고. 거의 왕따를 당했던 경험이 있거든요. 왜 그런 얘기를 했을까 생각해보니 엄마가 그 얘기 했던 것 같아요, 뉴스 보면서. 아빠는 전혀 그렇지 않고. 아빠는 박근혜까지 찍었고, 소신 있게. (웃음) 나중에 미안하다고 전화 왔어요. 생각을 잘못했던 것 같다는 이야기를 최근에 듣게 됐죠. 진주에 계신 분도 있고 대구에 계신 분도 있고 명절에 내려가면 저는 숙부님들의 타깃이 되죠. 공부시켜놨더니 뭘 하는지 모르겠고 (웃음) 빨간 물 들어서 저러고 있다고 욕 많이 먹었죠. 게시판에 명절 되면 독립운동하러 내려간다고 글 남기고. (웃음) 싸워서 될 문제는 아니었던 것 같아요. 가치관 자체가 달랐으니까. 아빠 외에는 다 포섭을 했어요. 언니들 포섭해서 제 편으로 만들고. 당연히 지금도 지지하고.

당시 가능성이 전혀 없던 후보였잖아요.

가능성을 보지 않았어요. 저는 대통령 만들어야겠다고 생각한 적은 없었어요. 초기에 게시판 내부에서 토론이 크게 벌어진 몇 차례가 있는데 팬클럽이 대통령 만들려는 사조직이냐, 할 수 없다는 부류가 있었고. 지난한 토론의 결론은 '우리가 좋아하고 지지하는 사람이 하필이면 대통령을 해보려고 해, 국회의원도 아니고 시장도 아니고. 우리는 저 사람을 좋아하잖아. 우리라도 지지를 해야 되지 않을까? 되든 안 되든'. '만들어야 돼'가 아니라 '우리가 좋아하는 사람이 하려고 하니 지지해주자'. 그게 다른 지점인 것 같아요. 목적성이 다르기 때문에.

탄핵 주도하신 분들이 여전히 현직에서 활동하고 있으신데요?

지나고 나서야 유연해야겠다고 생각했던 거지, 당시에는 너무 괴로웠죠. 이명박이 대통령 되고 서울 떠났어요. 아예 정리하고 직장도 그만두고. 미친 짓을 한 거죠. 아무 연고 없는 강원도로 애들 데리고 가서 이쪽 바닥으로는 눈도 안 돌린다며 절망했던…… 우리 편이라고 하는 사람들에 대한 징그러움, 실망, 환멸. 도망쳤죠.

언제 결혼하셨어요?

2004년도 노사모에서 했어요. 2004년 11월 27일. 되게 조그마한 사무실이었는데 대선 후보가 되니까 계속 강남에 있을 수 없잖아요. 노사모도 돈을 모아 여의도에 사무실을 얻게 돼요. 대응을 해야 되니까. 근무하는 사람도 조금씩 많아지고 자원봉사자들도 오고 티셔츠 포장하고 발송도 하고. 제가 컴퓨터를 전공했지만 디자인을 전공하진 않았어요. 디자인 부분이 부족해서 요청드렸던 거죠. 누가 찾아왔어요. 쭈뼛쭈뼛하면서 현수막 파일을 주더라고요. 바로 컴퓨터 앞에 앉히고 일을 시켰어요. 그게 신랑이었던 건데. 지방 미대 나오고 서울에 사업차 올라왔다가 망해서 어떡하지 하는 와중에 노사모를 알게 돼서 필요하다고 하니 왔대요. 일거리가 있겠다고 생각했대요. 현실적인 생각을 가지고 왔는데 와보니까 난리도 아닌 거죠. 오자마자 앉혀서 일 시키고 생각할 틈도 없이 휩쓸린. 출퇴근 시간이 없었거든요. 골방 2개에 이층 침대를 놨어요. 먹고 자고 하게끔. 24시간을 같이 있다보니 그렇게 된 거죠. 나중에는 일하라 했더니 연애질 했다는 이야기도 듣고.

일과 연애 둘 다 성공하셨네요.

저는 결혼 이야기 한 번도 한 적 없거든요. 비혼주의에 가까운 사람이었는데 결혼한다 했을 때 다들 난리 난 거죠. (웃음) 일하는 것을 너무 재밌어했고. 재는 당연히 안 하겠거니 했는데 결혼한다 했을 때 별별 이야기가 다 있었다 하더라고요. 신랑이 경북 의성이에요. 의성과 구미의 만남도 웃긴데 그게 노사모였다는 것도 웃긴 거죠. 너무너무 웃긴 거죠. 당시 희망돼지 같은 디자인은 다 신랑이 했고. 지금은 당에서 일하고 있어요. 홍보일 하고 있고. 결국 자기 업을 그렇게 가져가게 된 거죠.

내가 만난 노사모는 어땠습니까?

노사모 사람들은 만나면 노무현 얘기 별로 안 해요. (웃음) 누가 시키지도 않았는데 오프라인에서 만나고 이야기하는 이 자발적인 힘은 뭘까? 친구를 끌고 나오고 회사 사람들을 설득하고. 재미였던 것 같아요. 나와서 매일 정치 이야기하고 이념 이야기하고 그렇게 살지 말라는 이야기 했으면 재미없어서 확장이 안 됐을 거예요. 예전에 운동하다가 노사모를 도구 삼아 사회를 바꿔야 된다고 하는 사람들이 아니었거든요. 매력적인 사람들이 많았어요. 물론 나쁜 사람들도 있었고. (웃음) 이용하려는 사람들도 있었고, 당연히. 나쁘게 보진 않았어요. 사람을 많이 만날 수 있는 공간이었으니까.

현재 노사모가 갈림길에 있는데 어떻게 해야 된다고 생각하십니까?

저는 시즌은 종료해야 된다는 쪽이에요. 예전에 노사모 (해체) 찬반 투표했을 때 저는 반대였어요. 탄핵 겪으면서 '봐라, 이거라도 없었으면 어쩔 뻔했냐'고 하는 게 더 설득력 있는 거였죠. 그런데 지나서 생각해보면 저도 그랬던 것 같아요. '다른 가치를 부여해서 사회 활동에 더 매진해야 되는 거 아닌가'라는 생각. 욕심이었던 것 같아요. 당시 우리가 했던 활동들만으로도 충분한 가치이기 때문에 거기까지 정리하고. 계승, 발전은 내가 아니어도 상관없다고 생각해요. 이미 많이 발전하고 있거든요. 무수히 많은 시민단체들에 뛰어들어서 활동하고 정치인 준비하고 실제로 성공한 케이스들도 많고. 다만 그게 노사모여야 하는 건 아니거든요. 오히려 가둬놓는다고 생각해요. 노사모의 이름으로 무언가를 해야 한다는 생각 자체가 자꾸 안에서 테두리를 (만들어) 가둔다는 생각이 들더라고요.

서거 소식은 언제 들으셨어요?

홍천에서 아이들 키우고 아무것도 안 하고 있었어요. 아이가 워낙 어릴 때이기도 하고. 신랑은 명짱님과 뭘 할까 쿵짝쿵짝하고 있었고. 평화로운 일상이었던 거죠, 마음은 지옥 같았지만. 뉴스를 안 보고 싶었어요. 틀면 괴로운 뉴스들이 너무 많으니까. 이명박에 대한…… 아침을 하는데 소식을 들은 거죠. 등산을 워낙 좋아하시는 분이셨으니까 '실족해서 오보가 난 게 아닐까?'라고 생각했어요. 무슨 그런 오보를 내냐. TV를 틀었는데 자막에 속보로 뜨고…… 그때까지도 안 믿었어요. 설마, 에이. 얘기 듣고 가장 처음 걱정되는 사람이 명계남 선생님이었어요. 너무 크게 충격받으실 것 같은데 빨리 전화해보라고, 무조건 잡아놓으라며 신랑 보내고. 울음도 안 나왔어요. 너무너무 큰 사건이니까…… 걱정되는 사람들 어떻게 챙겨야 되지? 그런 생각을 먼저 했던 것 같아요. 충격은 충격인 거고. 사람들이 더 걱정됐어요.

언제 생각이 제일 많이 나세요?

문득 그냥 올라오는 거죠. 아직도 당시 영상 잘 못 봐요. 심장이 아프다는 걸 그때 알게 됐거든요. 심장이 아픈 게 이런 거구나, 누가 날 계속 때리는 느낌. 누가 비아냥거리듯이, 부모가 돌아가신 것도 아닌데 뭘 그렇게 오래 힘들어하느냐고 이야기하는데. 부모님 아직 살아 계시지만 그것보다 더 슬펐던 것 같아요. 그냥 내 한 부분이 죽어버리는 듯한 상처였거든요. 말로 표현이 안 되는 상처인 것 같아요. 얼마큼 지나야 되는지 모르겠는데 지금은 조금 나아졌어요.

40대 중반의 미루가 20대 중반의 미루에게.

억만금을 내면 젊음을 준다고 하면 돌아가겠느냐는 질문 많이 하잖아요. 저는 다시 돌아가고 싶지 않다고 이야기해요. 너무너무 좋았던 시기이고. 노사모는 마음의 고향 같은 존재거든요. 심리적인 고향이 그 시점인 것 같아요. 2002년. 좋았던 만큼 아픔도 많았던. 너무 치열하게 살았고 '그 치열함을 다시 치열하게 살아볼래?' 했을 때 자신 없어요. 다 그럴걸요? '다시 할 수 있겠어?'라고 하면 다 손을 저을 거예요. 그때 미루한테 하고 싶은 이야기는 "참 열심히 살았다, 치열하게 살았다, 고생했다"고 이야기해주고 싶어요. 조금만 덜 열심히 하지, 대충 하지. 대통령도 안 됐을 거고. (웃음) 그러면 역사가 또 바뀌지 않았을까. 살아 계시지 않았을까? 원망도 하죠, 사람들이. 어째서 그렇게 대책 없이 열심히 했을까.

참여정부 시절 대통령 놀리기가 국민 스포츠였잖아요.

아무리 긍정적이고 좋은 마음을 가진 사람도 그렇게 얻어맞으면 상처가 많을 수밖에 없거든요. 시간 나실 때 점심식사를 노사모 회원이든 몇 명씩 불러서 비공개로 하셨어요. 그때가 첫애 돌잔치였는데, 초기 노사모 회원들을 청와대에서 초청했다고 하는데 저는 안 간다고 했어요. 너무 보고 싶지만 힘들어하는 것조차 보는 것이 개인적으로 괴롭더라고요. 안 간다고 했다가 설득해서 가게 됐는데 안 갔으면 어쩔 뻔했어요. (웃음) 그때 사진이라도 남아 있으니까. 가길 잘했다고 생각하지만 그때도 우셨거든요. 20명 안 되게 들어갔는데 소감, 하고 싶은 얘기 쭉 하시는데 나중에는. 너무 힘드셨구나. 저는 그때도 정책적으로 미진한 부분들 더 잘해달라고 얘기했거든요. 어유. (웃음) 저렇게 힘든 양반한테 그런 얘기 왜 했을까. (웃음) 후회가 있죠.

마지막으로 함께했던 노사모 분들에게 한말씀.

노사모 미루예요. 사회에 나와서 제 이름보다 미루라는 이름이 더 많이 불렸던 것 같아요. 어떻게 지내고 계세요? 해외 나가서 못 들어오시는 분도 있고 계속 살고 계신 분들도 있고. 그리운 사람들이 머릿속에 주마등처럼 지나가는데 어디에 계시든 건강하셨으면 좋겠고요. 우리 모두 참 고생이 많았던 것 같아요. 수고하셨고. 노짱님 사랑하는 마음은 변치 않겠죠? (웃음) 사랑합니다, 노사모 분들. 모두모두 사랑합니다.

한 장의 작은 벽돌이라도 되었으면

스나이퍼 이상만

지금은 쉰여덟 살이고 그때는 40대였습니다. 당시 정치 상황에 한 장의 작은 벽돌이라도 되었으면 좋겠다고 생각했어요. '스나이퍼'라는 닉네임으로 가입했습니다. 저격수라는 뜻이죠. 학교에서 특수교육, 장애 아이들 가르치고 있습니다. 노무현 대통령은 진정성이 있었어요. 생각과 행동이 일치하고 책임 있는 정치 지도자의 자세를 가졌죠. 국민 경선 16부작이라 해서 주말마다 전국을 다니는데, 지역에서 국민 경선 끝나면 노무현 대통령과 권양숙 여사가 멀리서 오는 거예요. 체육관 한쪽 구석에 노사모 회원들과 시민들이 모여 있는데 항상 두 분이 오셔서 고맙다고 인사하는데 눈빛이나 행동이 참 선해요. 그 눈빛을 잊을 수 없어요. 진정성임을 느꼈죠.

18년 전에는 어떤 모습이셨어요?

다시 그 시절로 돌아간다면 그렇게 할 수 있을까 생각합니다. 그래도 올바른 사회로 가기 위해 벽돌 하나라도 쌓았다는 거에 자부심을 갖고 있습니다. 88년도에 대구에서 대학 졸업하고 전라남도에 임용고시를 같은 대학 졸업한 친구 두 명과 보러 갔습니다. 광주 시외버스터미널에서 내려서 택시를 타야 하는데, 전라도 말을 할 수 있는 사람이 있어야 택시를 탈 수 있을 정도로 지역감정이 험악한 때였죠. 승차 거부를 당할 것 같아서 대구에서부터 연습했습니다. "전남도교육청에 가주랑께" 한마디만 하고 말을 안 했죠. 뒤에 두 명은 마스크 쓰고.

정치 지도자들이 동서 갈등을 이용하고, 확대 재생산하고. 차 넘버가 경남이나 경북이면 호남에서 기름 안 넣어준다는 소문도 있었어요. 심지어는 주유구에 모래를 넣어 차가 움직이지 못하게 만든다거나 택시를 타면 다른 지역에 내려준다는 등. 김대중 대통령이 대구에 와서 10만 군중 앞에서 연설하는데 제대로 할 수가 없었어요. 연단을 둘러싸고 있는 전대

협 학생들이 3천 명이 됐는데도 10만 명 군중이 계란이나 돌을 연단 위로 던지면서 "김대중이 빨갱이다"라고 하죠. 동원된 상대편 후보 중에서 마타도어 작전도 있었죠.

그런데 88년도에 발령받아서 여기에 살아보니까 들었던 이야기들과 너무 다른 거예요. 어느 지역이든 마찬가지지만 산업화가 덜 된 지역이 인심이 더 살아 있고 사람 사는 냄새가 나잖아요. 전남에 30년 살면서 많이 느꼈어요. 사람들 참 좋습니다. 고향이 경상도라 하면 더 잘해줍니다.

노사모는 어떻게 아시게 되셨어요?

제 고향이 경남 창원 대산면인데 그곳과 봉하마을이 붙어 있어요. 자전거 타면 15분, 20분에 갈 수 있는 가까운 거리입니다. 그 지역 정치인이라 유심히 봤죠. 제가 스무 살 때, 순천대학교에서 초청했습니다. 강연에서 국민 통합, 동서 갈등에 대해 사회에 미치는 전반적인 상황들을 조목조목 설명하는데 감동받았죠. 인터넷 검색을 통해 그분의 정치적 행보를 보았습니다. 노사모가 탄생하고 얼마 안 있어 회원으로 가입했죠. 몇 달 휴면으로 있다가 국민 경선 때부터 본격적으로 참여했고요. 그때는 토요일 휴무제가 아니라 토요일도 근무했습니다. 학교에 연가 내고 국민 경선 열 곳 이상 참여했습니다. 원래 공무원은 정치에 참여하면 안 되죠.

누가 시켜서 하는 것도 아니고 뭐가 나오는 것도 아닌데 무엇에 그렇게 끌리셨을까요?

아내와 아이들이 협조해주었습니다. 갈 때는 꼭 같이 갔습니다. 거기에 참여한 사람들과 가족이 제게 동지였습니다. 당시 사회의 부조리와 비상식에 대해 토론하고 협의할 수 있는 사람을 만나기 어려웠어요. 그런데 노사

모에서 사람들 만나고 이야기하다보니 사람들끼리 동질감을 느꼈죠. 만날 때마다 반갑고. 순천에는 반딧불 동생과 부인들까지 열여덟 명이 노무현 대통령과 함께하는 사람들, 노함사 모임을 매월 한 번씩 지금도 하고 있어요. 모여서 노짱님 이야기하고 살아생전 말씀들 되새기고. 20년 가까이 이어지고 있습니다.

노무현 대통령 많이 힘드시고 외로우셨겠죠?

저는 전교조 조합원인데, 진보 쪽에서 비난하고 흔드는 행위가 보수 쪽이 하는 것보다 더 가슴 아프고 힘들었습니다. 그렇게 활발히 활동했으면서도 어디 가서 노사모 활동 했던 사람이라고 말하기 조심스러웠어요. 매스컴이라든지 신문이라든지 팩트에 의해 비판하기보다는 융단폭격을 했죠. 그러니까 주변에 있는 사람들도 비판적인 태도를 취했죠. 부끄럽지만 강력하게 아니라고 이야기하기 어려웠습니다. 그 많은 화살을 노무현 대통령 혼자서 다 맞았어요.

노무현 대통령 가신 날이 전교조 조합원들이 서울에 시위하러 가는 날이었을 겁니다. 전교조가 1년에 한 번씩 하는 서울 집회. 관광버스에 선생님들이 40명 정도 탔어요. 아침에 순천에서 서울로 20~30분 버스 타고 가는데 TV 뉴스에서 서거 소식을 들었죠. 당시 전교조에서 노짱님에 대해 비판적 태도를 갖고 있었어요. 저는 노사모 회원이면서 전교조 조합원이니까 참 힘들었죠. 그렇게 가신 날, 버스 안에서 마이크 잡고 노짱의 인성에 대해, 전교조 선생님들이 생각하는 노짱이 아닌 그분의 본질에 대해 30~40분 동안 눈물 흘리면서 설명드렸어요. 살아생전에는 비판적인 시각을 지니셨던 선생님들도 서거 소식 듣고 숙연해지고……

노무현 대통령과 어떤 일화가 있으실까요?

노무현 대통령 재직하실 때 청와대를 한 번 방문했습니다. 그때 노짱님이 다과회 하는데 많이 우셨어요. 비주류로서 대통령의 업무를 수행하는 어려움을 설명하면서 굉장히 우셨어요. 그 눈물을 잊을 수가 없네요. 퇴임하는 날 봉하마을 오셔서 노짱님이 마이크 잡더니, "여러분들한테 한마디 해도 되겠습니까? 야~ 기분좋다". 홀가분하다는 뜻이었던 것 같아요. 다만 그 홀가분함이 오래가지 못했죠.

노무현 대통령은 부재중인데, 그렇다면 노사모는 뭘까요?

깨어 있는 시민의 조직된 역할을 앞으로도 계속해나가야죠. 노무현 대통령이 마지막에 안 좋은 과거로 돌아갈 수 없게끔 대못질해놓고 물러난다고 말씀하셨지만 10년에 가까운 정권에서 보시다시피 하루아침에 무너지지 않습니까? 노사모 회원들, 국민들이 보고 느끼지 않았나 생각합니다. 제2의 노사모, 제2의 깨어 있는 시민들이 존재해야 하는 이유겠지요. 긍정적인 것을 가슴 깊이 새기면서 발전시켜야 한다고 생각하고 전 국민이 노사모화될 때 더 좋은 사회, 뒤끝 없는 사회, 상식과 원칙이 바로 서는 나라가 된다고 생각합니다.

노사모 회원들한테 인사 한번 드리시죠.

노사모 회원님들, 반갑습니다. 언제나 처음처럼 그 마음 변치 않고 지금도 늘 따뜻한 시선, 따뜻한 마음이길 바랍니다. 우리 죽을 때까지 같이 갑시다. 이상입니다.

잘되면 나도 함께,
안되면 네 탓

김찬호 『모멸감』 저자

모멸감이라는 게 뭔지.

다른 사람이 나를 무시하거나 업신여길 때 또는 그렇다고 느낄 때 올라오는 감정이거든요. 사람은 동물과 달리 목숨보다 중요한 게 많이 있습니다. 목숨을 걸잖아요. 전쟁 때도 목숨 걸고, 돈을 위해서 목숨 거는 사람도 있고, 자살을 통해서 뭔가를 지키고 싶을 때도 있거든요. 인간은 동물과 달리 추구하는 다른 중요한 가치가 있는데, 자기 자신의 존재 가치라고 생각해요. '내가 쓸모 있는 인간이다, 괜찮은 사람이다' 하는 것을 확인받아야 하는데 다른 사람을 통해서 할 때가 많아요. 대부분 다른 사람과의 관계 속에서 존재 가치를 확인하기 때문에 다른 사람이 나를 짓밟는다, 부정한다, 나의 얼굴에 먹칠한다고 느낄 때 차라리 죽는 것만도 못하다는 느낌이 들 정도로 치욕스러운 거죠. 수치심은 모든 문화에 공통적으로 나타나는, 양육 초기 단계에 경험되는 감정입니다. 가장 일반적인 게 배변 습관을 가르칠 때예요. 똥오줌을 가린다 못 가린다 하는 것이 인간의 자존감의 기본 근거 같아요. 물리적인 것이 아니라 정서적인 문제죠. 거기서 끝나지 않고 다른 것으로 확장되는 게 인간의 성장 과정인 거 같습니다.

얘기를 섞어서 했는데 모멸감과 수치심은 달라요. 누군가 의도적이든 의도적이지 않든 나를 향해 어떤 신호를 줬을 때 오는 게 모멸감이에요. 수치심은 관계없이 올 수 있고요. 예를 들어서 내가 하루종일 이상한 복장을 하고 돌아다녔는데 모르고 있었다, 집에 와서 알았다, 그때는 수치심이에요. 그런데 그걸 누가 보고 지적하면서 흉을 봤다, 그러면 모멸감까지 느끼겠죠. 수치심을 느끼지 않는 모멸감도 있어요. 예를 들어서 내가 직장 상사이고 부하한테 한마디했는데 들은 체도 안 하고 대꾸도 안 해요. 이거는 수치심은 아니라 모멸감이죠.

인간이 인간에게 의도적으로 줄 수 있는 망신 중 최악의 단계라는 말씀이 시죠.

그렇죠. 사람이 누구한테 맞았다고 자살하진 않아요. 폭행이 이루어지는 맥락, 폭행을 통해서 사람의 모든 것을 다 무너뜨리고 밑바닥까지 보게 만드는 상황이 사람을 힘들게 하는 거거든요. 모멸이라는 게 모욕과 경멸이 합쳐진 말이에요. 심증은 가는데 물증이 없어요. 세상에 잘못이 드러나는데, 사실 전혀 근거 없는 건데 여론이 형성되고 사람들이 은근히 나를 외면해. 이건 모욕이 아니에요. 댓글이 올라온다든지, 그런데 차라리 댓글은 내가 반박할 수 있는 건데 그것도 아니고 흔적이 전혀 없지만 분명히 얘기를 안 좋게 하고 다니는, 그게 너무 억울하고. 내 앞에서 했으면 해명이라도 할 텐데 해명도 할 수 없는 상황에서 얘기가 오고갈 때가 경멸에서 가장 힘든 상황인 거죠.

모멸감을 받는 사람의 심리 상태는 어떤 걸까요?

자기혐오로 간다고 생각해요, 웬만하면. 남이 보는 대로 자기를 보게 되거든요. 대부분 사람은 자기한테 그런 식의 시선이 가해질 때 이것이 존재의 중심을 파괴하는 느낌으로 다가올 수밖에 없거든요. 결국 인간이 추구하는 것은 인정이에요. 그 인정 욕구를 극적으로 파괴하는 게 모욕, 모멸이죠. 다른 사람들이 나를 어떻게 보는가 하는 것이 자아의 구성물입니다. 내가 나를 알기는 되게 어려워요. 복잡하고 다면적이에요. 그런데 다른 사람들이 나를 어떻게 바라보는가를 종합하면 내가 드러나죠. 물론 전부는 아니지만 특히 한국에서는 사람들이 그걸 대단히 중요하게 생각하고요. 그렇기에 한국에서는 모멸감이 훨씬 더 치명적이고 그래서 가해자의 무기로 사용되는 사회가 돼버린 거죠.

폭력의 작동 방식과 비슷한데 모욕의 작동 방식에 단계가 있을까요?

모멸감을 받은 경우에 자기혐오와 학대로 가는 사람들이 있죠. 무너지는 폭력을 계속 받다보면 자기 목숨을 포기하는 사람이 있듯이. 모멸감을 겪다보면 응어리로 갖고 있다가 분노로 다른 사람을 공격하기도 하거든요. 공격 중에 마이크로어그레션(Microagression)이라는 표현이 있는데 미세공격이라는 거예요. 은근히 사람 긁는 거 있잖아요, 살짝살짝 갈구는. 의도가 있을 수도 있고 없을 수도 있어요. 예를 들어 명절 때 젊은이들이 받기 싫어하는 질문들도 일종의 미세공격이에요. 너 언제 시집가냐? 언제까지 그러고 있을래? 이에 대해 보복 심리가 작동할 때가 많아요. 그래서 갑질당하는 감정노동자들이 갑의 위치에 서면 자기도 모르게 갑질하는 경우가 많다고 얘기하거든요. 인간의 보편적인 반응인 거 같습니다.

상대에게 모멸감을 주는 데 특별히 힘들지 않다는 이야기.

그렇죠. 그만큼 저 사람이 어떻게 느낄까에 대해 상상을 안 하는 거죠. 마음을 살펴볼 수 있는 여유가 없어서 그렇게 되는 것도 있어요. 고도성장기가 너무 빨리 끝났는데 그 과정에서는 사람들이 이렇게까지 남을 힘들게 하지 않았어요. 2, 30년 전 8, 90년대에는 모멸감이라 말을 쓰지도 않았고. 내 것 챙기기 바빠요. 남과의 관계에서 더 올라서는 것에 에너지를 쓰느니 내 것을 많이 확보하는 게 유리했거든요. 저성장기에 들어가면 내가 아무리 해도 형성이 안 되죠. 노력해도 집 한 채 마련 안 되고 공부해도 성적 안 오르고 성적이 올라도 좋은 대학 가는 게 힘들고 좋은 대학 나와도 인생의 긴 항로에서 희망 가질 수 있는 게 없고. 그러다보면 다른 사람과의 비교에 눈을 돌리게 됩니다.

또하나는 사람들과의 관계가 다 무너졌어요. 고도성장기 때는 마을도 있고 친척도 있고요. 학교 친구들 사이에서 이렇게까지 파편화되지 않았거든요. 인간은 누군가가 자기를 안전하게 지켜준다고 느낄 때 마음이 자랄 수 있어요. 정서적으로 성장이 이루어집니다. 그런데 지금은 다 막혀 있잖아요. 자기를 감시하거나 비교하고 공격할지 모르는 사람이 많아지면서 방어적으로 되죠. 그럴수록 약해 보이는 사람을 먼저 공격합니다. 인간의 자기 보전 방식이에요. 우리 사회는 안타깝게 그렇게 흘러가고 있는 거죠. 거기에다가 정보가 너무 많아졌어요. 정보가 많아지다보면 눈높이가 올라가요. 욕망이 상승하고요. 웬만해서는 자기가 잘났다고 느끼지 않아요. 인터넷 들어가면 잘난 사람이 너무 많거든요. 예쁜 사람, 돈 많은 사람 위주로 기사가 형성되고 먼저 클릭되잖아요. 그럴수록 자기는 별 볼 일 없는 사람 같고 미래도 불안하고 초라하게 느껴지고. 이런 환경 속에서 우리는 모욕, 모멸이라는 공격을 아무렇지 않게 겪으면서 생존하는 거 같습니다.

공인들이 공개적으로 모멸감을 느끼게 작동시키는 부분이 있을 거 같거든요.

질투심이 작동하죠. 정치인에 대해 질투심을 느끼겠냐 싶지만, 근본적으로는 어쨌든 나보다 더 영향력 있는 사람들이거든요. 내가 좋아하는 사람을 열심히 지지하고 응원하다가도 안 맞는다 싶으면 한순간에 돌아서는 게 대중이지 않습니까? 그런 걸 너무 많이 경험했고 유명한 사람일수록 큰 상처를 받죠. 원래 자기를 싫어했던 사람들이 욕하는 건 문제가 안 돼요. 그걸 각오했고 견디고 올라온 사람들이죠. 그런데 문제는 자기를 그토록 따랐고 지지했고 응원했던 사람들이 돌아설 때예요. 가장 견디기 어려운 거죠. 노무현 대통령도 문제는 진보 진영에서. 같은 편이라고 하는 사람들, 언론이 대놓고도 아니고 은근히 딴죽 걸고 무시하고. 학력이라는 변수도 있다고 봐요. 사회과학자로 검증되지 않는 얘기를 할 수밖에 없는데 이거는 (웃음) 저도 욕먹을 수 있는데 좌우를 막론하고 한국은 엘리트주의가 굉장히 강하거든요. 옛날 운동권도 마찬가지고요. 서열이 있어요, 대학별로. 경기도, 서울대 라인이 갖고 있는 파워는 좌우를 막론하고 막강하거든요. 노무현 대통령이 진보 진영 안에서도 그 자리에 오르기까지에도 많은 고초를 겪었잖아요. 당연히 대놓고 '너 고졸이잖아' 얘기하는 사람 아무도 없죠. 그런데 노무현같이 계보가 불확실한 (웃음) 사람이 갑자기 대중의 지지를 받으니까 견딜 수 없는 거죠.

결론적으로는 모멸감을 안고 돌아가셨다고 볼 수 있는 건가요?

대중들과 직접 소통하고 호흡하면서 힘을 만들었던 케이스가 처음이 아니었을까 싶어요. 그분은 새로운 나라를 위한 선한 의지와 열망을 한몸에 안고 결국 최고 권력까지 얻은 거거든요. 실현해가는 과정이 순조롭지 않았던 건데 미숙함도 있다고 봐요. 개인뿐 아니라 당이나 사회의 수준일 수도 있고요. 정치를 잘하는 것과 관료를 장악해서 나라 운영을 잘하는 거는 다른 문제니까 허점이 생길 수밖에 없죠. 그런데 비판이 아니라 비난하게 되고 본질을 의심하는 발언들이 나오게 될 때, 적대적인 사람들이 공격해 올 때 함께 맞서주고 지지해주는 게 아니라 방치하는 거 자체가 진짜 모욕이거든요. 저도 그 점에서 가해자예요. 노무현 대통령 돌아가시기 전까지도 저를 포함해서 많은 사람들이 그런 느낌을 갖고 있었거든요. 내가 생각했던 그분이 아니네, 배신자까지는 아니지만 우리가 사람을 잘못 보고 있었다는 실망감도 있었고. 사회적 기류가 그렇게 흐르고 있었고 그게 문제였다고 봐요. 그분한테 방어막은 대중의 지지였는데 그게 너무 허약해진 거예요.

대통령에게 모멸감을 주려는 끊임없는 시도들을 외로움과 어떻게 연결할 수 있을까요?

그 자리에 오르기까지 힘이 됐던 기반이 굉장히 광범위한 연대거든요. 광장의 힘이죠. 그것을 한몸에 안고 권력을 행사했고. 그런데 그 과정에서 생긴 문제들을 온통 한 사람 탓으로 돌려버리는, 잘될 때는 함께하고 자기도 한 숟가락 얹으려 했다가 안될 때는 마치 타이타닉호에서 떠나가는 것과 비슷한 형국이 된 거잖아요. 잘되면 나도 함께한 거고 안되면 저 사람 탓이라고 돌려버리는. 진보 진영도 예외가 될 수 없다는 걸 말씀드리는 거예요. 그런데 그분의 극단적인 선택은 보통 모멸감에서 오는 선택만이 아니라 이 치사한 싸움을 이렇게밖에 끝낼 수 없겠구나 하는 생각. 자기 한 몸 던져서. 유서에 원망하지 말라는 말도 있었잖아요. 그 마지막 말씀을 더 깊게 해석해봐야 한다는 생각이 들어요. 맥락을 놓고 보면 그렇게 쉽게 할 수 있는 말이 아니거든요. 구체적인 상황들을 묘사하지도 않고 누구에 대한 적개심 없이 원망하지 말라고만 남긴 거는 다 넘어서려는 몸부림이었다고 봐요. 여러 가지 중첩되어 있는 선택이었을 거 같아요.

통치 수단으로서 공포가 얼마나 효과가 있을까요?

사람들이 불안할 때는 쉽게 먹히죠. 우리도 늘 길들여왔고요. 불안이라는 게 옛날에는 공산당이었고 요새는 경제도 있고. 혐오 발언에서 볼 수 있듯 사회적인 불안도 상당히 크거든요. 개인적인 차원에서도 사회적인 불안이 있단 말이에요. 자신이 굉장히 별 볼 일 없는 사람이 될 거 같은 불안. 남혐, 여혐이 다 그렇게 드러나는 건데 그런 것에 불을 지필 수 있는 게 파시즘이죠. 집단 광기를 확 일으키면 거기에서 확 벗어나는 느낌이 있거든요. 독일의 나치즘도 그렇게 등장한 거고. 지금 우리 사회를 걱정하는 사람들은 그 부분을 주목하는 거거든요. 개인 차원에서의 불안과 열패감이 정치적 폭력이나 독재자에 대한 열망으로 나아갈 수 있겠다는 거죠. 그런 증후들이 다른 나라에서도 조금씩 있고요. 한나 아렌트가 『전체주의의 기원』에서 얘기한 게 잉여인간이 많아지면 파시즘이 나온다는 건데 딱 그런 거죠. 그때나 지금이나, 그 점에서.

아무나 정치해도
좋은 정치 할 수 있는 세상

사인 임병택(시흥시장)

닉네임은 '샤인'입니다. '빛나다'의 샤인. 당시에 〈샤인〉이라는 영화가 있었는데요. 영화 포스터에 나온 배우의 모습과 샤인이라는 단어가 너무 인상 깊어서요. 자유를 꿈꾸는 이미지를 보았거든요. 난생처음 닉네임이라는 것을 만들었는데 어떤 닉네임을 쓸까 하다가 즉흥적으로 생각했습니다. 당시 제가 고시생이었거든요. 사법시험 준비하던 법대생이었고요. 늘 일상적으로 돌아가던 고시생 생활에서 가끔 밥 먹으러 갈 때, 그때는 비디오방들이 있었잖아요, 붙어 있는 포스터 보면서 '이야, 나도 언젠가는 저렇게 자유로울까?'라고 생각했습니다. 노사모 활동하면서, 그 영화 재밌게 봤다는 분도 계시고 감명 깊었다는 분도 계셔서 한참 뒤에 비디오방에서 봤거든요. 그리 재미는 없었습니다. (웃음) 어쨌든 영화로, 영화 포스터로 얻게 된 닉네임이 샤인입니다.

고시생이셨으면 시간도 없으실 텐데 노사모 하실 생각을.

당시에 법대생들 중 노사모 회원들이 몇 명 있었는데요. 비슷하더라고요. 고시 공부하고 있을 땐가, 노무현 도와야지. 저도 그런 생각 했던 것 같습니다. 2000년 부산에서 낙선한 노무현이라는 사람이 추구하는 가치가 옳은데 너무 외롭기 때문에 도와주자는 마음에 회원 한 명 늘려주자고 노사모에 가입했는데, 노사모 활동 경험하다보니 자연스럽게 이 일을 돕다가 저 일을 돕다가 결국 고시반으로 돌아가지 못하고 계속 이 일을 하게 된 거고.

지금 내가 고시 공부할 때냐, 노무현 도울 때지. 이런 거는 동정인가요, 어떤 마음인가요?

개인적으로 노무현에 대한 인식과 기대가 정말 남다른 부분도 있었죠. 성장 과정과 더불어서. 누나가 위로 네 분 계시는데, 고향은 전라도 여수인데요, 의무적으로 가듯 누나들이 중학교 졸업하고 고등학교를 부산에 있는 야간 산업체로 가셨어요. 낮에는 신발 공장에서 일하시고 저녁에 공부하는. 방학 때면 누나들 보러 부산에 종종 놀러가곤 했거든요. 부산이란 도시에 대한 아련한 정서적 그리움이 있었고요. 노무현이라는 정치인이 바로 그러한 여공들 같은 노동자들을 위해서 일했던 사람이었기 때문에 어렸을 때부터 고마움이 있었죠. 호남인으로서 영남인, 부산 사람 노무현이 단순히 어린 여성 노동자들만을 위한 노동 변호사가 아니라 지역 차별에 저항하는 정치인으로 보였기 때문에 돕고 싶다는 마음이 늘 마음 한가운데 있었죠. 결정적으로는 부산에서 낙선하고 저대로 잊혀서는 안 된다는 생각을 하게 됐고요. 왜 그랬는지 모르겠지만 도와주고 싶었습니다.

노무현이라는 사람에게 끌렸고 노사모, 당시에는 26, 27명 정도 됐을 것 같은데요. 노사모 창립 회원이 됐고 창립하다보니 사무국장이라는 자리를 맡게 됐고. 학교 휴학하고 올라와서 중앙에 노사모 첫 사무실 만들어질 때 상근자로도 활동했습니다. 운명적인 끌림이 있었던 것 같아요. 고향에 계신, 식당 하시는 어머니나 누나들은 제가 열심히 고시 공부하는 줄 알고 있었죠. 광주에 있는 전남대 법대를 다녔는데 신림동에 좋은 선생님이 계신다, 고시 공부 제일 잘 가르친다, 신림동에서 고시 공부해야 되겠다. 법대생들 상당수가 신림동 고시촌 다녀오거든요. 6개월만 신림동 가서 공부하겠다고 돈 받아서 노사모 첫 상근자가 된 거죠. 한 달에 50만 원 받고. 너무 죄송하죠. 같이 공부하던, 지금도 만나는 친구들, 선후배들 있거든요. 멀쩡한 애가 갑자기 정치에 미쳤다. 왜 노무현이냐. 이인제도 아니고. 참 맛이 갔다. (웃음)

왜 노무현이라고 하면 맛이 갔다고 이야기를 했을까요?

당시에는 노무현이라는 정치인에 대한 시기가 있었고, 아무래도 이인제, 한화갑처럼 아주 잘나가는 정치인 그룹은 아니었죠. 좋은 사람이긴 하지만 왠지 마이너 느낌이 드는 상황이었고. 광주에서는 특히나 이인제에 대한 보은론, 이인제라는 사람이 무소속으로 출마해줘서 이회창 표를 깎아 김대중 당선됐다, 이인제 빚을 갚아야 된다는 정서도 있었고요. 이인제 대세론이 있는 판에서 노무현을 선택한, 그것도 영남 사람을 선택한 것에 주위에 이해 못하는 사람들이 다수였죠. 화를 내는 선배도 있었고요. 나름 멀쩡하게 열심히 공부하던 친구인데 정치에 미쳐서 고시 공부도 때려치우고 갔구나 해서 말이 참 많았습니다. 안타까워하는 사람도 많았고.

어머님 반응은?

처음에는 모르셨고 1년 정도 지나서 말씀드렸더니 너무 놀라시고 걱정하셨죠. "대통령 선거 끝나면 2년 안에 시험 합격할 수 있으니까 걱정하지 마세요, 잠깐 도와주는 거니까"라고 말씀드린 거거든요. 가능할 거라고 봤는데요. 전남대 법대에 돌아가서 공부했는데 두 시간 딱 앉아 있고 쉬는 시간에 일어나 신문 보다가 다시 들어와보면 2시간 동안 읽었던 책이 한 장 넘어가 있거나 안 넘어간 적도 있더라고요. 신문에 노무현 대통령부터, 얼굴 봤던 사람들, 대통령 청와대 사람들이라든지. 기사들 보다가 다시 들어오는데 공부가 안 되더라고요. 정치권 와서 직장 구하라는 분들의 권유가 있어서 공부 접고 2003년 가을 무렵부터는 새로운 삶을 찾아서 올라왔습니다, 완전히.

전에 정치에 관심이 많으셨나요?

관심이 많았던 것 같아요. 차별 없는 세상을 꿈꿨다고 해야 될까요? 제 고향 여수는 비평준화 지역이었거든요. 면에 있는 중학교, 고등학교가 붙어 있는 곳을 가게 됐는데 전기, 후기 떨어진 학생들 위주로 정원을 채우는 고등학교거든요. 그 고등학교를 다닐 때 정말 재밌었습니다. 학교도 자유로웠고요. 그런데 지역 사회 분위기는 그 고등학교를 다닌다는 것만으로 패배자 낙인을 찍는 거죠. 저희 학교를 다닌다고 하면, 학교 교복을 입고 있으면 공부 못하는 애, 사고 칠 애 등 지역 사회의 인식들이 엄연한 차별이거든요. 낙인이고. 1학년 때까지는 그러려니 했는데 2학년이 됐어요. 남녀 공학이었는데 후배들이 생기잖아요. 후배들도 똑같은 대우를 받는 거예요. 이래서야 되겠냐는 문제의식을 계속 가지고 고등학교 생활을 지냈던 것 같습니다. 세상에 대한 고민도 하게 되고. 경제적으로 넉넉했더라면 문제의식이 희박했을 수도 있는데 어쨌든 경제적인 어려움을 계속 극복해나가는 과정중에서 졸업하고 대학 진학을 못했거든요. 잠시 2년제 대학에 진학했었는데 그것만으로 또 낙인찍히는. 청년 임병택에 대한 낙인, 사회적인 저평가, 저대우.

어떤 시선이었던 것 같으세요?

그냥 공부 못하는 애. (웃음) 그냥 아무것도 못할 애. 이런 이미지, 인식들이 스물한 살 된 저에게 많더라고요. 그런데 정말 놀란 건 제대하고 이런 저런 아르바이트 해서 돈 벌고 공부해서 전남대 법대를 갔는데 그후로부터 인식이 너무 달라지는 거예요. 뭔가 될 놈, 시선이 바뀌어요. 그런 과정 중에 차별 없는 세상, 편견 없는 세상을 생각하게 됐죠. 호남 차별에 대한 느낌을 부산 갈 때마다 받은 거예요. 터미널에 내려서 누나가 있는 사상공단까지 가려면 택시를 타잖아요. 그러면 부산 말을 써야 됩니다. 전라도 고등학생이 부산말을 써서 택시를 잡고 부산말로 이야기해야 됩니다. 안 그러면 잡아가는 줄 알았어요.

누구도 그렇게 하진 않았는데?

실제로 그런 일도 있었죠. "니 전라도가?" 이런 반응이 있었죠. 청소년기에는 더 위축되고. 호남에서 태어났다는 이유만으로 차별을 받았던 거죠. 호남에 대한 차별은 분명한 역사적 사실이죠. 호남 차별에 가장 저항했던 정치인이 노무현 아니었습니까? 저로서는 너무 고마운 거죠. 노무현이라는 사람이 차별받는 노동자를 위해서, 차별받는 호남인들을 위해 편을 들어줬다면, 나도 청년이 됐으니 노무현을 도와주자는 생각을 자연스럽게 하게 됐어요. 그렇게 해서 노사모에 가입하면서 고시 공부보다 이 일이 더 의미 있지 않겠냐고 스스로도 생각하게 됐고 그렇게 활동하게 됐죠.

회원 한 명 늘리자는 동기가 어쩌다가 지금 이 지경까지 된 걸까요?

(웃음) 그러게 말입니다. 제가 본격적인 정치를 하게 된 가장 결정적인 이유는 노무현 대통령 서거시죠. 2009년에 서거하실 때 너무나 큰 충격을 받아서, 2010년도인가 지방선거에 첫번째 출마를 하게 됩니다. 아, 두번째 출마를 하게 됩니다. 도의원으로 당선돼서 지금까지 도의원 두 번, 시흥시장이라는 정치인의 길을 가고 있습니다.

서거는 모든 노사모 분들에게는 엄청난 충격이었을 것 같아요.

평생 잊을 수 있겠습니까? 〈노무현과 바보들〉이라는 이 다큐의 콘셉트가 정말 고마웠던 게, 이순신 장군 대장선 지하에서 노를 젓던 격군들의 이야기를 다루는 다큐라고 생각했어요. 너무나 의미 있는 기획이다. 그리고 그분이 간절히 원하셨던 겁니다. 스타들에 의한 정치가 아니라 정치 참여하는 민생, 민초의. 노사모에 대한 애정이 정말 강하셨어요. 저는 노사모 회원 중에 혜택받은 회원이고요. 노무현 대통령께서 대통령으로 계실 때 청와대에서 일하고 국회의원 보좌관도 할 수 있었던 특혜받은 노사모 회원도 있었지만, 정말로 이름 없이 사라진 노사모 회원님들이 너무 많으시거든요. 그걸 너무 가슴 아프게 지켜봤던 당사자 한 사람이었고요. 이와 같은 사람들의 이야기를 다큐로 다뤄주신다고 해서 너무 감사했고요.

봉하마을로 퇴임해서 가신다고 얘기 들으셨을 때 어떤 생각이 드셨어요?

노무현다운 결정이라고 생각했죠. 20대 때부터 노무현이라는 사람을 봤지 않습니까? 그리고 30대를 계속 지켜봤는데 노무현이라는 사람을 해석하는 게 100이면 100 다 다릅니다. 문재인 대통령께서 해석하는 노무현이라는 사람이 있고 임병택, 샤인이라는 사람이 해석하는 게 있을 거고 또다른 누군가가 있고. 저는 스스로를 철저하게 역사의 도구로 쓰이기 원하셨다고, 역사를 위해서 자신이 사용되는 것을 운명이라고 받아들였던 분이라고 생각했어요.

봉하로 내려가시는 것도 그래요. 영남이라는 곳에 자기라도 내려가서 민주주의자들을 다시 교합하고 그곳에서 민주주의 하는 사람들에게 힘이 되고 연계되지 않겠냐? 그분으로서 당연히 그러실 수밖에 없겠구나, 라고 생각했고. 가셔서 좀더 자유롭게 시민들을 만나고, 깨어 있는 시민들을 조직화하고, 조직된 힘으로 대한민국 정치를 바꾸고 싶어하셨다고 저는 믿습니다. 2009년도 서거하시기 바로 전, 글이나 말씀들을 보면 스스로 운명을 각오하고 계시지 않았나 하는 느낌을 받아요. 2008년도 6월에 경남 양산이라는 곳에서 노사모 총회를 했거든요. 생전 마지막 노사모 사람들과의 만남이 경남 양산에서 있었거든요. 그때 하셨던 말씀도……

똑같은 정치 분야니까 영감을 받거나 되새길 때가 있으시겠죠?

거의 모든 순간 생각하죠. 정치가 정말 버겁고 힘든 과정이거든요. 정치하지 말라는 글을 쓰셨을 때의 심정을 매일매일 느껴요. 정치 자금 회유, 거짓말 회유, 사생활 회유, 위험. 얻는 것에 비해 잃는 게 너무 많다고 말씀하신 글을 늘 가슴에 담고 살아요. 그럼에도 누군가는 이어달리기를 해야 되잖아요. 아직도 대한민국 정치는 본질적으로 바뀌지 않았습니다. 노무현 대통령 서거 전후가 바뀌지 않았어요. 대통령께서 대한민국 정치를 바꾸기 위함이라고 쓰셨던, 정치하지 말라는 글에 담겨 있는 것들이 아직도 현실에서는 정치인들을 옭아매고 있어요. 가장 큰 게 정치 자금 문제죠. 돈 없이 어떻게 정치가 가능합니까? 문제가 풀리지 않았기 때문에 노회찬 대표님의 안타까운 서거도 이어진 거예요.

2008년도에 '부족한 대로 동지가 됩시다'라는 글을 올리세요. '정말 나는 부족한 사람입니다. 내가 부족한 사람이라는 걸 여러분들도 알아주셨으면 좋겠습니다. 내가 부족한 사람이라는 걸 알아주지 못하는 분들을 보면 겁이 납니다'라는 표현도 있습니다. 결점 없고 순수 결정체 노무현으로 바라보는 지지자들의 시선들이 부담스러우셨던 거예요. 겁이 난다는 표현까지 쓰실 정도로. 언젠가는 정권의 탄압이 있을 것이라는 걸 예견하지 않으셨을까요? 자기와 관련된 모든 사람들을 뒷조사하고 감옥에 가두고 정권의 힘으로 압박해오는 과정중에 언젠가는 본인에 대한 이야기도 전면에 나오리라는 걸 느끼셨을 거예요. 본인을 지지해주시는 분들도 겁이 날 때가 있다는 표현. '나 부족한 사람이었습니다. 그러나 최선을 다해 살

아왔으니 여러분…… 저 노무현 이해해주세요'라고 말씀하고 싶었던 게 아니었을까? '언젠가는 그런 때가 올 것입니다. 이 노무현이라는 사람을 정권이 다 발가벗길 것입니다. 그럴 때 여러분들, 저 좀 도와주세요.' 이런 마음이 아니셨을까 하는 생각을 요즘에 와서 하게 됩니다.

노사모 분들 만나면 자랑처럼 샤인님 이야기를 하시더라고요.

그때는 그랬죠. (웃음) 정말 아무것도 없던 무에서 만났던 사람들끼리의 끈끈함이 있고요. 제가 힘이 없고 가진 게 없어서 당시에 노사모 활동했던 사람들을 돕거나 하진 못했죠. 그럼에도 그분들이 당시 했던 일들이 얼마나 소중한가에 대해서는 저도 증언해야 하는 입장이 온 겁니다. 노무현 대통령께서 말씀하시고자 했던 것들을 현실 정치인 임병택으로서 계속 이야기할 겁니다. 그럴 각오로 정치를 하게 된 거고요. 지금 시흥시장으로 일하고 있지만 참여하는 시민들이 바꿔내는 세상을 계속 말씀드리고 싶어요.

노무현 대통령의 뜻을, 바통을 이어받아서 달리고 있다고 생각하고 계시나요?

아무래도 노사모 처음 만들어질 때 시작해서 정치적으로 살아남은 사람으로서는 제가 1번이어서 기대감을 더 주시는 것 같아요. 그래서 더더욱 실수하면 안 되고 더더욱 실력으로 증명해야 되고. 부담감도 큽니다. 돌아가신 노무현 대통령께도 저 이만큼 잘하고 있다고 말씀드리는 것일 수 있어서 매일 각오를 새롭게 하면서 일하고 있습니다.

정치하시는 분으로서 노사모 같은 지지자들이 어느 정도 힘이 되나요?

거의 90%죠. 7명의 후보가 치열히 경쟁했습니다. 제가 가장 젊은 후보였고요. 저와 가치와 뜻을 같이하는 시민 그룹이 정말 헌신적으로 도와줬습니다. 그분들이 없었더라면 저처럼 나이도 젊고 경제력도 약한 사람이 그 험한 경선을 이겨내지 못했을 겁니다. 꿈과 가치와 목적을 같이하는, 참여하는 시민 그룹들이 저를 지켜주셨기 때문에 기 안 죽고 어깨 쫙 펴고 경선이라는 정치에 임할 수 있었고요. 그래서 더 당당히 승리할 수 있었습니다. 2001년도에 노무현 대통령께서 노사모 모임에 와서 하셨던 말씀인데 아직도 선명합니다. "저 노무현은 공장에서 예쁘게 뽑아내는 기성복이 아닙니다. 맞춤복입니다. 여러분들이 저를 맞춰주세요." 그런 말도 있잖아요. "여러분들께 나눠드릴 전리품은 없습니다, 자부심 외에는." 늘 말씀하셨거든요. 저도 지지자들에게 그런 이야기를 안 할 수 없는 거예요. 시장이 된다고 해서 한순간에 어떻게 여러분의 경제적인 삶을 바꿔드리겠습니까? 불가능합니다. 여러분들께 드릴 수 있는 건 자부심밖에 없다고 말을 하면 웃으시죠. 그래도 그런 분들이 계셔서 힘을 내고. 그게 바로 노무현 대통령께서 모든 정치인과 정치인 지지자들에게 해주시고 싶었던 말씀 아니셨을까요? 가장 큰 역할을 한 게 노사모라는, 대한민국 정치사 최초의 자발적 시민 지지자 그룹이었잖아요. 본인이 그걸 증명해내신 거예요. 민주당 경선에서 승리하고 대통령 되심으로 인해서. 저는 그분처럼 새로운 사람들이 뜻을 계속 이어가야 한다고 생각하는 겁니다.

당시의 노사모가 지금 시장님 곁에 있다면 시장님은 어떻게 대하실 것 같아요?

대통령이 되셨을 때 조중동으로 불리는 거대 언론과 정치권에서는 노사모로 비롯되는 시민 그룹과 노무현 대통령을 철저하게 분리하려고 했어요. 아주 악의적인 프레임을 짭니다. 노사모는 누구나 가입의 자유가 있거든요. 인터넷 가입만 하면. 그런데 어디서 노사모 회원 출신 누가 사고를 치면 신문에 대서특필됩니다. 국민들이 노사모 하면 왠지 철없는 사람들, 위험한 사람들, 자유한국당에서 홍위병이라는 딱지를 붙이잖아요, 과격한 사람들이라는 이미지가 있는 거죠. 노무현 대통령의 힘의 원천이 시민 참여 세력이었는데 삼손의 머리카락이 잘리듯이 결국은 그것조차 잃어버리신 거예요, 임기 중반에. 노사모 사람들, 시민 참여 그룹들은 자기들끼리 힘들어하고 자부심에 상처받고 대통령은 고립무원 되시고. 그러다가 2007년도 되면서 본인께서 꾸준히 노사모 사람들 찾으셨고 퇴임 이후에 다시 한번 해보자고 말씀하시면서 봉하로 내려가 본격적으로 하시려던 것 같죠. 저는 한 번 학습 효과가 있잖아요, 지켜봤기 때문에. 기존 정치 문화에서 시장에게 요구하는 시장상이 있던 거예요. 시장에게 길들여진 인식이 있는 거죠. 그걸 바꿔보고 싶은 겁니다. 부딪히면서, 그러나 최대한 충격은 드리지 않고요. 저는 쿨하게 극복할 자신은 있거든요. 과격하고 급하게 하진 않고요. 순리대로 자연스럽게 시흥이라는 도시에서 참여하는 사람들이 보람을 느끼고 참여하는 시민들이 주인 대접 받는 자치 정부를 만들어가고 싶은 겁니다.

노사모가 큰일을 했어요. 역사적으로도 보기 드문 대통령을 만들었으니까.

노무현 대통령께서는 노사모가 정당 문화의 대안 세력이 될 수 있다고까지 생각하셨던 것 같아요. 자발적인 지지자들이기 때문에요. 자발적으로 돈 내고 밥 먹고 스스로 생각하고 움직이면서 행동하는 시민 그룹이었기 때문에 이런 사람들이 정당에 들어간다면. 하지만 여전히 1인 지배 정당 체제예요.

노사모는 지금 뭐하고 있나요? 노사모 이제 어떻게 해야 되나요?

2002년 대통령 선거에서 승리하고 나서 노사모 해체 논쟁 있었을 때 그 느낌 그대로입니다. 노사모라는 이름을 가지고 활동하는 것에 대해서 그렇게까지 찬성하지는 않습니다. 다른 분들 인터뷰할 때도 한번 물어보십시오. 2000년부터 지금까지 거의 20년 동안 회비를 내고 있는 사람이 유일하게 제가 아닐까 싶습니다. 노사모 활동하지 않지만 회비는 내고 있습니다. 저의 의무기도 하고요. 새로운 노무현과 같은 꿈을 꾸는, 당장 문재인 대통령이라는 분을 선택하고. 그분들을 위해서 모두가 각자 최선을 다하지 않았을까요? 지난 지방선거에서도 내가 살고 있는 마을의 도지사 후보, 시장 후보를 넣기 위해 각자 또 최선을 다하지 않았어요? 마찬가지로 우리의 도구가 되어줄 정치인이 있다면 그 사람 중심으로 모여서 그 사람과 함께 끊임없는 이어달리기를 해나가야 되지 않을까 생각합니다. 그런 과정에 이름은 전혀 중요하지 않다고 생각합니다.

노사모조차도 노대통령에게 아주 엄격한 잣대를 들이댔던 것 같거든요.

경선에서 승리하시고 지지율이 폭등했다가 김영삼 시계 하나로 지지율이 폭락했잖아요. 내가 이러려고 노무현 지지했냐는 노사모 사람들의 극렬한 비판 의식도 있었죠. 엄청난 반발이 있었습니다. 정치를 너무 최선만 요구하고 천사와 같은 정치를 요구했던 엄격한 잣대 아니었나 생각해요. 그럼에도 부족한 부분을 그대로 믿고 따라줬던 그룹도 있거든요. 마찬가지로 모든 정치인들에게는 정치인의 선의를 믿어주는 지지자들의 존재성이 절실합니다. 저 또한 그렇고요.

노사모 하다가 네가 정치하면 어떡하느냐는 비난도 받으셨을 것 같은데요?

정치 하면 대통령, 국회의원만 생각하는 분들도 많이 계시는데 시장도 정치인이고 시의원들도 정치인들이거든요. 우리의 삶을 직접적으로 바꾸는 가장 중요한 결정을 하는 사람들이 정치인들입니다. 정치인들의 결정이 오차가 적고 현명할수록 세상은 더 좋아지는 거거든요. 4대 강을 선택할 것이냐, 말 것이냐의 문제도 같다고 봅니다. 이데올로기적인 문제가 아니고요. 그 재원을 민생 경제에 부었으면 어떻게 되었을까 판단의 문제죠. 마찬가지로 정치란 삶을 바꾸는 너무나 중요한 영역입니다. 그래서 정치하는 사람들의 중요성을 알고 좋은 정치 하겠다는 사람들을 발굴해내 도와주는 문화가 정착되었으면 좋겠고요. 정치인에게 너무 과도하게 기대하는 것 또한 정치를 무너트리는 역할일 수 있다고 생각합니다.

'정치를 아무나 합니까? 그냥 하던 일이나 하시고 사셔야지, 정치는 아무나 해요?'라고 이야기하면.

아무나 해야 되는 게 정치인 세상이 와야 되지 않을까요? 절절한 삶을 통해서 체화된 사람들이 아무나 정치해도 좋은 정치 할 수 있는 세상이 정말 우리가 바라는 세상 아닐까요?

노사모 분들에게 한말씀.

안녕하세요. 노사모 샤인입니다. 벌써 20년이 흘렀네요. 살도 찌고 또 많은 부분이 달라졌지만 마음은 똑같습니다. 어딘가에 계실 우리 노사모, 추억을 함께하시는 모든 분들. 더 좋은 세상 만드는 데 큰 역할 하고 계시리라고 믿고 있고요. 저는 지금 정치를 하고 있고 시장으로 일하고 있습니다. 20년 전에 만났던 첫 마음 간직하고 열심히 선한 정치 하도록 하겠습니다. 열심히 하겠습니다. 고맙습니다.

4부

퇴임

退任

민주주의에 완성은 없을 것입니다. 그러나 역사는 끊임없이 진보합니다. 우리 민주주의도 선진국 수준으로 가야 합니다. 그리고 거기에 만족하지 않고 성숙한 민주주의를 이뤄가야 합니다. 민주주의의 핵심적 가치인 대화와 타협, 관용, 통합을 실천해야 합니다. 미래를 내다보고 민주주의의 완전한 이상과 가치를 실현하기 위해 끊임없이 노력해나가야 합니다. 민주주의 최후의 보루는 깨어 있는 시민의 조직된 힘입니다. 이것이 우리의 미래입니다. 우리에게 역사의 과제가 남아 있는 한 노사모는 끝날 수 없습니다. 노사모는 노무현을 위한 조직이 아닙니다. 세상을 사랑하는 사람들이 보다 나은 세상을 만들기 위해 만든 모임입니다. 한국 민주주의, 새로운 역사를 위한 모임입니다.

저도 임기를 마치면 노사모가 될 것입니다. 여러분의 친구로 돌아갈 것입니다. 그때까지 저는 대통령으로서, 여러분은 깨어 있는 시민으로서 최선을 다해 나갑시다.

_'제8회 노사모 총회 축하 메시지'에서(2007년 6월 16일)

오늘 이 자리에 와서 보니까, 대통령 5년간 가장 보람된 시간이 무엇이냐 혹시 누가 묻는다면 저는 이렇게 대답할 랍니다. 마치고 고향 내려가서 고향사람들하고 그리고 내보고 잘했다 말하는 사람들하고 다 함께 모셔놓고 귀향보고 했던 순간이라고 말하고 싶습니다. 고맙습니다. 저는 실패할래야 실패할 수가 없습니다. 여러분이 계신데 제가 어떻게 실패할 수가 있습니까.
제가 당선될 때 제가 받은 표가 전체 유권자의 34%였습니다. 3분의 1이지요. 3분의 1 플러스 눈꼽만큼 그게 제 표였습니다. 그러니까 3분의 1만 저보고 잘했다고 하면 본전이지요. 5년이 지났는데 본전 안 잃고 다시 이 자리에 와서 이렇게 보고할 수 있다는 것이 얼마나 행복합니까. 참으로 행복합니다. 제가 5년 전에 여러분께 공약했던 내용을 기억하고 계십니까. 개혁한다고 했지요. 했지요? 했으면 됐지. 그치요? 제가 경제 살리겠다고 말이나 했습니까. 말 안 했지만 당연히 잘해야지요. 당연히 잘해야 하는데 7% 못해서 죄송합니다. 7% 못했으면 6.5%라도 해야 하는 거 아닙니까. 죽을똥 살똥 했는데 안 됩디다. 이 순간 어찌하면 되겠냐고 아무리 가르쳐달라고 해도 아무도 안 가르쳐줍디다. 투자를 많이 하게 해라. 그래서 어떻게 하면 투자를 많이 하겠습니까 물었더니 출총제 폐지해라. 그런데 자세히 연구해보니 출총제와 관계가 없다고 합디다. 이것저것 있는데 다 짚어봤습니다. 다 짚어봤는데 투자를 잘하게 하는 방법은 제가 지금까지 했던 방법. 혁신, 개방, 균형, 사회투자, 사회적 자본, 그리고 평화. 한 개 빠졌네요. 교육. 잘된 것도 있고 안 된 것도 있지만 원칙대로 했습니다. 그래서 6% 못했지만 여러분 정권을 넘겨줄 때 오르막 경제를 넘겨준 최초의 대통령이 되었습니다. (…)

가장 어려울 때 저를 지켜주었습니다.
여러분이 그랬듯이 어려울 때 친구가 친구고,
어려울 때 견디는 정치인이 진짜 정치인입니다.
여러분 제가 말 놓고 한마디 할까요.
제가 오늘 딱 말 놓고 하고 싶은 말 한마디 하겠습니다.
야~ 기분좋다.

_'봉하마을 귀향 환영행사'에서(2008년 2월 25일)

바보를 좋아하는 바보

경주아빠 박태균

닉네임은 '경주아빠'입니다. 제 아들 이름이 경주입니다. 아들을 낳기 전에 이름을 지어놓고 노사모를 시작해서 경주아빠라고 닉네임을 지었고, 우리 아들이 노대통령같이 되기를 원하는 마음으로 경주아빠라고 했습니다. 대통령같이 불의에 항거하고 자기 소신이 뚜렷한 사람이 되기를 바라는 마음에서 그랬습니다. 노마아빠, 홍진아빠 등 여러 아빠들이 닉네임으로 사용하는데 아빠라는 단어를 닉네임으로 쓴 건 제가 처음입니다. 다른 분들이 저보고 제 이름을 부르는 게 아니라 '경주야' 부릅니다. 제 닉네임이 경주아빠인데 경주아빠라고 부르는 것보다 '경주야' 부릅니다. 아들 이름이 많이 불림으로써 더 잘되길 바라는 마음도 있겠죠. 아들도 가입한 걸로 보면 노사모 초창기에 최연소 회원이죠. 낳은 지 일주일 만에 가입했어요. 그뒤로는 많이 늘었는데 아들 낳고 며칠 만에 주민등록번호 나오니까 아내의 동의하에 가입했습니다. 아들을 낳고 가입했다고 또 얘기도 했고, 아들 돌잔치에도 노사모 회원들이 와서 축하해주기도 했어요. 당시 노사모의 자랑이 아니라 제 스스로한테 좋아하는 노무현 대통령 노사모의 회원으로 가입한 걸 자랑스러워했습니다. 노사모 회원들이 2000년 초창기에는 많이 없었습니다. 한 명이라도 더 늘리고 또 가입한 사람들이 주변 지인들에게 전화해서 배가운동을 했습니다. 집행부에서도 그렇고 목표를 세웠죠. 인원을 많이 늘려서 뭐 하려는 게 아니라 노무현이라는 사람을 알리려면 어느 정도 인원이 확보가 돼야 게시판도 활성화되고 우리가 하고자 하는 걸 원해서 인원배가운동을 많이 했었죠.

주변에서 아이를 노사모 회원으로 가입시킨다고 했을 때 뭐라고 들으셨어요?

저희 애기 엄마는 공무원이다보니까 반대는 안 했어요. 뭐 지금도 노사모

하는 걸 나쁘게 생각 안 하고 그렇다고 자랑스럽게 생각하지도 않습니다. 공무원이다보니까 의견 표현이 적어서요. 하지만 충분히 논의를 했고 가입한다고 얘기를 했고 잘했다고 얘기를 들었죠. 처가나 우리집에도 다 얘기를 했고요. 그때는 노사모라는 것 자체가 많이 알려지지 않을 때여서 2000년, 2001년도에는 경선이 없었으니 사람들의 관심이 많이 없었죠. 가입했다고 해도 그냥 그런가 보다 하셨어요. 제 장인이 교장 출신이다보니 그런 색깔을 표현하는 걸 별로 좋아하지 않으셨지만, 이 단체가 그냥 그저 그런 단체로 있을 때라 관심이 별로 없었죠.

미장원에서 잡지를 보다가 노사모를 시작하셨다고요?

그때 2000년이면 군대 제대하고 대학교 3~4학년 때라 미장원에 다닐 땐데 노무현 대통령의 기사가 좀 났었어요. 5공 청문회에서의 노무현 대통령이 강렬하게 각인이 돼 있었는데. 어떤 잡지인지는 기억이 안 나요. 노사모에 대한 게 나와서 당장 가입을 했죠. 온라인 오프라인 통틀어서 모임을 지금도 딱 하나, 노사모 이외에는 하나도 하는 게 없습니다. 노사모가 처음이자 마지막으로 하는 모임입니다. 근데 거기 대통령의 그 청문회 때 그 봤던 게 너무, 제가 군대 내에 있으면서 너무 강렬했던 게 기억에 남아 자극이 많이 됐었죠. 잡지에 노무현이라는 정치인이 선거에 떨어졌는데 그를 좋아하는 사람들이 노사모라는 모임을 만들었다고 나왔었어요. 제가 원래 잡지를 잘 안 보는데 게다가 여성지라서 안 봤는데 대통령, 그때는 노무현, 그 노무현씨라고 했나. 노무현 변호사에 대한 내용이 나온 거예요. 밑에 짤막하게 좋아하는 사람들이 만든 게 노사모라고 나오더라고요. 그걸 보고 커뮤니티에 가입을 하게 됐죠.

노무현 대통령의 어떤 점이 끌리셨어요?

지금 생각해보면 돌직구? 밀어붙이는 불도저 같은 그게 저하고 코드가 맞는 것 같아요. 타협하지 않고 정도라고 생각이 들면 과감하게 밀고 가는, 그런 게 제 마음에 와닿았던 것 같아요. 지금은 나이가 50이 넘어가니까 잠시 뒤돌아보지만 30대에는 정말 그게 먼저였던 것 같아요. 그 강연에 항상 하시는 게 이렇게 먼저 나와서 부딪히고 올바른 길이면 끝까지 나갈 수 있는 그런 걸 많이 얘기하셨거든요. 논리정연하게 말할 수 있는 정치인은 노무현 대통령밖에 기억나지 않습니다. 왜냐하면 제가 좋아해서 또 그렇게밖에 안 되는가 모르겠는데. 광주의 아픔에 대해 직접 목격했던 사람으로서 청문회에서 그렇게 질문을 하고 논할 수 있다는 게 감명이었죠. 광주 국회의원이 그랬다고 하면 당연히 광주 사람이니까 했다고 하겠지만 노무현 대통령은 지역이 이쪽이 아니지 않습니까? 그 아픔을 모르심에도 불구하고 그걸 논리정연하게 얘기를 하고 '원칙과 상식이 아니다'라고 얘기를 했다는 게 기억에 많이 남았죠.

아이는 별말 안 하나요? 이제 좀 꽤 컸을 것 같은데.

지금도 노사모 회원인 것을 알고 있습니다. 이제 고2거든요. 대통령 퇴임하시고 오실 때도 제가 봉하마을에 데리고 갔었습니다. 훌륭하게 끝내고 고향으로 귀향하시는 모습이 정말 자랑스러웠죠. 끝나시기 전에는 청와대 가서 개인적인 건 아니지만 면담하면서 같이 사진도 찍고 손도 한번 잡아주셨기 때문에 더더욱 데리고 가고 싶었죠. 어렸을 때부터 계속 얘기했어요. 중학교 때부터 얘기한 것 같아요. 초등학교 때는 잘 모르니까. "너는 노사모 회원이다. 아빠가 가입했다." "왜 했어?" "내가 좋으니까 너도 하라고 해서 내가 했다." 편하게 얘기했습니다. 이해하기에는 아직 어려서. 저는 그냥 있는 대로 얘기하는 성격이라. 훌륭한 대통령 앞에 이름이 들어갔다는 걸 영광으로 생각하라는 이야기를 했어요. 봉하마을 박석에 애들 이름, 경주, 주영을 넣었지, 제 이름이나 애기 엄마 이름은 없습니다. 쟤들이 커서 결혼을 할 거 아닙니까? 자식 낳으면 자식들도 데리고 와서 내 엄마 아빠 이름이 여기 있다는 걸 보여줘라. 저는 그렇게 얘기했었습니다.

박석을 특별히 계속 보라고 하는 이유가 어떤 건지.

글쎄요. 뜻은 모르겠어요, 이제. 일단 애들이 여기에 참여했다는 것에 의미를 첫번째 뒀고요. 애들이 대통령이 되는 걸 바라는 건 아니지만 대통령이 추구했던 것, 지역감정 해소, 동서 화합을 배우기 바랐어요. 옛날부터 제일 좋아했던 게 대통령이 생각했던 동서 화합이었거든요. 이 작은 나라에서 동서로 나뉘어서 사는 걸 저는 굉장히 싫어합니다. 아들한테 당장 설명하는 건 참 어렵습니다. 이렇게 훌륭한 대통령 박석에 아빠, 할아버지, 할머니가 너희들도 이렇게 훌륭하게 되라고 이름을 넣었다고 제가 얘기를 한 걸 자식들한테 얘기하길 바라는 거죠. 그런 마음으로 아들하고 딸 이름을 넣었죠.

노사모에서 주로 무슨 일을 많이 하셨어요?

허드렛일을 많이 했습니다. 인원이 많다보니까 회원들 간의 트러블이 많았습니다. 또 여자 회원들이 젊은 친구들이 많아서 애로 사항도 들어주고 문제되는 회원들 정리도 해주고. 실례로 고문만 한 2년 한 것 같아요. 이제 집안의 일 때문에 도저히 대표를 할 상황이 없었고 하게 되면 몰입을 해야 돼서 뒤에 남아서 부족한 부분만 하겠다. 이렇게 노사모 활동을 하게 됐습니다.

제일 기억에 남는 활동이나 순간이 있으신가요?

대통령께서 서거하시고 봉하마을에 1주일 있었습니다. 토요일 출근하는데 라디오에서 서거 소식이 나오는 거예요. 광주에 있는 친구와 통화해서 봉하에 가자. 바로 1시경에 출발해서 1주일을 있었습니다. 그 친구는 하루만 있다 오고. 그때가 아무 생각이 없었던 것 같아요. 지금도 어떻게 일주일 있었는지 기억이 안 나요. 아무 정신 없이 그냥 차 사이에서 일주일을 잤으니까요. 노사모 하면서 좋았던 일도 많았지만 좋았던 일은 남들한테도 좋았던 일이기 때문에, 저한테 가장 충격이고 기억에 남는 건 서거였다고밖에 말씀드릴 수가 없어요. 못 지켜드려서 안타까울 뿐이죠. 제 개인 역량으로 할 수 있는 게 아무것도 없다는 게 참 슬펐죠. 노사모 회원들 모두 마찬가지였을 겁니다. 노사모가 대통령을 만드는 데는 일조했다고 보지만 그 이후로는 노사모 내부에서도 노사모가 대통령한테 부담이 되진 않아야 한다는 의견도 많았습니다. 그래서 노사모 하면서 권력의 핵심에 간 사람이 아무도 없었습니다. 또 원하지도 않았고요.

노사모에서 제일 기뻤던 건 언제예요?

대통령 당선이죠. (웃음) 그런데 대통령 당선보다는 3·16 광주 경선이 정말 전율이었죠. 현장에 노사모 분들이 많았지만 저한테도 정말 가장 기쁜 날이었어요. 만약에 대통령이 안 되셨어도 광주에서 1등 한다는 거는 정말 기적에 가까운 일이었거든요. 제가 그 앞에 앉아 있었는데 그게 기억이 나는 거예요.

탄핵 당시 노사모 분위기는 어땠나요?

노사모도 성향으로 보면 2000년, 2001년 초, 대통령 후보 경선 전, 경선 후, 대통령 당선 후, 이런 식으로 나눠진다고 봅니다. 3·16 경선 후 급격하게 늘어났거든요. 그래서 대통령의 속뜻을 이해 못하시는 분들이 있다고 보거든요. 파병도 정치적인 고려지만 대통령이 혼자서 할 수 있는 게 아무것도 없잖아요. 하시고 싶어서 한 건지 아닌지를 모르는 거예요. 사람들이. 그걸로 데모하고 대통령 시켜놨더니 파병시킨다. 그래서 노사모를 지지했던 사람들이 비판 글을 올리고 등돌린 분들이 참 많았죠. 초창기 멤버들에서는 거의 없었습니다. 이탈도 없었고요. 그런데 대통령 당선 후 가입하신 분들이 좀 많았어요. 경선 과정에 들어와서 목소리를 높이신 분들이 계셨고 정치적인 성향이 강하신 분들이 많았습니다. 초창기 멤버들은 정치적인 성향보다는 노무현이라는 정치인이 불쌍해서 들어오는 분들이 많았어요. 대통령이 저렇게 지역감정 타파하다, 저렇게 좋은 분이 이런 말도 안 되는 걸로 떨어지니까 모여서 한번 응원하자. 이 개념이 노사모가 된 거거든요.

덕평에서 노무현 대통령이 "나는 청와대 들어가면 노사모 여러분들이 뭘 하시겠습니까?"라고 물으셨죠?

'감시'라고 답했죠. 그러니까 "여러분 말고도 감시할 사람 많습니다"라고 말씀하시더라고요. 노사모가 그렇게 순수하다는 거죠. 바로 감시라고 말하는 건 정말 대통령 지지했던 사람들다운 답변이라고 생각해요. 만약에 지금 상태에서 우리가 이런 걸 겪어왔다면 "무조건 지지할 겁니다"라고 했을 수도 있겠죠. 그런데 그때는 처음으로 모임이 만들어졌고 대통령한테 바라는 게 너무 많았었죠. 원리 원칙, 동서 화합, 이런 게 많았으니까 더더욱 그렇게 얘기했을 수도 있었겠죠. 저 같아도 감시라고 얘기했었을 수밖에 없었으니까요.

문대통령도 만약에 바뀌서 했다고 하면 그렇게 얘기를 안 했겠죠. 대통령의 힘이 필요한 걸 이젠 알잖아요. 그래서 문대통령한테 절대적인 지지를 실어주는 거잖아요. 당시에는 그걸 몰랐죠. 우리가 뽑아놓은 대통령이 정말 잘하기를 바라고 정말 깨끗한 정치를 하길 바랐는데 너무 앞서갔던 거죠. 너무 빨리 나타나신 거라고 저는 봐요. 그런데 희생을 했기 때문에 또한 바뀌었다고 볼 수 있는 거죠.

광주 지부 경선 1위 하면서 어깨에 힘이 좀 들어가진 않았나요?

바로 다음 경선이 있잖아요. 정신이 없었죠. 나중에 끝나고 자부심은 있었지만 노사모의 특징이 그걸 자부심으로 생각하고 어깨에 힘줄 사람은 아무도 없었어요. 시스템이 또 그렇게 안 됩니다. 광주 사람만 하는 게 아니라 전국에서 다 모였었어요. 그 한 사람 한 사람이 다 밑알이 돼서 일을 하게 만든 거지, 광주 사람 몇 명이 한 건 아니거든요.

요즘 정치인 팬클럽이 많은 것 같습니다.

저는 노사모 했던 게 자랑스럽습니다. 옛날에 대통령이 잘못했다고 해도 저는 당당하게 노사모 하고 있다, 노사모 한다고 얘기했습니다. 저희가 잘못한 게 없으니까요. 시작이 좋았으면 끝도 참 아름답게 마무리됐으면 역사의 큰 틀로 남았을 건데, 아직도 존재하면서 다른 아류의 문팬, 박사모가 나왔던 게 좋은 쪽일 수도 있지만 한편으로는 나쁜 선례가 되는 것도 안 좋습니다. 정치인들이 무조건 만들어버리고 보니까. 노사모는 대통령이 세력화하려고 만든 게 아니었거든요. 정말 순수하게 자발적으로 개인들이 만든 건데 지금은 보좌관들이, 일반인들이 만들고 이용하는 것 때문에 노사모하고 다르다고 봅니다.

노사모 시절 뜨거웠던 자신에게도 좋고 노사모 회원들에게 한마디.

가장 어려운 질문인 것 같습니다. 그냥…… 노사모 회원들에게 한마디요. 서로 이해하고 대통령의 뜻…… 뭐라고 해야 될까, 서로 사랑하고 행복하게 했으면 좋겠습니다, 싸우지 말고……

마지막으로 노사모 가입 시기가 점점 다가오는 딸 주영이에게 한말씀.

주영아, 너는 노사모 가입 안 해도 되는 좋은 나라에 살게 해주고 싶은데 그게 어려울 것 같다. (웃음) 미안하다. 아직도 노대통령이 꿈꾸는 사회가 안 됐지 않습니까. (웃음) 저는 그게 더 미안합니다.

저는 여러분을 배반하지 않습니다. 여러분들께서 제게 사랑을 주시기 전부터 저는 여러분들 편에 섰습니다. 거기 금배지 달기 쉬운 자리라서 선 것도 아니고 거기 돈이 생겨서 선 자리도 아닙니다. 서야 할 자리 우리가 차별 없이 모두 하나로 뭉쳐서 화합해야 될 자리이기 때문에 저는 거기에 섰습니다. 그렇게 하면서 이제 십수 년이 지났고 이제 여러분들이 저를 대통령 후보로 만들어주셨고 또 대통령까지 만들어주시는데 제가 왜 여러분들을 섭섭하게 해드리겠습니까? 정말 저는 꼭 빚을 갚겠습니다. 꼭 보답을 하겠습니다.

_'전북 선대위 발대식 연설'에서(2002년 11월 11일)

시키면 시키는 대로 하지,
말이 많노

아기물고기 조희정

'아기물고기'란 닉네임을 쓴 조희정입니다. 이름도 여자 이름이고 다들 여성 회원으로 인식하고 있었으나 보시다시피. (웃음) 예전엔 덩치가 더 컸거든요. 지금 많이 슬림해진 상황이고요. 첫 등장부터 다들 뜨악했었고 활동하면서도 유별나다는 이야기를 많이 들었었습니다. 그런 이야기 많이 하지 않습니까? 낚시를 안 했으면 빌딩을 샀을 거다. 그런 정도로 열심히 낚시하러 다니다보니까 결국에 베이트피시, 아기물고기들이 많이 있는 곳, 그런 환경적인 어떤 것들이 필요하다. 그래서 평소에 다른 커뮤니티, 낚시 카페나 이런 데서 아기물고기 닉네임을 쓰다가 그대로 가져온 거죠.

주로 오프라인 활동을 많이 하셨죠.

제가 처음 온라인에서 오프라인으로 넘어왔던 계기가 광주 경선 날이었습니다. 제가 운동권 출신도 아니고 제 생에 첫 광주를 가본 날이고요. 여기도 갔다 저기도 갔다 두리번두리번하고 있는데 저를 알아보는 사람도 없고 제가 아는 사람도 한 명도 없고. 사람들이 많이 모여 있는 공간이 아니라 주차장 가는 외진 곳에 어떤 한 분이 팸플릿 하나를 들고 막 우시는 거예요. 제가 지금 그 얘기만 하면 목이 메거든요. 그러니까 다른 지역 분들은 사회에 관심이 있고 운동권 마인드가 있으신 분들이 그런 얘기 많이 하시잖아요. 광주에 대한 부채의식. 어쨌든 이 영남 정권에 부산에 산다는 것. 저로서는 광주에 대한 부채의식 이런 게 있었던 것 같습니다. 그 양반이 제가 그날 뵙고 그 이후로 뵌 적은 없어요. 노무현 그 팸플릿 하나를 들고 그냥 펑펑 울면서 "노무현 한 표 부탁드립니다" 하는 거예요. 동원된 아줌마들, 광주 아줌마들, 한복 입고 올라온 아줌마들이 이 사람을 보면 좀 이상하잖아요. 찌라시 하나를 들고 그것도 울고 있다. "아저씨 왜 우는교?" 이렇게 했겠죠. "내 부산 사람인데 광주 오면 이렇게 눈물이 납니다." 거기 계신 아주머니들이 같이 우시는 거예요. 수십 명이 부둥켜안고. 그 장면을 본 사람은 저밖에 없는 것 같아요.

비현실적인 이야기입니다.

제가 뭐라고. 노가다 해서 돈 잘 벌고, 그런 활동 해본 사람도 아니고 경험도 없어요. 왜 뉴스에 관심 있고 노무현을 좀 좋아하는 정도 수준이고 내면에 이제 세상이 바뀌었으면 좋겠다고 하는 뭔가는 있었겠지만, 그 장면이 없었으면 사실 그날로 끝냈을 거예요. 아니면 광주터미널 가서 버스 타고 부산 내려왔든지. 노무현 잘돼서 좋겠다 하고 박수치고 부산 내려왔을 건데, 그때 그 장면을 보고서 결과적으로 인생이 많이 바뀌었죠. 그날 결국에는 구호를 하게 되더라고요, 자연스럽게. 얼마나 큰 샤우팅을 했으면 한 일주일 동안 말을 못했어요. (웃음)

어쩌다가 가입하게 되셨어요?

저는 건설업자인데요. 형님이랑 동업해서 사업하는 상황이었고 여러 현장을 관리하다보니까 운전하는 시간이 많고 라디오를 항상 켜고 다녔어요. 그 라디오에 노짱님이 나왔는데 앵커가 물었죠. "팬클럽 있다면서요?" 근데 그전의 목소리 톤이랑 팬클럽 이야기가 나왔을 때 목소리 톤이 달라지시더라고요. '세상에 희한한 사람들이 있더라, 자기 돈 내고 정치 이게 뭐라고 모여가지고 자기들끼리 지지고 볶고 싸우기도 하고 내 말도 안 듣고……' 그 이야기를 듣고 노사모가 있다는 걸 알게 됐고 그게 광주 경선 1년 전쯤이에요. 그때 가입하고 눈팅만 1년 했지요.

그 경선 때 밴드 연습실 이야기를 좀 해주시겠습니까?

밴드 연습실이 없어서 뭘 못하겠다고 하니 그럼 내가 (웃음) 다 필요 없고 당장 만들어줄 테니까 해라. 합시다. 이렇게 된 거죠. 하여튼 뭐 어찌어찌 해서 한 분이 공간을 구했어요. 지하 연습실에 가보니까 정말 뭐 다 썩어 있고 엉망진창인 거죠. 그래서 누구를 부르고 자시고 할 만한 시간적 여유도 없고 당일 철거를 시작해서 혼자서 원맨쇼로 (웃음) 자재 시키고 사람 부르고 한 3일간에 걸쳐서 연습실을 만들었죠. 노사모를 하면서 우리가 뭔가 좋은 일을 하자고 하는데 욕 들어선 안 된다는 기조가 있는 거죠. 드럼이나 앰프 소리에 민원 걸리면 안 되니까. 인터넷 찾아서 방음을 어떻게 가장 저렴하게 할 수 있는지 그 짧은 시간에 연구해서 계란판 붙이고 뭐 샌드위치 패널에 회원들한테서 집에 안 쓰는 담요들까지 다 공수해와가지고 붙이고 해서 큰돈 안 들이고 몸으로 때워서 연습실을 만들었던 기억이 있습니다.

아무것도 모르고 그냥 해야 된다 해서 했다.

저는 고졸입니다. 고졸이고 운동권 논리나 학습에 대한 과정이 없었습니다. 제가 현장맨이기 때문에 고2 때부터 저는 소위 말하는 노가다판에서 빡세게 일을 하는, 거기에서는 노가다 천재 소리를 듣는 정말 잘나가는 노가다꾼이었습니다. 돈도 잘 벌고. 그런데 현장이라는 게 치열하지 않습니까? 그 안에 모순도 보이고 대기업이 이윤을 다 가져가고 3차, 4차 하도급 정도를 제가 하는 거니까, 제가 가져오는 예산은 한 절반 이하에서 단가 맞춰 먹는…… 맞춰 먹을 때는 어떻게 요즘은 아니지만 새벽 5시 출근해서 저녁 7시 퇴근해요. 6시쯤 작업 시작을 해서 해가 넘어가는 한 7시, 8시까지 해가 긴 날은 작업을 더 해야 경쟁력이 있는 업자가 되는 거죠. 쉬운 일이 아니잖아요.

제가 왜 이렇게 말씀드리느냐면 게시판 이야기로, 그러니까 학습되어 있지 않은 시민들이 모여서 그냥 상식과 원칙이라는 단어 두 개만 붙잡고 노무현에 투영해서 뭔가 해보자고 한 거죠. 그래서 거기서 운동권의 용어라든지 논리라든지 전략을 이야기하는 사람들이 많았었거든요. 내가 학생운동 할 때 이렇게 했다. 인문학 책들, 뭐 사회 공부한 책들에 나온 이야기들을 하면 다 까이는 거예요. 먹히질 않는 거예요. 시시족이라는 이야기도 많이 했거든요. 시키면 시키는 대로 하지, 말이 많노. 실전이 우선이고 경선이나 이럴 때는 '노무현의 가치가 정치에 어떻게 투영되고 어떤 방식으로 펼쳐질 거다'라는 논리보다, 당장 내 이웃들, 내 친구들, 내 주변 사람들에게 경선 참여 용지를 어떻게 전략적으로 받을 건지에 대한 논의. 어차피 총회는 동의하니까 왔던 사람들인데 잔소리 필요 없다. 종이 쪼가리 많이 모아오고 많이 써내는 사람들이 이기는 구조, 게시판에서 박수받는 구조. 거기에서 자타 공인한 최고봉이 미키루크형인 거고, 저는 흉내내는 사람이고, 그런 거죠.

자기 돈 들어가고 자기 몸 들어가는 데잖아요. 왜 그렇게.

내가 노사모나 노무현을 위해서 뭘 한 게 아니라 내가 노무현을 당선시키고 싶으니까 내가 세상을 바꾸고 싶으니까 내가 우리 회원들을 이용하고 노사모를 이용하고 노무현을 이용한 거죠. 그래서 내가 도와주고 헌신했다고 이야기하지 않는 겁니다. 너 인생에 가장 중요한 시점이 언제냐? 농담처럼 제가 요즘 그런 얘기 몇 번 해봤는데요. 초등학교 6학년 주번을 처음 한 날이다. (웃음) 실내화를 신고 들어가는 학교여서 실내화를 안 가져온 애들은 신발을 들고 맨발로 들어가야 돼요. 주번이 월요일 아침에 그거 지켜보라고 있는 거예요. 그런데 어느 총각 선생님이 구둣발로 들어가시더라고요. 저한테 주어진 임무가 있으니까 구두 벗고 들어가시라고 했는데 "뭐야?" 무심결에 툭 치고 들어가시더라고요. 제가 교무실까지 따라가서 말했죠. 그래서 쥐어박히고 손 들고 벌서라 해서 벌서고 있는데 속으로 '이 새끼들 봐라'. 선생님에 대한 존경심이 아니라 이런 생각을 제가 제대로 한번 했었던. 그날의 기억이 강하거든요. 이제 그것이 사회생활 하든, 학교생활 하든, 사업을 하든, 노사모 활동 하든, 그 기조를 제가 벗어나지 않는 것 같아요. 그러니까 이건 뭐 논리로 얘기할 필요가 없이 그냥 제 스타일인 거죠.

부모님이나 형님이랑 같이 사업을 하셨다고 하셨는데 반대나 이런 건.

어렸을 때부터 나름 독특한 캐릭터여서 그런지는 모르겠는데 제 어머니가 이제…… 어릴 때부터 공부하라는 소리를 안 하셨고 한 백만 번쯤 하시는 말씀이 하나 있어요. "네가 싫으면 남도 싫다. 그런 거 하지 마라." 제가 뭘 하는 것에 대해서 반대하거나 일절 그런 거 없으셨어요. 사업하다가 접어도 저희 형이 얘기를 한 번도 안 했어요. 그러니까 결국에 제가 총선, 대선 끝나고 이제 돈 벌러 가려고 했는데 미키루크 형이 또 총선까지 해야 된다고 해서 총선 끝나고 이제 회사로 돌아가니까 (웃음) 부도가 20억이 나 있던데요. (웃음) 근데 그 지경이 날 동안 형이 '회사가 어려우니까 너 돌아와야 된다' 이야기를 안 했었어요. 이 양반은 부도가 나서 다 떠내려간 상황이었어도 어른들 생활비 한 달에 백만 원씩 못 넣으면 죽는 거예요. (웃음) 저희 형 같은 경우는 원래 둘째인데 어릴 때 형이 물놀이 사고로 먼저 가서 아주 특유의 장남 트라우마가 있는 양반이에요. 자기가 안 짊어져도 되는 짐을 짊어졌다고…… 하여튼 과하게 뭘 하는 양반이에요.

부산에서 친구도 있을 거고 또 사업하려면 한나라당.

일단 돈 버는 데 가서 정치 얘기는 안 하는 게 기본 상식이니까 별문제 없었는데 친구들이 문제가 좀 있었죠. (웃음) 제 주변에 있으면 주변 사람들이 참 좋습니다. 온갖 뒤치다꺼리를 제가 다 하는 굉장한 오지라퍼이기 때문에 어릴 때부터 친구들이 사고를 치면 수습을 제가 합니다. 과한 상황이긴 한데 신혼인 친구 집에 보일러가 고장났습니다. 그러면 새벽에라도 공구 들고 보일러 고쳐주러 가는 거예요. 그렇게 친구들하고 제 관계가 세팅돼 있는데, 정몽준 뜨고 나서 친구들 곗날에 모였는데 축구 좋아하는 녀석이 "이번 대통령 정몽준 해야 되는 거 아니야?" 이렇게 말하더라고요. 거기서 "야이씨, 그래도 희정이가 노사모 하는데 노무현 한다는데 그런 말 하면 안 되지"라고 말하는 녀석이 한 놈도 없었고요. 다 정몽준 하면 좋겠다고 호응하더라고요. 그날이 제가 그놈들 본 마지막날입니다. 네. (웃음) 제 결혼식 때도 왔었던데. 이제 노가다를 하고 고졸이고 한데 〈한겨레〉을 들고 다니고 〈말〉지를 읽고 뭐 이런 거예요. 이제 그걸 친구들이 잘 알아요. 사회에 대해서 늘 그런 얘기만 하는 친구니까. 그런데 내 앞에서 그 시기에 정몽준을 이야기했는데 호응한다, 저는 내가 이 인간들을 다시 보면 안 된다. (웃음) 시간 아깝다. 이게 결론인 거죠.

노사모에서 만난 커플이죠. 사모님 이야기를 잠깐 해주실 수 있나요?

대선까지 한 번도 얼굴 본 적이 없어요. 저는 동래, 금정, 양산에 이제 지역장 대표 일꾼으로 지역에서만 열심히 했었고. 부산대학을 끼고 있다보니까 다른 지역하고 좀 다르게 2030이 주류인 아주 재미난 지역이었고요. 아내는 북구 쪽에 있어서 소나무님과 포장마차나 이런 활동으로 나름 열심히 했던 친구인데 얘기만 알고 있었지, 엮일 일이 잘 없었습니다. 대선 끝나고 광주 5·18 행사에 갔었거든요. 다들 슬픈 일로 가지만 당선 이후의 대통령 얼굴을 본다고 들뜬 마음을 하고 갔었죠. 2002년에 광주 경선 때 가고 망월동을 처음 간 날. 주변에 있는 회원들은 소풍 온 느낌으로, 근데 한 사람이 딱 울더라고요. 그게 아내입니다. 망월동 묘에서 막 울음을 못 참는 한 사람. 뭐 그게 가장 인연이 됐던 계기인 것 같아요.

광주에서 우는 분을 좀 좋아하시는 것 같아요. (웃음) 퇴임도 하시고 다시 봉하마을로 돌아오시고 그럼 서거 날 기억나십니까?

서거 날…… 이렇게 얘기하면 주변 사람들한테 제가 맞아 죽을 것 같긴 한데 저는 혼자 그런 생각을 좀 했었어요. 선택하실 것 같다는 생각을 했었고요. 정말 외람된 말이지만 집에 상복을 준비하고 있었어요. 뭐 상복이라 봐야 검은, 검은 재킷이죠. 장례식이 한창이던 일요일 정오 무렵에 폭우가 엄청 쏟아졌는데 그 줄이 흐트러지질 않는 거예요. 그날 비 온다고 예상을 못했거든요. 아무도 우산 들고 있는 사람 없었어요. 그 상황에 제 눈에 꽂힌 장면이 있습니다. 뭐냐면 참여정부 때의 청와대 관계자들이 처마 밑에 비를 피하고 자기들끼리 표정이, 제가 볼 때는 '와, 대박이다. 사람이 어떻게 이렇게 많이 오나' 이런 표정. 제 공감의 영역에서 생각한다면 참여정부의 녹을 먹었던 사람 정도라면 처마 밑에 있을 수 없고요. 또 아이든 여자든 비를 피할 만한, 뭐 하다못해 신문 한 장이라도 전하려는 그 몸가짐이, 마음가짐이 있어야 된다고 생각하거든요. 수십, 그 수만 명이 폭우를 피할 공간이 없는데도 조문하는 줄이 흐트러지지 않는데 관계자란 사람들은 비를 피하고 있다는 거죠. 저는 참여정부의 끝을 알리는 딱 한 장면을 그렇게 규정하고 있어요.

많은 노사모 동지들, 한말씀.

아기물고기입니다. 부산 진보 동부의 대표 일꾼이었던 아기물고기입니다. 우리 지역에 선배 분들도 많이 있었지만 당시에 대학생이었던 그때의 친구들 보고 싶네요. 그날 이후 한 번도 본 적이 없는 것 같은데 어떤 마음으로 노무현을 대통령을 만들었는지 내가 잘 아는데 그 이후의 세상이 당신들이 바랐던 세상이 만들어지지 않은 그 회한이 너무 컸던 것 같고 당신들이 지금 어떻게 다들 살고 있는지 많이 궁금하네요. 보고 싶습니다. 네. 미안합니다. ◘

여러분 정말 감사합니다.
뭐라고 말로 다 표현할 수가 없습니다.
여러분들께서 저를 자꾸 울립니다.
오늘은 저 울지 않습니다.
그러나 가슴속으로 눈물이 흐릅니다.

_'국민참여운동본부 광주전남지역 발대식'에서(2002년 10월 13일)

더러운 정치판에 대한 부끄러움, 미안함

21세기 민호영

노사모 닉네임 '21세기'입니다. 올해 쉰하나고 민주당 당직자로 3년째 근무하고 있고요. 노사모는 경선 시작할 때 2002년 1월인가 2월에 가입했습니다. 서른에 대학을 늦게 졸업하고 학원을 운영하면서 자리잡아가던 시기였어요. 어느 정도 안정되니 바깥을 보게 되더라고요. 주말 봉사 활동을 찾으려고 했어요. 2002년 어느 날 신문을 보는데 〈중앙일보〉 사회면에 노무현이 나온 거예요. 잊고 있었어요. 처음 본 건 88년 청문회였어요. 정의롭고 협심이 강한 정치인인 것이 생각나서 주말에 한번 가서 밀어준다는 마음으로 노사모 가입하고 경선장에 갔습니다. 당시 아이는 없었고 아내와 같이 가입했습니다.

노사모 가입 전에는 어떤 일을 하셨어요?

직접 학생운동을 하지는 않았습니다. 응원하거나 지원할 수 있는 일 있으면 했고요. 졸업 후 대선 때는 DJ보다 이해찬에게 호감이 있었어요. 청렴한 이미지가 강했거든요. 학원은 97년도에 시작해서 4, 5년 운영했죠. 2000년에는 학원의 정점을 찍었을 때예요. 제일 잘될 때 노사모 시작한 거고요. 2003년에 내리막길 걷기 시작해서 2006년에 문을 닫았죠. 그후에는 독서실 하고, 계속 노사모 활동하고 노무현 지지하기 위한 일환으로 정당 활동도 했죠. 열린우리당의 마산 사무국장을 맡았어요. 서른다섯, 여섯일 때예요. 열린우리당이 없어지고 노무현 대통령이 당을 나가면서 저도 당을 나왔습니다. 2008년에는 광우병 관련 이명박 정부 촛불시위 하면서 유시민 대표가 만든 국민참여당 창당하는 데 올인했어요. 국민참여당 경남 준비위원장 맡아서 작업했습니다.

선택하신 거지만 후회하는 것도 있나요?

노무현 대통령을 지지하면서 정치 활동한다고 생각한 적은 없어요. 팬으로서 서포트한다고 생각했죠. 주류에 안 섰고 받은 게 없더라도 아쉽거나 후회하지 않습니다. 다만 나이들고 생각해보면 정치적으로 주류에 편입될 수도 있었겠구나 생각하죠. 지금 당직 생활을 하고 있으니까 그런 생각이 들더라고요. 2006년 지방선거에 출마 권유를 많이 받았어요. 노사모 활동도 하고 경남 대표 일꾼도 했으니까. 그런데 제가 선거법 위반으로 벌금 백만 원 받은 적이 있어요. 희망돼지 할 때 사무실 얻어서 노무현 사진 붙이고 플래카드 걸어서 우리끼리 모였는데 유사기관 설치로 선거법 위반인 거예요. 전혀 몰랐죠. 정치인에게 벌금 백만 원은 무서운 숫자잖아요? 5년 동안 출마를 못하죠. 별생각 없었는데 출마하려니까 생각이 나더라고요.

노사모 활동 중에 기억나시는 에피소드 있으신가요?

2002년 대선 때 시군마다 도는 유세차가 있어요. 그런데 마산 인근에 선거 유세차가 놀고 있는 거예요. 지구당 사무실 가서 한판 싸우고. 가짜로 올려놓은 선거운동원들이고 중앙에서 봉투 하나씩 받던 거예요. 김백찬이라는 형님과 제가 차를 달라고 했어요. 함안이니까 낙동강 주변을 다 찾아다녔어요. 유세문도 저희가 써서 읽고. 시골이었으니까 비닐하우스에 세워두고 유세했죠. 노무현 사진 있는 어깨띠 매고 하는데 할머니는 얼굴을 모르는 거예요. 인사드리고 찍어달라고 말씀드리고 그렇게 돌아다녔어요. 법 안에서 할 수 있는 것들을 코치해주고 관리해주는 사람이 없었어요. 우리끼리 한 거예요. 그래서 범법으로 노사모 사무실도 열었던 거죠.

노사모 활동하는 것에 가족들은 어떻게 생각하셨나요?

아버지는 원래 반골 기질이 있어서요. 반대까지는 아니고 학원에 집중했으면 좋겠다고 하셨어요. 학원이 무너질 때는 아버지가 원망을 많이 하셨죠. 노무현 대통령 시계를 아버지한테 드렸는데 1, 2억 되겠다고 하시는 거예요. 제가 까먹은 돈과 앞으로 더 벌 수 있었을 돈. 등한시하다가 결국 망한 거였죠. 아파트도 팔고 아내와도 갈라섰어요. 당시 학원 안 나가면서 열린우리당 사무국장을 2, 3년 했어요. 무급이거든요. 2010년에는 국민참여당 만들고 창원시장 출마도 했어요. 문성현 민주노동당 대표, 황성구 지금 시장과 저 3인이 단일화해서 문성현 민주노동당 대표가 후보로 나갔어요. 출마 준비하고 학원 망하니까 아내가 많이 지쳤더라고요.

노사모 활동이 세상을 바꾸는 데 어떤 영향을 줬을까요?

특별한 사람만 정치하는 거 아니다. 정치 아무나 할 수 있다. 이전보다 정치를 맑고 투명하게 만들어 장벽을 낮추었다고 생각합니다.

지금 대통령이 시즌 2라고 많이들 하시던데.

그렇죠. 문재인이라는 이름을 부산에서 시민 활동 하는 분들 외에는 몰랐습니다. 저도 노무현을 통해 들었어요. 자기 친구라며 얘기하셨죠. 그런데 노무현의 친구 문재인이 아니라 문재인의 친구 노무현이었어요. 노무현 대통령께서 문재인을 중심에 두더라고요. 2012년에 문재인 후보 경선할 때 제가 경남 실무 총책임을 했습니다. 당시 경남에는 김두관 지사가 대권 주자로 나왔기 때문에 경남에서 줄 서는 사람들은 다 김두관한테 붙었어요. 그런데 결국 문재인이 이겼고요. 문재인이 시즌 2라고 하는데 맞는 것 같습니다. 노무현한테 갇혀서는 안 된다는 것도 기억해야 되고요.

노사모가 세상을 바꿨다고 생각하시나요?

일단 저를 바꿨습니다. 돈만 벌고 살았다면 가치를 추구하며 살 수 있었을까. 잘살 수는 있었겠죠. 여행 다니고 가끔 봉사도 하고 기부도 하고. 노무현 종교는 아니지만 항상 고맙게 생각하죠, 속물 안 된 것에.

재임 당시 노무현 대통령에 대해 판사였습니까, 변호사였습니까, 검사였습니까?

노사모는 기본적으로 변호사죠. 언론들이 노무현에 대해 떠드는 것 중 잘못 알려진 것, 부당한 공격에 항변했죠. 방법은 다양했어요. 술 먹는데 옆자리에서 얘기 나오면 멱살잡이하는 사람들도 있었지만 저는 그러려니 했어요. 친구들이나 지인들한테는 적극적으로 대응하지만 술 먹는데 옆자리에서 영감님들이 한마디씩 하세요, 들으라는 식으로. 대신 말이 통하는 사람들끼리 만났어요. 우리끼리도 치열히 논쟁하죠. 같은 사안에 대해서도 생각이 모두 다르니까. 그래서 노사모는 만나면 시끄럽다고 했죠.

서거 소식 들으셨을 때 기억나십니까?

그날이 2억짜리 시계를 차고 다니시는 아버지 칠순이었어요. 아버지 고향이 하동이에요. 기차 타고 나오시면서 아버지가 뉴스를 들은 거예요. 마전역에 내려서는 "아이고, 오늘 안 되는 거 아이가?"라고 말하셨어요. 아버지는 아신 거예요, 아들이 적어도 당신만큼 좋아하는 줄을. 부모만큼 좋아하는 사람이 돌아가셨는데 자기하고 있을 수 있느냐고 하시더라고요. 오셨으니까 점심은 먹고 가겠다고 했어요. 점심 먹고 나머지는 동생들, 가족들과 계시고 저는 봉하에 갔죠.

노대통령 언제 제일 생각나세요?

시도 때도 없이 생각나고 문대통령 활동하시는 거 보면 오버랩되고요. 평양 간다고 하면 노무현 대통령이 평양 넘던 시절이 떠오르고. 노대통령이 경선장에 애들 데리고 오면 참 좋아하셨는데 하루는 부담스럽다고 말하시더라고요. 부산 경선 때였는데 끝나고 나면 노사모 모여서 인사하고 대화 나눴거든요. 보통 가족 단위로 오니까 애들도 많이 와요. 안아주시고 사진 찍어주시는데 언젠가 안 데리고 왔으면 좋겠다고 하시더라고요. 더러운 정치판에 깨끗한 애들이 오는 것에 대한 부끄러움, 미안함이었던 것 같아요.

내가 만난 노사모는 어떤 사람들이었습니까?

가슴이 시키는 대로 하는 사람들이죠. 바르고 옳다고 믿으면 다 내주는 사람들. 노무현을 만나서 깨어난 것보다는 어느 정도씩 부정의와 불의에 대해 거부하는 마음을 가지고 있던 것 같아요. 노무현이 그것을 끄집어낸 거죠. 노무현은 사람 사는 세상을 만들기 위한 수단. 노무현 대통령이 하셨던 말들 중에 가장 기억에 남는 것은 "새 시대의 첫 대통령이고자 했으나 구시대의 막내였다". 그런데 그후에 둘이나 더 있었죠. 문재인 대통령이 새 시대의 첫 대통령이 됐고요.

노사모가 반성해야 할 부분이 있을까요?

지못미라고 많이 하죠, 지켜주지 못해서 미안합니다. 사실 지킬 수가 없었어요. 노사모 기껏해야 몇만인데. 구시대 마지막 대통령의 운명이었던 것 같아요. 결국 유일한 카드는 본인만 쥐고 있을 텐데, 2002년 당시에 언론에서 노무현을 승부사라고 많이 표현했어요. 그런데 노무현 대통령은 원칙적으로 하는 거지, 베팅을 하거나 이기기 위해 모든 걸 걸고 싸움하는 분은 아니었어요. 하지만 진짜 마지막은 승부사였던 것 같아요. 보수의 탈을 쓴 거대한 악과 마지막으로 싸우며 부엉이바위에서 자기를 던지는 것.

노사모 회원님들께 한말씀.

닉네임 21세기입니다. 노무현 때문에 참 많이 웃고 운 우리 동지들 여전히 잘살고 있을 거라 생각합니다. 살다보면 만날 수도 있고 또 그렇지 못한 채로 살아갈 수도 있을 텐데 그래도 우리가 노무현 때문에 한 가족이고 동지였다는 것을 잊지 말고 삽시다. 감사합니다.

반대와 비판은 사물을 명료하고 균형 있게 볼 수 있도록 도와주는 중요한 기능을 가지고 있습니다. 그러나 반대와 비판일수록 공격이 아니라 상대의 동의를 끌어내기 위한 차분하고 겸손한 설득이어야 합니다. 그렇지 않고 승부에 집착하거나 감정싸움에 매몰되면 결국은 사람관계마저 상하게 됩니다. 그러면 이를 지켜보는 사람들은 중재를 하는사람, 재판을 하고 나서는 사람들이 함께 뒤엉킵니다. 자연 사람들은 떠나게 되는 것이지요.

_'사람 사는 세상'칼럼에서(2009년 2월 22일)

반칙이 패하고
원칙이 승리하는 세상

희망천사 정해철

초창기에는 '희망천사'로 활동했고 나중에는 '홈클라우드넷'이라는 닉네임을 사용했습니다. 노사모는 서로 닉네임을 부름으로써 누구나 의견을 개진하고 반대할 수 있는 소통의 공간 속에서 길을 찾았습니다. 희망을 갖고 참여하다보면 바꿀 수 있지 않을까 해서 희망천사라고 했습니다.

노사모를 시작한 계기가 있을까요?

정치에 관심이 없었는데 국회의원들이 한나라당에 차떼기로 망명해서 노무현 대통령을 비판하고 결국에는 탄핵까지 하는 걸 보고 노사모에 가입했습니다. 저는 경남에 있다보니까 보수 텃밭이고 김영삼 3당 합당 후에 바뀌지 않은 곳이기 때문에 노무현 대통령이 말씀하신 지역주의 타파에 목말라 있었거든요. 87학번 386세대 막내로서 대학 다닐 때 데모의 끝물에 몸담으면서 사회 부조리에 전부터 관심이 있었습니다. 군대를 흑산도 쪽 해군으로 근무했는데 당시 제 상임 기수가 조선대에서 국문학 전공했는데 고등학교 때 배우는 시인들이 모두 친일파라고 말하시는 거예요. 저는 몰랐는데 찾아보면서 충격을 받은 거죠. 학내 집회하다가 쫓기듯이 군대를 갔던 건데 전역하고 돌아왔는데도 여전히 바뀐 게 없더라고요. 복학하고 91년도에는 학내 집회 많이 주동했죠.

노사모 활동하기 전에는 어떤 분이셨어요?

대구에서 대학 다녔는데 졸업 무렵 교수님께 물어보는데 부담스러워하더라고요. 추천도 안 해주고. 고향에 와서 알음알음 알아보고 취업을 했죠. 노사모 전까지는 평범한 직장인이었습니다. 결혼은 아직도 안 했고요. 노사모 분들 중에 두번째입니다. 한 분 더 있더라고요. 당시 직장 생활 하고 지금은 18년째 개인 사업을 하고 있는데 업을 놓아본 적이 없습니다. 사업하면서도 쫓아다녔어요.

2003년 국민 스포츠가 노무현 대통령 놀리기였는데.

당시 경남에서는 노사모 하면 빨갱이 소리 들었거든요. 길거리에서 민주당 후보 명함 주면 바로 구겨서 버릴 정도였어요. 빨갱이들이 왜 이쪽에 왔냐고. 경남에서는 자신의 정치 성향을 드러내지 말라고 많이 하는데 저는 그러지 않았습니다. 회사일을 확실하게 했거든요. 지금도 거래하는 사장님들 있지만 저는 처음부터 노사모라고 하고 그분들과 허심탄회하게 이야기하고. 부딪힐 때도 있지만 그분들도 인정해주고 저도 그렇게 살았습니다. 친구들도 마찬가지예요. 동창회 모임에 자기네들끼리 있으면 야당 비판하는데 제가 있으면 절대 못하죠. 제가 반박하면 시끄러워지니까. 다른 지역에서는 모르겠는데 경남에서는 유독 밴드에서 정치 이야기, 종교 이야기 하지 말라고 해요. 그런데 시민들이 깨어 있으려면 서로 의견 개진하면서 허심탄회하게 이야기할 수 있어야 되거든요. 거기에서 길을 찾고 옳고 그름을 따져야 사회가 성숙해진다고 생각합니다. 정치라는 건 결국 사람이 하는 것이기 때문에 당을 넘어서야 한다고 생각합니다. 그리고 경남 노사모 분들은 평범한 사람들입니다. 정책이 좋아서든, 인간이 좋아서든 노무현이 좋아서 모인 사람들입니다. 자기 생활이 척박하고 어렵지만 노무현 대통령의 사고가 좋아서 지지하시는 분들이 많아요. 그게 정치를 변화시킨 또다른 원동력이라고도 생각합니다. 많이 배운 사람들만 참여했다면 이런 구조가 형성되지 않았을 거라고 생각합니다.

노대통령이 이야기하신 '깨어 있는 시민의 조직된 힘'과 연관이 있을까요?

그렇죠. 노무현 대통령의 어록까지 나올 정도로 주옥같은 말들이 많거든요. 특히 깨어 있는 시민의 조직된 힘. 저도 시민 스스로가 각성하거나 깨어 있지 않으면 사회 구조를 바꿀 수 없어요. '깨어 있는'을 생활 정치라고 생각해요, 자기가 생활하는 데서 참여하는. 노무현 재단도 강연을 많이 하는데 왜곡된 역사와 정치 역사를 공부한다든지 자기 지역구에 문제가 있으면 의원한테 전화해서 물어본다든지 하는 거죠.

노무현 대통령은 언론에 많이 시달리셨죠.

열린우리당 시절에 청년 대표를 모집해서 청와대에 초청된 적이 있습니다. 초청 날짜가 일주일 연기되면서 공교롭게 노무현 대통령 생신과 겹친 거예요. 경남에서 청년들 모여서 생신 케이크, 미역, 멸치를 들고 갔죠. 그런데 사전에 신고가 없으니까 청와대 정문에서 압수됐어요. 또 현수막 펼치려니까 비서관들이 말리더라고요. 유치원생들이 관람 왔다고. 노출되면 언론에 또 씹히니까 그만큼 위축되어 있던 거죠. 조금 뒤에 회의 마치고 걸어나오시더라고요. 그때 현수막 펴고 비서관한테 선물 얘기하니까 케이크는 고정 핀이 있어서 안 되고 미역, 멸치만 받아서 드렸습니다. 생신 축하 노래도 불러드렸습니다.

그런데 제 목적은 분명했습니다. 노무현 대통령은 소통하기 좋아하고 권력을 갖고 계신데도 얼마나 많은 언론에 시달리는 건가, 그렇게까지 힘없이 해야 되느냐고 묻고 싶었어요. 권력을 정당하게 쓰면 되지 않느냐. 질문하려고 마음잡고 있는데 걸어오시는 거예요. 얼굴을 보고 포기했습니다. 대통령 되시기 전에는 항상 밝으시고 의욕 넘치셨는데 거기 계신 대통령은 기가 다 빠지셨더라고요. 왜 그런지 너무 잘 알겠는 거예요.

대통령의 배려심이 또 한번 느껴졌던 건 사진 찍을 때였어요. 다 모여서 단체 사진 찍으려니까 사람이 조그맣게 나와 표가 안 나는 거예요. 대통령이 지역별로 찍자고 제시하셨죠. 대통령 옆자리가 비어 있었어요. 그래서 제가 가서 "여기 앉아도 되겠습니까?" 물었습니다. 대통령이 저를 보시더니 명쾌하게 말씀하시더라고요. "자리에 임자 있나? 앉아라." 대통령 옆자리에 일반인이 앉는다는 것이 부담스러울 수 있는데 그러지 않으셨어요. 집에 그 사진이 있습니다. 가보로 물릴 겁니다. 끝나고 나서 악수를 시작했는데 대통령이 제 앞에 오시더니 농담을 던지셨어요. "아까 내 옆에 앉았으니까 악수는 통과다." 다들 한바탕 웃고. 대통령의 배려를 몸소 체험하는 시간이었습니다.

서거 소식 들으셨을 때 기억나십니까?

거래처에 가기 위해 차 몰고 가는데 거래처 사장님한테 전화가 왔습니다. 대통령 돌아가셨다고 라디오 틀어보라고 하시더라고요. 서거 소식이 나왔어요. 일단은 거래처로 갔죠. 사장님이 배려해주시면서 빨리 가라고 하셨어요. 봉하마을과 가까웠어요. 제일 처음 갔습니다. 또하나 에피소드가 있는데 승용차 한 대가 봉하에 왔는데 문 열어놓고 사람 둘이 자고 있더래요. 기자같이 생긴 거예요. 알아볼 방법이 없으니까 주민 한 분이 뭐하는 사람들이냐 물으니까 기자라고 해요. 어디 기자냐고 물으니까 얼버무려요. 몸싸움하면서 ID카드 보니까 〈조선일보〉 기자였던 거죠. 난리가 났죠. 쫓아냈어요. 그때 내부 치안은 노사모가 맡고 외부 경계는 경찰들이 했어요.

100일 동안 업을 전폐하셨다고요? 손해가 있었을 텐데.

그렇죠. 하지만 대통령이 서거하셨잖아요. 내가 존경하고 사랑하는 분이니까 당연하다고 생각했어요. 그 조그만 동네에 150만 명이 왔다갔다하고 언론도 오고. 셔틀버스조차 움직이지 못할 정도고 늦게 오신 분들은 참배

5분 하려고 3, 4시간 줄을 서야 됐어요. 처음에는 영정 사진도 준비가 안 되어서 봉하에 있는 노란 기념관에서 사진 가져와 임시로 분향 받았어요. 제가 담당이었고요. 열 명씩 줄 세우고 질서 유지하고. 1분도 쉬지 못하고. 쓰러져 죽는 줄 알았습니다. 나중에 노사모 회원들 충원되면서 교대했죠.

당시 타살 의혹이 불거졌어요. 문의를 노사모 기념관에 하는 거예요. 제가 받았는데 울기부터 하죠. 화장한다는데 진짜냐? 타살 의혹 있다던데 더 알아봐야 되는 거 아니냐고 물으세요. 그러면 제가 '시민님의 생각 이해하나 여기 여사님과 가족들 있고 비서진도 있다, 확인하시고 진행한 거라 무를 수 없다'고 말씀드려요. 그렇게 끊으면 다른 분한테 전화 오고.

또다른 에피소드는 당시 서거하시면서 준비가 안 되어 있으니까 후원 계좌를 열자고 논의해서 노사모 후원 계좌를 잠시 열었습니다. 권양숙 여사가 국민들한테 그러면 안 된다고 하셔서 1시간 반 뒤에 닫았는데 그동안 시민들이 보내준 돈이 1억 5천만 원입니다. 그만큼 열기가 뜨거웠죠. 살아생전에 그렇게 많이 비판받았는데 그렇게 많은 사람들이 올 거라고 생각 못했어요.

언제 생각이 제일 많이 나세요?

정치가 왜곡되거나 시달릴 때 제일 많이 생각납니다. 노무현 대통령이 꿈꾸시고 노사모의 슬로건이기도 한 '반칙이 패하고 원칙이 승리하는 세상, 사람 사는 세상', 이것이 아직도 안 됐기 때문에 문득문득 생각이 납니다. 그때와는 많이 바뀌긴 했습니다. 지금처럼 시민들이 더 깨어나고 주변의 사소한 것부터 참여하며 목소리가 반영될 때 비로소 사람 사는 세상, 왜곡되지 않은 세상이 올 거라고 생각합니다.

재임 기간 동안 노무현의 정책에 대해 판사였습니까, 변호사였습니까, 검사였습니까?

노무현 대통령을 좋아하게 된 계기가 정책이거든요. 사람이 좋다는 건 나중에 접하면서 알게 된 것이고. 저는 검사에 가까웠죠. 노사모 내에도 치열한 의견 투쟁이 많았습니다. 대표적인 것이 FTA와 파병 문제. 노무현 대통령은 대통령으로서 어쩔 수 없는 선택이었다고 말씀하셨지만 저는 반대했거든요. 당선되시고 말하셨죠. 여러분이 저를 당선시킨 것처럼 당으로 들어가서 당도 변화시키고 저도 감시해달라고. 하지만 그건 오기였던 것 같고 저희 없어도 감시가 넘쳤죠. 노사모 내부에서는 당선 후 '없어져야 한다, 존재해야 된다'로 치열하게 싸웠습니다. 노사모에 분쟁이 생길 때 노무현 대통령은 방향 제시한 적, 한 번도 없습니다. 집단 지성을 믿었거든요. 관찰자로서만 계셨어요. 저도 그게 맞는다고 생각해요. 노사모가 발전적 해체보다는 시민의식을 가진 단체로 발전적으로 전화했으면 좋겠습니다.

지금은 노무현 재단이 생기고 몇몇 사람들이 개입하면서 노사모를 아주 폄하하고 있어요. 잘못됐다고 생각합니다. 노무현 이전에 노사모가 있는 거예요. 노사모 없이 어떻게 노무현 같은 정치인을 탄생시킬 수 있었겠느냐는 거죠. 노무현 대통령이 유언처럼 남기신 게 깨어 있는 시민이 되라는 말씀이었어요. 시민단체와 폭넓게 교류하면서 가치를 전파하고 노사모가 살아남아서 원동력이 되길 바랐던 뉘앙스가 분명히 있거든요.

준비한 질문들 모두 했는데 혹시 하고 싶으신 이야기 있으신지.

노사모의 한 일원으로서 깨어 있는 시민의 역할을 하고 있습니다. 이번 촛불 2주년 때도 경남에서 모임 했는데 상도 하나 주더라고요. '올해 우리 시민단체상'. 시민의식이 많이 성숙했지만 아직은 갈 길이 멀다고 생각해요. 시민들이 원하는 정치인을 아직 발굴하지 못했거든요. 정치가 바람에 의해 움직이고, 노무현 대통령이 원했던 핵심은 사람다운 정치인을 뽑아야 한다는 거죠, 보수든 진보든. 잘 배우거나 돈 많은 사람들이 아니라 우리 주변의 깨어 있는 시민을 국회로 보내는 것이 노무현 대통령이 꿈꾼 최후의 모습이라고 생각합니다.

같이 활동했던 전국의 노사모 동지들에게 영상 편지 한번.

노사모 동지 여러분, 반갑습니다. 희망천사입니다. 세월이 많이 흘렀습니다. 격변의 시대를 살아왔고 경남도 지역 정서가 타파되고 많은 변화가 있습니다. 하지만 여기가 끝이 아니라 노무현 대통령이 꿈꾸셨던, 반칙이 패하고 원칙이 승리하도록 사람다운 사람을 정치인으로 뽑아 사회 전반을 바꿀 때 사람다운 세상이 온다고 생각합니다. 논란도 많고 가치와 사고가 달라서 싸웠지만 올바른 길을 걸어왔다고 생각합니다. 앞으로도 노사모 정신을 가지고 두 눈 부릅뜬 채 반칙이 패하고 원칙이 승리하는 세상을 위해 끝까지 가기를 희망합니다. 고맙습니다.

새 시대의
맏형이고 싶었지만
결국 구시대의 막내

B29 한종수

닉네임은 'B29'인데요. 폭격기 이름으로 알고 계신데, 학교 다닐 때 하도 당구를 못 쳐서 "너는 30도 안 된다, 29다" 하는데 빌리어드잖아요. 그래서 B29라는 닉네임을 썼어요. 설명해주면 사람들이 머리에 잘 박힌다고. 첫 노사모 수도권 모임에 참석했어요. 날짜는 5월 초로 장소는 지금은 재개발돼서 없어졌는데, 종로1가에 소꿉친구와 불알친구라는 민속주점이었습니다. 서른 명 정도 모였습니다. 그때부터 다양한 사람들이 모였다는 생각이 들어요. 민노당 계열 두 분이 있고 골수 DJ 지지자들도 두세 분 있었어요. DJ 후계자는 노무현이라고 생각하고 모이셨던 거죠. 나중에 노사모가 싸움도 많고 분열도 많았는데 처음부터 그런 요소를 갖고 있지 않았을까. 2000년 5월에 모였던 분 대부분, 저도 마찬가지였는데, 88년 청문회를 여태 잊지 못해서. 그때 한 작가분이 청문회 장면을 황야의 한 마리 사자 같다고 묘사하더라고요. 주위 사람들한테 비판도 받았어요. 사람 때문에 왜 모이느냐는 거죠. 사상이라든가 이념이라든가 정책이든가로 모여야지, 어떻게 사람 때문에. 저는 이렇게 반박했어요. "성공한 혁명과 실패한 혁명의 차이는 간단하다. 혁명가가 있어." (웃음) 사람들은 혁명을 따르는 게 아니라 혁명가를 따르는 거죠. 무엇이든 인격화된 사람이 있어야 따르지, 사상이나 이념만 따르지 않는다고 생각했거든요.

30대 초반이시던 그때 뭘 하고 계셨어요?

여행사에 다니고 있었죠. 청문회가 뇌리에 강력히 박혀 있었거든요. 잘되셨으면 했는데 계속 낙선하시더니 부산까지 내려가시니까 참을 수가 없더라고요. 노사모 이름은 6월 6일에 생겼는데, 이 얘기 하신 분은 없었을 텐데, 후보가 두 개였어요. 바보사랑하고 노사모. 당시에는 투표 기능이 없어서 댓글로 투표했는데 노사모로 정해졌어요. 인터뷰하신 신규 형이라고 있지 않나요? 첫비라고. 홈피 디자인을 다시 했는데 내가 그 얘기를 하니까 큰일날 뻔했다고, 바보사랑 했으면. 왜? 노사모면 영문 여섯 글자로 끝나는데 바보사랑 하면 엄청 길어진다. (웃음) 이름은 6월 6일 첫 총회 전 댓글로 투표해서 정해졌죠.

노사모 활동 하기 전 B29님은 어떤 분이셨어요?

인생을 즐기고 살자는 주의였어요. 보고 싶은 책 보고, 가고 싶은 여행 다니면서 살자. 저 같은 사람이 노사모에 적다고는 생각 안 하는데 그렇다고 많지는 않은. 학생운동 했다 해도 맨 뒤에나 있었고 한때 집회 참석하는 정도였지. 결국은 마음속에 있던 빛이라든가 우리가 바라는 세상을 만들고 싶은 사람이 노무현이 제일 가깝고 그걸 인격화했다고 봐요. 어떤 상징이었고. 그래서 사람들이 따랐고. 나중에 지나서 얘기하니까 많이들 동의하시더라고요.

2002년이 한창 경선으로 노사모 활동이 제일 빛나던 시기 아니었나 싶은데 기억나는 에피소드 있을까요?

경선 때 서울 남부 대표였어요. 포청천이라는 분 있었죠? 그분이 초대 대표고, 그때 저는 부대표, 그리고 제가 2대 대표였습니다. 그때는 서울을 한강으로 남북 나누었어요. 노사모 하면서 제일 억울했던 게 광주 경선을 못 간 거였어요. 승부가 그렇게 빨리 날 거라고 상상 못했어요. 2002년 국민경선 때 제일 아쉬웠던 게 선거가 서울까지 왔으면 했던 것. 호주식 선호투표제라는 것이 각광받던 때인데, 후보 7명을 다 찍는 거예요. 1, 2, 3위 선호 별로 7명 다 찍는 겁니다. 과반이 나오면 끝인데 안 나오면 7등 표를 깝니다. 7등의 2등 표가 나머지 6명으로 들어가는 거예요. 또 과반이 안 나오면 6등의 2등 표를. 결국은 과반수 득표가 나오지 않겠습니까? 자기가 제일 선호하는 후보가 아니더라도 2, 3위 후보가 될 수 있다는 거죠. 당내 선거로 아주 합리적인 방법이죠. 그때 저희 선거 전략이 2등 표를 많이 받아서 서울에서 뒤집자, 수도권에서 뒤집자. 그런데 너무 일찍 끝나버린 거예요. (웃음) 노사모에서 가장 드라마틱한 장소에 제가 없었던 거죠. 되게 억울하더라고요. 놀아서 안 간 것도 아니고 노사모 일로 바빠서 못 갔는데 사진에 못 찍혀버린 거죠. 선호 투표제 했으면 우리나라 선거 문화에 많이 도움됐을 거예요. 그런데 끝나버려서 호주 선호 투표제가 의미 없어져버렸거든요. 유야무야 끝나서.

개인의 일에는 소홀할 수밖에 없었을 거 아닙니까?

아무래도 그랬죠. 아버지한테도 소리 많이 듣고. 얘기 들으셨겠지만 노사모에서 이혼한 분들 많거든요. 그래도 2002년을 후회하는 사람은 단 한 명도 없을 거라고 하데요. 뒤돌아봐도 자기의 일생에서 그렇게 찬란한 순간이 없는. (웃음) 한 번씩 꿈꾸잖아요. 세상 한번 바꾸고 싶고, 물론 자기 이름으로 나가서 한 건 아니지만. 어쨌든 그 일원으로 주역이 된다는. 누구나 주역이었거든요.

서울 남부 노사모 때인데 여의도 노사모를 제가 직접 관리했어요. 대부분 회사 주소로 가입하셨는데 놀기도 좋아요, 다 모여 있어서. (웃음) 모 회사인데 한 30명이 가입되어 있는 거예요. 깜짝 놀라서 갔는데 사장님이 IMF 때 퇴출된 모 은행의 전산실장님이셨어요. 그분이 전산실 데리고 벤처 차려서 꽤 성공하신 거예요. 여의도에 빌딩 3개 층을 쓰고 계셨거든요. 거기에 30여 명이 가입한 거예요. 경선 때 돈이 필요하거든요 어쩔 수 없이. 그래서 "지원 가능하시겠습니까? 액수는 제가 요구할 입장은 아니니까 주는 대로 받겠습니다". 알겠다고 전화를 끊으셨어요. 일주일 후에 전화 오는데 어느 일식집으로 오라고, 비싼 일식집이었거든요. (웃음) 대접을 해주시더니 딱 주시더라고요. 자기가 부산 출신인데 노무현 대통령 진짜 존경하고 이 돈 갖고 잘 쓰라고 하시면서, 300만 원이었어요. 잘 썼죠. 영등포 사무실 하나 얻고, 두 달짜리. (웃음) 그러니까 석 달 치 돈 미리 주시고. (웃음) 나중에 경선 준비 작업하는데 민주당원들도 가끔 만나요. 민주당원들이 어떤 돈으로 움직이느냐고 해서 (웃음) 모임 해서 한다고. 황당해하더라고요. 그래도 여러모로 힘든 건 있었어요.

찬란했지만 힘들었던 시기였을 텐데.

고통들이 더 많았죠. 그래도 어쨌든 대통령까지 잘되셔서. 농담 삼아 이 얘기까지 해요, 노짱 그 양반은 자기 지지자 노는 꼴 못 본다고. 힘들여서 후보 만들었더니 흔들려, 겨우겨우 대통령 만들었더니 탄핵당해. 노사모 어떤 형이 "그 말 진짜 맞는데 그 양반은 보나마나 이런 얘기 할 거여. '뭐요? 언제 지지해달라고 했습니까? 니들이 좋아서 했지'". (웃음) 결과 하나만으로 단순하지 않잖아요. 저도 글 쓰는 사람이지만, 사실이라는 거는 빙산 위에 떠 있는 것밖에 안 되는. 그 밑에 진실이 어마어마하게 많거든요.

대통령 되기 전이지만, 유명한 말씀 하셨잖아요. "여러분들 아니어도 감시하는 사람 많은데." 그런 계기가 있었음에도 열혈 지지자들, 요즘 박근혜 지지하는 느낌처럼, 그게 왜 없었을까요?

그렇죠. 그런 게 없었죠. 노사모 회원이 할 말이 아닐지 모르겠지만 성공한 대통령이라고 생각하지는 않습니다. 다만 대통령이 되신 것 자체가 역사죠. 정확하게 표현하신 게 자기는 "새 시대의 맏형이 되고 싶었는데 결국 구시대의 막내였다"라고 하신 적이 있어요. 지금 제 인생 목표 중 하나가 노무현 평전 쓰는 건데 (웃음) 부제로 쓰려고 해요. 구시대의 막내. 새 시대의 맏형이 되고자 했지만 구시대의 막내로 끝난.

대통령 되고서도 지위를 인정받지 못했고 탄핵도 당하고.

부산 출신이고 서울도 아니었고. 노대통령이 마흔두 살 국회의원 당선될 때까지 부산에만 사셨잖아요? 국회의원 당선돼서 서울로 처음 이사 오셨는데 여의도에 아파트 전세를 얻으셨어요. 건호씨가 당연히 따라왔죠. 여전히 여의도 부촌입니다만 당시에는 더 부촌이었거든요. 여의도 중학교, 고등학교가 여의도 애들로 다 못 채워요. 영등포나 대방동, 신길동에서 학생이 채워지거든요. 건호씨가 왔는데 부산 사투리 찍찍 쓰죠. 완전 촌놈이잖아요. 왕따당했대요. 신길동, 대방동 애들하고 놀았대요. 노대통령이 자랑한 적이 있어요. "우리 건호는 여의도 살면서도 신길동, 대방동 애들하고 친했다." 그런데 알고 보면 친할 수밖에 없던. (웃음) 김대중 대통령도 비주류라고 하지만 정치를 굉장히 오래 하셨던데다 이희호 여사님은 이화여대 나오셨잖아요. 여러 가지 요소들이 주류들이 받아들이기에 힘들었던 거 같아요.

9년 정도 지나서 냉철해지고 자료를 모으다보니까 그런 생각도 들더라고요. 얼마나 힘드셨을까. 유시민씨가 추모 시에서, 자기 몸밖에 가진 게 없었는데 가장 높은 곳까지 올라갔던 사람, 그런데 또 떨어졌던 사람. 그것을 극복 못하신 건 결국 구시대의 막내였기 때문이 아닐까. 그것조차도 매력이죠, 인간적인 매력. 제일 멋있는 말이 그거였잖아요. 장인이 좌익 빨치산이었다고 하니까, "그러면 마누라 버리라고, 이 새끼야?" (웃음) 한마디로 죽여버리잖아요. 노무현 외에는 생각할 수 없는 어법이고 인간적인 매력에서 나오는 힘이었다고 생각해요.

서거 소식 들었던 날 기억나세요?

당연하죠. 잊을 수가 없죠. 토요일이었어요. 마포에서 소식을 들었죠. 멘탈이 나갔죠. 다들 봉하 가자고 하고. 가서 상황을 보자고 해서 갔는데, 노사모 하는 형 중 치과 의사 형이 하나 있는데 닛산 인피니티를 가지고 있었어요. 거의 300으로 밟으면서 갔죠. 3시간도 안 돼서 갔고요. (웃음) 중간에 전화드렸죠. 물건을 사오래요. 닥치는 대로 다 사오라는 거예요. 여기 아무것도 없다고. 봉하마을 그땐 더했거든요. 구멍가게 한두 개밖에 없었기 때문에. 진영쯤 오면 무조건 편의점 들어가서 라면이건 물이건 휴지건 사람 쓸 수 있는 물건이면 집히는 대로 다 사오라고. 시간 개념도 없고 공간 개념도 없고 일주일을 그렇게 보냈어요.

일생에 대단한 경험이 두 번 있는데 한 번은 시청 광장에서 어마어마한 사람들이 모였을 때 장례식이 중계되고 있었잖아요. 그때 김대중 대통령이 무너지시는 장면이 중계되는데 그 많은 사람들이 숨을 다 멈추고 있더라고요. 진짜 조용했어요. 시간과 공간이 의미가 없을 정도로, 다른 세계에 가 있지 않았나 생각했을 정도로. 80년대 광장 경험 그때도 있었나 생각해봤거든요. 비슷한 느낌이 한 번 있었어요. 이한열 열사 돌아가셨을 때. 연세대에 사람들이 어마어마하게 모였는데 문익환 목사님이 나오셨어요. 그날 출소하셔서 집에서 옷만 갈아입고 오셨는데 길이 쫙 나뉘었거든요. "전태일 열사여!" 하면서 이한열 열사까지 스물여섯 명을 울부짖는데 사람들이 거의 숨을 못 쉬었어요. (웃음) 백만 명 사람들이 숨도 못 쉬고 아주 조용했습니다. 그 두 감정이 비슷한 느낌이 들더라고요. 김대중 대통령이 워낙 고난을 많이 겪어서 냉정하신 분인데 대중 앞에서 우신 게 딱 세

번 있었어요. 귀국하셔서 망월동 가셨을 때, 문익환 목사님 장례식 때. 세 번째가 아까 그때였죠. 언젠간 글로 써보려는데 지금은 감정이 식은 상태라. (웃음) 그런 의미에서라도 역사적인 순간이 아니었나 생각 들어요.

어떤 걸 깨어 있다고 말을 해야 될까요?

세상 흘러가는 대로 사는 게 아니죠. 노짱님은 그렇게 안 사셨잖아요. 노 대통령한테 충성을 바치게 된 이유 중 하나가 경선 치르고 서울시장 선거가 있었잖아요? 영등포을 자리가 비어서 바로 보궐선거가 있었어요. 그때 놀랐던 게 당시 김민석이면 서울시장은 낙선해도 다른 지역구 얼마든지 옮겨가서 당선될 수 있는 브랜드가 있었고, 대선도 얼마 안 남았으니까 선거만 이기면 최연소 장관도 할 수 있고 청와대도 얼마든지 갈 수 있는데 선거를 안 도와줬어요. 지역구에 미련이 남아서, 김민석이. 그걸 보니까 노짱이 종로 지역구 버린다는 게 얼마나 대단한 건지 피부로 깨닫게 되더라고요. 아시다시피 종로가 1번으로 나오는 곳인데 그곳을 버리고 부산에 출마해서 낙선한다는 게 진짜 대단하다는 걸. 전에도 머리로는 알고 있었는데 피부로 알게 되는 거죠. 이분을 꼭 대통령 만들어드려야겠다. (웃음)

그때 그 찬란한 순간을 같이했던 동지들께 한말씀.

B29 한종수입니다. 노무현 팬클럽 만들자고 하고 벌써 18년이나 됐네요. 이미 세상을 떠난 분들도 많고 많이 어려워진 분들도 많고 잘된 분들도 많고. 그렇지만 그때 그 순간만은 우리 일생에서, 아니 대한민국 역사에서 지울 수 없다고 생각합니다. 같이했던 모두들 정말 사랑합니다.

작은 바보들이
큰 바보가 나타나니까
따라갔다

지친어깨 김상수

2003년도에 가입한 것 같고요. 닉네임은 '지친어깨'를 쓰고 있습니다. 우리나라 민중들은 다들 어깨가 지쳐 있죠. 먹고살기 바쁘고 힘드니까. 어깨를 펴고 사는 세상이 왔으면 좋겠다는 생각에서 지금까지 사용하고 있습니다.

어떻게 하면 지친 어깨가 펴질까요?

불합리하고 반칙하는 것이 오히려 살기 편하지만 그렇지 않고 노짱님처럼 원칙과 상식, 양심을 가진 사람들이 많아져야 되고. 자기 것을 양보하는 사람들이 많아지면, 요즘 이슈인 최저 임금 반대라든지 그런 건 안 나올 것 같아요. 그래야 사람다운 삶을 살 수 있는 세상이 되지 않을까. 그렇게 되면 어깨가 지쳐 있을 이유가 없을 거라고 생각합니다.

노사모를 가입하시게 된 이유는 무엇일까요?

유년기에 힘들게 살았어요. 고등학교 때 월급이 4만 7천 원인데 〈한겨레〉 돌리면서 건사하고. 도시락도 못 싸갔어요. 학교 선배가 광주민주화항쟁에 대한 화보를 보여주고. 노동운동도 하고 세상을 바꿔야 되겠다는 생각은 가지고 있었는데 어떻게 실행할지 고민이 있었습니다. 그 와중에 노무현 대통령의 삶, 말씀하시는 것을 보고는 저분이 나서준다면 나도 적극적으로 동참해보자는 생각으로 희망을 가지고 노사모에 가입한 겁니다.

노사모 가입하기 전에는 어떤 일을 하셨어요?

평범한 사람이고요. 어떻게 보면 가정을 지키려고 노력한 사람이고. 세상이 불합리한 거는 알겠는데, 과거에 노동운동을 했는데 계속하다보면 가정을 못 지킬 것 같아요. 전태일 열사도 저항하다가 죽음으로써 표현하시고…… 저도 그런 두려움을 가지고 있었어요. 되게 망설였죠. 어느 길로 가야 되는지, 나름대로 정체성을 가지기가 굉장히 힘들었습니다. 비겁해도 어쩔 수 없이 받아들여야 되고. 그렇지만 노짱님이 계시면서부터 같이 할 수 있겠다는 꿈을 보게 됐죠.

가정을 지켜야 되는 사람이 노무현을 보고 어떻게 용기가 생기셨을까요?

조선 시대든 고구려든 동학혁명이든 민중들이 한 번씩 일어나잖아요. 리더가 확고한 의지를 가지고 정말 바꿀 수 있겠다는 믿음이 있을 때 민중이 일어선다고 생각합니다. 저도 용기 내고 밖으로 나온 것 같아요. 고등학교 때 전두환 욕을 하면 부모님이 조용히 하라 그러거든요. 큰일난다고. 제가 자영업을 하고 법인 공장을 운영하는데 혹시라도 타깃이 돼서 세무 조사가 나온다든지 두려움이 있죠. 괜히 나서서 피해 받는 건 아닌가?

2003년에 가입하셨으면 경선 이후 당선되시고 가입하신 건가요?

정확한 기억은 없습니다. 대통령 당선되시고 가입한 거는 같아요. TV에서 보다가 정말 괜찮으신 분이라는 생각을 가졌습니다. 그래서 노사모가 어디 있는지 확인해보니까 김해 노사모가 있더라고요, 초창기 멤버들이. 당시에는 정말 괜찮으신 분들이 많았거든요. 제가 노동운동 했을 때의 뭉클함이 있었어요. 이분들도 세상은 잘못됐다, 바꿔야 되지 않느냐는 확고한 신념을 가지고 있었거든요. 그런 분들을 만나니까 저도 힘이 생기는 거죠.

동질감을 가지고 있는 사람이 있는 것과 없는 건 어떤 차이가 있을까요?

무리가 있는 것도 권력이거든요. 그런데 불합리한 거를 바꿀 수 있는 힘이라면 저도 동기가 되고, 반대로 그런 게 없으면 두려움이 있는 거죠. 더 큰 반대 세력들한테 무참히 짓밟혀도 어디 가서 호소할 수 있는 힘이 하나도 없는 거죠.

노사모 활동 중 어떤 것을 제일 많이 하셨어요?

저는 노사모에서 많이 싸운 것 같아요. 지금은 월 600만 원 정도 자발적 회비로 운영되는 걸로 알고 있어요. 그런데 2003년, 2004년만 해도 한 달에 6천만 원, 9천만 원 이상씩 회비가 걷혔고. 저같이 희망 때문에 가입하신 분들이 많은데 당시 집행부 사람들은 원칙, 절차를 많이 무시하고. 보여주려는 전시 행정이라고 해야 될까요? 그런 거를 많이 했어요. 그래서 잘못됐다고 이야기했고. 또 노사모가 세상을 바꿔야 되는데 노짱이 교주인 거예요. 그 사람이 그냥 좋은 거예요. 물론 그거를 부정하지는 않는데 우리가 먼저 나가야 될 길은 정체성이거든요. 노사모가 어떤 길을 가야 될지 먼저 정체성을 확립하고 거기에 맞춰서 실천해야 되는데, 구미에 박정희 동상을 차려놓듯이 노짱을 신격화하는 부분에 전 불만이 많았습니다.

주변에 노사모라고 얘기하면서 홍보하고 권하신 적 있으신가요?

당시에는 노사모 같이하자고 이야기 많이 했죠. 노짱께서 대통령이 되려면 다수의 사람들이 동의해야 되는 거예요. 많은 사람이 똑같은 생각을 가지고 있다고 생각합니다. 노사모라고 해서 배낭 메고 어디를 다녀야 되고 생업을 포기하고. 저는 그런 노사모 굉장히 싫어하고요. 그렇게 해서 바뀔 세상 같았으면 벌써 바뀌었다고 생각합니다. 자기 업을 하면서, 직장을 다니면서 바뀔 수 있다는 생각을 가지고, 주변 사람들이 혹시 잘못된 생각을 가지고 있으면 논리적으로 잘못됐다 설득하고. 시간이 걸리지만 결국은 그렇게 해서 많은 사람들이 원칙과 상식을 지켜나가면 노짱이 생각하는 목표에 맞지 않나 생각합니다.

그 많던 노사모는 다 어디로 갔을까요?

노사모 회원들이 많을 때는 10만이 넘었고, 지금 선거인 명부에는 3만 명 정도가 실명 인증된 걸로 알고 있습니다. 실제 투표하면 400명 정도고요. 제가 볼 때는 1,000명 이하라고 생각합니다. 노사모가 싫어서 가는 것보다는 전쟁터에 장수가 없으면 졸들이 어떻게 하겠습니까? 어차피 노짱님도 민중과 똑같은 생각을 가졌기 때문에 저희가 노사모를 만들고 노사모에서 활동한 것이고요. 또다른 리더가 있으면 희망을 가지고 가겠죠. 문재인 대통령을 지지한다든지, 유시민 전 장관님을 지지한다든지 곳곳에 가 있겠죠. 그렇지만 노짱이 계셨을 때 노사모 가입했던 마음이나 지금 마음이나 똑같다고 생각해요.

노사모는 노무현이 없는데 있어야 하나요?

내년에 전국 대표 일꾼 선거를 나가보려고 합니다. 노사모 해체를 주장하고 나갈 겁니다. 이제는 해체되는 게 맞다고 생각합니다. 이번 지방선거도 마찬가지지만, 보는 사람의 시각에 따라 다를 텐데, 정치인들도 추종 세력들도 노짱님한테 빨대 꽂고 있는 것 같아요. 선거 나가기 전에 봉하마을에서 시작하고 선거 홍보물에 노사모에서 뭐뭐 했다 하는 양아치들에게 저는 불만이 많습니다. 노짱님은 우리 대장이잖아요. 세상을 바꾸어보려고 하셨거든요. 우리는 거기에 동의하고 같이 움직였단 말이에요. 권력을 잡으려는 사람들이 노짱님에 대한 민중들의 선의에 비비려는 거죠. 그런 꼬리표 하나 정도 달고 가는 것이 이득이라고 생각할 수도 있겠죠. 그런데 노사모가 그렇게 해서는 안 되지 않나요? 노짱님도 가시면서 비석 하나

외에는 하지 말라 그랬잖아요.

노사모 해체한다면서 왜 대표로 나가려고 하시는 거예요?

대표로 나가서 해체하려고요. 누군가는 정리해야 될 것 같아요. 나간다고 제가 되는 건 아니니까요. 반대가 많아서 해체가 안 될 수도 있겠죠. 그런데 노사모에 실제 관심 가지고 있는 사람들 100명도 안 돼요. 인천 노사모가 활동하고 있고 김해 노사모도 조금 있고요.

당시에는 노무현 대통령 흔들기가 심했지요.

한나라당인가, 그 당과 연정 문제. 지금도 마찬가지로 진보적인 세력들이 일을 하려고 하면 반대쪽에 있는 세력들은 언론을 이용해서 계속 무너트리려고 하죠. 잘못된 정보도 흘리고. 민중들은 그걸 받아들이고. 대통령이 된다고 해서 모든 것을 내 마음대로 할 수 있는 세상이 아니잖아요. 국민들 동의를 얻어야 되는데 아마 벅차지 않았을까 생각이 들었습니다.

노사모는 그때 뭐하고 있었을까요?

정신 못 차렸죠. 노사모가 하나의 권력이었어요. 그런 게 상당히 문제이지 않았나. 요즘이야 SNS가 있어서 더 많은 회원들이 있는 곳이 있겠지만 온라인, 오프라인 모임에서 10만 명 회원은 상당히 많은 회원이었고 정치권력을 가지고 있는 사람들한테는 굉장히 힘이 되겠죠. 또 노사모를 통해서 정치를 나가려는 사람들도 있었죠. 노사모가 아주 좋은 힘이 되겠다고 생각했겠죠. 그래서 방향성을 잃었던 것 같아요.

시민들의 현실 정치 참여가 필요한가요?

당연하죠. 특권층이 가장 두려워하는 게 관심을 갖는 거거든요. 무관심하게 살아라, 이거죠. 전에 교육부에 있는 사람이 민중은 개돼지라고 말했잖아요. 개돼지는 아무 생각이 없잖아요. 그런데 아이러니하지만 교육부에 있는 그런 사람들, 자기만 잘살면 된다는 특권층에 있는 사람들이 오히려 더 문제가 있다고 생각하고요. 많은 사람들이 정치에 관심을 가지면 세상은 훨씬 빨리 좋은 세상이 될 것 같습니다.

노무현과 노사모의 닮은 점이 있을까요?

닮은 부분도 있고 그렇지 않은 부분도 있다고 생각합니다. 노짱님도 편하게 사실 수 있는데 포기하셨잖아요. 사법고시 패스하고 변호사 하시고 얼마든지 편하게 사실 수 있는데. 보통 사람들은 포기 안 하잖아요. 그러니까 바보죠. 노사모도 그렇고요. 자기가 피해를 볼 수 있거든요, 자기 것을 내놔야 되니까. 작은 바보들이 큰 바보가 나타나니까 따라간 것 같아요. 노사모라는 조직이 생겨나고 10만 회원이 형성되고. 노사모에 가입은 안 했지만 노짱을 지지하고 응원했던 사람들이 있었던 것 같아요. 닮지 않은 점은 노사모를 이용하는 사람들이죠. 세상을 바꾼다는 것은 상당히 힘들고 양심적이고 청렴해야 되고, 기준이 까다롭죠. 사람들은 당연히 그럴 것이라고 기대하는데 나중에 비리, 안 좋은 모습들이 밝혀지면 동력들을 굉장히 빨리 잃어버릴 수 있거든요. 예를 들어서 수구 세력들하고는 싸울 수 있지만, 리더라고 하는 사람들을 따라갔는데 실망을 줬을 때는 빨리 포기할 수밖에 없거든요. 그래서 위험한 거라고 생각합니다. 그분을 정치적으로 이용하고 권력을 이용하기 위해 노사모에 있었던 사람들도 있었다고 생각합니다.

노사모가 여전히 슬픔에서 헤어나지 못하고 있다는 느낌을 받거든요.

슬픔은 있죠. 모르겠습니다. 노짱님도 중요하지만 세상의 민중들은 지금도 힘들게 살아가고 있고 자기 의지로 열심히 하면 잘살 수 있지 않느냐 얘기하지만 그렇지 못한 게 현실이거든요. 제2의 노짱, 제3의 노짱 리더가 나타나야 되는 거고. 그런 면에서 문재인 대통령이 제2의 노짱이라고 생각하고 있고 민중들은 믿고 따라가야 되는 거고. 제3의 어떤 분이 나타나면 가면 되는 거고요. 노짱님은 가슴에 묻어놓는 게 맞는다고 생각합니다.

당시에 인상적이었던 지역이 있으셨나요?

노사모 내에서 한번 탄핵이 있었습니다. 대표 일꾼을 탄핵하고 시스템을 바꾼 적이 있어요. 정확한 연도는 기억 안 나는데 2008년도 정도. 당시 대표 일꾼이 마음대로 한 거죠. 그런 과정들이 계속 되풀이되니까 생각 있었던 사람들이 대전에서 모였어요. 소나무님이라든지, 닉네임은 정확히 기억 안 나지만, 80여 명 정도인 것 같은데 모여서 현재 시스템으로 바꾼 거죠. 대표 일꾼이 모든 의사를 결정하는 게 아니고 지역 대표 일꾼을 중앙 위원회로 만들고 중앙 위원회에서 국회처럼 한 거죠. 대표 일꾼이 어떤 일을 하고 싶으면 중앙 위원회에서 결정해서 시행될 수 있도록. 시스템을 만들 때 혼란이 있었습니다. 아무래도 당시 현 대표 고유권을 지지하는 사람들과 그것을 뒤집어야 된다는 사람들 간에 분쟁이 있었습니다.

고졸 대통령이라서 되게 무시당하셨거든요. 노사모는 10만. 대체 뭘 하고 있었을까요?

〈조선일보〉든 당시 검찰이든 특권층이거든요. 자기네들의 특권을 뺏길 수가 없으니까 적극적으로 내려앉히려고 하겠죠. 답답한 거는 있죠. 그래도 행정부 수장인데 검사들과 그렇게까지 대화하면서 존중할 필요가 있었을까. 오히려 강하게 나가셨으면 더 낫지 않았을까. 대화하고 설득하고 기다리는 성향이셨기 때문에 그런 것 같아요. 나는 선의를 베풀었는데 상대는 악의로 들어온 것뿐이지. 그렇다고 해서 노짱님이 잘못했다고 생각하지는 않습니다.

나중에 유행어가 만들어졌어요. 이게 다 노무현 때문이다. 그때 심정이 어떠셨어요?

저는 크게 문제삼지 않았습니다. 어차피 그들은 우리의 반대에 있고 그렇게 나올 수밖에 없는 상황이고. 다수가 공평하게 가져간다면 자기 것을 뺏겨야 되기 때문에 저항할 수밖에 없었을 거고. 저는 왜곡이라 생각하고요. 초등학생 아이들이 당시 정치 환경을 알 수 없다고 생각해요. 관심도 없고. 아이들이 노무현 탓이라고 얘기했다는 거는 어차피 있지도 않은 이야기를 조중동 같은 사이비 언론에서 얼마든지 생산해내는 거거든요. 굳이 민감하게 반응할 필요는 없다고 생각한 거죠. 네거티브도 하는 이유가 있잖아요, 관심을 끌기 위해서.

싸웠어야 되는 거 아닌가요? 터무니없는 건데.

싸우려면 그렇게 싸우면 안 되죠. 노짱님이 왜 연정을 이야기하겠어요, 한나라당하고요. 지지했던 사람들은 깜짝 놀랐죠. 저 사람들하고 무슨 대화가 되느냐? 그런데 크게 봤을 때, 욕심도 있지만, 생각이 조금 다른 것뿐이거든요. 그러면 설득해서 양보를 해낸다면 더 영구적인 세상을 만들 수 있는 거죠. 노짱님은 항상 아이들이 살기 좋은 나라를 만들고 싶었거든요. 그런데 적이 있고 내가 있고는 아니잖아요. 대장이 저런 마인드를 가지고 있으니까 우리도 무조건 싫어할 게 아니고, 무조건 타도와 싸움의 대상이 아니죠. 그들을 설득하고 깨어 있지 않은 시민들을 깨우고. 그것이 노짱님이 갔던 길인 것 같아요. 저희도 그 길로 가야 되는 게 맞는 것 같고요.

노사모가 한 실수 혹은 패착이 있었다면 어떤 점이 있을까요?

노사모란 단체가 노짱이 좋아서 만들어졌어요. 그리고 당선됐습니다. 그러면 우리는 방향 설정을 정확히 했어야 된다고 생각해요. 주변 시민 사회단체와 연대를 했다면 노짱님이 힘들지 않았을 거라고 생각합니다. 대선 과정에서 주변 정치인들한테 실망도 많이 했고 당선되고서도 많이 힘드셨거든요. 노사모가 노사모 안에만 있지 않고 주변 진보 세력들과 연대해서 노짱님을 더 지지해줬다면 좋지 않았을까. 현재 문재인 대통령도 지지율이 높으니까 다른 세력들이 그렇게 하지 못하는 거거든요. 우리가 더 했어야 되지 않나 아쉬움은 있습니다.

전교조가 비판했었고 그다음에 파병 문제로.

진보 세력들이 반대하는 것이 나쁘다고 생각하지 않습니다. 노짱을 좋아하지만 노사모도 노짱의 정책이 다 맞는다고 생각하진 않거든요. 생각이 다름을 얘기할 수 있고 정부에서도 그렇게 해주는 것을 원하고 있었을 수도 있다고 생각합니다. '정치·외교적으로 볼 때 이라크 파병을 미국이 요청하는데, 나는 하고 싶지만 우리나라 국민들은 반대한다. 그래서 나는 전투병까진 못 보낸다. 안 그러면 탄핵당한다.' 진보 세력들이 하는 얘기를 충분히 들을 필요가 있다고 생각하고 그것 때문에 지지율이 낮아진다고 생각 안 합니다. 지지율이 낮아지는 것은 왜곡된 정보 때문인 것 같아요.

노무현 대통령에게 미안한 점이 있다면, 혹시 다시 만나면 해주고 싶은 말이 있다면?

끝까지 좀 계셨으면 훨씬 더 낫지 않았을까…… 민중을 위해서 그렇게 선택하셨지만 그래도 계셨으면. 우리가 조금 후퇴했겠지만 현재를 봤을 때는…… 그분이 계시면 지금 또다시 좋은 세상을 만들기 위해서 천천히 가는 걸음에 말 한 마리 더 생겨서 더 빨리 갈 수 있는 큰 힘이 되지 않았을까 생각합니다.

어떤 세상을 만나고 싶으세요?

전까지만 해도 북한과 굉장히 극단적으로 치달았고. 미국은 자기 나라를 위해서라면 전쟁이 나든 안 나든 상관없기 때문에. 북한 주민들도 동포고 전쟁은 굉장히 비참하잖아요. 수구 세력들은 관심 없거든요. 오로지 자기 권력만 가지면 된다는 생각. 그런데 노짱이 이야기했듯 깨어 있는 시민들이 많아지고 사람들이 원칙을 지키고 상식적으로 이야기하게 된다면 제 아이들이 살아가는 세상이 지금보다는 훨씬 낫지 않을까.

그래서 노사모에서 지금 뭘 하고 계신가요?

개인적으로 조그마한 공장을 하고 있습니다. 직원은 18명 되지만 직원들한테 얘기할 때 항상 희망을 주려고 노력하거든요. 작은 실천을 하는 거죠. 누가 보든 안 보든. 외국인 근로자가 6명 있는데 그 친구들한테도 인격적으로 대하고. 직원들 중에는 욕도 하고 폭력을 가한 적도 있어요. 그런 부분들이 있으면 얘기해서 작은 실천을 하는 거죠. 라오스라든지 물품이 귀한 나라에는 옷이나, 제가 취미로 배드민턴을 하고 있는데, 배드민턴 라켓들을 걷어서 직접 갖다준다든지. 주변 사람들과 얘기하다보면 저는 노사모라고 지금도 얘기하거든요. 얘기를 했기 때문에 더 조심하죠. 실수하지 않도록. 그렇게 살아야 되고. 그런 노력들을 하는 게 제가 할 수 있는 최선이 아닌가 생각합니다.

그런다고 세상이 달라질까요?

뒤로 가는 것보단 나은 것 같아요. 한 사람의 삶을 볼 때도 고민하고 고뇌하며 사는 삶이 편하게 사는 것보다 나은 것 같아요. 저도 고등학교밖에 안 나왔지만 예전에 읽었던 책 중에서 '몸이 편하고 좋은 음식 먹으면 아무 고민 없이 살기 때문에 육체적으로는 보상을 받겠지만, 고생하고 남을 생각하며 살면 생각이라는 것을 담고 가기 때문에 불평할 필요는 없다'고 했어요. 어깨를 펴고 살 수 있는 세상이 노짱님이 원하시는 세상이니까. 저는 온다고 생각합니다. 여기서도 어떤 메시지를 주기 위해 영화를 찍는 것 같거든요. 그렇지 않은 친구들도 있지만 생각이 올바른 친구들도 많이 있습니다. 노짱 같으신 분들이 또 나오실 거고 그러다보면 좋은 세상은 올 거라고 생각합니다. 확신합니다.

노사모는 살아 있는 노무현이 되면 됩니다

송전탑 지창영

닉네임은 '송전탑'입니다. 송전탑은 제 첫 시집의 이름입니다. 시를 쓰게 된 가장 큰 동기가 송전탑이거든요. 고속도로로 여행하다보면 송전탑이 산마루에 문득 서 있는 것이 보입니다. 하늘과 땅의 중간 매개자로서 메시지를 전달해주고 싶은 간절함이 느껴졌고 그걸 표현하려다보니 '송전탑'이라는 시가 나왔고요.

원래 노사모 가입을 할 생각이 없었어요, 2011년까지. 그전까지는 노사모 활동하는 것을 한 발 떨어져서 보면서 대단하다, 나도 하고 싶지만 이미 잘하고 있으니 굳이 할 필요 없겠다고 생각했어요. 그런데 서거 후 활동하다보니까 인연이 돼서 인천 노사모 활동하시는 분들을 알게 되고, 활동할 거면 회원으로 가입하는 게 좋지 않겠냐고 여러 차례 권유받고 해야겠다는 생각이 그때 들었어요.

제가 노무현 대통령을 만났다고 감히 얘기하는 것은 2012년 7월 15일이에요. 그전까지는 가까이서 뵌 적이 한 번도 없습니다. TV나 신문 말고는. 2012년 7월 15일에 대통령을 뵀다고 제가 말씀드리는 거는 굉장히 신기한 체험을 했어요. 처음으로 봉하마을에 갔죠. 인천 노사모 팀들하고. 참배하려고 도열하고 있는 때였어요. 참배 인도하시는 분 있잖아요? 해설도 하고 절차를 진행하시는 과정에서, 저는 다른 인천 노사모 회원들하고 도열해 있는데 뭔가 일종의 전기를 느꼈어요. 오른쪽 뺨을 어떤 기류로 감싸는 거예요. 얼굴 전체를 감싸고 한동안 머물러 있다가 지나가는 걸 느꼈죠. 이건 노무현 대통령의 손길이다. 이 사연을 노무현 재단 누리마루 이야기에 쓴 적이 있습니다. 그날을 기억해요. 2012년 7월 15일, 봉하마을에서. 노무현 대통령께서 돌아가신 지 3년 후에 만나게 됐다고 고백합니다.

노사모에 가입하시기 전 송전탑님은 어떤 분이셨나요?

제가 65년생인데 70년도 말, 80년, 90년도에 이르는 동안 굉장히 외롭게 지냈습니다. 사회 활동에 참여해서 함께하고 싶은데 제 처지가 그럴 수 없었어요. 방송통신대학이라든지 이런 데서는 학우들과 어깨 걸고 어울릴 수 있는 환경이 아니었기 때문에 혼자서 이한열 열사 장례식 따라다니고. 소속이 없었죠. 마음은 함께하고 싶지만, 사회활동 하는 사람들이 야외에 모이고 거리에 나서면 뒤꽁무니에서 멀찌감치서 응원하고 때로 군중 속에 뛰어들기도 했죠. 그러다가 95년경 서대문 마포 민주시민회에 가입해서 회원들과 활동했습니다.

다른 지역의 노사모와 인천 노사모의 활동에 차이가 있는 이유는요?

이전까지 활동하시던 선배님들이 큰 역할을 해주셨고요. 그 역할이 있었기 때문에 노무현 대통령이 계셨을 수 있었고. 다만 노무현 정신을 우리 사회에 어떻게 구현해낼 것인가 하는 고민이 인천 노사모의 다른 점을 만들어내는 요인이라고 생각합니다. 사랑비님이 대표 일꾼을 맡으면서 본격적으로 행보하게 됐고요. 내부적으로도 결속을 위해 여러 활동을 하고 있죠. 노무현 대통령 인천 벚꽃길을 조성한 것도 그런 노력의 일환이라고 볼 수 있고요. 그 밖에 봉사단 활동, 글쓰기 모임 활동 등을 통해 계속 움직이는 모습을 보여주는 것이 인천 노사모의 특징이라고 할 수 있습니다.

조사하다보니 인천 노사모만 활동이 튀더라고요.

이와 같은 모델을 가능한 지역부터 같이 활동했으면 좋겠어요. 비슷한 활동을 할 수 있는 범위 내에서. 예를 들어 인문학 모임은 지금도 시작할 수 있다고 생각합니다. 가끔 또는 정기적으로 모이는 지역이 있다고 들었는데요. 모여서 추억을 다시 한번 되새기는 것도 좋지만 거기에 더해 책 읽고 토론하고 이야기하고. 그렇게 지속하다보면 회원이 한 사람, 한 사람 늘 거라고 생각합니다. 인천에서는 그렇게 자연스럽게 늘어난 회원들을 봤습니다.

백남기 농민 사건에 인천 노사모 이름으로 참여하셨잖아요.

'여기에 참여하자'라기보다는 여러 사회 참여 활동 중 자연스럽게 연결된 거죠. 노무현 대통령 서거 이후 말도 안 되는 정권의 비리와 탄압, 퇴행적인 행보를 보여왔는데, 노사모로서 분개하고 시위에서 깃발을 들고 지속적으로 참여했죠. 그 와중에 백남기 농민이 돌아가신 거고요. 서울대학교 병원 인근에 추모 현수막도 걸고 했습니다.

특별히 인천 노사모만의 활동들이 있다면?

참살이문학. 회원들이 인문학적인 공부와 글쓰기를 실제 해보는 겁니다. 제가 강의도 하고 습작품을 코칭해드려요. 또 노사모 봉사단이 있습니다. 노인문화센터를 방문해서 식사를 만들어서 제공해드리고 있고요. 그 밖에도 여러 가지 봉사활동. 평화 바람이라는 소모임도 있어요. 광화문에서 통일부가 주최하는 행사에 부스 신청해서 참여한 적도 있습니다. 그때 부스에 노란 바람개비를 문 전체에 장식하고 노무현 대통령의 방북 활동, 10·4선언이 있기까지의 여러 가지의 전후 활동들 전시하고 노무현 대통령의 가치를 통일과 연관해서 얘기할 수 있었던 것이 보람된 활동이었습니다. 벚꽃길 활동은 가능한 회원들 오셔서 잡초도 뽑고 꽃도 기르고 명패석도 손질하고. 그 과정 속에서 노사모와 노무현에 대한 생각을 되새기는 활동을 하고 있고요.

개인적인 요즘 저는 평화협정 쪽으로 올인해서 활동하고 있고요. 노무현 대통령이 충분하게 하지 못하신 일이 통일 쪽이라고 생각합니다. 2007년 에이팩 정상회담 때 정상회담 후 부시 대통령과 기자회견 하는 모습이 유튜브에 남아 있습니다. 거기에서 부시 대통령이 극구 말하지 않으려고 하는 것을 여러 차례 다그치시다시피 입을 열려고 했던 장면이 있습니다. 북에서 뭔가 조치하면 미국은 평화협정 맺겠다는 약속이었습니다. 그러나 부시가 기자 회견에서는 얘기를 안 해요. 당시만 해도 한미 관계 정치 지형적으로 자주를 얘기할 수 없었습니다.

노무현 대통령이 답답해한 면 중 하나가 자주적인 면이었다는 걸 저는 절실히 깨닫고 있고요. 자주국방 연설 같은 데서 잘 나타납니다. 미국 말만 따라가는 것이 아니라 우리 힘으로 국방을 이룩해야 북에 대해서 더 잘 대화할 수 있지 않겠냐는. 그리고 이라크 파병을 요청받았을 때 거절하고 싶으면서도 응할 수밖에 없었던 상황. 고민 끝에 파병은 하되 규모는 줄여서. 전투병이 아니라 건설병으로, 평화를 위한 군대를 파견한다는 꼬리표를 붙일 수밖에 없던. 자주적인 힘이 부족했기 때문이죠. 노무현 대통령이 자이툰 부대 방문하고 오시면서 차 안에서 눈물을 훔치시는 장면. 유명한 사진이죠. 그것이 한미 관계의 불평등을 단적으로 보여주는 것이라고 생각합니다. 노무현 대통령의 못다 하신 자주, 통일에 대한 사업에 대해서 관심을 가져야 하고. 노무현 정부의 뜻을 이어받은 문재인 정권의 통일 행보를 밀어줘야 한다고 생각합니다. 노사모가 전국적으로 강력하게 문재인 정권의 통일 행보에 힘을 실어준다면 좋겠지만 현재 상황으로서는 노사모에 그런 동력은 없다고 저는 봅니다. 안타까운 점이죠.

노사모 내에서 인천 노사모에 대해 반응이 어떻습니까?

노사모 내에서 어떻게 보는지는 모르지만 가끔 듣는 얘기가 있어요. 인천 노사모가 그래도 노사모의 자존심을 지켜주고 있는 거 같다. 대표 일꾼으로 나오려면 50명 이상의 추천을 받아야 되는데 추천의 글에 인천 노사모의 활동에 대해 본인들이 느낀 것을 구체적으로 쓴 게 있는데 감동받았어요. 이 사람들이 나름대로의 깊은 생각을 갖고 지켜보고 있었다는 것. 예를 들어 인천 노사모는 살아 있는 노사모 조직인 것 같다는 이야기, 인천 노사모에 노사모의 미래가 있다는 얘기. 그런 평가를 들을 때 보람을 느끼고 감사하죠. 물론 걱정하는 분들도 있지요. 어디서 비롯됐는지는 생각을 해봐야 된다고 생각합니다. 인천 노사모가 활동하는 것을 직접 보지 않고 누군가 하는 얘기를 듣고 판단해버리느냐.

노무현에 대한 판단도 똑같은 맥락에서 봐야 된다고 생각합니다. 노무현에 대해 악의적인 생각을 갖고 비방하는 사람들이 있죠. 메이저 언론에서도. 적어도 노사모인이고 노무현 정신을 따른다면 판단하기 전에 진실이 뭔지 봐야 된다고 생각합니다. 보고 우려스럽다면 그 점을 공개해야 한다고 생각합니다. 과거에 열심히 활동하시던 분들의 시각으로 한 발 떨어져서 인천 노사모의 실체를 직접 보지 않은 채 생각하시면 그런 우려도 가질 수 있겠구나 하는 생각도 듭니다. 과거에는 노무현 한 분을 중심으로 모든 것을 바치던 분들이죠. 그분들에 대한 존경심은 누구라도 다 가져야 된다고 생각합니다. 그분들이 계셨기 때문에 오늘날의 인천 노사모가 있는 거고요. 다만 저희는 노무현 대통령 서거 후기 시대입니다. 과거의 패턴으로 현재 인천 노사모를 보면 경계하실 수도 있을 거 같습니다.

노사모 내부에서 걱정들이 있다고 하는데.

놀란 것이 저에 대한 염려가 있으신 거 같더라고요. 아주 명확하게 확인한 것이 지난 대표 일꾼 선거 때 아내인 사랑비가 대표 일꾼 후보로 출마하게 되니까 질문이 나왔어요. '송전탑님은 통진당원 아니십니까? 통일 활동을 열심히 하는 걸로 아는데.' 정확한 문구는 생각이 안 나지만 너무 급진적이지 않으냐는 것이 요지였어요. 저는 통합진보당에 가입한 적이 없으니까 통진당원이 아니라고 얘기하면서 제 입장을 설명했습니다. 급진, 좌익, 좌파라는 용어가 노사모 내부에서 나온다는 거에 대해 의아했어요. 한편으로는 반성도 해보고요. 저는 당연하다고 생각하는 것을 다른 회원들은 걱정하시더라고요.

그래서 제가 활동하고 있는 것에 대해 가만히 분석해봤습니다, 평화협정을 위한. 제가 평화협정운동본부의 집행위원장을 맡고 있으니까 평화협정이라는 것이 노사모인으로서 해서는 안 될 일인가? 아무리 생각해봐도 아니에요. 노무현 대통령도 평화협정을 원하셨던 분이고요. 김정일 국방위원장과 만나 나누었던 대화가 공개된 대화록 전문에 나와 있습니다. 국방위원장한테 얘기하셨어요. "나는 북한을 위해 세계를 돌아다니면서 대변인을 했다. 때로는 얼굴 붉히면서 북을 옹호했다." 저에 대한 우려는 지나친 우려라고 생각하고요. 한국의 보수적인 성향이 그대로 투영된 것이라고 생각합니다.

1950년, 한국 보수층의 미국에 대한 인식이 1950년 6월 25일로 바뀌었습니다. 미국은 한국을 공산화로부터 보호해준 은인이에요. 그러나 미국의 실체를 놓고 볼 때 그런 면만 있느냐? 아니라는 거죠. 가쓰라 태프트 조약, 일본과 미국의 밀약입니다. 공개된 거에 따르면 미국은 필리핀을 먹고 일본은 한반도를 먹는 데 서로 동의한다. 일본의 한반도 지배를 용인해준 겁니다. 또 거슬러올라가면 신미양요, 병인양요. 미국은 무력으로 한반도에 들어와 통상을 요구하면서 인명을 살상하며 조선의 군대를 초토화하고. 그런 점을 같이 봐야 한다고 생각합니다. 이익과 손해를 같이 생각해야 하는데 보수 쪽에서는 전혀 생각 안 해요. 역사를 왜곡하려고 하는 것이 바로 그 점입니다. 노무현 대통령은 그것을 다 알고 계셨어요. 자주국방 연설에서도 나타났듯 '미국이라면 우리가 사족을 못 쓰는 민족이어서야 되겠느냐? 이런 국내 상황으로 내가 어떻게 외교를 하겠느냐'는 말씀을 토로하셨습니다.

노무현 없는 노사모를 어떻게 받아들여야 합니까?

어차피 노무현은 하실 만큼 다 하시고 보여줄 만큼 다 보여주셨습니다. 노무현이 없더라도 노사모는 살아 있는 노무현이 되어야 하는 거죠. 우리가 진정으로 좋아한 것은 그분이 내세운 가치죠. 사람 사는 세상, 민주주의, 원칙과 상식. 그것을 계속 붙들고 나갈 때 노무현이 없는 노사모 시대를 이끌어나갈 수 있다고 생각합니다.

서거 당시 기억나십니까?

당시 저는 국내 어딘가 여행하고 있었어요. 지인으로부터 문자 메시지가 왔어요. 노무현 대통령께서 투신하셨다고. 처음에는 이게 무슨 이야기인가 믿기지가 않았죠. 서둘러서 언론을 보니까 사실이더라고요. 믿기지가 않았어요. 충격이 점점 커가는 것을 느꼈어요. 서거 후에도 2년 정도는 노사모에 가입할 생각 자체를 안 했어요.

마지막으로 노사모 분들께 한말씀.

인터뷰하는 동안 왼쪽 갈비뼈 안쪽이 결리고 내장이 아팠어요. 이제는 익숙한 현상인데 노무현 대통령에 대해 길게 생각하면 으레 나타나는 현상입니다. 인터뷰 말기에 힘이 들어오는데요. 바로 이런 점이 초기 활동하시던 노사모 선배님들과 후기에 활동하는 저희의 다른 점이 아닌가 생각합니다. 선배님들은 노무현 대통령이 언급되면 눈가가 젖어옵니다. 금방 우시고. 지난번 영화 보면서도 많이 느꼈는데요. 저는 조금 다른 거 같습니다. 서서히 올라오는 아픔. 초기 노사모와 요즘 노사모 간 차이점의 상징적인 현상이라고 생각해요. 송전탑이 너무 과격하다고 걱정하시는 분들이 있는데 걱정하실 거 전혀 없습니다. 저도 노무현 정신과 가치를 깊이 탐구하는 사람이고요. 그 정신에 입각해 생각하고 말하고 행동하려고 노력하는 사람입니다. 인천 노사모 역시 마찬가지입니다. 노무현 대통령을 생각할 때 느껴지는 아픔을 역동적인 힘으로 바꿔 지속적으로 우리 사회에 노무현 정신을 어떻게 실현할 수 있는지 계속 고민하고 있고요. 전혀 걱정하실 거 없고요. 오히려 많이 도와주십시오. 지지해주십시오. 지켜봐주시고요. 함께 새로운 노사모 시대를 열어갔으면 좋겠습니다.

아이가 살아갈 세상이 이대로는 아닌 것 같아

사랑비 옥효정

'사랑비'라는 닉네임 쓰고 있는 옥효정입니다. 노사모에서 활동하고 있고요. 시도 써서 작가회의 회원이기도 합니다. 한 아이의 엄마이기도 하고요. 대부분 가수 김태우의 〈사랑비〉를 생각하시더라고요. 전에는 '부메랑'이라는 닉네임을 많이 썼어요. 그런데 트위터에 가입하려니까 부메랑이 있더라고요. 그후로 사랑비 쓰기 시작해서, 노사모도 사랑비라고 쓰고 있고요.

노사모에 어떻게 가입하게 되셨어요?

어렸을 때부터 부모님 영향으로 김대중 대통령, 노무현 대통령에 대해 알고 있었어요. 노무현 대통령이 경선 바람 일으키는데 그냥 좋은 거예요. 응원도 하고, 그러다 당선되고. 이후에도 노무현 대통령 탄핵 때 한 사람의 시민으로 참여했고요. 서거했을 때 둔기로 맞은 것 같은 각성이 일어났고. 뭔가 해야겠다는 생각이 들더라고요. 국민의 명령 활동을 트위터에서 하고. 서울에서 문성근 대표님과 시작하다가, 중앙이라고 하면 웃기지만, 인천에 지원 나왔고, 당시 인천 시민의 명령을 이끄는 주축들이 노사모 분이셨고. 그때까지만 해도 노사모에 가입한다는 게 내키지 않았어요. 내가 열심히 하면 되지, 굳이 필요한가. 그러다가 2011년에 간곡한 가입 권유 받아서 가입하게 됐고 쭉 이어지고 있습니다.

사랑비님은 어떤 분이셨습니까?

소극적이고 내성적인 성격이고요. 경상도에 살았지만 부모님 영향으로 야권 성향이었는데, 87년 항쟁 현장에 있었지만 사정이 있어서 적극적으로 하지 않았고요. 그래서 거기에 대한 구체적 의식들이 계속 있던 거예요. 직장 생활 할 때도, 노조가 87년 이후 많이 창립되고 탄압받았지만, 같이 시작하고서 나중에는 저만 홀로 투쟁했고 집회도 다녔지만 적법적인 사람이 아니라 뜻에 동조한다는 정도의 소신으로 살았습니다. 그러다 노무현 대통령 서거가 계기가 돼서. 나오기까지 정말 큰 용기가 필요했어요, 저같이 소극적인 사람한테는. 아이가 있으니까 생각이 달라지더라고요. 아이가 살아갈 세상이 이대로는 아닌 것 같아 친구 엄마들이랑 유모차 부대로 참여하기 시작했습니다.

이 지역 노사모는 다른 지역과 뭐가 다를까요?

두 개 모두 복합적인 것 같고요. 정말 '우리가 노무현입니다'라고 할 수 있으려면 노무현 대통령의 뜻을 이어받아야 한다고 생각했어요. 회원들에게 제안하고 회원님들도 동의해주셨고. 하다보니까 연결돼서 인천 시민사회에서 같이 활동하게 되고 많은 분들이 지지해주시고요. 자발적으로 후원하시는 분도 많으세요. 처음에는 노사모가 팬클럽으로 인식됐잖아요. 팬클럽인데 연대하겠다고 오니까 의아해하셨어요. 지속적으로 하니까 달라지셨고. 또 규약으로 선언했던 게, 팬클럽을 벗어나서 시민 사회 단체로 전환해야 한다고 했고, 동의가 돼서 활동하고 있고요. 이제는 연대하자고 제안이 들어오기도 하고, 같이 적극적으로 하고 있습니다.

노사모 내부에서 어떻게 받아들이시는지?

저희는 서거 이후에 활동한 세대라서 초기 활동하신 분들과 교류할 수 있는 방법이 없었어요. 섬처럼 활동해왔고. 중앙에 있는 집행부에서 인정해주시고 지원해주기로 했는데, 어떻게 평가받는지는 몰랐어요. 노무현 대통령 벚꽃길이 조성돼 노무현 재단을 통해 알려지면서 관심 받는 정도였는데, 어느 순간 보니까 저희가 너무 강하다, 왜 그렇게 열심히 하느냐, 의도가 무엇이냐는 소문들이 생기더라고요. 그럴 때는 속상하고, 우리의 얘기를 하고 싶어도 방법도 없고요. 온라인상으로는 한계가 있더라고요. 전달이 잘 안 되더라고요.

노무현 대통령의 유지와도 같은 "민주주의의 최후의 보루는 깨어 있는 시민들의 조직된 힘이다" 여기와 맞닿아 있어서 그런 활동을 한 건지?

노무현 대통령은 약자를 위해서 사셨고요. 약자와의 연대를 중요시했기 때문에, 약자와의 연대하고 사회의 부조리에 저항하는 것이 저희가 해야 될 일이라고 생각했고요. 혼자서는 하늘의 촛불로 꺼지고 더이상 발전할 힘도 없더라고요. 조직이 되면서 목소리를 낼 수 있고 사회 변화를 일으킬 수 있다는 기대를 가졌고요. 친목 모임이 아니라 우리 각자가 리더가 돼 지역에 들어가 활동해야 된다고 생각했고요. 그게 노무현의 정치를 실현하는 일이라고 생각합니다. 작은 역할을 해서 지역이 변하면 사회가 변하고 나라가 변하지 않을까요? 희망이고요. 지역에서 학부모들, 지역 이웃들, 같이 사는 주민들과 작은 변화들을 직접 느끼니까 맞다고 판단되더라고요.

선거 에피소드 이야기해주십시오.

다른 분들도 거론돼서 조심스럽긴 한데요, 초기에 활동하셨던 분들과 연결될 수 있는 기회가 많지 않았어요. 연결된 분은 저희랑 같이 활동하시다가 저희랑 맞지 않아 따로 하시면서 저희에 대해 전국적으로 얘기했어요. 강성이라는 둥 정치적이라는 둥 퍼뜨리면서. 초청하지도 않고 대변하지도 않는 지역에서 뿔 달린 도깨비가 되는 경우가 있고요. 올해 초 전국대표 선거 때 직접적으로 많이 느꼈어요. 저는 대표 일꾼 선거에 나갈 역량도 안 될뿐더러 생각도 없었어요. 어떤 분이 인천에서 사랑비가 인천 노사모를 잘못 이끈다고 소문내셨다고. 제가 인지도는 있으니 나가보라 해서 등 떠밀려 후보로 나갔는데요. 등록하고 너무 스트레스를 받아서 4일 동안 밥도 못 먹었어요. 잠도 못 자고, 살도 빠지고. 내가 해야 될 일도 아니고, 내가 하고 싶지 않은 일을 하는 게 얼마나 힘든지 그때 겪었고요. 특정 당에 가입되어 있지도 않은데 노사모 전체를 당원으로 만들려고 한다는 얘기도 들었고요. 우리 중에 빨갱이가 있다는 얘기도 들었고. 이게 후보에 대한 공식 질문으로까지 올라왔어요. 예전에 인천 대표 일꾼 하면서 같이 중앙위원을 하셨던 분이고 합리적으로 말씀하시길래 괜찮은 분이라고 생각했던 분이 그런 질문을 하는 걸 보고 자괴감이 들었고요. 내가 여기서 뭐하고 있나? 과연 옳은 길인가? 굉장히 힘들었어요. 남편은 평생 해야 될 일이고 이런 거 하나로 그만둘 거면 시작도 하지 말았어야 하지 않느냐, 일희일비하면 안 된다고 하는데 당하는 당사자로서는 힘들더라고요. 스스로 진보라고 하면서 빨갱이라고 하는 건 뭔지. 스스로의 트라우마인가 했고요. 저를 알지 못하는 사람이 대놓고 얘기했을 때 쉽게 받아들여지지 않더라고요.

서거 당시 기억나십니까?

여행중이었어요. 남편 지인으로부터 문자가 왔는데 장난인 줄 알았어요. 아무 생각이 안 나더라고요. 아버지와 남동생을 갑자기 잃은 경험이 있고, 그게 겹치면서 굉장히 충격받았어요. 끈이 끊어지는 기분? 뭘 어떻게 해야 될지 모르겠고. 급히 집으로 올라왔고, 분향하러 서울 가 긴 행렬 기다리고 기다리다가 자정 넘어서 내려왔어요. 인천에도 곳곳에 분향소가 있었거든요. 내려오는 길에 계산역 분향소에서 분향하고. 지금도 사실 믿어지지가 않아요. 갑작스러운 죽음이었고, 기대의 표상이었기 때문에.

낙관적인 노사모 회원들한테 한마디 해주십시오.

안녕하세요, 인천 노사모 사랑비입니다. 올해 초 전국 대표로 선거하면서 인사드리고요, 오랜만에 인사드립니다. 우리는 노무현 대통령을 사랑한다는 공통점이 있습니다. 노무현 대통령의 가치를 계승해야 한다는 공통점을 갖고 있습니다. 다만 그걸 실현하는 방법에 생각의 차이가 큰 것 같습니다. 진정성 있게 만나다보면 우리들의 간격도 좁혀지지 않을까 생각하고요. 만나지 못해서 온라인으로 대화하다보니 감정의 골만 깊어지고, 공통점을 찾기보다는 차이점을 찾는 데 혈안 되어 있어 많이 안타깝습니다. 보시다시피 머리에 뿔 달린 괴물 아니고요. 한 아이의 평범한 엄마입니다. 자주 만나 허심탄회하게 얘기하면서, 노무현 대통령을 사랑하는 사람으로서 자랑스러운 사람이 되는 데 저도 여러분도 다 같이 함께했으면 좋겠습니다. 감사합니다.

끝까지 발전의 대해를 함께합시다

난어용시민 노동천

인천에 사는 노동천입니다. 이름에 노동이 들어가고 노동자로서 살고 있습니다. '짤찌다'라는 닉네임 사용하다가 최근에 '난어용시민'으로 바꿨습니다. 노무현 대통령을 지켜야 된다는 의무감 없이 언론에 휘둘려 같이 비판하던 과오가 있습니다. 문재인 정부 들어서고 문재인 대통령의 진정성을 지지하겠다는 뜻에서 난어용시민이라 정해서 활동하고 있습니다.

노사모에 언제 어떻게 가입하셨습니까?

적극적으로 활동하는 분들에 비하면 늦게 합류했는데요. 노무현 대통령이 2009년도에 가시고 바로 노무현 재단의 회원이 됐고요. 박근혜 당선되고부터 오프라인 활동 적극적으로 하면서 인천 노사모 활동했던 분들 접하고. 2014년쯤으로 기억합니다.

노사모 가입 이전에는 어떻게 살고 계셨습니까?

87년 6월 항쟁 무렵에 노동 현장에서 노동조합 활동 열심히 했고요. 사회현실에 대해서 늘 관심은 가지고 있었지만 2002년에 열심히 활동했던 노사모 분들을 마음으로 응원했을 뿐 활동하지는 않았습니다. 박근혜 대통령 당선된 후에 적극적으로 활동했고요. 현재 대표 일꾼 맡고 있습니다.

강조하시고 싶은 내용, 활동들 있으시다면.

심오한 철학이나 깊이 있는 식견을 가지고 있지도 않고 현실 정치에 늘 끈을 가지고 있었고요. 백남기 어르신 참사 때도 지근거리에 있었죠. 전문가가 아니더라도 사인이 뚜렷한데 당시 집권 세력들을 왜곡하려 했지 않습니까? 이슈가 있을 때마다 현장에 있기는 했는데 인천만의 특별한 상황은 기억나지 않습니다. 촛불집회 당시에 매주 부평역 맨 앞칸에서 수십 명이 모이는 전통이 있었습니다.

일반 시민들은 인천 노사모에 대해 어떻게 생각하는 거 같습니까?

지금 노무현 정신이 대세지 않습니까? 친문이지만 친문이 친노고, 친노가 친문이다. 노무현 정신은 이제야 빛을 발하고 있습니다. 노사모는 홈페이지에 적을 둔 회원들뿐 아니라 촛불을 들었던 민주 시민들의 것이라고 생각합니다. 촛불혁명 이후 문재인 정부 들어서고 시민들의 눈빛도 호의적으로 바뀌지 않았나. 실제로 행사나 집회 현장에서도 노사모 깃발 들고 있으면 음료수 사오셔서 격려해주시는 시민들도 가끔 접하고 있습니다.

그 많은 노사모 회원들이 다 어디로 갔습니까?

이슈가 있을 때 동력이 생기고 활화산처럼 타오르지요. 동력은 꾸준하고 길게 가지 못합니다. 정치권도 마찬가지고요. 노사모도 활화산처럼 타오를 때에 비하면 동력이 많이 떨어졌는데, 어쩔 수 없는 현상이지 않을까 생각합니다. 사회에 조금이라도 발전되고자 하는 의식 가진 분들이 꾸준하게 활동하는 것이지. 홈페이지 접속자가 하루에 불과 몇십 명인데 지금도 후원해주시는 분들의 선의로 굴러가지 않나 생각합니다.

노무현 대통령이 돌아가셔서 동력을 잃어버렸다고 봐도 되겠습니까?

그렇게 생각하지 않고요. 저같이 서거 후에 노사모 회원이 된 사람도 있지 않습니까? 노사모가 중앙에서, 지역에서 제 역할을 충분히 하고 꼭 필요한 활동을 열심히 하면 신규 회원은 계속 유입되리라고 생각하고요. 열심히 하셨던 초기 노사모 분들 존경합니다. 말없는 다수 분들. 그런데 일부 어떤 분들은 노사모가 초기에 적극적으로 활동했던 분들의 전유물인 것처럼 생각하시지 않나 판단하고 있습니다.

혹시 서거 당시 기억이 나십니까?

뚜렷이 나지요. 제가 지방 다니면서 일하는데 서거 당시에 전라북도 진안군에서 있었습니다. 못 듣고 있다가 아내 전화 받고 무슨 소리냐고, 장난하느냐고 그랬지요. 라디오를 틀었죠. 충격이었어요. 울었습니다. 자동적으로 눈물이 나더군요. 그날 밤 진안에서 가까운 전주 민주당 빈소 가서 조문하고. 그해에 봉하도 찾아뵙고. 당시 노사모 회원 아니었지만 1주기 때 봉하마을 가서 많이 울고. 뚜렷이 기억납니다, 2009년 5월 23일.

노사모라고 하시는 분들은 서거가 각성의 계기가 됐다고 하시더라고요.

미처 깨닫지 못했던 것을 깨달으면서 사는 게 삶인데 현재 시민들이 그걸 깨닫고 있지 않나. 한미 FTA라든가 이라크 파병이라든가 노무현 정부를 탄생하게 했던 민주 시민들조차도 참여정부에 반대하는 시위에 참여했습니다. 깊이 생각하지 못했죠. 정부에 힘을 실어줬어야 했는데 깨닫지 못했던 거고요. 지금은 많이 깨닫고 있어요.

전국의 노사모 회원들에게 영상 편지.

안녕하십니까? 인천의 노동천입니다. 닉네임은 난어용시민이라고 합니다. 참 민주주의는 지난한 거 같습니다. 끈기가 있어야 된다고 생각합니다. 문제가 있으면 문제 있다고 지적할 줄 알아야 되고요. 꾸준하게 계속해야지, 힘들다고 지치고 주저앉으면 바꿀 수 있는 건 없다고 생각합니다. 우리 같이 끝까지 발전의 대해를 함께합시다. 저도 끝까지 함께하겠습니다. 고맙습니다.

생활이 앞서는
생활 정치인

기훈아빠 이종민

'기훈아빠'입니다. 결혼했고 아이도 어릴 때였죠. 정확한 가입 시기는 기억 못하겠습니다. 카페가 아니라 온라인상에 개설이 될 때 가입한 것 같아요.

가입 이전에는 어떤 분이셨습니까?

평범한 직장인이었습니다. 그러다가 온라인상에서 노무현이라는 정치인에 대해 알게 된 거죠. 그전에는 신문이나 언론에서 정치인들이 비치는 모습을 보다가 생생하게 한 정치인의 순수한 마음을 보게 된 거죠. 아내의 반대가 대단히 심했어요. 주말에 애들도 보고 가족들과 함께해야 되는데. 특히 와이프가 경주 사람이고, 가만히 있어도 자동으로 보수화되는 동네거든요. 처음에는 노사모라는 모임에 가면 이해도 못하고 굉장히 힘들어했죠. 제가 정치할 사람은 아니고 일반 시민이니까 반발이 많이 심했죠. 왜 이런 활동을 하고 왜 이런 정치인을 좋아하게 됐는지, 예를 들면 좋은 글 있으면 사무실에서 프린트해서 집에서 '한 번만 읽어봐라' 하고. 읽어보는 시간에는 마사지를 엄청 해줘야 돼요. 그 조건으로 읽어보게 하니까 조금씩조금씩. 지금은 저보다도 투철한 투사가 돼서. (웃음)

왜 하셨어요? 활동 이후 무척 힘들어하는 분들이 많은데요.

그때에도 만사 제치고 열성적으로 하는 것에 대해서는 개인적으로 반대했어요. 가장 가까운 가족을 설득하고 동의를 구하지 못하면 해선 안 된다고 생각해요. 저는 투사는 아니고요. 말씀드렸다시피 생활 정치인이에요. 생활이 먼저 앞서야 되고 정치는 생활 정치인으로서 하는 거예요.

노사모를 만나고 바뀐 점이 있나요?

동무들이 많이 생겼죠. 크게 바뀐 건 없는데 한번 좌절을 겪지 않았습니까? 노무현 대통령께서 서거하셨는데 많이 아팠어요. 정확하게 제 삶이 노사모 이전과 이후로 나뉜다고는 할 수 없겠지만 지지자로서 전략적인 마음을 갖게 되지 않았나. 노사모 지지자로서 노무현 대통령 당선되고 많은 아픔을 겪었잖아요. 정말 많이 고립되셨거든요. 심지어는 진보 언론에서조차 침 뱉고 조롱하고. 이라크 파병 등 있을 때 노사모 내부에서도 갈등과 분열이. 이러려고 대통령 뽑았나 하면서 떠나시는 분들도 많았고. 저도 개인적으로 많이 상처받았지만. 그런 과정을 거치면서 정치인을, 어떤 세력을 지지한다고 할 때 마음의 정의를 정확하게 잡아야 장기전이 되고 싸움에서 이길 수 있겠다고 생각하게 됐어요. 정치인으로 나가는 게 아니고 전략적인 판단을 내릴 수 있도록 깨어 있으려고 노력하고요. 노사모로 인해 인생이 뒤바뀌는 정도의 극적인 반전은 없었습니다.

그 정도만 해도 인생에서 큰 변화이기도 할 것 같아요.

그렇죠. 큰 변화겠죠. 노무현 대통령의 초석이 지금 문재인 정부 탄생에 배경이 됐고. 남북 관계도 그렇고. 노사모부터 시작해서 흘러왔던 과정들을 돌이켜보면 아이들한테 부끄럽지 않은 아빠로서, 기훈아빠 닉네임에 부끄럽지 않은 생활 정치인이었던 것 같습니다.

후회되던 순간들은 없으십니까?

후회하진 않고요. 지금은 아내가 저보다도 열렬한 지지자고. 그걸로 족하고요. 경주 지역에서 같이 노사모 활동 했던 분들과 삶의 동반자처럼 아직도 가족들끼리 매달 모임을 해요. 활동하면서 여러 사람들 있다보니 개별 사안에 대해 서로 부딪히고 문제가 있기도 하지만 결국은 사람 사는 세상이고 그 속에서 아주 좋은 유대 관계를 맺고. 지금은 한 커뮤니티로 같이 모여 있는 거죠. 중요한 거는 깨어 있는 시민들이 조직되어 뭉쳐 있으면 나중에 뭔가를 할 수 있다는 거죠. 혼자만 있으면 못하지만.

촛불혁명이나 문재인 정부가 노사모가 만든 토대 위에 있을 수 있었다고.

100% 동의하고 지금 남북 관계도 결국은 문재인 대통령께서 비서실장으로 계시면서 학습하시고 때로는 업그레이드해서. 문재인 지지하는 세력들은 노사모 시즌 2가 되는 거고 문재인 대통령도 노무현 참여정부의 시즌 2가 되는 거고. 그대로 계승하는 것보다 한층 업그레이드되어서 전략적으로 세상을 바꿔나갈 수 있는 학습효과들이 컸다고 자부합니다.

노무현 대통령 언제 제일 생각나세요?

생각 많이 나죠. 길은 다르지만 문재인 대통령께서 북한에 올라가실 때도 노무현 대통령이 먼저 가서 길을 닦아놓으셨고 나무도 심어놓으셨고. 그 모든 흔적들이 노무현 대통령을 생각하게 하는 거죠. 김해 쪽으로 가면 생각 많이 나죠. 봉하마을 쪽으로 가게 되면. 서거 소식을 언론을 통해 들었는데 정말 멘붕이었습니다. 아이들 데리고 갔죠. 봉하마을로 가서 장례식 끝날 때까지, 역사의 한 소용돌이 현장에서. 많이 아프죠. 두 번 다시 그런 일이 없어야 되지 않겠나. 노무현 대통령께서 시대를 너무 앞서가셔서.

그때 노사모 회원들에게 한말씀.

한 시대를 뜨겁게 사랑했던 정치인을 놓고 치열하게 토론하고 논쟁하고. 감정이 상했던 분들도 있을 수 있습니다. 행여 상처가 남았다면 부족한 (웃음) 지지자로서 마음이 앞서갔다는 걸로 받아주시고 지금은 한마음이 되어서 좀더 밝은 세상, 좀더 나은 세상을 함께 만들었으면 좋겠습니다.

노사모는 굉장히 소중한 순간들

심심해 심호석

심호석이라고 하고요. 2002년도에도 지금도 KT 대리점 하고 있습니다. 닉네임은 '심심해'입니다. 2002년 2월에 가입했어요. 5공 청문회 때 노짱 알게 되고 관심 가지고 있었는데 대통령 출마한다고 해서 숫자라도 보태야겠다는 마음에 노사모 가입한 거죠. 그때가 서른아홉이었을 거예요. 노사모 가입하니까 문자가 엄청 와요. 경선이다보니 이거 해라, 저거 해라. 그때는 그런가보다 하고 말았어요. 그러다가 광주 경선 끝난 날 문자로 모인다고 해서 처음으로 오프라인 모임을 아내 데리고 갔어요. 다음 인천 경선은 어찌어찌 준비하자는 얘기들 많이 하더라고요. 어떤 분이 저한테 인천 경선하기 전에 인천에서 지지 선언을 모아줬으면 좋겠다고 얘기하더라고요. 알았다고 하면서 노사모 오프라인 모임을 나가기 시작한 거죠. 지지 성명 받아야 하는데 아는 데가 없어서 인천에 운동하는 아는 분 계셔서 찾아가 도움 청했더니 당시 남동을 국회의원 했던 이용희 의원 보좌관, 정혜훈씨, 곽환항씨라는 분을 소개해주더라고요. 그분들 만나서 서명 부탁하고 2002년이니까 2002명 서명 받았어요. 이것저것 하다보니까 노사모가 재밌는 거예요. 몇 번 입바른 소리 했다가 인천 대표 일꾼도 되고.

노사모 가입하기 전 어떤 사람이었습니까?

학교 다닐 때 학생운동 조금 했어요. 그러고 나서는 직장 생활하고 장사하고. 그러면서도 웬만한 사람들이 가지고 있는 정도로 정의감이 조금씩 있고요. 노사모 회원들을 만나면서 참 좋았던 거 같아요. 서로의 이해관계 따지지 않고 동등하게 대하고 편했어요. 일하고자 하는 뜻도 맞으니까 같이 다니고. 기억에 많이 남고 또 무엇 때문에 그렇게 했는가 하는 생각도 들고. 경선 당시에 KT 대리점 했는데 가게에 별로 신경 안 쓰고 직원 한 명한테 맡겨놓고 저는 돌아다니고. 대통령 선거 끝나고 보니 제가 신용불

량자 문 앞에 서 있더라고요.

사모님께서는 아무 말씀 없으시던가요?

아내는 몰랐죠. 얘기를 안 했으니까. 아내는 공무원이니까 집에 들어오는 돈이 줄었더라도 생활할 수 있었어요. 돌아다니느라 돈을 많이 쓰나보다 하고 말았겠죠. 선거 끝나고 보니까 상황이 보통이 아니더라고요. 선거 끝나고 다음날 대표 일꾼 그만두고 생업으로 돌아갔어요. 지금은 그렇게 하라고 하면 못하죠. 받는 거 없이 내 돈 쓰면서 다녔는데 미친 거죠. 왜 미친 건지도 모르고 다들 미쳐서. 노사모도 회원들이 좋아서 다닌다고 했어요. 저한테는 굉장히 소중한 지점이고 많이 배우기도 했고요.

지금도 노사모 활동 하고 계시나요?

탈퇴했어요. 제가 전국 대표 일꾼도 했는데 노사모 존속을 위해서가 아니라 조용히 자연사할 수 있도록. 지금은 노사모 활동을 그만하는 게 맞는다고 생각해요. 노무현 재단이 있으니까 그쪽과 대통령 추모하고 역할 하면 되지 않을까.

현실 정치에 참여할 수 있지 않았을까요?

그런 생각은 없었어요. 정치할 만한 능력이 안 된다고 생각했고요. 열심히 하시는 분 도와주면 되지 않나. 노사모 활동 하고 나서부터는 그만큼의 활동을 다른 데서 하기 쉽지 않더라고요. 이를테면 문재인 대통령 후원하고 도와줘야겠다는 마음은 있지만 선거 때도 노무현만큼 좋아하지는 못하겠더라고요. 너무 많은 정열을 쏟아서 기가 다 빠졌다는 생각이 들어요.

노무현 없는 노사모가 어디로 가야 된다고 생각하십니까?

노사모가 있어야 한다면 대통령 추모와 뜻을 기리는 쪽으로. 종교로 따지면 여러 분파가 생기는 거잖아요. 결국에는 서로 적대적이게 되고. 노사모도 그럴 소지가 크거든요. 그래서 노사모 해체해야 된다고 생각하는 거예요. 모여 있지 말고 흩어져서 다른 역할을 하는 것이, 노짱의 뜻을 퍼트리면 되는 거 아닌가 생각해요.

지금 노사모의 논란도 '조직된 힘'에 대한 해석 차이로 생기는 거 같은데.

조직된 힘이라고 해서 어떤 틀을 가지고 만나고 것보다는, 지난 촛불집회 때 모였던 것들이 조직된 힘이지 않을까 생각해요. 인위적으로 조직을 만드는 것보다. 노사모 회원이라도 나오는 사람이 있고 안 나오는 사람이 있듯 노사모 활동을 자기 방식대로 하는 거잖아요. 오프라인에 나오든가 온라인으로 하든가 아니면 혼자 집에서 하는 사람도 있고 동네에서 하기도 하고. 이것을 조직이라고 할 수 있냐고 하지만 저는 그것도 조직이라고 생각해요. 어떤 틀을 묶어놓을 게 아니라고 생각해요.

그때의 자신에게 해줄 말이 있다면?

열심히 하라고. 돈 있으면 보태주고 싶고. 회원들 마음이 다 그랬을 거예요. 뭘 바라서 한 게 아니니까. 대선 끝나고 대통령이 노사모 회원들을 청와대에 초청했어요. 그때 저는 굳이 내가 갈 필요가 있나 생각하고 가지 않았어요. 지금은 후회해요, 그거 하나.

서거 당시 혹시 기억나시는.

제가 장사를 하니까 집에서 조금 늦게 나가요. 뉴스에 나오는데, 자막으로. 멍했죠. 출근도 못하고 그냥 봉하로 내려갔어요. 지금도 눈물 나려고 하는데 (웃음) 굉장히 충격받았죠. 분노도 컸고. 대통령을 지키지 못했다는 자책감도. 올라와서 인천에 분향소 차리는 과정들 거쳤는데…… 너무 안타깝죠.

노사모가 세상을 조금이라도 바꿨다고 생각하십니까?

그렇죠. 좋은 쪽으로 바꾼 거죠. 세상이 바뀐 기점이 노무현 때 아닌가 생각해요.

노사모에서 생각나는 분 있다면.

희망돼지 모을 때죠. 인천 대표 일꾼 하고 있었는데 생각지도 못한 데에서 전화가 왔어요. 희망돼지 해놨으니까 가지러 와달라고. 학익여고라 그러더라고요. 갔더니 선생님들이에요. 급조해서 만든 거더라고요. 통에 만 원어치 동전으로 넣고 뜻을 모았다며 주더라고요. 받으면서 이번 선거는 이기겠다, 이런 노사모들이 참 많다는 걸 느꼈죠. 이렇게 보이지 않는 데서 하는 노사모도 있구나.

낯을 많이 가린다고 하셨죠?

노사모 활동 하면서 많이 바뀌었어요. 노사모 가서는 까칠하지 않나봐요. 아내가 거기에만 가면 사람이 바뀐다는 거예요. 제게 노사모는 굉장히 소중한 순간들이었고 또 대통령을 만들었잖아요. 우리가 이겼잖아요. 사회를 바꾸려는 노력을 많이 하는데 패배감을 많이 느끼면서 살아오잖아요. 그런데 엄청난 일을 해냈잖아요. 형언할 수 없을 자부심, 자신감을 노사모 회원들은 가지고 살죠. 문재인 대통령 만드는 과정에서도 할 수 있다고 회원들은 생각했겠죠.

전국의 노사모 회원들을 위해서 영상 편지.

노사모 회원들이 대통령을 생각하는 마음을 가지고 대통령을 추모하고 그 뜻을 우리 생활 속에 퍼트리려는 노력들을 해나간다면 무리가 없다고 생각해요. 다양성을 존중한다고 노사모에서 말하잖아요. 그러니까 다시 한번 생각해봤으면 하는 마음이 들고요. 이상입니다.

정신은
계속 이어진다

번지점프 김인수

2001년 12월에 한국 생활을 정리하고 미국에 이민 가게 됐어요. 이민 가서 한국 소식을 〈오마이뉴스〉나 대중 매체를 통해 들었는데 그때 시민들이 노란 풍선을 들고 노무현을 지지한다는 기사를 보면서 눈물을 흘렸던 기억이 나요. 정치인들 보고 눈물 흘렸던 경험이 없었는데. 평범한 목소리를 대변할 수 있는 정치인이라는 생각 때문이었는지 마음이 움직였던 것 같아요. 그래서 가입한 것이 노사모였죠. 닉네임은 '번지점프'. 〈번지점프를 하다〉라는 영화 있잖아요. 많은 대사가 있는데 그중 하나가 사랑하기 때문에 사랑하는 것이 아니라 사랑할 수밖에 없기 때문에 사랑하는, 운명적인 사랑을 얘기하는. 그 영화 생각하면서 닉네임을 지었습니다.

노사모 활동하기 전 한국에 계실 때 어떤 분이셨습니까?

제대하고 대학 들어간, 예비역으로서 동생들과 같이 보낸 사람이었고요. 어릴 때 꿈이 자선 사업가였는데 하루는 얼굴밖에 모르는 선배인데 '학생복지위원회라는 자치 기구를 하게 됐다, 혹시 같이해볼 생각 없느냐' 해서 활동을 시작하게 됐죠. 3년 정도. 자선 사업가가 되겠다는 꿈을 이뤄가는 과정이었다고 생각이 들고요. 95년도에 졸업해야 되는데 졸업을 미루고 총학생회장이 됐죠. 당시에 강경대 열사, 91년도, 열사 정국이 있었고 95년도에 전두환, 노태우 특별법 제정을 위한 시위들을 제가 총학생회 임기 마치는 겨울까지도 했던 기억이 나고요. 운동을 삶에 받아들인 시기였죠.

한국을 떠나실 때 몇 살이셨어요?

서른다섯 살 정도였죠. 운동한 이력으로 사회 진출을 못하고 전공 맞춰서 사회에 나가 경험한 세상은 살아가기가 굉장히…… 자그마한 회사 속에서도 올바른 의사 결정을 하지 못하고 밥그릇 싸움하는 모습을 보면서 큰 좌절감을 느껴 사실상 도피해서 이민 갔다고 봐야죠. 그러면서도 내 나라에 대한 애정이 있었던 것 같고, 연관을 끊어야 된다는 생각은 갖고 있지 않았던 것 같아요.

그때부터 2009년까지 거의 10년 가까이 한 걸음 떨어진 상태에서 보셨을 거 아닙니까?

우리가 알고 있던, 교과서 속의 민주주의라는 것을 삶 속에서 어떻게 만들어갈 거냐? 그것을 학습해가는 과정이었던 것 같아요. 결코 쉽지 않다. 서로의 차이가 인정되고 존중돼야 되는 과정들. 서로가 성장해가는 과정들을 인내할 수 있는 부분들이 필요한 것 같거든요. 오랜 시간이 걸리죠. 민주 시민으로 어떻게 살아갈 것인지를 하나씩 시행착오를 통해 배우는 과정이었다는 생각이 들어요. 제가 LA 10개 단체의 연합회 사무총장을 했을 때 시민 분향소가 마련이 됐어요. LA 지역만 1주일 동안 분향 오신 분들이 2천 명 정도 되는 것 같아요. 각 지역마다 분향소들이 마련됐었고, 일주일

동안 시민들을 맞이하고 분향하면서 그 슬픔들이 다 저한테 오더라고요. 굉장히 힘든 시기였던 것 같아요.

LA 한인 커뮤니티가 보수적이라고 들었거든요. 초반에 인정받지 못하셨던 대통령 후보를 지지하는 노사모로서 어떠셨는지.

위로받는 곳이었죠. 이야기하기도 어려울 뿐 아니라 얘기하더라도 굉장히 소수자일 수밖에 없는 상황에서 모임을 통해 같은 입장인 사람들과 활동하고 대화하고. 위로를 많이 받았던 것 같아요, 서로가.

힘드셨겠습니다. 오히려 미국 LA에서 노사모라는.

오히려 사회적인 면이나 언론에 있어서 한국보다는 해외라는 부분들이 더 조명되잖아요. 동포 사회에서 생활하다보면 한국에서는 보기 어려우신 분들을 어렵지 않게 볼 수 있는 여건이 되는 것 같아요. 당시는 재외국민 투표권이 있지 않았기 때문에 응원하는 사람일 뿐, 참여자는 아니었죠.

노무현을 만나서 바뀐 게 있다면 어떤 게 바뀌는지?

노사모에 가입했으나 한편으로는 떨어진 세계에서 나만의 삶을 살고 싶은 욕구들이 있었던 것 같아요. 평범하게 결혼했고 우연찮게 하게 된 사업들이 있고 일주일에 한 번씩 외식하거나 한 달에 두세 번씩 미국에 여행 다니면서 일상적인 삶을 살아왔죠. 그런데 노무현 대통령 서거가 저한테 굉장히 큰 변화의 계기였던 것 같아요. 쪽팔리게 살지 말자는 생각. 내 삶이 이렇게 사는 것이 맞느냐는 성찰. 그래서 전업 활동가로 살겠다며 사업체도 다 정리하고 비영리 단체 만들어서 청년들과 같이 활동한 게 저한테는 큰 변화를 갖고 왔던 거죠. 노무현 대통령의 서거라는 것 자체가.

대가가 있는 활동은 아니잖아요. 세상이 바뀐다는 것도 오늘내일 바뀌는 것도 아닐 테고.

밖의 세상과 제 안의 세상, 두 가지가 있는 것 같아요. 예전에 했던 학생운동은 바깥만을 바꾸기 위한 활동이었다면 지금은 바뀐 것 같아요. 두 가지를 같이 바꿔야 된다는 생각을 갖고 있거든요. 나도 바뀌고 세상도 바뀌고. 긍정적인 변화를 이끌어가기 위해서 활동하지만 크고 작은 문제들이 있잖아요. 그때 했던 시간과 노력들이 개인적으로 어떻게 평가하느냐에 따라 달라질 수 있는 것 같아요. 나의 변화는 스스로가 어떻게 정리하느냐에 따라 느낄 수 있는 부분이기 때문에 바깥에서 뭐라고 할 수 있는 부분은 아닌 것 같아요. 노사모 활동들을 보면 세상에 대한 변화를 이야기했지만 내 속의 변화에 대해서는 많이 이야기하지 못했던 것 같아요. 실수하거나 잘못된 부분들을 우리가 용인하고 보듬을 수 있어야 되는데 그러한 훈련을 했던 적이 없기 때문에 시행착오와 어려움이 있었던 것 같거든요. 개인의 성장과 발전을 뒤로 밀어놨던 것 같아요.

서거 소식은 어떻게 접하셨어요?

맨 처음에 지인한테 연락 와서, 아마 노사모 회원들이었던 것 같아요. 믿기지가 않아서 한동안 움직이지 못하고 계속 울기만 했던 기억이 나고요. 시민 분향소를 만들어야겠다 해서 관계된 분들이랑 회의 소집해서 보고. 분향소를 오픈하게 됐죠.

촛불혁명이라든지 문 정권 탄생이라든지 노사모가 어느 정도 영향을 줬다고 보시나요?

노무현 대통령 당선되면 진짜 세상 바뀌는 줄 알았잖아요. 그런데 대통령

하나 바뀐다고 세상이 바뀌지 않을 수 있다는 걸 알게 된 것 같아요. 기득권이 가지고 있는 기본적인 힘들이 생각 이상으로 강력하고. 그것을 도려내 우리가 원하는 세상을 만들기 위해서는 더 많은 시간과 노력들이 필요하다는 것을 느낀 것 같아요. 그리고 더 강력했으면 좋겠다. 아픔이 있더라도 좀더 시민들이 원하는 방향으로 진행했으면 좋겠고요. 지방선거 결과가 나온 것도 그렇고요. 총선을 예상해보면 시민들은 아직 혁명이 끝났다고 생각하지 않고 있는 것 같거든요. 그 힘들을 보여줄 거라고 생각해요. 시민들은 자신의 역할을 숙제로 갖고선 풀어가는 과정이 아닐까 싶어요.

유지같이 남기신 말 중에 '민주주의의 최후의 보루는 깨어 있는 시민의 조직된 힘이다'라고 하셨잖아요.

노무현 정신을 삶 속에서 어떻게 구현할 것인가의 문제라고 생각하고 있어요. 예전에는 조직 모임이 우선이었던 것 같아요. 조직과 모임이 발전한다고 해서 구성원들도 함께 성장할까요? 그럴 수도 있고 그러지 않을 수도 있죠. 반대로 구성원이 성장하고 발전한다면 조직과 모임이 성장할까요? 본질적인 거는 사람한테 있다고 생각해요. 모임을 구성하는 사람들.

우리는 왜 노무현을 잃었을까요?

저는 잃었다고 생각하지 않는데요. LA 지역 추모 위원회에서 49재를 시민들과 같이했는데 그때 시민들께 말씀드렸어요. 우리 각자가 노무현이 됐으면 좋겠다. 몸은 죽었으나 정신은 우리 속에서 계속 이어지는 것 같아요. 그 숙제를 지금도 풀고 있는 거고요. 어떻게 만들어가는 게 가장 노무현다운 삶인지에 대한. 무엇인가가 고민될 때 노무현이었으면 이 상황에서 어떻게 판단하고 어떤 결정을 했을까 하고.

번지점프님이 운영하는 청년 단체의 이름은 무엇인가요?

국제 청년 센터. 한국 유학생들은 미국 사회에서 소수자거든요. 미국인이 아니기 때문에 여러 가지 피해들이 있고. 그런데 청년들이 원하는 단체는 어떤 피해를 겪었을 때 필요한 단체가 아니라 생활 속에서 함께할 수 있는 단체더라고요. 그래서 지금은 청년들 간의 교류이고 갖고 있는 것들을 나누려는 활동들을 많이 하고요. 어느 나라, 어느 부모 밑에서 태어날 것을 선택하지 못하잖아요. 남자, 여자가 있고 피부색도 다르고. 선택한 문제라면 왜 그걸 선택했냐고 물어보거나 따질 수 있지만 '머리가 왜 그래? 왜 키가 작아? 왜 얼굴이 그렇게 생겼어?'라고 할 수 없는 거잖아요. 선택하지 못한 것들은 스스로가 받아들여야 되고 다른 사람 또한 마찬가지고요. 선택하지 못한 것을 사회가 얼마나 존중하고 배려하느냐. 사람마다 성장의 기준이 다를 텐데 제가 생각하는 성장은 '선택하지 않은 것을 위해서 내가 얼마만큼 헌신할 수 있느냐'입니다.

LA 노사모는 몇 명 정도 됩니까?

때마다 다른데요. 최대 20~30명 됐던 것 같고. 오히려 지금은 많아진 것 같아요. 한국에서 정치와 관련된 분을 초청하면 150명, 200명 모여서 강연회도 하고. 정치인에 대한 팬클럽이다보니까 한국 정치에 관련된 상황들에 목소리를 내왔던 것 같아요. 독서 모임도 있고 산에 가는 모임도 있고 일상에서 교류하기 위한 활동들도 있고. 사안에 맞춰서 정치인들의 초청 강연도 하고.

노사모가 출범한 당시 30대 중반이었던 번지점프님. LA에서 만나셨던 분들, 동지들한테 한말씀.

번지점프입니다. 노사모 회원으로 제가 살아왔던 것을 간략하게 평가하자면, 여러분들과 함께 해왔던 활동들이 저를 계속 변화시키고 성장시켰던 것 같아요. 사안에 따라 정반대의 생각도 있었고, 언성을 높여 싸웠던 적도 있었고요. 그럼에도 그런 과정들이 또다른 세상, 또다른 관계들을 만들어가는 계기였다고 평가하고 싶고. 49재 때 여러분뿐 아니라 시민들께 말씀드렸던, 우리가 노무현이 돼서 삶 속에서 다시 부활시키자는 숙제를 스스로 지지하고 격려하면서 잘 풀어나갔으면 좋겠습니다. 여러분들이 하시는 것들, 지금은 멀리 떨어져 있지만 계속 응원한다고 꼭 말씀드리고 싶습니다.

특출한 것도 없는
사람들이 모여
같이 좋아하고 슬퍼하고

함께가야지 하경석

경남 마산에서 주로 활동한 닉네임 '함께가야지'입니다. 보통 '가야지'라고 부릅니다. 이름은 하경석이고 2010년 9월인가 10월 가을에 노사모 시작했습니다. 당시 동생과 합성동에서 슈퍼를 했습니다. 쌀집 하던 사장님과 친하게 지냈어요. 사장님이 술 마시러 가자고 꼬셔서 따라갔더니 '21세기'하고 '건배'하고 몇 분 있더라고요. 21세기는 전부터 친구였으니까 여기서 뭐하느냐고 물으니까 노사모래요. 노사모가 뭐하는 건데? 노무현 좋아하는 사람들. 그래서 제가 노무현은 대통령 되면 해외 외교도 가야 하는데 그 인물로 되겠냐고 했어요. 건배님은 학교 선생님이신데 제 이야기를 다 들어주시는 거예요. 제가 자꾸 꼬투리 잡으면서 전두환 때는 경기가 좋았다고 말했어요. 그때 갑자기 밥상을 엎고 술상을 엎었어요. 너 같은 새끼는 필요 없으니까 가라고. 노무현을 아예 몰랐습니다. 노사모에 스스로 공부해서 온 사람도 있지만 늪에 빠지듯 노무현을 좋아하게 된 사람들도 많거든요. 그 일이 있은 후에는 고민과 궁금증이 쌓이더라고요. 쌀집 형님과 막걸리 한잔 하면서 이야기 많이 나눴습니다. 결국 가입하고 돼지저금통도 몇 개 받고.

주변 사람들은 어떤 반응이었나요?

단일화 철회 때인데 당시에는 제가 논리적으로 무장이 안 된 상태였어요. 친구들과 모임 하면 14, 15명 정도 와요. 친구 중에 자기 형님 사업체 물려받아서 먹고살 만한 아이가 자칭 보수라고 청중을 압도하는 거예요. 대통령은 이회창이 되어야 한다고. 제가 나선 거죠. 노무현 좋은 사람이라고 하면서 엄청 싸웠습니다, 12 대 1로. 감정이 상할 정도까지 싸웠어요. 대통령 돌아가신 후에 거기 있던 친구들 몇 명이 페이스북으로 저한테 미안하다고 말하더라고요. 그때 말은 안 했지만 '12 대 1로 혼자서 싸웠다고 생각했는데 내 편이 있었구나' 하고 생각하게 되죠. 경남에서는 남한테 노무현 좋아한다고 말할 수 있는 용기를 가진 사람이 드물었으니까요. 그걸 단단하게 만들어준 게 노사모죠.

가족들은 어떠셨나요?

제가 늦게 결혼해서 아기가 어렸어요. 아내가 혼자서 아기를 보는데 신랑이라는 사람은 노사모 한다고 집에 늦게 들어오고 돈도 안 벌고 술 마시고. 그러니까 문을 잠그더라고요. 문 잠그면 문 열라고 몇 번 하다가 술 취한 김에 PC방 가서 놀고. 그러면 전화 와서 "빨리 안 들어오면 죽는다" 해서 들어갔죠. 다들 좋은 아빠였을 수는 있지만 좋은 남편은 아니었을 겁니다. 부모님은 오히려 크게 관여 안 했어요. 나이도 30대고 또 동생도 노사모였습니다. 지금 제 모친은 할매 좌파가 되어 있고요.

탄핵 이후에 결집이 더 강해졌겠어요.

탄핵 이후 노사모 회원이 대거 가입됐죠. 당선 이후 노사모 해체론이 있었습니다. 대통령 만들어놓으면 알아서 잘할 거라고 생각한 거죠. 하지만 탄핵 상황이 되면서 재결집했습니다. 신입 회원들도 늘고요. 에너지도 분출되고 술 마셔야 될 친구들도 늘어나고 탄핵도 극복하니까 재밌었죠. 하지만 그후 안정이 되고 서로 주장이 강한 사람들이다보니까 논쟁이 많이 생겼죠. 술자리 모여서 토론 붙으면 치열해요. 임의로 사회자 한 명 정해서 30초씩 이야기하자고 하다가 나중에는 자기주장만 해요. 딜레마가 있는 거죠. 노사모만큼 깨어 있는 시민은 없을 텐데 조직화하기가 힘든 조직이에요. 만인만색 백인백색. 다양성을 인정하자는 좋은 말이지만 반대로 보면 일사불란하고 조직화되지 못하는 쪽일 수도 있습니다.

기억나는 에피소드 있으세요?

보통 노사모 하면 주변 시선이 안 좋죠. 돈 안 되는 쓸데없는 짓 하는데 심지어 돈 쓰고 다니니까. 사업이나 장사처럼 타인을 대하는 직업들은 노사모 한다고 내세우기 힘들어했을 겁니다. 마산에서 컴퓨터 가게 하는 노사모 선배가 있었어요. 장사 잘 안 되니까 아지트로 썼어요. 컴퓨터로 놀기 좋고. 노사모 게시판에 글 쓰고 싶은 사람 쓰고. 당시에는 커피를 배달해서 먹는 문화가 있었거든요. 다방 레지를 불러서 "설탕 두 스푼" 얘기하고 노사모 게시판 보면서 이야기하니까 슬쩍 말 걸더라고요. 자기도 노사모라고. 그때부터 일하러 안 가고 자기 이야기를 하는 거예요. 가면서 보니까 오토바이 뒤에 '노짱 파이팅' 적힌 삼각형 깃발 달고 배달 다닌 거예요. 제정신 아니죠. 다른 데도 다닐 텐데 구박도 많이 받았대요. 다음부터 오지 말라고 하고. 저희한테 오면 앉으라고 하고 저희가 커피 탔죠.

노무현 대통령 퇴임 후에 봉하마을로 봉사활동 가셨다고 하던데.

비가 부슬부슬 내릴 때였어요. 퇴임이 2월이었으니까 코트 입고 유시민 장관도 있고 단상 만들어놓고 대통령을 기다렸죠. 딱 한마디 기억납니다. "이야~ 기분좋다!" 노사모가 농업 기자재 넣는 창고 빌려서 봉하마을 행사들을 많이 준비했어요. 대통령 내외분이 저녁 드시고 산책하시다가 불 켜져 있으면 와서 "여기서 뭐해요? 천천히 하세요. 살살 하세요" 하시고 가세요. 편안한 모습이었고 아마 최고 행복한 시간 아니었나 생각해요. 봉하마을 화포천이 너무 더러우니까 정비해서 오리농사를 짓자고 하시더라고요. 좋아하는 사람들도 많았지만 저는 농담삼아 대통령이 여기까지 불러서 일당도 안 주고 막걸리 한잔 먹이고 일 시킨다고 투덜거렸죠. 넋두리죠. 또 가게 되더라고요.

대통령이 느티나무 밑에서 길게 말하신 적 있어요. 지금은 러시아에 있는, '파진천'이라고 노사모 초기 멤버가 있는데 질문하더라고요. 이명박이 정치를 엉망으로 만들고 있는데 전직 대통령으로서 한마디해야 되지 않느냐고. 그때 대통령이 답하길 '소총으로 아무리 쏘아도 효과가 없더라, 내가 핵폭탄 하나 준비하고 있다'고 말하셨어요. 잊고 있었죠. 대통령 장례 치르고 10일쯤 지나니까 생각이 나는 거예요. 등골이 서늘하더라고요. 제 자의적인 생각이지만 '준비했던 거구나' 하는 거죠. 공식적인 이야기로는 처음 하는 걸 텐데 기억이 생생하게 남아 있습니다.

서거 소식은 어떻게 들으셨어요?

토요일에 등산 가려고 가방 메는데 21세기한테 전화가 와요, 대통령 돌아가셨다고. TV 트니까 속보 뜨고 자막이 나오더라고요. 가방 내팽개치고 옷 갈아입고 차 몰고 봉하마을로 갔죠. 가니까 마을이 엉망이에요. 마을 주민들이 기자들과 싸우고 있고 다 쫓아내서 끈으로 바리게이트 치더라고요. 조중동한테 받은 상처가 너무 컸기 때문에 기자들 신뢰 안 했죠. 언론 전체에 반감이 있었어요. 대신 언론사별로 차 한 대씩 들어오게 하고 기자들은 걸어들어오게 했죠. 영상 하는 친구한테 프로젝터 가지고 오라고 했어요. 봉하마을 사무실 주차장에 설치했죠. 영상 자료가 없으니까 전국 노사모들에게 보내달라고 게시판에 SOS 쳤죠. 계속 쏟아지더라고요. 장례식 끝날 때까지 영상을 계속 틀었습니다. 9시 뉴스에도 나왔던 기억이 나네요. 사람들이 안정되더라고요. 문상하고 끝나면 마땅히 갈 데 없으니 영상 보고 눈물 흘리고.

복주대사님 에피소드 있다고 했는데 말씀해주세요.

거론해도 될지 잘 모르겠지만. 형님 죄송합니다. 노사모가 한창 활성화되니까 정치인들이 노사모를 부러워했죠. 한번은 복주대사 형님이 전국을 도셨는데 경남에 와서 몇 분들과 소주 한잔 하자고 하더라고요. 한잔하고 식사하고 노래방까지 가서 앉았는데 대화의 장이 열린 거죠. 그때 제가 어린애 투정같이 푸념을 한 거예요. 대통령이 권력 있을 때 우리 힘들게 하지 말고 조중동 세무 조사 때리든지 확 잡지, 왜 못하느냐고. 방법 많잖아. 술자리에서 평상시에 하는 말을 한 거죠. 권력 줬는데 제대로 못한다고. 그런데 그 말이 최재천 의원실에 보고서 형식으로 책상 위에 있던 모양입니다. 〈조선일보〉 기자가 다니니까 노사모 자료가 하나 있는 거예요. 굉장한 먹잇감이죠. 제목이 '마산의 모 활동가, 노무현 대통령 개혁다운 개혁도 못해 비애를 느껴'. 난리가 난 거죠. 노사모는 안티조선 운동하는데 〈조선일보〉에 마산의 활동가가 뜨니까 게시판이 난리 났어요. 저도 처음에는 저인 줄 몰랐어요. 역추적해보니까 최재천 의원실이고 복주대사 형님이 거기서 일했고. 해명을 해야 하는데 노혜경 시인한테 전화가 왔어요. 해명 글을 써서 주면 수정해서 게시판에 올려주겠다고 했어요. 해명 글 써서 올리고 해프닝이 끝났죠.

세상을 바꾸는 데 노사모가 어떤 역할을 했다고 생각하십니까?

개개인으로 보면 보잘것없는 소시민이죠. 잘난 것도, 특출한 것도 없는 사람들이 노무현이라는 구심점을 두고 모여서 같이 좋아하고 슬퍼하고. 그렇게 해온 것들이 모여 큰 강물이 이뤄지고. 풀네임은 '삼고조의힘'인데 삼고조가 저와 동갑입니다. 며칠 전에 소식을 들었는데 위암이에요. 6년 전에 수술했다고 하는데 몰랐어요. 며칠 전 서울, 대전 모임 하러 올라갈 때 차에서 들었습니다. 대장까지 암이 번졌다고 하더라고요. 총회 끝나고 경남 식구들이 모여서 의논했어요. 일일호프를 기획하고 있습니다. 돈을 만들어주기 위해서요. 11월 23일 금요일쯤 될 겁니다. 카카오 채팅방 만들어서 경남 식구들 모았어요. 제가 사무국장 할 때 마밀기라고 있었어요.

연천 지역은 접경 지역이라 아주 보수적이거든요. 그런데 마밀기가 3층 건물에 노무현 사진, 현수막 크게 걸어놓고 혼자 노사모 한다고 했어요. 제가 차 한 대만 끌고 가도 밥 안 굶고 전국 일주할 수 있었어요. 그런 게 세상을 바꾸는 힘이 아니었을까 생각해요. 한 사람, 두 사람씩 생각이 바뀌고. 공식화된 틀에서 말하기 이상한 조직들이 모여서 자기들 나름대로 세상을 바꾸려는 의지와 노력들.

같이 활동하셨던 노사모 동지들한테 영상 편지 한번.

안녕하세요, 가야지입니다. 다들 잘 계시지요? 못 뵌 지, 연락 안 한 지 오래됐네요. 다들 사는 게 힘들다는 핑계로 소홀해진 지 꽤 된 것 같습니다. 힘들어도 서로 의지하고 등 토닥여주고 형님, 동생으로 싸우면서도 잘 지냈던 시절이 떠오릅니다. 경남 노사모 동지들과 소주잔 한잔 기울이는 모임을 가지려고 합니다. 삼고조가 많이 힘들다고 하네요. 힘을 보태주고 얼굴 보고 옛날이야기 하면서 웃을 수 있는 날 곧 만들겠습니다. 잘 지내시고요. 항상 행복하십시오. 고맙습니다.

자랑스러운 역사든 부끄러운 역사든, 역사는 있는 그대로 밝히고 정리해나가야 합니다. 특히 국가권력에 의해 저질러진 잘못은 반드시 정리하고 넘어가야 합니다. 국가권력은 어떠한 경우에도 합법적으로 행사되어야 하고, 일탈에 대한 책임은 특별히 무겁게 다뤄져야 합니다. 또한 용서와 화해를 말하기 전에 억울하게 고통받은 분들의 상처를 치유하고 명예를 회복해주어야 합니다. 이것은 국가가 해야 할 최소한의 도리이자 의무입니다. 그랬을 때 국가 권력에 대한 국민의 신뢰가 확보되고, 그 위에서 우리 국민들이 함께 상생하고 통합할 수 있을 것입니다.

_'제주 4·3사건 희생자 위령제 추도사'에서(2006년 4월 3일)

명분이 있고 용기만 있으면 판을 뒤집을 수 있다

건배 김태환

김태환이라 하고 나이는 54세입니다. 아주 자그마한 화장품 회사에 근무하고 있습니다. 2002년에는 경남 노사모 총무를 했습니다. 그후엔 두번째 경남 노사모 대표 일꾼을 했습니다. 노사모에는 2002년 초에 가입한 것 같습니다. 경선 시작 전이지요.

초기에 가입하셨네요. 그때 무슨 일을 하셨어요?

교사였습니다. 그때는 노사모가 정치 단체라는 규정이 없었습니다. 정치인 팬클럽인데 공무원들도 많았어요. 2002년 대선 한 달 전에 선관위에서 노사모는 정치 단체라는 유권 해석을 내렸습니다. 그때 탈퇴했죠. 전 세계적으로 전례가 없으니까 선관위에서 판단을 못했던 것 같아요.

노사모 활동 왜 시작하셨어요?

대학교 때부터 정치에 관심 있었는데 우리나라 정치가, 민주주의가 전두환에서 노태우, 노태우에서 김영삼, 김영삼에서 김대중 가면서 조금 발전했는데 김대중에서 독재하고 손잡았던 정당으로 다시 넘어간다는 건 정치적인 퇴보다, 그게 너무 싫었어요. 민주당이 한번 더 잡아야지 민주주의가 발전하겠다. 그 도구로 노무현이 가장 적당하겠다, 이인제로는 안 되겠다는 생각이 들었습니다. 이회창을 이길 수 있는 사람도 노무현이라고 생각했죠.

그때 지지율이 1%도 안 나왔습니다.

종이 신문에서는 지지율이 아주 낮았는데 인터넷에서 조사하면 1등으로 나왔어요. 노무현과 관련된, 노무현이 썼든 다른 사람이 썼든 책들이 많이 팔리고 있었고. president.or.kr인가 사이트가 있었어요. 저와 비슷한 고민을 하는 사람들이 굉장히 많았습니다. 노사모라는 배너가 있어서 우연히 들어갔는데 노무현이라야 된다는 글이 많고. 에너지를 느꼈어요. 이 사람들이 모여서 불을 붙이면 상당한 폭발력이 있겠다. 게시판에 경남 사람 있냐는 글을 썼어요. 있다고 답이 오더라고요. 경남 노사모 첫번째 오프 모임이 통영에서 있었거든요. 당시 경남 노사모 주력 부대가 통영에 있었습니다. 모임에 나갔다가 '건배'라는 닉네임도 얻고 본격적으로 활동했죠.

주말에는 경선 가셨을 텐데.

결근하고 간 적도 있습니다. (웃음) 울산 경선 때 한 번 결근했고 나머지는 결근하진 않았어요. 밤에 가고. 그때까지는 아내가 반대 안 했습니다. 사직하고 정치에 뛰어들 때까지도 반대 안 했어요. 이명박, 박근혜 긴 세월 동안 정말 야인으로 지냈거든요, 직업도 없이. 그때부터 불만을 터뜨리더라고요. 학교에 있었으면 좋았을 거라고.

경남에서 노사모 활동한 게 학교생활에 영향을 줬을 것 같아요.

2002년도에 거제도 초등학교에 근무하다가 마산으로 옮겼는데 학교가 완공이 덜 된 겁니다. 발령 난 선생님들을 여러 학교에 흩어서 대기시켰는데 수업이 없었어요. 맡은 반도 없고. 딱 노사모 시기랑 겹쳤습니다. 하루 종일 컴퓨터 앞에 앉아 글 쓰고 문자 보내는 일이 가능했어요. 그래서 오히려 효과적으로 잘했던 것 같아요. 행운이었던 것 같아요.

경선 때 특별한 에피소드 기억나시는 거 없으세요?

무엇보다 광주 경선이죠. 경남에서부터 직접 간 사람 몇 명 안 되는데 한 사람이 접니다. 친구 두 명을 데리고 갔었어요, 아주 보수적인 친구 두 명을. (웃음) 시골에서 건설업 하는 친구들이었는데 감동하더라고요. 만날 때마다 노무현 도와주라고 하면서 밥도 사고 술도 사니까 "돈 얼마나 받고 하나?" "아니, 우린 돈 직접 내고 한다" 그러니까 친구가 안 믿더라고요. "그러면 내일모레 광주 경선 하는데 가볼래?" "좋다, 가자." 세 명이서 갔는데 입구 들어가자마자 돈 만 원씩 내라. 옷 받고, 밥 먹을 때도 밥값 내라. 친구가 "진짜네" 했어요. 광주 경선 갔다가 돌아오면서 "노무현 된다. 이렇게 도와주는 사람 많은데 안 되면 그 사람이 잘못된 거다" 하더라고요.

후보 단일화 파기되었을 때 기억나는 에피소드 없으신지.

그때는 사무실을 냈습니다. 개인 사무실을 고향 마을 읍내에. 당시만 해도 CD가 아니고 비디오테이프였잖아요. 노무현 관련 비디오테이프를 쌓아 놓고 친구들한테 틀어주고 밥 먹고 술도 한잔 하는 사무실이었어요. 경선 끝나고 돌아오는데 철회했다는 전화가 오더라고요. 다시 사무실로 갔죠. 할 수 있는 일이 없더라고요. 그래서 한 게 친척들한테 전화하는 거였습니다. 이종사촌들, 삼촌, 외삼촌. 생전 처음 전화하는 사람들이 많았습니다. 전화해서 노무현 도와달라고. KT에서 전화 통화량이 갑자기 폭발했다고 들었는데 상당 부분 노사모였을 거라고 생각합니다.

당선되셨고 각자 자기 자리로 돌아가야 된다는 분위기가 있었잖아요.

저도 돌아갔죠. 교사 생활 열심히 했습니다. 그런데 대통령께서 노사모를 가만히 있게 안 두셨죠. 탄핵 때 다시 나서게 됐죠. 대표 일꾼을 할 때였습니다. 노사모뿐 아니라 시민 사회 단체, 아주 많은 분이 협조해주셨습니다.

학교는 언제 그만두셨어요?

2006년도에 그만뒀습니다. 극히 개인적인데, 노무현 대통령이 당선되고 열린우리당이 여당이 되었을 때 민주노동당에 있는 친구 한 명을 설득해서 열린우리당에 데리고 갔어요. 친구한테 열린우리당으로 출마하라고 권유했는데 그사이에 한나라당으로 당적을 바꿨다는 거예요. 열린우리당 후보가 없고 또 우리 시골 지역에 진보 진영을 대변하는 일꾼이 없다, 그러면 내가 일꾼을 해보자. 교직 매너리즘에 빠져 있을 때이기도 했고요. 아내하고 의논했는데 의외로 동의했어요. 가족회의도 20분 만에 끝났어요. 본인 뜻대로 놔두자는 등 다양하더라고요. 어머님한테 왜 그랬냐 물어보니까 꿈에 내가 당선되더래요. 또 누나, 숙모님도 교편 잡고 계셨고. 무엇보다도 중요한 거는 여당에 후보가 없다, 진보 진영을 대변할 만한 후보가 없고 내가 고향에서 진보 진영의 심부름꾼 노릇을 하겠다. 지금도 그 일을 하고 있습니다. 이번 선거에서 성과가 있었습니다. 함안군인데 도의원 둘 다 당선됐고 군의원은 3명이 출마했는데 모두 당선됐고. 군수만 놓쳤어요.

함안 지역에도 태극기부대가 있나요?

보수적인 사람들이 많습니다. 마을 회관에 인사 가면 민주당이란 말 안 쓰고 문재인당이라 합니다. 문재인당이 여기 뭐하러 왔노? 가라. 시장 돌면 운동원들한테 소금도 뿌리고. 이번 대선 때도 소금 뿌렸다고 운동원들이 돌아와서 화내더라고요. 그래서 제가 가서 소금 뿌린 장사 아줌마한테 인사도 하고 앉아서 대화도 나누고 다음 장날에 가서는 더 살갑게 대하니까 사람들이 조금씩 변하더라고요.

노사모가 시민 문화, 촛불혁명으로 이어지는 동력을 제공했죠?

당연하죠. 노사모가 대한민국 정치사에 큰 획을 그었다고 생각합니다. 자발적인 참여 정치 세력이라고 볼 수 있고요. 대규모의 자발적인 정치 세력으로서 최초라고 볼 수 있고 자발적이다보니까 비용 등 전부 자체 해결했고. 정치를 즐겁게 만들었다, 즐거운 정치 참여라는 큰 공을 세운 것 같아요.

노무현 대통령께서 하셨던 말씀 중 특별히 기억나는 게 있을까요?

노대통령께서 경선 때 잠바 차림으로 통영에 왔던 때예요. 초기고 지지율도 별로 없을 때 비서 하나 데리고 와서는 하시는 말씀이 기억에 남습니다. "정치 어려운 거 아닙니다. 명분 있고 도전할 용기만 있으면 이 판 뒤집을 수 있습니다. 내 할 수 있습니다. 여러분들만 도와주시면 됩니다." 그 말 하더라고요, 아주 용감하게. 제일 기억에 남아요. 명분이 있고 용기만 있으면 판 뒤집을 수 있다.

서거 소식은 어떻게 접하셨어요?

당시 건설 회사를 하고 있었습니다. 주5일제였는데 토요일이라서 직원들은 출근 안 하고 저 혼자 아침 일찍 출근했는데 지인한테 전화가 왔어요. 노대통령이 병원에 입원했다고, 빨리 양산에 가봐라, 부산대병원에 입원하셨단다. 차를 타서 라디오를 켰는데 뉴스만 하더라고요. 위태하다, 위태롭다, 사망했다, 위독하다. 뉴스가 계속 바뀌더라고요. 김해쯤 가니까 서거했다 쪽으로 굳어지더라고요. 차를 잠시 세웠어요. 눈물이 앞을 가려서 운전을 못하겠더라고요. 고속도로 갓길에 세웠다가 갔던 기억이 납니다.

노무현 정신을 구현하기 위해서 어떤 활동을 하셨는지.

올바른 정치는 우리 생활에 아주 많은 영향을 미친다고 생각합니다. 올바른 정치 세력이 성장하는 데 기여해야겠다 싶어서 정치에 직접 뛰어들었고요. 누구보다도 열심히 활동했죠. 지역 위원장도 두 번이나 했고요. 지역 위원장 안 할 때는 사무국장 맡으면서 보필했고. 당시 경남 지역에서는 지역 위원장을 아무도 안 하려고 했습니다. 사무국장은 더더욱 안 하려 했고. 때를 기다리고 세력을 키우는 노력은 끊임없이 해왔습니다. 지금도요. 우리 지역에서 진보 진영을 살리고 관리하는 데 심부름꾼이 되겠다고 생각했기 때문에 다른 사람이 출마하겠다고 하면 기꺼이 양보하고. 이번 선거에서도 실천했습니다.

언제 노대통령 생각나세요?

봉하마을이 가까우니까 그리 지나갈 때 생각나고. 이런저런 일로 유튜브를 많이 보는데 연관 동영상이 뜨잖아요. 2시간 동안 내내 보고 있던 적도 있어요. 연관 동영상에 노무현 떠서 보면 결국에는 울게 되더라고요. (웃음) 아내가 "뭐하노?" 그래요.

회한이 있을까요?

경제적으로 힘들었죠. 이명박, 박근혜 10년 동안 수입이 거의 없었으니까. 교직에 계속 있었더라면 어땠을까? 경제적으로 훨씬 안정돼 있고 좋은 아버지, 좋은 남편이 되었을 건데. 그 갈등은 지금도 있어요. 내가 걸은 발자국이고 내가 선택한 거라서 후회하기는 싫죠. 어쨌건 대통령 만들어봤고 노무현을 닮은 문재인 대통령도 만들었고. 내가 다 한 건 아니지만. (웃음)

만들었다 정도는 되는 거죠. 내가 만난 경남 노사모는?

당시의 표현으로는 '이래 미친 사람도 있구나'. 처음은 주로 통영 사람들이었는데 노무현을 너무 열광적으로 돕는 겁니다. 자기 시간, 돈 아끼지 않더라고요. 서울까지 비행기 타고 올라가서 회의하고 새벽에 내려와서 출근하고. 저도 그런 적 있지만 온 정성, 열정 다해서 희생하는 사람이 있을까 생각했죠. 저도 조금씩 닮아갔던 것 같아요. 희망이 있었고 된다고 믿었죠. 노사모들 사이에서는 공감대가 있었던 것 같아요. 노무현이라야 된다. 전국 경선장 돌아다니다보면 노무현 되겠다는 생각에 기운을 받는데, 경남만 내려오면 주변 사람들이 그럴 리가 없다, 택도 없다, 헛수고하지 말라고 하는데 안타까웠죠. 전라도, 서울 가면 노무현이 대통령 된다고 한다. 너도 도와달라. 계속 강변하고 다니는 수밖에 없었죠.

그때 같이 활동하던 노사모 동지들한테.

같이하던 친구 중 한 사람이 지금 암 투병을 하고 있습니다. 삼족오야. 네 소식 들었다. 정말 슬프고 많은 생각이 머릿속을 스쳐지나갔다. 지금 힘들지만 너의 그 순수한 영혼을 하느님이 잘 알고 계시기 때문에 능히 극복할 수 있도록 힘을 주시리라 믿는다. 우리 다른 노사모 친구들도 많이 걱정하고 있다. 끝까지 힘내서 이겨내자. 삼족오 화이팅!

노사모였다는 것을 자랑스럽게 생각합시다

가야 오세주

닉네임은 '가야'를 쓰고 가입은 2000년 6월인가 7월로 기억하는데 서른두 살 때인 것 같아요. 닉네임에 대한 질문 많이 받거든요. "김해에 있어서 가야냐?" 하는데 아니고요. 부산 가야 컴퓨터 도매 상가에서 장사할 때 가야라는 닉네임을 쓴 게 노사모부터 지금까지 가입할 때마다 쓰고 있습니다.

어떻게 노사모에 가입하게 되셨습니까?

출근하는 아침에 서울에 있는 친구들이 전화해서 욕하더라고요. "부산 새끼들 가면 다 때려죽인다" 그래서 "와?" 이랬더만 "어떻게 노무현이가 떨어지노?" "나 부산 아니고 김해거든." 노사모라는 것들이 나오더라고요, 검색어에. 일단 가입하고 오프 활동은 몇 개월 동안 안 했습니다. 노무현 대통령이라는 사람에 대해서 정확하게 몰랐습니다. 고향이 제주도거든요. 사촌 형님이 결혼식을 88년도에 했는데, 어머니는 편찮아서 병원에 계시고 저는 예식장에 갔는데 노무현이라는 양반이 주례를 보고. 예식장에서 데모하는 것도 아니고 〈우리들의 영혼〉 부르고. 당시에 고등학생이어서 사촌 형님이 잘 아는 정치인 노무현 정도로만 알았거든요. 후에 민노당 활동할 때도 사촌 형님과 연이 있다는 것 말고는 노무현에 관심이 별로 없었습니다. 뚜렷한 이유는 없었어요. 이런 사람 하나 정도는 있으면 좋겠다는 막연함으로 가입하게 됐어요.

오프 활동을 시작하시고 하시니까 집에서는 뭐라고. (웃음)

뭐라 했죠. 처음 오프를 8월인가 부산 노사모 창립할 때 서면에서 했어요. 제 사무실과 행사하는 곳이 걸어서 10분 정도밖에 안 되는 거리예요. 처음 오프에 나갔죠. 일을 시작하면 치우치는 감이 있어서 아내한테 약속했죠. "노사모 빼곤 다른 거 다 끊을게. 절 활동, 대학교, 고등학교 동문회 중단

하고 노사모만 열심히 해야겠다." 아내는 한숨 내쉬고. 반대하는 스타일은 아니기 때문에. 가입 전에는 종교가 불교인데 고등학교 때부터 다녔던 불교 동문회 활동을 했었거든요.

노사모는 어떤 매력이 있었습니까?

첫 오프 때, 대학 때 했던 운동 기분을 다시 느꼈거든요. 서면에서 모임하고 2차를 명계남, 명짱님하고 광안리로 왔어요. 광안리 바닷가 모래판에 앉아 술을 먹으면서 누가 민중가요를 시작하니까 같이 부르고. 헐, 뭐야 이 사람들. 대학 다니면서, 광안리가 막 개발될 때인데, 밤새도록 모닥불 피워놓고 토론하고 민중가요 부르면서 술 먹던 것들이 새록새록 떠오르더라고요. 한번 빠지면서 오프 모임을 계속 나갔던 거죠.

노사모 활동하면서 '노무현을 만나고 바뀌었다' 이런 게 있을까요?

가장 큰 거는 생활의 모든 중심이 노사모로 간 거. 원년 멤버들한테 "가야야, 니는 아직도 노사모 하나?"라는 말을 많이 들었어요. 2015년도인가 2016년에 전국 대표를 했거든요. 대표 할 때 소나무님이 많이 도와주고 했는데. 일상이 노사모 활동으로 전부 귀결되어버렸어요. 제가 변하기보다는 가족들, 특히 애들한테 영향이 많았던 것 같아요. 말을 안 해도 4대강 문제라든지 탄핵 때는 "아빠, 저거 아니잖아". 어릴 때인데 "아빠, 왜 저래? 저 강 푸면 안 되잖아, 물고기 다 죽는데" 스스로 깨치고. 애들이 스스로 알게 되는 거죠, 부모들 때문에.

일가친척들이 한마디씩 하셨을 텐데.

경상도가 만만한 지역은 아니니까. 계속 활동해서 그런지 앞에서는 반감이 없었어요. 그런데 장모님께서 그런 말씀은 하셨거든요. "오서방, 니는 좀 될 만한 사람 밀어라." (웃음) 어른들도 반대는 있었는데 제주도는 정치가 특이하거든요. 제주도 정치를 궨당 정치라 하는데 궨당이 친척입니다. 정당보다는 궨당이 우선인 동네가 제주도거든요. 사촌 형도 있고 하니까 궨당들은, 그러니까 어르신들은 노무현 해야 되는갑다. (웃음)

지나고 나선 편하게 말씀하시는데 한나라당이 해야 이득이.

그렇죠, 이득은 전혀 못 받죠. 그때 검은 차였는데 뒤에 노랗게 노사모.org 홈페이지 주소를 붙이고 대구에 갔을 때예요. 차를 주차해놓고 대리점 2층 사무실에 올라가니까 대리점 사장님이 신문을 보면서 "노사모 새끼들 말이야, 빨갱이 새끼들이" 어떻고 하면서 계시더라고. 가만히 있었죠. 커피 한 잔 먹고 내려오려는데 사장님이 같이 내려오시려고 하더라고. 노사모.org 붙어 있는데. (웃음) 내려오지 마시라고. 다음부터 차 몰고 영남권 돌 때는 주차를 거꾸로 했어요. 광주, 전라도 갈 때는 전면 주차하고.

노사모 활동을 지금까지 하시는데 후회되는 순간들이 없을까요?

많죠. 특히 경제적인 부분들. 대통령 당선되고 나선 1~2년 잠깐 틈이 있었어요. 이제 할 일은 끝났다면서 떠난, 자기 생활을 추구했던 분들 계시죠. 저는 이상하게 쭉 왔어요. 회사를 친구하고 같이하다가 그만두게 된 것도 제가 너무 이쪽 일만 하니까. 친구가 "니 너무 심한 거 아이가?" 친구는 개발하고 제가 관리, 영업을 맡고 있었는데. 나도 내 욕심만 계속 차린 것 같아, 따로 정리하는 게 맞겠다 해서 몇 년 전에 회사를 그만뒀는데 어려웠죠.

초반의 기억이 강렬해서 그런 건가요? 내 손으로 대통령을 만들어냈다.

그런 것도 있지만 대통령 돌아가시면서가 더 컸죠. 지역이 김해다보니까 봉하마을 옆에 있고. 원죄도 가지고 있고 타 지역에서 오는 분들한테 뭔가 또 해야 되는 입장이니까. 그뒤로 오프 모임을 더 열심히 했던 것 같아요.

활동하실 수 있었던 원동력이 있을까요?

부산에서는 대화할 상대들이 없었죠. 〈조선일보〉를 까고 싶어도 못 까니까. 인제대 교수님 부부가 미국에 계시다가 한국에 온 지 얼마 안 돼서 노사모에 가입했어요. 오프에 모였는데 속이 후련하신 거죠. 경선 처음에 나가신다 할 때 이긴다 진다는 개념이 아니고 우리끼리 힘을 모아 단합되면 신난 거지. 경선에서 1등 한다는 목표보다는 계란으로 바위 치기라도 한 번 하자는 것이었죠.

힘들진 않으셨어요? 한창때라고 해도.

그때는 힘든 걸 몰랐어요. 30대 초반이기 때문에 뭘 해도 용기가 있었고 자신 있을 때였거든요. 그전에 많은 것들을 하고 있었는데 그 힘을 노사모에 온전히 넣은 것이기 때문에 즐겁게 한 케이스라고 보시면 될 거예요.

노사모가 세상을 바꾸는 데 어떤 기여를 했을까요?

그런 생각 별로 안 했어요. 안 했는데…… 지금은 노무현 대통령을 만든 당사자가 노사모라고 자신있게 이야기하거든요. 노사모라는 것들이 전 세계 최초 정치인 팬클럽이듯이 노사모의 열정이 주말 드라마로 가면서 대통령 경선에 당선되고. 후단협, 정몽준 나올 때도 버팀목이 됐고. 대통령 당선 일등 공신은 노사모라고 지금도 생각합니다. 18년이 흘렀는데 광장에서, SNS에 노사모 하던 분들이 구석구석에 계시고. 정당에서도 구석구석에서 자기 역할 하고 계시고. 농담 말로 그럽니다. 노사모가 어머니의 자궁이다. 노사모의 자긍심으로 사람들을 다독거리고 가는 집단이지, 노사모가 시민 광장하고 유시민하고 싸우면 당연히 안 되지.

서거 소식은 어떻게 접하셨어요?

아내한테 전화로 받았죠. 아침에 출근할 때였거든요. 주말이었습니다. 큰 프로젝트 제안서 작업하고 있을 때라 당장은 못 달려갔죠. 다음날이 제안서 발표하는 날이었기 때문에 발표하고 그다음날. 김해에 있다는 것 때문에 그뒤로 노사모 회원들 내려오면 자연스럽게 그렇게 됐습니다. (웃음) 누구 온다면 가서 같이 설명해주고 돌아보고.

그동안 만났던 분들에게 한말씀.

가야입니다. 많은 분들과 같이 있었고 그뒤로 많은 분들과 헤어졌는데 어디에 가도 스스로 노사모라는 것을 자랑스러워할 거라고 믿습니다. 노사모는 노사모만의 노사모가 아니고 대통령 이름을 가진 단체이기 때문에 우리 스스로 자긍심을 가지고 노사모였다는 것들을 자랑스럽게 생각합시다. 좋은 지역에서, 각자 위치에서 열심히 대통령 뜻을 계속 이어나갈 수 있는 분들이 되었으면 감사하겠습니다.

노무현이라는 이름이
한번 더 추억될 수 있다면

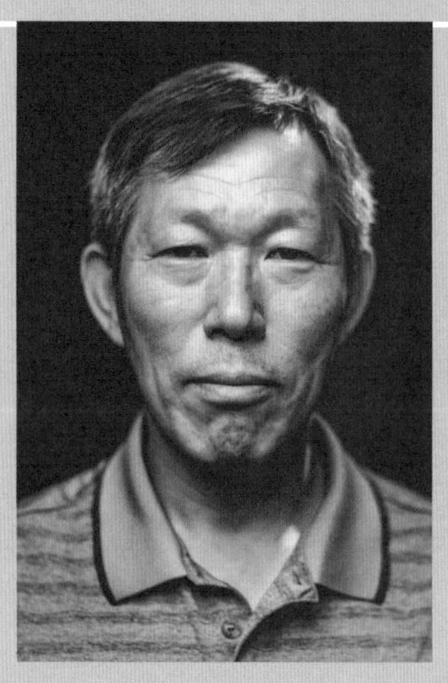

현이아빠 김근섭

닉네임 '현이아빠'입니다. 현이의 현은 작은딸의 끝 글자입니다. 아이들이 살아갈 세상이 지금보다 나은 세상이 되어야 한다는 생각에 활동을 시작하게 됐습니다. 2011년 초에 시작했습니다. 꽤 오랜 시간이 지난 후라 활동이 활발하던 시기는 아닙니다. 많은 분이 떠난 단계에서 시작했습니다.

특별한 계기가 있으셨나요?

2010년 10월쯤 될 겁니다. 집이 부평이라 두 아이와 지하철 타고 송내역 가서 음료수 몇 병 들고 찾아뵀죠. 그렇게 활동을 시작하게 됐습니다. 꼭 노사모 활동이 아니더라도 열심히 하면 길이 있을 거라고 생각했습니다. 후임 대통령이 그런 사람이 될 거라고는 전혀 생각하지 못했습니다. 아들이 초등학교 3학년이었는데, 이명박 대통령이 당선되던 때 제게 이명박은 대통령 되면 안 되지 않느냐고 물어보는 거예요. 왜 그렇게 생각하느냐고 물었더니 "이명박은 계속 거짓말하잖아". 꼬맹이도 그런 생각을 하는데 우리는 대통령을 만들어줬습니다. 그후에도 정신 못 차리고 또 이상한 대통령을 뽑았고요. 국민의 명령 시작하면서 노사모 분들 뵙게 됐고 노사모 분들도 동참하시고자 하던 차였고 결국 노사모에 가입했습니다.

노사모 가입 전에는 어떤 분이셨습니까?

평범한 아빠고 가장으로서 가정을 구현해야 한다고 생각했습니다. 아무래도 저희 세대까지는 자유보다 책임감이 더 강한 세대가 아닌가 싶어요. 제가 87학번인데 6·10이 1학년 때였죠. 열심히 하지는 않았습니다. 선배님들이 대자보 붙이러 가자고 하면 그뒤에 따라오는 보상을 좋아했죠. 학교 앞 분식집에서 막걸리 한잔 하면서 얘기 듣고. 그러다가 6·10이 터졌고 군대를 다녀왔어요. 군대는 현실을 직시하게 만들었습니다. 그후에는 정치에 관심이 없었습니다. 누가 대통령 되면 내 생활에 영향이 있을까, 불이익을 받을까 같은 건 생각하지 않았습니다. 내가 잘살고 볼 일이라고 했죠. 그런데 아이들이 생기고 자라면서 내가 겪었던 어려움을 아이들은 더 심하게 당할 수 있겠다고 생각했어요. 그러던 중 노무현 대통령 서거가 있었고. 출퇴근하는 길목이 송내역에 있는데 그곳에 분향소가 차려졌어요. 그곳에 가는 것만으로 세상이 달라질 거라고는 생각 안 했지만 울분은 가지고 있었죠. 꼭 계기가 된 건 아니지만 지방 신문에서 '국민의 명령'을 우연히 보게 되면서 참여하고 활동해야겠다고 생각하고 시작한 거죠.

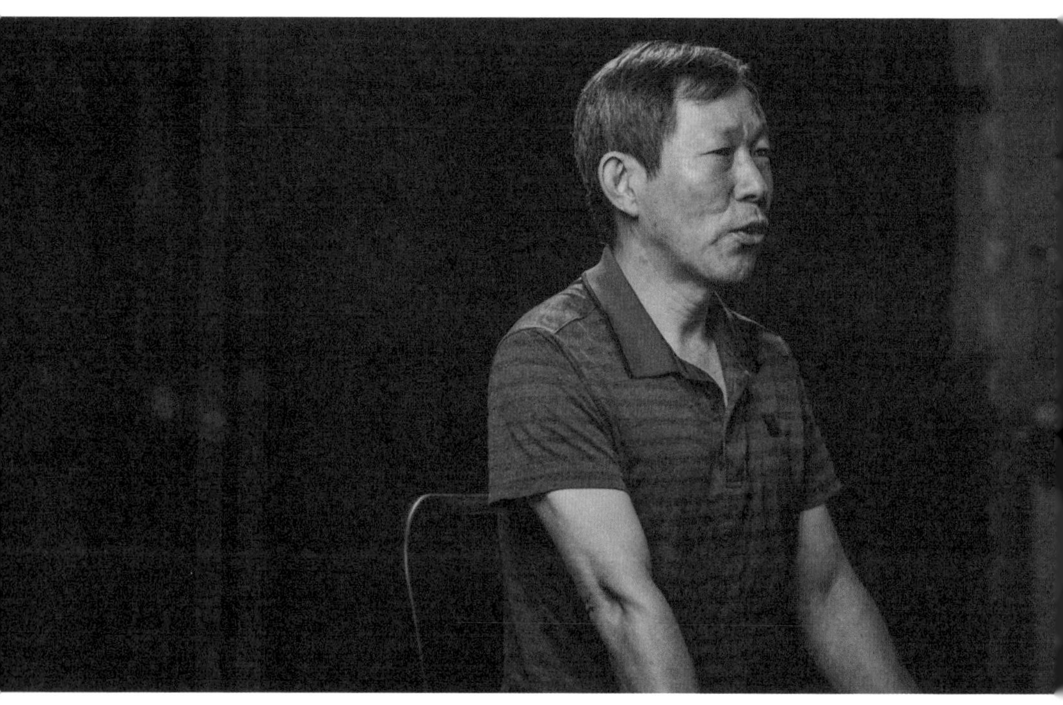

인천 노사모가 견제당한다고 볼 수 있는지?

타 지역 노사모는 거의 친목 단체가 됐죠. 옛날 추억과 과거 영웅담 나누고 대통령 애도하고. 이를 노사모 활동이라고는 생각하지 않습니다. 사회에 들어가 우리가 원하는 것을 실질적으로 전파하고, 동행하시는 분들 구하고, 그분들과 함께할 수 있는 장을 만들고. 우리만의 리그로 끝내는 것이 아니라 사회 발전과 민주화, 앞으로 한걸음 나아갈 수 있는 데 작게나마 보탬이 될 수 있다면 족하다고 생각합니다. 일반 시민들이 생각하기에는 노사모라는 이름 자체가 시민단체보다는 정치 쪽에 가깝죠. 그렇지만 노무현이라는 이름이 한번 더 추억될 수 있고 그것이 앞으로 우리가 어떻게 가야 할 것인가에 대한 고민의 시작이 될 수 있다면 좋다고 생각해요.

시민운동이 중심이었나요?

현재는 많은 활동들과 연대하고 있죠. 인천 시민 사회와 시민단체에서 인정하지 않을 수 없는 위치까지 왔다고 생각합니다. 예전에는 야당 일색이었던 지역들이 이번 선거에서는 민주당 의원이 당선됐고요.

인천 노사모가 활동을 많이 하는데 기억에 남는 활동이 있을까요?

5월 23일 인천 추모식을 저희가 주최하고 시민 추모 위원회를 상시 기구로 가지고 있습니다. 노무현 대통령께서 당시에 개성공단을 지금의 100배 규모로 만들고 싶어하셨습니다. 그렇다면 지금 인천이 할 수 있는 역할이 있지 않을까? 인천은 북한과의 접경 지역이죠. 30분만 차 타고 가면 국경을 볼 수 있습니다. 휴전선을 볼 수 있습니다. 저희가 지금 하고 있고 앞으로 하고 싶은 방향은 평화 정착, 남북 공영인데 이렇게 거창한 것이 아니더라도 길거리에서 전단지 돌리고 이슈화하는 것을 생각하고 있습니다.

요즘은 다들 바빠서 활발히 활동하고 있지 않지만요.

서거 당시 생각나는 게 있으신가요?

가게를 하고 있어서 아침에는 몰랐어요. 출근하고 컴퓨터 켜고 뉴스를 검색하는데, 9시 반쯤이었을 거예요. 인터넷 분위기가 심상치 않더라고요. 인터넷 방송 뉴스 켜니까 공식적인 발표를 한다고 하고. 믿기지가 않았죠. 착각이지 않을까? 잘못된 게 아닐까? 당시 공식 발표하는 것을 보고 그제서야 말문이 막혔어요. 사무실에 앉아서 누구도 말을 못 꺼냈어요. 대부분 저와 비슷한 나이에 있는 사람들이었는데 함부로 뭐라고 할 수 없는 상황이었죠. 공식 발표가 있기까지도 믿지 않았어요. 받아들일 수 없었죠.

노사모 회원들한테 한말씀.

안녕하십니까, 현이아빠입니다. 저를 아시는 분도 계시고 초면이신 분들도 계실 텐데요. 부끄럽지 않은 노사모가 되기 위해 어떻게 활동하고 앞으로 나아가야 할지 고민하는 시기가 아닌가 싶습니다. 인터뷰를 통해 더 하고 싶은 말도 있지만 노사모에 몸과 마음을 담고 있으며 우리가 가야 할 방향에 대해 다시 한번 생각하고 열심히 노력하는 회원이 되도록 하겠습니다. 감사합니다.

한국의 민주주의는 갈 길이 조금 더 남았습니다.
우리 시민들이 할 몫이 있습니다. 그것은 참여입니다.
지난 20년 동안 한 번도 포기하지 않은 민주주의,
여러분이 밀고 가면 더 발전할 수 있습니다.
특별히 힘이 없어도, 가지지 않아도, 출세하지 않아도,
함께 누릴 수 있는 사회가 진보된 사회입니다.
그것이 아직 미완성으로 남아있는
민주주의 절반의 과제라고 생각합니다.
제가 가지 말라고 해도 여러분은 그 길을 갈 것입니다.
저기에 저도 동참할 것입니다.

_'봉하마을 귀향 환영행사 인사말'에서(2008월 2월 25일)

한번 끝까지
믿어보는 것

아침녘 임정수

평범한 가정이었고 평범하게 생활했던 사람이었어요. 그런데 마흔 살이 지나면서 인생이 전환되는 동기가 있었습니다. MB 정권 때 환경부 이만희 장관의 정책 보좌관 정갑수씨라고, 5·18 부상자 인천지회장이었어요. 그분을 따라서 1999년도에 5·18 묘역을 가게 됩니다. 지하의 묘비명들을 보게 됐어요. 참혹하게 죽으신 분들 누구 하나도 원망하는 글이 없습니다. 이 나라의 민주주의, 이 나라의 생활, 미래, 희망, 꿈. 내가 있는 위치는 어디인가에 대해 생각하게 되었어요. 어느 묘비에는 조국의 아침을 노래하는 것이 있었어요. 그래서 닉네임을 '아침녘'으로 했어요. 5·18 민주 묘역을 들렀다가 아침녘을 만들고 당 카페를 만들었습니다. 부상자들을 돕는 사람이 없다고 해서 50명이 한 달에 다섯 가정을 30만 원씩 지원하는 일을 시작했어요. 이름도 거창하게 5·18 민주화운동 후원회. (웃음) 마흔 살이 넘어서 다시 참여하기 시작한 운동이었어요.

그뒤 MBC인가 KBS인가에서 〈아름다운 패배〉라는 다큐멘터리를 봤어요. 노무현 대통령이 부산시장 선거 떨어진 후의 다큐멘터리인데 한 할머니의 말 한마디에 제 인생이 바뀌어버렸어요. "저 사람은 참 기가 막히게 잘하는데 당이 문제야"라고 말하셨어요. 사람이 괜찮으면 찍어야지 정당이 무슨 상관이냐 생각하면서 노무현 후원회에 가입합니다. 한 달에 3만 원씩 내기 시작했어요. 노사모 활동, 5·18 민주화운동 후원회가 바뀐 계양봉사단 활동. 이 두 가지를 지금까지 하고 있어요.

90년대 후반에 방송 보시고 노사모 활동을 시작하신 거예요?

네. 오프라인 활동 나가면, 인천, 부천, 김포를 임부김 노사모라고 불렀습니다, 10명도 안 됐어요. 동해바다, 심심해님이 리더로 있을 때 아무래도 제가 그분들보다 연배가 있어서 뒤에서 쳐다보고 적극적인 활동은 안 했어요. 어떤 일에 충격을 받으면서 행동으로 옮겨집니다. 대선 주자가 되신 후 경인선 타고 내려오면서 유세하는 게 첫 유세였거든요. 서울서부터 쭉 내려오다가 인천 부평에서 유세하셨어요. 부평역 광장이 2,000명만 모이면 꽉 차거든요. 그런데 가보니까 200명, 300명 안 되게 있는 거예요, 연설 끝날 때까지. 제1야당 대통령 후보 첫 유세인데, 민주당이 인천시장이면 뭐하는가. 당시 인천시에 4천 명 정도 노사모가 있었거든요. 다음에 인천 내려오실 때 뭔가를 해야겠다, 이벤트를 해야겠다고 생각했어요.

돼지저금통 만들 때잖아요. 계양에 있는 노사모 친구들 몇 명 불러서 얘기했어요. 부평역에 200명, 300명 오는데 무슨 대선 주자고 무슨 노사모냐고. 다음에 오실 때를 생각해서 우리가 돼지저금통을 제대로 만들자. 아주 커다란 돼지 14마리를 만들자. 10대에 두 명, 20대에 두 명, 그래서 70대까지 14개를. 하나에 10만 원에서 20만 원 들어가니까 20만 원이 들어간다고 해도 280만 원이면 되지 않냐. 이 세계에서 생각하지도 못하는 엄청나게 큰 돼지저금통을 만들자. 그래서 생수통을 잘라서 그 위에 돼지를 붙였어요. 200만 원 가까이 모금되었고요. 그런데 생수통 한 병에 100원짜리 채워보니까 130만 원이 들어가요. (웃음) 동력이 그렇게 안 되잖아요. 인천 노사모가 얘기해도 호응들이 별로 안 좋고, 무한님 같은 분들이 도와주시긴 했지만. 두번째 유세는 신세계백화점 광장으로 오신다는 게 결정됐어요. 날짜는 다가오는데 돼지저금통은 안 차는 거예요. 그래서 10원짜리로 바꾸자. (웃음) 차로 이송하고 10대에서부터 70대까지 현장에서 섭외했어요, 노사모 소속이 아니더라도. 그렇게 전달했어요.

그 유명한 정수기 돼지저금통 사건의 전모입니까?

노사모 활동 중 기억에 남는 일이고요. 대통령 당선되고는 오프라인 활동을 접었죠. 무언가를 바라고 시작한 것이 아니니까 끝나고는 마음으로 응원하면 된다고 생각했어요. 그리고 5·18 민주화운동 후원회를 좀더 활성화해야겠다. 그런데 대통령 당선되고 조금 있다가 탄핵을 받습니다. 가고 싶은데, 촛불 들고 싶은데 이를 악물고 안 갔어요. 스스로 약속한 게 있고 저분이 헤쳐나와야 될 일이지 내가 촛불 들어야 될 일은 아니라고 생각했는데 5·18 회원들이 우리도 한번 가봐야 되지 않겠냐면서 버스 한 대 빌려서 가게 됐어요.

5월로 기억해요. 카페에 공지를 올렸더니 전에 인천시장 했고 이번 국회의원 대표 경선 나간 송영길 의원이 탔어요. 부인 남영신 여사하고. 5·18 민주화에서 만 원씩 걷어서 가는 일인데 당시 여당 국회의원이 총선 기간에 같이 간다는 게 그렇지 않습니까? 남영신 여사가 "아침녘님, 저희도 만 원씩 낼게요"라고 하시면서 애기 아빠가 오늘 촛불정국에 대한 KBS 토론회에 패널로 나가는데 직접 보고 가겠다고 해서 같이 탔다는 거예요. 내리라고는 할 수 없잖아요. 그러더니 이번에는 당시 처음 출마했던 신학용씨가 버스에 올라서 인사하고 가더라고요. 다음날 큰일이 안 벌어졌겠습니까? 〈조선일보〉, 〈중앙일보〉, 〈동아일보〉에 5단 통 기사로 났죠. 여당 중진 국회의원이 5·18 단체를 동원해서 촛불정국을 주도한다고. 우리가 5·18 단체도 아니고 단지 5·18 후원회인데. 그래서 신문에 정정 보도 기사 요청하고 인천 재야인사들에게 성명서 부탁하고. 5·18 민주화운동 부상자들을 돕는 민간단체이지, 5·18 단체 아니라고. 메이저 신문들이 듣기라도 하나요? 그후에 회원들 모아놓고 5·18 정신이 무엇이냐. 참여, 자치, 나눔, 배려 아니냐. 5·18 민주화운동 후원회라고 거창하게 할 필요가 있나. 차라리 쉽게 하자. 그래서 계양봉사단이라고 바꿉니다. 대신 매년 5월에 광주를 가자. 우리끼리 갈 수도 있고 더 많은 인원, 300명, 400명 데려갈 수도 있고. 작년까지 계속 갔어요. 19번을 갔습니다.

인천 노사모의 행보를 걱정하시는 분들이 많더라고요.

보는 눈에 따라서 그럴 수 있겠죠. 저는 인천 노사모 활동에 적극적으로 참여를 안 해요. 사랑비님이나 지창경 교수, 현희아빠 등 후세대들이 이끌어오고 있어요. 그분들은 엄청나게 적극적으로 참여해요. 그들이 하는 게 연대예요, 주민들과 연대, 사회단체들과 연대, 일반 봉사 단체들과 연대. 다른 사람들은 인천 노사모를 우려할지 몰라도 저는 이게 더 진화한 모임이라고 생각해요. 시민단체, 지역의 복지단체와 연대하면서, 한두 번이 아니라 계속하더라고요. 인천 노사모가 너무 튄다기보다 다른 노사모들도 시민사회 속으로 들어왔으면 좋겠어요.

인천 노사모가 모델이 될 수 있는?

벚꽃길 만드는 것에 인천 노사모만 참여했던 건 아니죠. 중앙 노사모도 참여하고 나중에 노무 현재단 분들도 와서 풀 뽑고 하더라고요. 성당 벚꽃길, 교회 벚꽃길도 있어요. 전직 대통령도 그렇게 사람들 기억에 남을 수 있다면, 그게 정착되고 안착되면 좋겠다고 생각해요.

노사모 활동하셨던 분들한테 영상 편지.

저 같은 사람이 전국에서 훌륭한 일들 하신 분들한테 뭐라고 얘기할 수 있겠어요. 다만 이거 하나는 지켜줬으면 좋겠어요. 어떤 분을 가슴속에 담았다면 설령 그분이 실수하고 우리와 생각이 다른 면이 있더라도 끝까지 믿어보는 것. 조금씩 참고 기다리면서 우리가 하는 일들을 지속적으로. 그렇게 우리가 옳다고 생각하는 걸 지킬 수 있을 거라고 생각합니다.

'인생에서 가장 행복했던 때가 언제였는가?'
이런 질문을 받고, 저는 '고시공부 하던 시절이었던 것 같다.' 이런 대담을 한 일이 몇 번 있었던 것 같습니다.
딱딱한 법률 책을, 읽고 또 읽는다는 것이 보통 힘든 일은 아니었습니다만, 책을 읽을 때마다 하나씩 새로운 이치를 깨우치고 아는 것을 더해 간다는 것이 제겐 참 기쁜 일이었습니다. 비록 목표에 대한 기대와 집념이 단단하기는 했지만, 서른이 되도록 부모님에게 얹혀사는 살림살이에, 실낱같은 희망 하나를 바라보며, 아무런 놀이도 휴식도 없이 오로지 책상에서 책과 씨름하는 강행군을, 그것도 몇 년씩이나 계속한다는 것은 여간 고통스러운 일이 아니었을 것입니다. 그런데도 오랫동안 그 시절을 행복했던 시절로 기억하는 것은 아마 그런 기쁨이 주는 충만함 때문이었을 것입니다.

요즈음 저는 다시 그 시절로 돌아온 느낌입니다. 저를 둘러싼 요즈음의 여러 가지 상황이 마음을 편안하게 가질 수는 없는 형편입니다만, 지난 12월 인사를 나가지 않기로 한 이후, 이런 저런 책을 읽으면서 그동안 의문을 가졌던 여러 가지 일들에 관하여 차분하게 생각을 정리할 수 있는 시간을 가지게 되었기 때문입니다.

_'사람 사는 세상' 칼럼에서(2009년 2월 22일)

그냥 꼭
안아드리고 싶어요

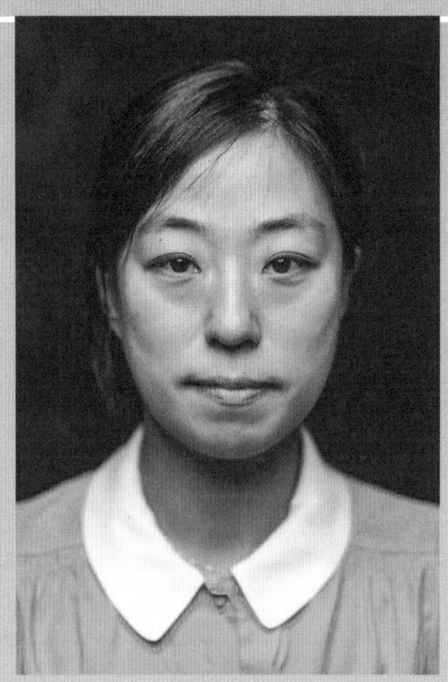

아녜스 봉민정

광주 노사모, 닉네임 '아녜스'라고 합니다. 지금은 냉담자지만 (웃음) 가톨릭 신자라서 세례명을 닉네임으로 했습니다. 2000년도에 노사모가 만들어졌고 99년도에 대학 졸업하면서 전남대학교 사회교육원 과정을 들어갔습니다. IMF 이후로 학생들 취직이 어렵다고 하니까 정부에서 일부 국립대 사회교육원에서 할 법한 몇몇 과정들을 개설했어요. 의정보좌관 연구과정을 신청하고 합격해서 1년 동안 다니게 됐고요. 그때 관심 가졌던 정치인 중 한 분이 노무현 의원이었고 2000년도 광주 동구 김경천 국회의원께서 후보로 출마하셨는데 우연찮게 캠프에서 일하게 됐습니다. 당선되시고 마무리 회계 작업하던 중에 인터넷 기사에 바보 노무현이라고 뜨면서 팬클럽이 있다는 거예요. 학교 다니면서 남들 다 해보는 가수, 탤런트 팬클럽 한 번도 해본 적 없는데 그걸 보고 바로 들어갔어요. 온라인으로 가입하고 주시하고 있는데 호남 노사모 오프라인 모임 한다고 해서 나갔죠. 그때 뵌 분이 늙은여우님, 샤인님, 늙은여우님 배우자 되신 물새님, 초록물고기님 등등. 장동 황톳길이라는 데서 뵙고 노사모에 발 디디게 됐죠.

노사모에서 주로 어떤 활동 하셨어요?

친목 단체 같았어요. 스물셋, 스물넷이었을 거예요. 정말 재밌었어요. 전혀 만나보지 못했던 새로운 사람들, 다양한 직업을 가진 전국 사람들. 노사모가 처음에는 어떤 목적을 가지고 활동했던 거 같진 않아요. 노무현을 좋아하는 사람들끼리 얼굴 보고 번개 하고. 노사모에서 뭐를 해야겠다가 아니라 연예인 팬클럽 하듯이 했던 거 같아요. 경선 때 옆에서 돈 얼마 받고 왔느냐고 하는데 돈 받고 한 게 아니라 자기 차 끌고 삼삼오오 모여서 가족 단위로 다니고 그랬거든요.

노사모에서 토론이 격렬해지고 진지해진 적이 있잖아요?

그랬습니다. 일부는 순수하게 팬클럽으로 가자, 일부는 정치 조직화해보자. 저는 순수하게 팬클럽으로 남으면 되지 않을까 생각했죠. 그런데 막상 돌입하니까 달라지더라고요. (웃음) 광주 염주체육관, 순천 팔마체육관 경선장도 가고 최종 민주당 후보 되셨을 때 덕평 수련관에 노사모 회원들이 다 모였거든요? 가서 기쁨 같이 나누었던 기억이 납니다. 정치 세력화되지 않았으면 좋겠다고 생각했지만 단순히 팬클럽으로 남는 것도 안 되더라고요. 2000년도에 온라인에서 노사모가 만들어지고 그해 6월 6일 첫 전국 오프라인 정모를 했어요. 한남대학교 앞 지하 PC방에서. 전국에서 100명도 안 되는 수가 모였어요. 그 자리에서 노짱께서 정치인이라면 누구나 한 번쯤 꿈꿔볼 만한 큰 꿈을 가지고 있다고 말씀하셨어요. 정말 좋아하는 사람이 하는 말인데도 비현실적으로 들린다고 해야 되나? 정치 생활을 길게 하신 것도 아니고 인지도가 있는 것도 아닌데 과연 될까? 그런데 되더라고요. 1년 짧은 시간에 어마어마한 일이 일어난 거죠. 저희 엄마도 제가 6월 6일 대전에서 하는 창립총회에 가겠다고 하니까 미쳤다고 했어요. 무슨 팬클럽이냐고. (웃음)

지금은 노사모로서 어떤 활동을 하고 계시나요?

지금은 활동하지 않고 있습니다. 초창기에 같이 활동했던 사람들과 간혹 안부 묻는 연락 정도. 노사모가 해야 될 역할을 생각하면 이제는 자연으로 (웃음) 돌아가야 되지 않나. 어쨌든 대통령 만들었고 그때 활동했던 분들 중에서 현실 정치, 생활 정치하고 계신 분들도 있고. 대통령께서 서거하신 지 벌써 10년이 됐고, 노사모 만들어진 지도 20년 가까이 되어가거든요. 조용히 묻혀도 되지 않나. 사인님과 전화나 카톡 할 때 항상 초심 잃지 않고 잘했으면 좋겠다고 해요. 그런 마음인 거 같아요, 잘했으면 좋겠다. 낮은 자세로, 노사모를 처음에 가입했던 순수한 마음으로 했으면 좋겠다.

노무현 대통령과의 일화 생각나는 거 있으신가요?

노짱님께서 2000년도인가 생신 무렵 광주에 오셨어요. 저희가 신현 파크호텔 커피숍에서 케이크 놓고 노래 불러드렸던 기억들. 총회 할 때면 항상 오셨으니까 봤던 기억. 그다음에 퇴임하시기 직전 2008년도 1월에 청와대 초청 받아서. 노사모 했던 회원 분들 중 그전에도 가신 분들 많이 있겠지만 마지막으로 초청하실 때 갔거든요. 그때 봤던 기억. 그리고 정말 가슴 아프지만 서거하신 날. 경주아빠님과 그날 바로 봉하마을 내려갔어요. 봉하마을 진입하는 삼거리에서 대기중인데 운구차가 들어가더라고요. 마음이 너무 안 좋았어요. 뉴스 속보 났을 때가 토요일 아침이었을 거예요, 5월 23일. 지방 공무원 시험 있고 그때 (웃음) 합격한 상태였고 아침에 늦잠 자고 일어났는데 장난하는 줄 알았어요. 뉴스 주시하면서 안절부절못

하고 휴대폰만 만지작거리고. 노짱께서 퇴직하시고 봉하마을 내려가셨을 때 한번 가야지, 시간 내서 꼭 가야지 했는데 결국은 돌아가셨을 때 간 게 지금도 가장 마음에 걸려요.

어떻게 노사모의 아마추어리즘이 성공했을까.

놀이처럼 즐긴 거죠. 요새 선거는 축제라고 흔히 하지만 노사모가 그것을 몸으로 가장 잘 받아들였던 거 같아요. 즐겁게 놀았어요. 골치 아프다고 했던 사람 없었어요. 정몽준 후보가 단일화 파기했잖아요. 투표하고 바로 터미널 가서 (웃음) 서울 가는 표 샀어요. 그날 일부 노사모 회원들이 서울의 모 식당에 모여 개표방송 보자고 했던 터라 거기로 갔죠. 혼자 개표방송을 보면 안 될 거 같더라고요. 20명 남짓한 회원들과 저녁 먹으면서 개표방송 보는데, 방송 3사 중에서 가장 비우호적이었던 SBS 출구 방송을 보면 결과를 알 수 있지 않겠냐 해서 SBS 봤어요. 노무현 대통령이 1위 하신 거예요. 환호성 지르고 난리 났죠. 자정까지 있다가 새벽차 타고 내려

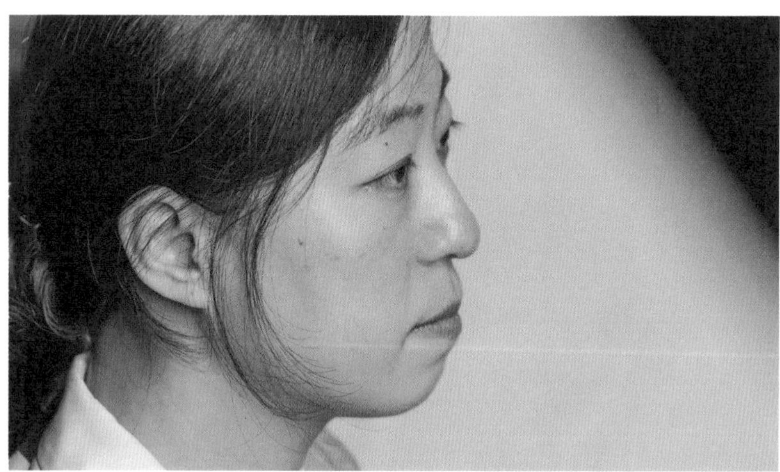

왔어요. 다음날 출근해야 되니까. 그뒤로는 노사모 활동 안 하고 그냥 지켜만 봤죠. 가끔은 생각해요, 더 열심히 해볼걸. (웃음) 즐겁게는 했는데 20년쯤 지나서 돌이켜보면 더 열심히 해볼걸. 후회가 되는 건 아니고요.

노무현 대통령을 다시 만나면 해주고 싶은 말이 있을까요?

그냥 꼭 안아드리고 싶어요. (웃음) 고생하셨습니다. 한번 꼭 안아드리고 싶어요. (웃음)

노사모에 대해 말씀 해주시고 끝낼까요?

노사모가 만들어진 지 20년이 되어갑니다. 초창기에 잠깐 활동하고 제 삶을 살아왔는데 돌이켜보면 열정 갖고 다시 활동할 수 있을까 생각이 들 만큼 소중했던 시간들이었고 좋은 분들 많이 만났던 거 같습니다. 어디서 어떤 일 하고 살든 노사모 처음 했던 그 마음 잊지 않고 노짱님의 뜻 이어가면서 현실에 충실한 삶을 살았으면 좋겠습니다.

역사를 바꾸는
마지막 기회일 수 있다

돈달산인 김민현

'돈달산인'입니다. 문경에 가면 돈달산 있는데 거기에 사는 사람이라는 의미로 사용했고 전국 노사모 모임 가면 다들 닉네임이 특이해서 뭐냐고 질의받았죠. (웃음) 저는 경북 안동인데 문경에 인연이 있죠. 그렇게 시작된 거고. 당시 경북 북부 지역은 노사모가 힘들었는데 온라인이 강하지 않았습니다. 오프라인이 강하다보니까 동네마다 찾아다니면서 한 명 한 명 찾고. 진보적인 사람 있으면 찾아내서 같이 가자고 설득하면 온라인으로 들어오고. 지금 쉰아홉 살이니까 마흔한 살쯤 됐겠네요. (웃음)

어떻게 하다가 노사모 활동을 시작하셨어요?

인터넷 검색하면서 노무현 총선 실패로 많은 사람들이 결집했다는 걸 봤고 나도 해야 되겠다 해서 한 거죠. 2000년에 대구 폐교된 학교에서 첫 모임 하는데 대구, 경북 전체에서 10명 모였어요. (웃음) 아내도 같이 갔어요. 아내는 '해바라기'라는 닉네임으로 노사모 활동했거든요. 제가 술을 좋아하니까 그런 데 가면 운전병으로. (웃음) 약속했죠. "대선 때까지 2년만 하고 안 할게." 그렇게 시작했는데 실제적으로는 약속을 지켜주지 못했고 결국 긴 세월 동안. (웃음)

초반에 활동 시작하시고.

90년대에는 유통업을 했기 때문에 경제적으로는 안정된 시기였고, 내 집도 마련하고 공무원 기본 월급 서너 배 이상은 매월 수익이 나왔기 때문에 안정적이었습니다. 노사모 활동을 하다보면 퇴근하고 북부 지역에서 사람들 만나다보니까 다음날 사업에 지장이 오기 시작해요. 농산물 유통하려면 아침 일찍 일어나서 창고에서 물건 꺼내서 유통해야 하는데. 결국 부득이 접었습니다. 숙명 같은 거죠. 역사를 바꾸는 마지막 기회일 수 있다.

또 마음속에 자리잡았던 게 하나 있는데 뭐냐면 80년도에 제가 조그만 회사에서 노동조합 할 때 조합원 하나가 죽은 사건이 있어요. 우리 입장에서는 구타에 의한 사망이라고 봤고 그쪽에서는 지병에 의한 사망이라고. 그분 나이가 마흔이었어요. 저는 스물여덟 살이었고. 결국 제대로 해결 못해준 거거든요. 공대위도 만들었지만 가족들이 당시에 적극적으로 호응 안 하고 어떻게 해줄 수 있는 길이 없었어요. 마음에 항상 응어리로 남아 있었고. 제가 어린 나이에 그분들을 설득해서 죽게 만든 것이기도 하기 때문에 죄책감도 있고. 80년대에 늘 이야기했던 노동 해방이라는 거, 노무현이라는 사람을 통해서 최소한 형식적 민주주의라도 만들어야 되겠다고 생각했죠.

사모님은 반대 안 하셨어요?

많이 했죠. 몇 년 하다가 사업 돌아오더라도 사업을 잘할 수 있다는 (웃음) 오만, 자신감이 있었고 아내한테도 그렇게 말했습니다. 그런데 못 돌아왔습니다. 경선 대책위라든가 활동하다보니까 자연스럽게 정치 쪽으로 빠져들었고. 너무 힘들어지니까 이혼했고요. 몇 년간은 다시 안 봤어요. 다시 안 보다가 3년 전부터 재결합을 꿈꾸고 있죠, 같이. (웃음) 이혼할 때는 정말 말로 표현 못할 만큼 처참했죠. 주변 사람들에게 말도 못했습니다. 명절 때도 가능하면 집에 안 가려고 했죠.

노대통령은 언제 생각나세요?

서거 소식 듣던 날 직장에서 현장 작업 시키다가 소식 듣고는 멍한 상태였죠. 아무 생각 없고 백지장 같은. 저녁에 내려갔죠. 눈물도 안 나더라고요. 선거 때 되면 가슴이 짠하죠. 선거랑 떼놓고 생각할 수 없기 때문에. 2000

년부터 대통령 되는 과정까지 너무 힘들었기 때문에. 개표하는 날 사전 출구 조사 발표 때 승리로 나오니까 그때는 눈물을 멈출 수가 없었습니다. 옆에서 같이 도와줬던 친구가 오히려 그만 울라고 달랠 정도로. (웃음) 인생에서 가장 큰 희열을 느꼈어요. 살아오면서 아주 감동적인 걸 그때 처음으로 느껴본 겁니다.

상상이 안 갑니다, 40대 농산물 유통업 하시던 분이.

유통업 특성상 거래처에 접대를 하게 되거든요. 접대하게 되면 본의 아니게 우리가 상상하는 그런 비싼 집에도 가고 80년대에 주장했던 내용과는 영 반대의 길을 걸었기 때문에 미안한 감이 늘 있었죠. 스스로에 대한 미안함이 2000년도의 에너지로, 노사모의 에너지로 분출하지 않았나. 2000년에 노무현 대통령을 당선시키는 역할을 우리가 했다는 자체만으로 80년대의 좌절감이 해소됐다는 기분이 들었죠. 저뿐만 아니라 초기 노사모 멤버들도 비슷한 생각을 갖고 시작했을 거라고 믿고요. 인생의 좌절감을 극복했다고 보시는 게 맞을 것 같습니다.

노사모 활동 같이한 동지들한테 한말씀.

옆에서 같이 활동했던 친구 중 유명을 달리한 친구가 있는데요. 그분들이 옆에 있었기 때문에 함께 활동할 수 있던 거고 힘이 되는 거고. 때로는 다투기도 하지만 동지라는 이름으로 모여 있기 때문에 가능했다고 생각합니다. 해바라기, 아내에게 "처음 2년만 하고 그만하겠다는 약속을 못 지켜서 미안하다"는 말도 전하고 싶습니다. (웃음)

보는 것만으로도 좋았어요

시누대 김현수

사는 곳은 여수고, 노사모 활동은 2000년에 시작해서 지금까지 해오다가 노무현 재단 창립하면서부터 재단 쪽에서 일하고 있습니다. '시누대'라는 닉네임을 쓰고 있습니다. 제가 살고 있는 전남 여수 남해안 쪽에 자생하는 대나무인데요. 이순신 장군께서 임진왜란 당시 화살을 만들었다고 전해지는 대나무입니다. 노무현 대통령이 활이라면 내가 화살이 되어서 저분이 쏘는 대로 날아가 정확하게 목표를 맞힐 수 있겠다 해서 시누대라는 닉네임을 썼습니다. 세월이 많이 지났습니다. 우리 꼬맹이들이 시집갈 나이가 됐으니까. 큰애가 초등학생이었고. 막내는 다섯 살이었고 지금은 대학교 다니고, 큰애는 시집가고. 오랜 시간이 흘렀죠.

그때 시절을 떠올리면 무슨 생각이 나세요?

설레죠. 사람들이 가수나 좋아하는 연예인 쫓아다니면서 열광하는 것을 이해 못했거든요. 그런데 정치인 노무현을 만나고서는 이해하게 됐어요. 요즘도 젊은 친구들이 팬클럽 활동하는 걸 보면 저 친구들의 마음이 내 마음 같고. 동질감을 느껴요. 노무현은 소탈했고 말이 쉬웠죠. 쉽게 이해가 됐어요. 국회의원 되시기 전에 변호사 하실 때도 몇 번 강연회를 들었어요. 정치인으로 바라본 노무현은 언어 사용 자체가 일반 대중들이 이해하기 쉬운 언어로 쓴다고 생각하면서 많이 빠져들었죠.

그때 땀도 많이 흘리셨고 열심히 하셨는데 지금은 어떠세요?

여전히 슬프죠. 바뀌어가는 과정들을 같이 지켜봤으면 좋았을 텐데. 정상회담 때도. 뉴스를 보다가도 어떤 얘기들이 문득 나오면 나도 모르게 울어버려요. 노사모 했다고 대통령과 접촉면이 넓진 않아요. 저희들이 마냥 쫓아다녔으니까. 그러다가, 예를 들면 서울에서 어떤 집회가 있으면 급하게 나오시더라고요. 참모들하고 회의 끝나고 나오시다가, 우리는 참여 회의하려고 복도에 있는데, 탁 돌아서면서 "이렇게 먼 데서 오셨어요, 이 시간에?" 꽤 늦은 시간이었거든요. "회의 잘하고 가세요!" (웃음) 지금도 그때가 굉장히 강렬해요. 저분이 나를 알아보시나보다. 이후로 더 빠져들었지만. 다른 분들에게도 알게 모르게 그렇게 하셨더라고요. 소탈하면서도 개개인들을 기억하려는 모습들이 종종 있었어요.

노사모 가입하고 활동하신 20년 가까운 시절에는 무슨 일 하셨어요?

조그만 건축업을 하고 있었죠. 창문 설치하고 조립식 건축물 짓고. 2004년까지 그 일 하고, 일하면서도 2007년부터 사회운동, 시민운동 하다가 나중에는 전업 시민운동으로 갔죠. 2003년, 2004년도에 사업이 썩 좋지 않았어요. 그러면서 계속 그쪽 분야에 관심 있었기 때문에 '잘됐다, 이번 기회에 하고 싶은 일 하자' 해서 그쪽으로 갔죠. 더 나이 먹으면 하고 싶은 거 정말 못하겠다는 생각이 들어서요.

노사모 활동 하면서 어떤 것이 기억나세요?

노사모 활동에서 가장 기억나는 것들은 경선운동 때. 전국적으로 국민 참여 경선 사람들에게 편지 쓰기. 사업하고 있었기 때문에 많이 쓰진 못했고 대신 조직하는 일을 했죠. 예를 들면 나눠주고 걷어오고 주소 알려드리고. 쓰기 진짜 어려워요. 하룻저녁에 열 통 써본 적이 별로 없어요. 세 통, 다섯 통 모아서 보내고. 오십 통씩 써오신 분들도 있어요. 아내한테는 한 번도 안 썼죠. (웃는) 아내가 미쳤다고 하죠. 그것도 남자 정치인에 미쳐서 쫓아다니니까. 그런데 아내가 저보다 좋아했거든요. 처음에는 별로라고 하다가 제가 계속 얘기하고 본인도 생각하고 하더니만 이후에는 같이 다녔죠. 노사모는 남자만 다니는 사람들이 거의 없어요. 대부분 가족과 함께. 부인들이 훨씬 적극적이었죠. 애들도 어려서부터 데리고 다녔기 때문에 잘 알고.

노무현 대통령을 '바보'라는 키워드로 규정했는데 동감하셨나요?

저는 바보라는 용어를 쓰진 않았어요. 지금도 마찬가지고. 그것은 대외적으로 비치는 거지. 노사모 내부에서는 바보보다는 노짱. 다만 어려운 사람들 편, 본인이 옳다고 느끼는 것에 대한 확실한 추진력, 이런 것들이 분명하셨던 분이죠.

대선 후보 얘기가 솔솔 나올 때 노사모 분위기는 어땠나요?

노사모들은 다 찬성하고 좋아했죠. 의심한 노사모 회원은 없었을 거예요. 의심했다면 나갔겠죠. 대통령이 대선을 해보겠다고 했을 때 오히려 똘똘 뭉쳤잖아요. 노사모에서 우호적이었던 분들이 '되겠어?' 하면서 뒤로 물러섰던 기억들은 있어요, 우리 지역에서도. 비주류였고 중앙 정치 한다고 하면 계파, 조직, 돈이 있어야 하는데 그런 것들이 없기 때문에 누가 보더라도 그렇게 생각하죠. 저희 같은 노사모나 열혈 팬들 아니고는.

노사모의 인지도를 높이기 위해서 무슨 활동 하셨나요?

높인다고 높일 수 있는 상황이나 구조가 아니었고요. 밀레니엄이 바뀌었잖아요, 2000년 들면서. 1999년 흐름과 2000년대의 흐름이 달랐죠. 한국이 전체적으로 어떻게 나가야 될 것인지에 대한 고민들이 있었고. 노무현 대통령이 그것을 읽어낸 거죠. 초보적인 단계지만 핸드폰, 삐삐 나오고 인터넷같이 소통할 수 있는 공간들이 대중화되기 시작하잖아요. 기존의 조직 방식을 뛰어넘는 거였죠. 노무현 대통령이 던진 메시지가 그 시대를 관통했다고 보는 거죠. 노사모들이 헌신적으로 발품 팔아주고 말 건네고 인터넷 통해 전파하고. 특별히 노사모가 인지도를 올리려고 애썼다는 건 아닌 것 같아요. 초창기에 뜨거운 바람, 아름다운 사람 티가 있었어요. 1년 내내 2002 월드컵 했잖아요? 대선 때. 사람들이 빨간 티 입고 나올 때 우리는 전부 노란 티 입고 나왔거든요. (웃음) 알려야 되니까. 그다음 겨울 되면 노란 조끼, 모자는 노란 모자, 평상시에도 속에 노란 티. 결벽증 비슷한 건데 차 뒤에 '아이 러브 노무현' 붙이고 다녔거든요. 우스갯소리로 "이거 붙이고 불법주차, 신호위반 하면 안 된다, 노란 티 입으면 누구하고든 싸우면 안 된다". 우리가 노무현이라는 사람을 대신한다고.

노무현 대통령은 부재인데 노사모는 도대체 왜 있느냐? 고민이 있나요?

고민을 안 한 것은 아니죠. 그런데 더 중요한 것은, 그분이 실체로 존재하든 존재하지 않든, 그분이 추구하는 가치에 뜻이 있다는. 앞으로 노사모라는 이름 건 활동이 두드러지지 않을 거라고 봐요. 다만 노무현 대통령의 뜻을 자연스럽게 이어가고 있는 곳이 노무현 재단, 그다음에 봉하. 다른 그룹들 있잖아요. 정신들을 이어가기 때문에 끊임없이 확대 재생산될 거라고 생각합니다. 사회가 살기 좋아지고 원칙이 정착된다면 자연스럽게 분화되겠지만, 노무현 대통령이 계시든 계시지 않든 계속 이어져나갈 거라고 봅니다.

경선 끝나고 최종 후보로 결정되고 어디 가셨어요?

덕평. 새벽 3시엔가 하기로 했을 거예요. 밤 8시에 대통령이 인천에서 덕평으로 오시고. 저희는 전국에서 덕평 수련원으로 다 모이고. 거기에서 느꼈던 기쁨. 대통령 돌아가셨을 때 분향소 다니면서, 내가 노사모에서 가장 기뻤던 때는 딱 두 번이다. 하나는 덕평 수련원, 다른 하나는 대통령 당선됐던 12월 19일. 그 이후로는 항시 불안했고 항시 안타까웠고 항시 어려웠다. 그런데 그때는 정말 좋았거든요. 세상을 다 얻은 거 같고.

그 기쁨 외 나머지 기간은 (웃는) 좋지만 여전히 슬펐죠. 저렇게 좋은 분을 왜 싫어할까, 욕을 할까. 대통령 되고 난 이후에 계속 하락이었잖아요. 지나가는 개가 깨갱 소리만 내도 노무현 때문이야. 속상한 정도가 아니라 몇몇 사람들하고는 의절하기도 하고. 그분들은 본인들도 대통령 지지해서 당선시켰는데 마음에 들지 않는다는 거예요. 같이 노사모 활동하고 전국 쫓아다니던 친구들이 나이스(NEIS, 교육행정정보시스템) 때문에 하루아침에 돌변해서 나가는 걸 보면서 아니지 않으냐, 기다려볼 수도 있는 거 아니냐. 그런데 아니라면서 나갔을 때. 많이 슬펐죠. 그렇게 떨어져 나갔던 적 한 번 있었고 또 이라크 파병 때. 마음 아프죠.

도리어 퇴임하시고 사랑 많이 받았어요.

굉장히 당황스러웠죠. 퇴임하면 우리끼리 재밌게 놀 수 있겠다고 생각했는데 국민들이 더 많이 오는 바람에. (웃는) 가면 뒷방 취급만 받다 왔죠. 그래도 기뻤어요. 거봐라, 우리 대통령 퇴임하고 나니까 국민들이 이렇게 좋아하지 않느냐. 오래갈 줄 알았어요. 앞으로는 자주 뵙고 대통령 만나서 같이 재밌게 얘기할 수 있겠다고 생각했는데 많이 안타까웠죠.

노대통령이 바보였다면 현재 노사모는?

노사모는 바보일 수밖에 없다. 노사모는 정치적 계산을 하지 않았잖아요. 돈 써가면서, 시간 버려가면서. 티를 만들어도 돈 내서 만들고, 모임 해도 자기들이 참가비 만 원, 2만 원씩 내고. 대다수 사람들은 노무현 대통령이 추구하는 게 좋으니까 한 거거든요. 그런 면에서 본다면 그분들이 바보죠.

노무현 대통령에게 미안한 점이 있다면?

2006년 4월, 5월 들어서면부터 엄청난 논쟁을 가졌잖아요. 요새 태극기 부대를 보면서 생각해요, 왜 우리는 그때 그렇게 못했을까? 하다못해 50명이라도 광화문 거리에 모여 부당하다, 잘못됐다고 막무가내로 왜 못했나. 우리보다 나이가 훨씬 많은 태극기부대는 하잖아요. 왜 우리는 못했을까. 아쉬움이 있죠. 지금 영화 찍으면서도 내가 이럴 수 있나 답답하고. 혹시 내가 그런 일을 했다고 추억팔이 하는 거 아닌가. 많이 생각해요, 내가 정말 좋아했던 사람이었나.

노짱님을 다시 만나실 수 있다면 어떤 말을 해주고 싶으신가요?

말 못하겠죠. 가만히 쳐다보겠죠. 똑같아요. 보는 것만으로도 좋았으니까요. 그분한테 특별히 어떤 얘기를 해서 좋은 게 아니라 그냥 보고 있으면 좋았죠. 그렇기 때문에 지금 뵌다고 해도 여전히 씩 웃으면서 쳐다볼 거 같아요. 가만히 쳐다보고, "오셨어요?"

노사모 회원들한테 하고 싶은 말씀.

2000년부터 십여 년을 같이 왔던 우리 노사모. 각자의 위치에서 최선을 다하고 있을 거라고 믿습니다. 우리가 어디 살든 2001년, 2002년, 2003년 대통령과 함께했던 시간을 기억한다면 어느 시대에 만나도, 함께 한 시대를 같이 간 동지로서, 우리는 함께할 수 있을 겁니다. 여수에 살았던 시누대입니다.

저는 많이 부족한 사람입니다. 제가 대통령이 된 것은 제가 잘나서 된 것이 아닙니다. 새로운 정치, 새로운 시대를 요구하는 국민의 여망과 시대의 물결이 저를 대통령으로 만들었다고 생각합니다. 제가 대통령이 되고자 했던 것은 권력을 누리고 위세를 부리기 위한 것이 아니었습니다. 우리 정치가 바뀌어야 나라가 발전하고 국민이 행복해진다는 신념에서였습니다. 제 자신이 비록 정치인으로서 성공하지 못하더라도 그 신념이 이루어진다면 저는 더이상 바랄 것이 없습니다.

_'제243회 정기국회 시정연설'에서(2003년 10월 13일)

함께 계속 나아갈 수 있다고 생각합니다

불암산 김창수

상계동에 살면서 '불암산'이라는 닉네임을 썼습니다. 시간이 꽤 흐른 거 같습니다. 그 시절을 생각하니 감회가 새롭습니다. 같이 활동했던 사람들 지금도 만나거든요. 이구동성으로 하는 이야기가 '인생에서 2002년이 가장 행복했다, 의미 있었다. 노사모, 월드컵 붉은악마, 효순이 미선이 사건으로 인한 촛불집회, 세 가지가 2002년도 한국 사회를 규정하는 키워드가 될 것이다'라는 얘기들이 있었지요.

어떤 계기로 노사모 활동 시작하셨는지?

나이가 적지 않았지요. 마흔셋, 넷 됐습니다. 학원 국어 강사를 하고 있었습니다. 사설 학원에 있으니까 돈 많이 벌고 편하게 살고 싶다고 생각하고 있었지요. 그런데 시간이 지나면서 제 생활에 대한 회의를 갖고 우리 사회를 위해 열심히 일하는 사람들을 바라보게 되고 정치 쪽에서는 김근태 의장과 노무현 의원이 눈길이 갔습니다. 자연스럽게 노사모를 만나게 되었죠. 노무현 대통령을 실제로 보게 된 것은 1991년 춘천에 있었을 때입니다. 시국 강연을 몇 분 오셨어요. 노무현 의원이 그 자리에서 노동자를 위한 연설을 하시는데 눈에서 파란 불꽃이 튀는 것을 봤습니다. 생생하게 봤어요. 너무 강렬하게 와닿았습니다. 노동자를 위한 애정과 열정이 얼마나 깊은지 가슴에 담고 있었는데, 10년 뒤에 서울 생활하면서 노사모를 만나고 더 가까이하게 되었지요. 2000년도는 민주당의 대통령 경선이 있었을 때고 조금이라도 힘이 되어드리면 좋겠다는 생각을 가지고 있었습니다.

당시 연설 때 기억나는 말씀이 있었나요?

시간이 많이 흘러서 내용이 다 기억나진 않는데, 울산 현대중공업 노동자를 향해서 노동자의 권리를 찾아야 하고 그것을 위해 함께 연대해서 힘차

게 싸우겠다고 말씀하셨어요. 어떻게 억압받고 있고 왜 권리를 찾아야 하는지에 대해 당신의 소신을 밝히시는데 엄청난 에너지를, 열정을 봤습니다. 그분의 진심을 본 거지요. 국어 강사를 했는데 아이들을 가르치면서 몇 년간 〈한겨레신문〉과 〈조선일보〉 사설을 비교했습니다. 당시에는 언론운동을 시작하기 전이었는데 〈조선일보〉 사설을 보고 다른 신문과 비교하면서 아침마다 분노를 느꼈습니다. 기득권을 위해서 얼마나 왜곡하고 편파 보도를 하는지. 그러던 차에 노무현 대통령이 후보로 경선을 시작하면서 〈조선일보〉에서 악의적인 왜곡 보도를 일삼고 있었지요. 노무현 대통령 후보와 〈조선일보〉의 악연은 역사가 깊습니다. 현대중공업에서 했던 연설을 왜곡한 사건, 2000년대에 들어서기 전 호화 요트 사건이 있었죠. 노무현 후보가 호화 요트를 몰고 있다, 그의 재산 축적이 의심 간다는. 노무현 당시 의원이 법적 소송을 제기해서 명예훼손으로 승소했습니다. 〈조선일보〉의 눈밖에 확실히 나게 된 거죠.

2001년도로 기억을 하는데요, 김대중 정부에서 언론사 세무 조사를 했습니다. 당연히 반발하고 저항했죠. 그때 노무현 후보가 언론과의 전쟁도 불사해야 한다고 말했습니다. 세무 조사에 저항한다는 것은 특권을 내세운다는 것이고 용납할 수 없다는 것이죠. 그때 〈조선일보〉와 노무현 의원의 본격적인 전쟁이 시작되었다고 볼 수 있겠고요. 전쟁을 혼자서 치르게 할 수 없다고 많이 공감했던 것으로 기억합니다. 자발적으로 싸움에 동참하게 된 거죠. 많은 사람들이 모였습니다. 조선일보 없는 아름다운 세상을 만드는 시민 모임, 조아세가 만들어졌고 전국적으로 열정적으로 운동을 전개했습니다. 지금은 위세가 꺾였다고 하지만, 대한민국 정치인 중에 감히 〈조선일보〉와 싸우겠다고 나서는 정치인 본 적이 없죠. 지금까지도 노무현 대통령이 거의 유일한 정신이었다, 기억하고 있습니다.

싸우지 않는 이유가 있었겠죠?

언론 쪽에서 부당한 짓을 하더라도 못 본 척 눈감는 것이 그동안 정치인들의 모습이었다고 생각합니다. 〈조선일보〉와 싸우는 것은 무모한 짓이다, 계란으로 바위 치기다, 많이들 얘기했고요. 노무현이라는 정치인이 싸우는 모습을 보면서 우리도 동참하게 되었지만 단순히 정치인 노무현을 위해서 조선일보에 함께 싸웠다고 말하는 것은 운동의 의미를 축소하는 것이라고 생각하고요.

조아세에서 문제 제기하고 이슈화했던 것은 〈조선일보〉의 역사를 포함했습니다. 일제강점기에는 친일 신문의 행각을 보였고요. 반민족 친일 신문이라는 이름을 뗄 수 없지요. 그런데 오히려 아니다, 민족지였다고 강변하고 있죠? 거짓말이죠. 역대 박정희, 전두환 독재정권에 아부하고 유착한, 독재정권에 부역한 반민주 신문이기도 하고요. 남북관계가 잘 풀리고 있지만 지금까지도 그 논조는 밝히지 않았다고 생각하는데요. 남북 간 갈등, 대립, 대결을 부추기는 반통일 세력으로서의 〈조선일보〉. 재벌, 가진 자들 편들고 노동자, 서민들을 억압하는 신문. 한마디로 〈조선일보〉는 수구 기득권 세력의 총사령탑이라고 평가했죠. 그 싸움을 우리가 했다고 생각합니다.

조아세 활동하시면서 기억에 남는 게 있으실까요?

안티조선 운동의 전위대 역할을 했다고 생각합니다. 처음엔 〈조선일보〉 쪽에서 무시하고 있다가 '이거 장난이 아니구나'라고 생각한 거 같습니다. 2002년도 가을쯤 대선 직전에 저희를 고소했습니다. 저하고 무착, 당시 조아세 대표를 맡고 있던 포청천, 3인을 고소했어요. 내용을 보니까 별거 아니었습니다. 저희가 이슈화한 것은 '반민족 친일 신문이다, 통일을 저해하는 세력이다' 등이었고 그걸 문제삼아주길 바랐는데 한마디도 문제 제기 못했어요. 받아들일 수밖에 없는 거죠. 저희가 신문을 만들어서 전국적으로 배포하는데 〈조선일보〉 위에 올려놓는다든가 〈조선일보〉 사이에 끼워놓는다든가 영업을 방해하는 것이다, 식당 다니면서 식당에 〈조선일보〉가 있으면 "〈조선일보〉 끊어주세요, 조아세 신문 봐주시면 〈조선일보〉가 어떤 신문인지 알 수 있습니다" 사장님들한테 권유하고 부탁드리기도 했는데, 〈조선일보〉 쪽에서는 식당 찾아다니면서 식당 주인을 압박했다, 위력을 행사했다, 강제로. 그런데 있을 수 없는 일이죠. 가서 밥 먹고 그런 얘기 나올 때 하는 것인데. 전국으로 신문을 배포하니까 한 부에 20원 해서 백만 부면 2억. 2억 돈이 어디서 나왔어? 정권에서 대준다는 쪽으로 몰고 갔습니다. 저희 시스템을 이해 못한 거죠. 지역에서 판매하고 판매 대금으로 신문을 찍었는데 단순한 셈법으로 정권에서 사주받았다는 것으로 몰고 갔지요. 검찰도 한통속이었습니다. 2002년에 고소가 시작되었는데 2006년에 대법원에서 확정 판결이 나서 벌금 몇백만 원씩 받았습니다. 고맙게도 전국에서 네티즌들이 모금해서 벌금을 충당해주셨습니다. 지금 이 자리를 빌려서 다시 한번 감사의 말씀을 드립니다. 노사모 회원들, 안티조선에 관심 있고 지지했던 네티즌들이 모금해주셨습니다.

노사모 활동하시고 애를 쓰시면서 어떤 세상을 기대하고 원하셨을까요?

노사모 하면서 먼 미래를 분명하게 예측하기는 힘들었고요. 앞으로도 관심과 열정을 가지고 있다면 조금씩 나아갈 수 있겠다는 자신감은 갖게 되었습니다. 어려움을 느끼고 실망스러운 상황에 놓이기도 하지만 기본적인 믿음만큼은 버리지 않고 여기까지 왔기 때문에, 주위에 그런 분들이 많이 있기 때문에 함께 나아갈 수 있다고 생각합니다. 제 소중한 자산이라고 말씀드릴 수 있겠습니다.

가족들이 싫어하진 않았을까요?

가족들이 이해해주는 편인데 때로는 섭섭함을 느끼죠. 결혼을 늦게 해서 딸이 아직 어린데 아빠는 가족보다 운동이 더 중요하냐고 묻기도 하고요. 요즘에는 독립운동사, 통일운동에 주력하고 있는데요, 처는 우스갯소리로 말합니다. "당신 시대를 잘못 타고난 거 같아, 일제 시대 윤봉길, 이봉창 의사 뒤를 따랐어야 하는데." 제가 먼저 생각하는 게 가족 문제보다는 항상 바깥의 문제이지만 단순한 바깥의 문제가 아니고 결국에는 우리 문제라고 생각합니다. 미안한 마음이 없지 않지요. 나중에는 더 크게 이해해줄 거라고 생각합니다.

노무현 대통령님과 생각하는 방식이 통하셨겠어요.

노무현 대통령이 어린 시절을 가난하게 보내셨죠. 학교 월사금을 내지 못할 정도로. 결국에는 학교를 그만두겠다고 교실을 뛰쳐나온 아픈 기억을 가지고 있습니다. 돈을 벌기 위해 막노동을 하시기도 했고요. 그러다가 고시 공부를 하셔서 변호사의 길을 걷게 되셨는데요. 가난의 경험이 있었기 때문에 가난한 자들의 입장을 누구보다도 잘 이해하셨다고 생각하고요. 특권, 반칙이 통하지 않는 그런 세상. 함께 잘살 수 있는 세상을 꿈꾸셨다고 생각합니다. 기득권을 가지고 있는 사람은 소수에 불과하잖아요. 2%라고 얘기하기도 하고 크게 20%를 잡더라도 80%는 누구나 어려움, 부족함을 느끼며 살아갑니다. 함께 어울리고, 공존하고, 서로 존중하는 세상을 많은 사람들이 원하고 꿈꾸고 있다고 생각하고요. 아마 더 절실하게 느꼈던 사람들이 노사모라는 공간을 통해 결집하고 함께 꿈을 키워갔을 것이라고 생각합니다.

노사모 때 생각나시는 분이 있으실까요?

많이 있죠. 자주 보지는 못해도 여기 온다는 얘기를 대략 들었거든요. 가까이 소호님, 시마섭, 서우님, 또 유니다님, 일몽님. 대표 외에도 국민포차로 유명한 소나무, 미키루크는 빼놓을 수 없고요. 또 처리 등등.

노무현 대통령을 다시 만난다면 해주고 싶은 말 있으실까요?

제가 노무현 대통령 영결식 날에 많이 울지는 않았어요. 모여서 많이들 우는 모습을 오히려 지켜보고. 혼자서 밤늦게 집으로 가다가 다음날 눈을 떠 보니까 병원 응급실에 있더라고요. 얘기를 들어보니까 창동 다리 밑으로 추락했는지 다리 밑에서 발견해서 119와 경찰차가 긴급하게 후송했다고 해요. 머리가 깨지고 상처를 꿰맸더라고요. 온몸이 피투성이가 되어 있는데 제가 살아난 것은 노무현 대통령께서 떠나시면서 "자네는 뭔가 더 할 일이 있어"라고 말씀하신 거 같아요. 저는 노무현 대통령 따라가서 경호원이 되고 싶다고 말씀을 드려보고 싶었는데 떠나셨어요. 노무현 대통령께서 남아서 해야 할 일이 무엇인가 있다고 생각하신 거 같고 그 답을 찾아서 노력하고 있고요. "노짱님, 저 원하시는 방향대로 열심히 살았지요?" 묻고 칭찬받고 싶은 마음이 깊이 있습니다.

노사모의 실수나 시행착오를 되돌릴 수 있다면?

특별히 기억나지 않고요. 다만 노무현 대통령 재임 기간 동안에. 사람들의 생각이 완전히 일치할 수 없잖아요. 저를 비롯해서 함께 활동했던 그룹은 노무현 대통령이 국정을 수행하는 데 서포트를 제대로 하기 위해서 싸워야 한다, 힘을 실어드려야 된다고 했고요. 그 부분에 의견 차이가 있었습니다. 노사모가 안티조선 운동만 하는 조직이냐고 불만을 가진 사람도 있었고요. 생각의 차이라고 보는데요. 당시에 그 길을 함께 가는 게 조금이라도 노무현 대통령께 힘이 되어드리는 길이 아니었겠느냐 생각을 가지고 있지요. 그런 부분들에 대해서 조금씩 아쉬운 점이 있습니다.

노사모 회원들에게 마지막으로 한말씀 해주신다면.

노사모 형제 여러분 반갑습니다. 안티조선 불암산입니다. 우리 만난 이후로 참 많은 시간이 흘렀죠? 자기가 있는 곳에서 각자 다들 열심히 생활하고 있을 거라고 생각합니다. 꿈꿨던 세상 만족스럽지는 않지만 그래도 포기하지 않고 계속 이어가고 있다고 서로가 믿고 있을 겁니다. 그렇죠? 여러분들 모두 건강하시고 항상 행복하시길 바랍니다. 언제 또 만났으면 좋겠어요. 고맙습니다.

100년을
앞서간 사람

노동자투 김형진

닉네임은 '노동자투', 이름은 김형진입니다. 1989년도에 회사 입사했는데 한국노총 소속이었어요. 당시 간선제였는데 직선제를 만들면서 한국노총을 변화시켜야겠다는 마음에 노동자 최후의 보루다 해서 그냥 투로, 노동자투로 닉네임 적었습니다. 2002년 여름으로 기억하는데 한창 대선 후보 경선 무렵 노사모에 가입하게 됐습니다. 조금이라도 힘이 되지 않을까. 민주당에서 이회창을 꺾을 수 있는 후보는 노무현밖에 없더라고요. 당시 이인제한테 많이 밀렸지만 노무현이어야만 이회창을 꺾을 수 있겠다는 생각이 들더라고요. 마침내 후보가 되고 굉장히 기분좋았어요.

정몽준 파기 이후 24시간 내, 그때 기억나는 활동들이 있으십니까?

질 줄 알았어요, 파기되는 바람에. 제가 노동조합 초대 사무국장을 맡았는데 퇴근하고 뉴스 듣곤 술 먹고 회사 들어갔습니다. 야간조였는데 한 사람 한 사람 손 붙잡고 노무현 찍지 않으면 우리 노동자들 힘들다고 하면서 호소하다시피 밤새 현장을 돌아다녔던 기억이 납니다.

노무현 대통령이 왜 저평가를 받았을까요, 내외부로부터.

이해를 못한 거 같아요. 흔히들 '정치 100년을 앞서간 사람'이라고 하잖아요. 다른 사람들에게 그 속도는 너무 개혁적이지 않았나 생각이 들어요. 좌우에서 양쪽에서 공격당했거든요. 지나고 보면 자기들 무덤 판 거죠. 도와서 함께 갔어야 했는데 도와주지도 않고 마치 노무현 정부를 비판하면 지지도가 올라간다고 생각하고. 천만의 말씀. 결국 자기들도 쇠락했다는 것이 증명되지 않았습니까.

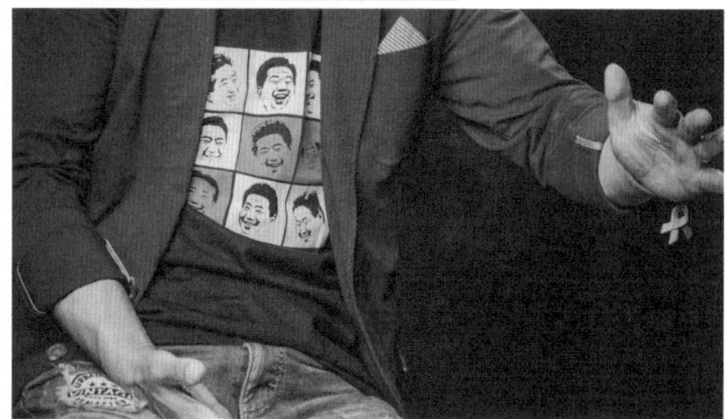

서거 날 기억나십니까?

기억합니다. 2009년 돌아가실 때 인천 노사모 대표를 했어요. 서거 소식 듣고 몇몇 분들이 모였죠. 돌아가셨기 때문에 가고 싶지도 않을뿐더러 인천에서 뭔가를 해야겠다는 생각이 들어서 인천 동암동 북광장에 분향소 설치하고 조문객을 맞이했죠. 살아 계실 때 함께 나무도 심고 부엉이바위 밑에서 막걸리도 나눠 마셨던 기억도 나고. 선뜻 가고 싶지 않더라고요.

노무현 대통령과 개인적인 에피소드가 있다면?

노사모 회원들과 북악산 등산도 갔고요. 권양숙 여사님이랑 같이 가는데 굉장히 추웠어요, 그날따라. 노무현 대통령이 기분좋으면 연설하시잖아요. 너무 추운데 연설이 길어져서 권양숙 여사님이 그만하라고 하니까 더 잘할 수 있는데 그런다고 하시더라고요. 퇴임 후 봉하에서 농활하고, 벼 심고 진영읍 삼겹살집에서 삼겹살 구워 먹고. 들어가시라고 배웅 박수 치니까 삼겹살 구워 먹던 곳 앞에서 바로 일어나셔서는 (웃음) 엉덩이춤 추시는 거예요. 격의 없던 대통령이었다고 생각합니다.

전국 노사모 분들한테 영상 편지 한말씀.

전국 노사모 회원 여러분, 안녕하세요? 인천 노동자투 김형진이라고 합니다. 영상으로나마 안부 전하게 돼서 감사드리고요. 노무현 대통령 서거 후 너무나 많이 상심했음에도 불구하고 지금까지 노사모 활동해오신 여러 회원 분들께 진심으로 감사드리고요. 조금은 어렵고 힘들더라도 노무현 대통령 생각하면서 더 확장되고 활발한 노사모 이어가기를 간절히 기도드립니다. 함께해주시면 고맙겠습니다.

최고의 열정
사나이들이다

둥근햇살 노갑용

닉네임은 '둥근햇살'이라 하고요. 현재 경남 노사모 대표 일꾼을 맡고 있습니다. 본명은 노갑용입니다. 둥글고 따뜻한 햇살이 아름다운 세상, 대한민국을 비추기 바란다는 염원을 담아 둥근햇살이라고 만들었습니다.

노사모 활동은 언제 시작하셨어요?

저는 6월 항쟁 경남의 주역이었습니다. 책에도 제 사진과 글이 있고. 80년 광주민주화운동을 대학교 1학년 85년도에 겪으면서 운동권에 가입했고. 학내 민주화 투쟁, 독재에 맞선 민주화 싸움에 나름대로 운동권으로서 열심히 참여했는데 87년 6월 항쟁이 끝나고 나서 염원들이, 국민들의 갈망, 열정들이 침체되었던 시기에 노무현 대통령께서 5공 청문회 때 가진 자, 위정자들을 질타하시는 모습에 '저런 사람이 우리나라의 지도자가 된다면 분명히 아름다운 세상이 될 것'이라는 기대를 가졌어요. 부산 강서구에 출마하셨고 '왜 저렇게 어리석은 판단을 하셨을까? 하지만 참 멋있다' 해서 강서구에 찾아가게 됐고. 후보자 시절 찾아가서 강서구에서 뵀습니다. 만나뵙고 열렬히 지지하겠다, 후원금도 내면서. 공민배 의원이 그때 수행하고 있었고. 곧 노사모가 만들어질 테니 노사모에 가입하라는 말을 노무현 대통령 후보자에게 듣게 됐죠. 그 이후에 노사모에 가입하게 됐죠. 쉽게 말씀드리자면 독재와 싸워왔던 국민들의 열망을 노무현이란 걸출한 인물을 통해 사람 사는 세상을 만들 수 있겠다는 판단에 노사모에 가입하게 된 거 같습니다.

노사모 활동하기 전 90년대에는 어떤 삶을 사셨어요?

평범한 삶이죠. 결혼하고 대학 졸업하고. 가슴에는 뭔가 있지만 표현할 방법이 없었습니다. 다만 할머니 돕기라든지, 시민단체에 후원금 내고 관여도 하면서 애 낳고 살아가고 있었죠. 배워왔고 싸워왔던 갈망을 노사모 안에서 노무현과 함께 토해낼 수 있는 계기가 된 거 같습니다. 그때가 서른네 살이었고 집사람도 교편을 잡았으나 전교조 선생은 아니었어요. 그래서 전교조 가입시켰죠. 아내도 저의 정당성, 정치 활동, 시민단체 활동에 동조하였기 때문에 전국을 다닐 수 있었죠. 주말 때는 부부가 함께 사람 사는 세상을 만드는 데 기여하면서 살았던 거 같아요. 아내가 인정했기 때문에 열심히 할 수 있었다, 계기가 될 수 있었다는 것도 말씀드리고 싶습니다.

아무래도 특히 2002년 경선 때는 일에 소홀하게 되지 않을까요?

건설 건축 자재를 취급하고 있었습니다. 당시에 영업소장이라서 직원들보다는 자유로웠죠. 영업 나간다고 하고 집회 가고. 한 달에 한 번씩 전국 영업소장이 본사에 모여서 회의하는데 집회 있으면 아프다는 핑계로 안 갔죠. 그런데 대표께서 아프다는 사람이 항상 주말 TV에 나오더라 이야기도 하고. 눈치는 봤습니다만 자유로웠죠.

영업이라는 건 아무래도 보수당에 줄 대는 게 훨씬 나을 텐데.

노무현은 사람은 참 좋은데 당이 나쁘다, 빨갱이 당이다, 김대중 당이라 했는데 노무현 대통령이 그럼에도 지역감정 타파를 위해 출마하셨기 때문에 저희들도 피할 수 없었습니다. 개인적으로 운동권 출신으로서 그런 데에 자유로웠고 일반 학생, 시민보다 강하게 학창 시절을 겪어왔고, 국가보안법으로도 한 번 갔다 왔으니, 물론 반성문 쓰고 집시법으로 나왔습니다만. 나름대로 역사의식이란 게 가슴에 분명히 있었던 거 같고. 처음에는 돌았다, 또라이다, 빨갱이다, 점마 저런 식으로 하다 잡혀간다고 했지만 어떤 면에선 부부가 서로 인정해주고 공유할 때 힘이 되었던 거 같고. 어떤 상황에서도 흔들림은 없었습니다. 10년이나 20년이나 변함없는 모습이 아름답다고 인정받고 있습니다. 많은 애로 사항이 있었지만 돌이켜 생각하면 후회도 없고 자랑스럽습니다.

경선 당시 어려움이 있었다면?

한 달, 보름 정도 전국을 다니다보니 사업이 제대로 안 되어서 월세가 밀린다든지 사업 세금을 정리 안 한다든지 개인적으로 후폭풍이 있었고. 세무서에서 세무조사가 강하게 내려와서 벌금을 많이 내는. 노사모 회원들은 본명을 숨기고 회원들끼리도 명함을 주고받지 않았습니다. 뭘 하는지 서로 몰랐어요. 저 앞에 있는 콩콩투투님도 포장업 하는데, 같은 회원인데도 못 도와준 어떤 안타까움, 미안함이 있으시더라고요. 비밀스럽게 움직이다보니까 서로 뭘 하는지 몰라서 도움이 안 됐다는 것. 듣기에 노사모 하면서 이상한 현상은 있었어요. 소기업이고 굳이 나올 이유가 없는데 괜히 조사가 나왔던 씁쓸한 추억은 분명히 있습니다.

노무현 대통령이 당선되고 나서 흔들기가 심했잖아요. 힘들었던 부분은?

흔히 말해, 대통령께서 "짬뽕 참 맛있네" 했다고 짜장면 비하했다는 대통령 흔들기. 노사모 내부에는 크게 두 부류가 있었습니다. "노무현 대통령이 국회의원 시절에 말했던 마인드가 대통령이 되어서는 다르다, 국정을 총괄해야 되기 때문에, 그래서 소리 없이 돕자"는 게 있었고요. 반대로 "이럴수록 혼자서는 힘이 드니 노사모의 깃발을 들자!" "그건 오히려 기득권 세력에게, 조중동에 빌미가 된다, 자중해야 된다", "아니다, 오히려 나서야 된다" 하는 싸움으로 3분의 1 이상의 회원이 탈퇴했었죠. 지금도 그렇긴

합니다. 결집이 잘 안 되는. 그런데 요즘은 많이 바뀌었죠. 노사모가 역사의 뒤안길로 사라져야 한다는 하나의 물길과, 그럴수록 끝까지 깃발을 들어야 한다는 물길이 있는데, 지금은 사라져야 한다는 물길이 한 표가 더 많은 느낌이 드는 상황이죠.

내가 만난 노사모 회원들은 어떤 분들이셨습니까?

저도 상당히 끼가 있고 열정이 있는데, 마산, 창원, 진해, 거제, 양산, 밀양, 창녕에 그만한 열정을 가진 사람들을 본 적이 없습니다. 나이드신 분도 많았거든요. 전국에서 만난 노사모 회원들은 정말 반미치광이, 열정이 어마어마했습니다. 가까이는 이재영이라고, 회사를 안 가고 한 달 내내, 몇 달을 쫓아다니다보니까 결국에는 회사 문을 닫아야 될 지경까지 이르렀던. 부조리에 대한 항거, 갈망, 갈증이 그분들을 길바닥에서, 집회 장소에서 노사모 깃발을 들고 뛰어다닐 수 있게 한 원동력이었는데. 최고의 열정 사나이들은 확실하다. 다만 경제적으로 먹고사는 데 더 집중했어야 되는데 못한 부분들은 아쉬움이 분명히 있습니다. 새누리당을 지지하는 사람들은 보면 개인의 이익에 철저해요. 노무현, 노사모를 통해서 이익을 추구하는 사람은 거의 없다고 확신이 됩니다. '노무현도 바보인데 저것들도 바보들'이라는 말도 수없이 들었는데, 바보라는 소리가 결코 부끄럽지 않았습니다. 아이들에게 넘겨줄 좋은 세상을 만들어야겠다는 확신이 있었습니다. 많은 아픔을 잉태했지만 또 즐거움이고 희망이고.

서거 날 기억나십니까.

전날 음주가무로 급하게 일어났는데 사방에서 연락이 와서 알게 됐고, 즉시 양산 병원으로 갔습니다. 물론 그 안에까지 들어갈 수 있는 위치는 아니었고 거기에서 연락하면서 부산 양산 병원에 다 모였죠. 보름 이상을 봉하에 있었습니다. 그때 제가 사무국장이라는 이유로, 김해 노사모 대표 일꾼이라는 이유로 있었습니다. 굳이 서거 이야기를 하면 가슴이 지못미…… 서울 검찰청 가는 곳을 막자는 시위 이야기도 나왔고. 부끄럽게도 저는 단식 농성을 준비했습니다. 김해 노사모의 꽃길님, 정영규, 전령도, 최문석님, 그리고 저 해서 단식을 교대로 텐트 치고 하자고 했어요. 그런데 못 이루어졌어요. 해내지 못함이 한스러움 중에 하나고. 노짱이 올라가시는 버스에도 우리가 막자. 윗분들이 그거는 안 된다, 이용된다, 못하게 했어요. 단독 행동 하면 안 된다 발목을 잡았는데 그럼에도 했어야 된다. 지키지 못한 버스 안에 들어가야 된다고 했는데 못 지켜냈습니다. 평생 잊지 못할 한이 되어버렸습니다. 그후로는 죄인 같았죠. 그렇게 될 수밖에 없게 만든 한스러움이 크죠. 막아내지 못한 안타까움이.

마지막으로 옛날 생각 하시면서 한말씀.

안녕하십니까. 반갑습니다. 여러분들과 함께 이십여 년 노무현을 위해서 열심히 뛰었던 둥근햇살 노갑용입니다. 인간에게 소중한 참된 삶이 무엇인가를 항상 고민하고 화두로 삼아서 함께해오지 않았습니까? 경남 노사모 회원님들, 다시 한번 간곡하게 부탁드리고 싶습니다. 그때의 초심으로, 님은 안 계시지만 그분의 정신과 가치는 분명히 함께하고 있습니다. 개인적인 아픔, 단체 모임의 아픔이 있었습니다만 모든 것을 잊고 노짱께서 만들어놓은 좋은 사람 사는 세상을 또 문재인 대통령이 만들고 계시지 않습니까? 노무현 대통령과 문재인 대통령님은 하나라고 생각합니다. 좋은 세상을 위해서 초심을 버리지 말고 함께해주기를 간곡히 부탁드리겠습니다. 노무현 대통령을 위하여! 이상입니다.

바람처럼 부드럽다,
풀잎처럼 강하다,
모정처럼 뜨겁다

반딧불 윤영교

본명은 윤영교고요. 닉네임은 '반딧불'을 씁니다. 제 기억으로는 2001년 정도에 가입한 걸로 알고 있거든요. 좀 늦게 했어요. 보통 노사모 분류할 때 노사모 경선에 참여했던 경선파, 경선 이후 대선운동, 대통령 되시고 난 이후, 탄핵. 이런 식으로 끼리끼리 노는 사람들이 다르다보니까 저는 통칭 노사모 초창기 멤버로 분류되죠.

처음 올린 글을 기억하시나요?

제가 지역에서 활동할 때니까요. 주로 오프에 나가서 느낀 후기를 많이 올렸던 것 같습니다. 중앙과 지역 게시판이 이분화되어 있던 상태였거든요. 그래서 중앙보다는 지역에 많이 올렸죠. 부산이면 부산, 울산이면 울산, 게시판 특성이 있어요. 노는 것도 다르고 술 문화도 다르고. 그래서 재밌다고 소문난 게시판을 서로 교류하면서 가서 열어보고 또 소통하고 그랬죠. 저희는 전남 동부. 전남 동부 노사모 게시판이 따로 있었거든요. 재밌는 게시판 중에 하나였습니다. 사건 사고도 많았고요. (웃음)

노사모는 닉네임으로 소통하기 때문에 10년 동안 굉장히 친했는데 본명을 모르는 경우가 많거든요. 2002년 4월에 순천 경선이 있었거든요. 2001년 말부터 몸이 좀 안 좋았어요. 전남대 병원에서 위내시경을 해보니까 종양이 있는 거예요. 다행히 악성은 아닌데 크기가 크고 위치가 안 좋다고 하더라고요. 수술을 빨리해야 된대요. 암은 아닌데 옮길 수가 있으니까 가능한 한 빨리하자. 당시에 경선 참여하느라고 정신이 없었죠. 순천 경선 다음날 아무한테도 이야기하지 않고 바로 보따리 싸서 전남대 병원에 입원했죠. 수술을 했습니다. (웃음) 위 3분의 2를 절제했죠. 흉터가 있는데 지금도 목욕탕 가면, 고향이 벌교다보니까, 사람들이 인상은 전혀 그렇게 안 생겼는데 노셨냐고. (웃음) 의사한테 칼 맞았다 그러고. 입원했는데 연락을 안 하고 갔으니까 당연히 찾아오는 사람도 없었겠죠. 그런데 저는 좀 섭섭했죠. 왜냐하면 병원에서도 휴게실에 동전 500원을 넣으면 인터넷을 할 수 있어 입원한 거 빼고 글을 계속 올리고 소통을 했는데, 고향의 친한 친구들하고는 연락을 하니까 왔는데 노사모 동지들은 오시는 분들이 없었어요. 이상하다. 서운하기도 하고 그랬는데 나중에 들어보니까 알음알음해서 몇 분 오셨대요. 찾아왔는데 본명을 모르니까. (웃음) 병원 안내 데스크에 가서 분명히 수술 환자 중에 있는데 이름이 뭐냐? 이름은 잘 모르고 반딧불이다. (웃음) 모르겠다. 이름을 알아와라. 그래서 허탕 쳤다는 이야기를 듣고 위안으로 삼았던 적이 있습니다. 닉네임으로 소통하기 때문에 그런 에피소드가 있죠.

반딧불이란 닉네임은 어떻게 지으셨나요?

영화를 굉장히 좋아하거든요. 관심도 많고. 학창 시절에는 집이 벌교인데 순천으로 주말마다 영화를 보러 갔죠, 열차를 타고 친구들하고. 영화를 그냥 보지 않고 감독, 음악, 주연 배우, 조연 외워서 주변에 자랑하는 잘난 척하는 스타일. 그런 거 있지 않습니까? 알 파치노를 처음에 알게 됐었거든요. 〈디어 헌터〉에서 로버트 드 니로를 보고 좋아는 했는데 알 파치노가 마음에 들더라고요. 그런데 이름이 어려운 거예요. 고상하게 나는 미미한 존재지만 어둠 속에서 빛을 내고 올바른 방향으로 가면 나를 따라오는 사람이 아무래도 있지 않을까 싶어서 반딧불이라는 닉네임을 썼는데요. 나중에 미키루크가 잘되는 거 보니까 '아, 알 파치노를 계속 쓸 걸 그랬구나' 생각이 들더라고요. (웃음) 후회하고 있습니다. 약어로도 많이 부르거든요. 반딧불, 반딧불 그러면 어렵지 않습니까? 형님이나 누나들은 딧불아, 이렇게 부르고 밑에는 딧불이 형님 하고 또 딧불님 하거든요. 딧불이 별로 좋지 않지 않습니까? 어감이. 노사모 후배 중에 한 분은 어떤 식으로 작명했는지는 모르겠거든요. 시바리예요, 시바리. 시다바리를 줄여서 시바리라고 한 건지. 제 느낌으론 그런 것 같아요. 열심히 조직의 시다바리를 하겠다. 시다바리는 너무 기니까 시바라, 시바리 한 것 같은데 경선 가면 밥을 먹지 않습니까? 그러면 소나무님이 이런 식으로 부르죠. 야, 시바라. 여기 앉아라. (웃음) 시바라. 주변에서 쳐다보는 경우가 있죠. 욕한 건 아닌데. 굉장히 다양하고 골고루고 재밌는 닉네임이 많습니다. 대충 자기 이미지에 맞게 작명하더라고요.

개명은 불가능한가요?

개명은 얼마든지 가능한데요. 인지도가 있고 지명도가 있으면 굳이. 개명한 순간 남이 채가죠, 그 닉네임. (웃음) 지키려고 노력하는 편입니다. 또 유사 닉네임이 많이 나옵니다. 예를 들어서 반딧불이 노사모에서 유명하다 그러면 거기다 '이' 자를, 진짜로 반딧불이 동생이 있는데…… 이거 영화에 나가면 좀 화낼지도 모르겠는데요. 반딧불, 반딧뿔, 이렇게. (웃음) 아류작들이 있어서 나중에는 같은 반씨 집안으로 퉁 쳐 친하게 지내고 그럽니다. 제가 또 동안이다보니까. 닉네임 평등주의를 추구한다고 이야기하는데 사석에서 친하고 술 먹다보면 형님, 동생으로 가지 않습니까? 처음에 다른 지역하고 중앙 모임에서 교류가 되면 탐색하죠. 저 친구…… 형님인가? 동생인가? 이렇게. 복주대사라고 노사모에서 굉장히 유명한 친구가 있어요. 고향 친구인데 복주대사는 노사모에서 상당히 많이 알려진 닉네임이거든요. 모르는 사람이 없습니다. 그 친구는 덩치가 있고 터프해요, 생긴 것도 그렇고. 잭 니콜슨을 많이 닮았습니다. 선글라스를 끼면 거의 70% 잭 니콜슨입니다. 그래서 닉네임을 잭 니콜슨을 쓰기도 하고. 선글라스를 쓰면 잭 니콜슨, 벗고 배를 내밀면 금복주. (웃음) 나중에 친해진 형님이 처음에 말을 안 놓더라고요. 저는 지역이 벌교다보니까 형님 동생에 굉장히 능하지 않습니까? 편하게 하라. 왜 말 안 놓냐? 그랬더니 네가 복주한테 말을 놓더라. 도대체 저 친구한테 말을 놓으면 너는 얼마나 나이를 먹었을까? 짐작이 안 돼서 말을 못 놨다고 하더라고요.

아까 긴박한 상황이라고 이야기하셨잖아요. 위급한 상황인데 병원에서 반응은 어땠을까요?

평상시에는 통증이 없는데요, 음주 후에는 그게 심했죠. (웃음) 애주가기 때문에. 계속 술을 즐기기 위해서도 한 번 정리가 필요하겠구나 했었죠. (웃음) 당시에는 저를 정상적인 사람으로 봐주는 사람은 노사모 동지들밖에 없었죠, 서로가. 남들한테는 다 미친놈이죠. (웃음) 어머니한테는 말씀 안 드리고 아내는 같이 병원을 다니고 있었던 상태고. 아내도 너를 말려봐야 소용없다 정도? 같이 활동하고 다녔으니까요. 생각을 해보니까 집에서 반대하면 활동하기 힘들겠더라고요. 그래서 갖은 이유를 다 대며 경선장에 데리고 다녔죠. 다니다보니까 자기도 노무현에 빠지게 된 거죠. 그런 경우가 많습니다. 안 그러면 바로 탄압이 들어오니까 안정적으로 활동을 못하죠. 이혼해야 되니까. 생활 기반을 던져버리고 활동하니까 그런 동지들이 많습니다. 저는 아무것도 아니었다니까요.

'그렇게까지'라는 생각이 일반인들이 들 수밖에 없잖아요.

나라가 정말 좋아질 수가 있겠구나, 이분이라면. 정말 나라가 좋아진 세상에서 내가 살고 그다음에 자식들한테 물려줄 수가 있겠다고 생각했죠. 저뿐만이 아니고 노사모 대부분 그렇게 생각했을 거예요. 노무현이라는 사람을 놓치면 아마 내 생애에 그런 기회가 못 올 수도 있겠다는 생각이 들었죠. 약간의 부채의식도 있었고요. 대학을 부산에서 나왔어요. 고향은 전남 보성이고요. 고등학교를 광주에서 나왔는데요, 축구로 유명한 광주 금호고등학교. 기성용이 제 후배입니다. 기성용 아버지는 제 선배고요. (웃음) 당시에 그림을 그렸거든요. 꿈이 미술 선생이었기 때문에 부산에 있는 유명한 대학으로 진학을 원했는데 결국 떨어지고 다른 대학, 다른 과를 전공하게 됐어요. 부산에서 4년을 다녔는데 노무현 대통령께서 노변으로 활동하시던 시기죠. 지금의 문재인 대통령께서도 마찬가지고. 6월 항쟁의 공간에서 학교를 다녔습니다. 제가 운동권은 아니었는데 잠깐 나가서 돌던지고 최루탄 쏘면 열심히 도망가고 하다가 그 이후에 대통령이 총선에 출마를 하셨어요. 그런데 당시에는 제가 안목이 짧아 대통령이 우리의 미래를 바꾸실 분이라는 것을 확신 못했던 거죠. 그래서 타 후보를, 우리 진영의 타 후보 선거운동을 했습니다. 학교 어떤 후배가 그쪽에 있어서 인맥으로. 두고두고 미안한 마음이 있고 열심히 함께 도와드리지 못했다는 미안함이 있었죠.

지역별로 술 문화가 다르다고 했는데?

제가 육식을 잘 못해요. 지금도 물에 빠진 육고기는 못 먹습니다. 국밥, 돼지국밥 전혀 못 먹고요. 소는 연습을 해서 지금은 먹는데…… 그래도 육식을 좋아하지 않습니다. 회는 많이 좋아하죠, 바닷가에서 자랐으니까. 그런데 오프를 갔더니 주구장창 삼겹살집에서만 하는 거예요. 먹을까 말까 망설이고 있으니까 주변에서 첫 오프니까 애가 긴장해서 그러는 모양이다 해서 싸서 주기도 하고 좀 드쇼 하기도 하고. 삼겹살을 노사모 하면서 배우게 된 것 같습니다. 오프에 나가서 얘기하다보니까 나처럼 생각하는 사람이 이렇게 많다는 게 너무 신선하고 신기한 거예요. 제가 2002년도에 마흔 살이었는데요. 물론 같은 지역에는, 제가 그때 순천에서 영어 학원을 하고 있었는데, 살고 있었지만 이 사람들을 본 적이 없지 않습니까? 전혀. 그런데 노사모 오프에 나가서 처음 만나 노무현 얘기를 하고 국내 정세라든가 나아갈 부분을 얘기하다보니까 저와 생각이 똑같은 거예요. 저뿐, 저희 지역뿐만 아니라 어느 지역에서나 공통된 현상이었던 거죠. 매일 만나서 술 마시고 이야기하고 그랬던 것 같습니다. 서로 친해지고 자주 만나게 되고 집에서는 원성이 자자하죠. (웃음) 술값도 많이 들고.

16년 동안, 지나고 보니 소회가 있으실까요?

인생관이 바뀌었죠. 노무현 대통령을 만난 것은 인생의 전환점이었고 또 그분이 인생의 지향점이 되었죠. 학교를 졸업하고 배터리 만드는 회사에 다녔거든요. 로케트 배터리라고. 수출업 회사, 서울에서. 배터리를 영미권으로 수출하는 일을 했었는데요. 회사가 방배동에 있었어요. 놀기 좋지 않습니까? 방배동 카페 골목도 있고. 촌놈인데 서울 생활 해보니까 다르잖아요. 첫째로는 따뜻한 남쪽에서 살다가 서울로 가니까 너무 추웠고 또 사람들의 높은 생활 수준을 동경했고 마흔 살 이전에 많이 벌어서 기반을 잡자. 퇴사하고 오퍼상을 차리면서도 형편이 별로 안 좋아서 나중에 영어 학원을 창업하고 임시로 돈을 벌기 위한 인생을 살았죠. 뒤에는 어느 정도 소득도 있었고 돈은 추구하는 사람에게 아무래도 오기 마련 아니겠습니까?

그러다가 노무현 대통령을 알게 되었고. 전부터 알고 있었지만 노사모를 알게 되고 어렴풋이 꿈꿨던 부분을, 그러니까 광주에서 고등학교 다닐 때 겪었던 광주 항쟁, 고등학교 2학년이었거든요. 그때 생각했던 '아, 우리나라는 나라가 아니구나, 나라다운 나라를 만들고 싶다'는 생각이 그분한테 투영된 거죠. 노사모 활동을 하다보니까 그분을 적극적으로 알게 되고 그분을 어떤 도구로 써야 되겠단 생각도 들게 되고. 완전히 바뀌었죠. 인생은 돈을 버는 게 다가 아니고 존경받는 가장…… 인생은 금방 가는데 내 삶을, 지역 사회나, 국가까진 아니더라도 적어도 자식에게만은 살기 좋은 세상을 만들어주는 방향으로 틀어놓고 가야 되지 않나? 좋은 쪽으로. 그런 부분을 생각하다보니까 몰입이 된 거죠.

노사모가 사실 노무현 대통령 되시고 대부분의 동지들이 어렵게 산 상황이었어요. 기반을 놓고 1년을 매진했기 때문에 흐름을 많이 놓쳤죠. 사업이 하루이틀 다른데 사업의 변화를 놓친 사람들이 많고, 회사를 그만두고 뛰어든 사람도 있고, 저는 자영업 했으니까 덜했겠지만 사업의 흐름을 많이 놓쳤죠. 일을 안 하고 다른 쪽으로 가면 다른 쪽에서 활동한 만큼 돈을 많이 못 벌지 않습니까? 손해도 많이 봤고 많은 친구들, 선후배들이 경제적으로 많은 어려움이 있었다고 알고 있습니다. 이제 그런 얘기는 하고 싶지 않아요.

그렇게까지 헌신, 희생했어야 할까요?

희생이 아니었죠. 즐거움, 굉장히 큰 즐거움이었죠. 동지들을 만나는 것 자체가 삶의 낙이었고 경선 과정에 승리를 접할 때마다 느끼는 희열, 감동이 좋았죠. 당시에는 노무현 대통령께서 패배한다는 생각은 단 한 번도 해본 적이 없고요. 무조건 이기고 승리하고 대통령 된다는 그런 확실한 믿음이 있었습니다.

대책 없는 그 자신감은 어디서 나오나요?

이후에 노사모뿐만 아니라 노무현을 좋아하고 사랑하고 지지했던 다양한 친구들을 만날 수 있는 기회가 있었어요. 당시에 제가 느꼈던 것처럼 그 근거 없는 확신, 자신감을 모두 가지고 계셨더라고요. 결론을 내렸죠. 당시에 내가, 우리가 가지고 있었던 근거 없는 자신감과 변함없는 확신, 믿음이 결국 우리를 승리하게 만들었구나. 내가 활활 타올라야지, 내 옆에 있는 사람한테 화상이라도 입힐 수 있는 거다. 노사모 후배들이나 친구들한테 그런 얘기를 했어요. 내가 먼저 활활 타올라야지, 내가 노무현이라는 인물에 대한 믿음, 확신으로 활활 타올라야지, 주변에서 '뭐지, 쟤들은? 노무현 될까?'라고 생각하는 사람들한테 적어도 화상이라도 입힐 수 있지 않겠냐? 그런 얘기를 (웃음) 했던 기억이 납니다.

당연히 될 거라고 확신했다는 노사모들의 이야기들을 일반인들에게 보여준다면 뭐라고 할까요?

당시에 저뿐만 아니라 제 동지들 주변에 있던 모든 사람들이 손가락질했을 거예요. 저놈들 미친놈들이다. 객관적으로 보나 주관적으로 보나 전혀 안 될 상황인데 뭘 믿고 올인하고 모든 부분을 희생해가면서 저렇게 하는가 이해가 안 됐죠. 이해를 할 수가 없었겠죠. 흔히 정치에서 대세론이라는 게 있지 않습니까? 당시 여당에는 이인제가 대선 대세론을, 조직이라든가 주변 세력이라든가 지지층이라든가 있었는데 노무현 후보가 가질 만한 것은 사실 없었죠. 돈도 없고 조직도 없고. 후보는 똑똑한 것 같고 방향도 올바른 것 같지만 크게 부각된 것도 아니었고. 그걸 먼저 알아보는 사람들이 정치인이고 국회의원들인데 주변에 보니까 동지 국회의원도 없고 기껏 천정배 의원 한 사람 정도. 될 거라고 판단할 수 있는 근거가 전혀 없지 않습니까? 그런데 노사모들은 달려들었죠. 노무현이 될 수밖에 없다. 노무현이 될 수밖에 없다고 생각했던 기저에는…… 좋은 사람이 돼야 되는 거 아닌가? 바른 사람이 나라를 이끌어야 되는 거 아닌가? 노무현은 바르고 올바르기 때문에 지금은 덜 알려지고 사람들이 많이 모르지만 진면목이 세상에 알려지는 순간에는 많은 사람들이 우리와 동일한 생각을 가지게 될 것이고 그러면 노무현이 이긴다는 믿음이 있었던 것 같습니다. "너 아직 노무현 모르잖아. 그나마 내가 너보다 노무현을 잘 알거든. 내가 알려줄게. 이런 사람이야." 그 과정을 끊임없이 반복했던 것 같아요. 경선 현장에서는 죽기 아니면 살기로 땀흘려가면서 인사하고 춤추고 노래하고 박수치고 신명나게 했었죠. 전국의 경선장 거의 다 다녔는데요. (웃음) 그런 부분이 활활 타올랐기 때문에 경선장에 갔었던 선거인단들이 온도를 느끼지 않았을까? "너희들이 그렇게 믿고 확신한다는 이야기야? 노무현은 잘 모르겠지만 나는 적어도 너희들한테는 감동한 것 같다. 너희들 보고라도 찍어줄게." 그래서 표를 던진 사람들이 한둘은 있지 않겠습니까? 대다수는 후보를 보고 던졌겠죠.

노사모의 공통점은?

노사모들이 왕왕 하는 이야기가 "노사모는 한 가지만 공통점이 있다. 그리고 모든 회원이 다 다르다. 한 가지 공통점은 노무현을 사랑하는 것." 그 하나만 같고 나머지는 다 다릅니다. 출발선만 같고 그다음부턴 다 다르죠. 다양성이 존중되고 인정되지 않으면 노사모는 존재할 수 없다. 그것을 서로 인정하고 깔고 가야 된다. 그러지 않으면 싸우는 거죠.

노무현 대통령이 기존 권력과 다른 점은?

우선은 권위주의를 내려놓으셨다는 것. 김대중 대통령은 민주주의의 신봉자이시지 않습니까? 그럼에도 김대중 대통령께서 몸담았던 정당 구조는 상당히 폐쇄적이고 권위주의적이었죠. YS도 마찬가지지만. 상대편이 군사 독재 정부다보니까 의사 결정 과정이 굉장히 빨라야 했기 때문에 권력이 집중된 부분이 있었겠지만, 노무현 대통령은 본인 자체가 권위주의가 거의 없으셨어요. 사석에서도 대화를 나누고 말씀을 들어보면 굉장히 소탈하시고 겸손하시고 또 배려를 많이 해주시죠. 경청을 꾸준히 해주시고. 통치자로서의 권위주의를 놨기 때문에 이후에 MB라든가 박근혜라든가 대비적으로 국민들이 판단할 수 있는 리트머스 시험지가 되지 않았겠습니까? 그런데 정작 그 양반은 저희들이 사석에서 MB를 폄하하는 것을 굉장히 안 좋아하셨어요. 어쨌거나 국민들이 선택한 대통령인데 그런 식으로 비하하는 것은 옳지 않다.

권위를 내려놨을 때 나라님에 익숙했던 민중들은 생경하고 당황했을 것 같거든요.

실제로 당황했죠. 당황한 정도에서 끝난 게 아니라 무시했지 않습니까? 마음껏 무시했죠. 당시에 '모든 게 다 노무현 때문이다' 이런 말이 있었지 않습니까? 정작 노무현 대통령께서는 국민들에게 '나라의 주인은 당신들이다. 내가 아니다. 당신들이 주인이지 않으냐? 나는 당신들의 대리인이고 당신들이 위임한 권한을 사용할 뿐이다' 이런 부분을 꾸준히 말씀하셨죠. 그래서 하신 말씀이 아니겠습니까? 민주주의의 최후의 보루는 깨어 있는 시민의 조직된 힘입니다. 결국 촛불의 원동력이 됐고, 그래서 우리나라가 변한 게 아니겠습니까?

봉하마을 신드롬은 노사모 입장에선 어떻게 다가왔을까요?

저희가 일찍 알았던 그분에 대한 진면목을 거기에 오신 분들은 늦게 아신 거죠. 보고 싶었던 거죠. 확인하러 오신 분도 계셨고. 아, 어렴풋이 그 양반이 그런 사람인 줄은 알았는데 내 생각이 맞았구나. 그래서 한번 보고 싶다고 오신 분들도 계셨고. 대통령께서 그런 말씀도 하셨죠. 청와대에서 정말 죽기 살기로 열심히 일할 때는 쳐다보지도 않고 욕만 하더니 고향에 와서 놀고 있으니까 보고 싶다고 맨날 찾아와서 나오라 그런다. (웃음) 그렇게 말씀하셨지 않습니까?

참 행복해 보이셨는데. 봉하 가셨으니 행복해 보이시는 걸 가까이서 보셨을 거 아니에요?

많이 행복해하셨죠. 노사모 집행부 일원으로 찾아뵙고 사저에서 사담을 나눌 기회가 있었는데요. 굉장히 즐거워하시고 또 반가워하시고. 노사모로서 정말 행복했던 것은 그분이 노사모들을 정말 존중해주고 동지로 깍듯하게 예우를 해주셨다는 거죠. 보통의 정치인들이 자신을 따르고, 따른다는 건 좀 어폐가 있지만, 정치적 동질성을 함께하고 이상을 공유하는 지지자들에게 적어도 노무현만큼은 해야 되지 않느냐? 그런데 왕왕 그렇지 않잖아요. 도구로 생각하고 어려울 때는 이용하다가 좋은 위치에 가면 언제 봤냐는 식으로 외면하는 경우도 있지 않습니까? 노대통령은 대통령이 되시기 이전이나 이후에나 항상 노사모는 진정한 나의 동지라고 인정하시고 그걸 전부 하나씩 다 느끼니까요.

개인적으로 인상적이었던 기억.

후보로 계실 때 낙동강이 범람했지 않습니까? 진영이 물바다가 됐어요. 아마 2002년 여름일 겁니다. 후보로 계실 때인데 노무현 지지자, 범지지자들이, 특히 노사모에서 진영으로 수재 복구 자원봉사를 하러 갔는데 당시에 제가 순천 노사모 대표였어요. 순천 식구들 데리고 아침 일찍 차를 타고 진영으로 갔죠. 자원봉사 장소를 배정받고 어느 마을로 갔는데 한 한 시간 정도 일하고 있으니까 오셨어요, 그분께서. 그때 김현미, 지금 국토부 장관인가요? 그분이 대변인을 하고 계셨고, 민주당의. 그다음에 정동채, 예전에 장관 하셨던 분이 아마 비서실장 하고 계셨던 걸로 생각하는데 후보 비서실장. 일을 하죠, 같이. 똑같이 합니다. 일을 워낙 잘하시는 분이니까 저하고 한 조로. 돼지막인데 낙동강 물이 범람해서 완전히 난리가 났죠. 장화 신고 들어가셔서 분뇨 범벅이 됐겠죠. 그거를 퍼서 올리시고 저는 포대, 마대라 그러나요? 그것을 잡고 같이 했습니다. 점심을 같이 먹을 기회가 있었는데요. 당시에 노사모는 항상 포장마차가 출동하니까 소나무님, 또 해초, 부산에 푸른해초님이라고 유명하신 분이신데 같이 국밥을 나눠 가지고 식사했어요. 앉아서, 바닥에 앉아서. 그 사진이 저한테 있을 텐데. 바닥에 덜퍽 주저앉아서 식사하셨죠. 그런데 저는 도시락을 싸 갔어요. (웃음) 국밥을 못 먹으니까. 아내가 김치, 우엉하고 몇 가지를 싸가지고 같이 밥을 먹었던 기억이 납니다. 일을 참 잘하셔요. 워낙에 노가다로 단련된 분이시니까. 사진만 찍고 이런 게 있잖아요. 그런데 그분은 정말 진정성 있게, 아마 주인도 그렇게 열심히 안 하셨을걸요? 정해진 시간 다 채우시고. 지역 주민들 고향 분들이시니까 어르신들한테 깍듯이 인사드리고 얘기 듣고 가셨던 것 같습니다. 나의 선택은 틀리지 않았구나. (웃음) 이런 걸 느꼈죠.

지금 하시는 일은?

지금도 영어 학원을 하고 있습니다. 당시에는 순천에서 대규모로 했었고, 지금은 고향 벌교로 가서 소규모로 하고 있죠. 전남 노무현 재단 사무차장을 하고 있습니다. 가끔은 아쉽긴 하죠. (웃음) 하지만 그때로 되돌아가도 동일한 선택을 하지 않았을까 합니다. 저 자신에게는 떳떳하니까요. 자식들에게 떳떳하고. 떳떳하다. 이렇게 네 글자를 말할 수 있는 삶을 살았다고는 자평할 수 있을 것 같아요. 물론 가장으로서 가정을 책임지고, 자식들에게 아비로서 역할을 제대로 했냐고 물어보면 자신이 없는데…… 나름대로 작은 역할을 분명히 했고 떳떳한 부분이 있다고 생각하기 때문에 부끄럽지만 후회는 하지 않습니다.

노무현 대통령과 노사모의 공통점은 뭘까요?

바보들이죠. (웃음) 소중히 생각하고 지켜야 하고 이루어야 할 가치가 있으면 적어도 그것을 다루어서 이익을 취하려고 하진 않았다는 거죠. 저를 아는 친구나 선후배들은 지금도 저를 바보라고 이야기합니다. 그렇게 열심히 했으면서 네가 받은 게 뭐가 있냐? (웃음) 네가 얻은 게 뭐 있지? 경제적으로 힘들어졌잖아. 어렵잖아. 그러니까 바보다. 딴 사람들은 자리도

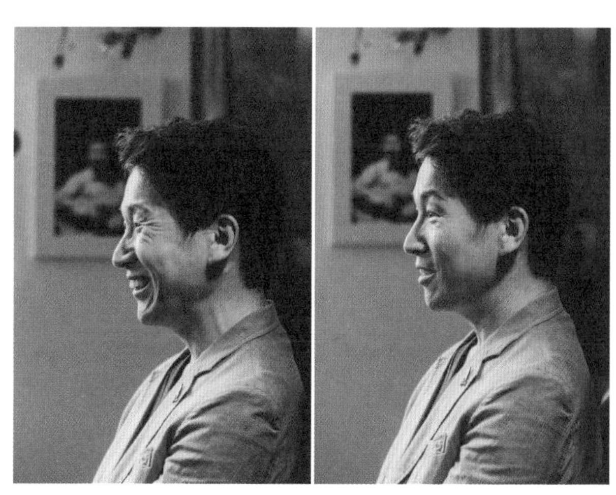

잘 찾아서 청와대도 가고 좋은 기업체도 들어가고. 그런데 너는 그게 아니지 않으냐? 그러니까 넌 바보다. 이렇게 이야기하지만 적어도 저는 그러려고 노무현을 선택하지 않았기 때문에 그런 소리를 듣더라도 오히려 자랑스럽죠. 그래서 지금도 만나는 거죠. 지금도 보면 좋고, 믿고. 같이 유년이나 어린 시절 학교를 다닌 것도 아니고 사회에서 단지 노무현을 좋아한다는 것으로 만난 사람들인데 그 인연이 지금도 이어지고 있거든요. 순천에는 노함사가 있어요. 노사모 이후에 노무현과 함께하는 사람들이라는 계모임을 만들어서 한 달에 한 번씩 만나서 술도 마시고 재밌게 가족 모임하고 있습니다. 한 열댓 명이. 이따가 스나이프 형님 오시면 아마 그 이야기 또 할 거예요, 자랑스러우니까. (웃음) 지금도 교류하고 있고 죽을 때까지 얼굴 보고 살겠죠.

민주주의의 최후의 보루는 깨어 있는 시민의 조직된 힘입니다. 왜 이 말씀을 강조하셨을까요?

결국은 저 문구가 해법이죠. 대한민국의 모든 모순이 분단에서 비롯되지 않습니까? 박정희를 위시한 군부 독재 정권이 계속해서 국민들을 핍박하고 괴롭혔고 광주 항쟁 등 여러 가지 사건을 일으켜서 국민들이 희생하고 그랬지 않습니까? 그 기저까지 가면 분단에 마주하듯이 모든 대한민국의 모순을 해결하는 방법은 바로 저 문구에 있는 거죠. 국민들이 깨어 있지 않으면 계속해서 그쪽의 세력에 휘말릴 수밖에 없고, 국민들이 깨어 있기 때문에 촛불이 일어난 거 아니겠습니까? 그걸 아셨기 때문에 저 말씀을 하신 거 아닌가. 바보지만 천재죠. 진정한 천재죠.

안타깝게도 노무현 대통령은 어쨌든 지금 안 계시잖아요.

어떤 사람들은 정당으로 들어와서 정치를 하고, 어떤 사람들은 시민 사회 단체로 가서 그분이 추구했던 일을 뒷받침하고 있을 거고, 어떤 사람들은 본연의 일을 하면서 대한민국의 민주주의 발전을 위해서 노력하고 있을 거고. 저처럼 아직도 그분을 못 잊어 노무현 재단으로 와서 늦게나마 노무현을 알고 또 그분을 알고 싶어하는 사람들을 위해서 자료를 나눠주고 풍선을 부는 일을 하는 사람들이 있는 것처럼 각자가 부여받은 그분의 로드맵대로 가고 있을 거라고 생각합니다. 단지 규정은 할 수 없다는 거죠. 그분을 늦게 아는 분들이 많거든요. 지금도 지나가면서 저희 재단 사무실 간판을 보고 들르시는 분들이 있어요. 어제는 대구에서 온 대학생 두 친구가 들어왔더라고요. 노무현은 들어봤대요. 대학교 1학년인데 누구인지는 잘 모르겠다. 대통령이신 건 아는데, 그분이 어떤 삶을 살았는지 알고 싶어서 들렀습니다. 이렇게 이야기를 해서 제가 선물도 주고 책도 몇 권 주고 얘기도 하고 그랬습니다.

노대통령을 마지막으로 보신 순간은 언제였어요?

2009년도에 서거하셨지 않습니까? 2008년도 가을에 사저를 방문했어요. 노사모 차원에서 인사드리러 갔던 걸로 기억하는데 노사모 서너 분, 대통령, 권양숙 여사, 그렇게 떡 먹고 주스 마시면서 얘기를 나눴던 기억이 납니다. 당시에는 오리 농법 농사에 심취하셨는데, 벌교에 오리 농법 전문가가 계셔요. 강대인 선생님이라고 유기농의 대가입니다. 그래서 그분을 소개해드렸어요. 그런데 아시더라고요. 한번 찾아가겠다. 만나보겠다. 이렇게 말씀하시면서 '내가 찾아가야지' 그렇게. 다른 사람 같으면 '어? 그래. 한번 오라 그래야지' 이렇게 할 수 있잖아요. 그때가 아마 마지막으로 뵈었던 것이고. 서거하시고는 봉하로 달려가서 일주일간 노사모 자체적으로 분향소를 만들었어요. 거기에서 시민 상주를 했죠. 조문하신 분들이 담배를 전부 올려놔서 그거 치우느라고 손을 많이 댔던 기억이 납니다. (웃음) 국화도. 몇만 명? 그때 조문객을 맞았던 것 같아요.

서거 소식은 어떻게 들으셨나요?

전화가 왔어요, 어머님한테. 노인들은 잠이 없잖아요. 전화를 받고 뉴스를 확인하고 바로 봉하로 달려갔죠. 열네 살 때 저희 아버지께서 돌아가셨거든요. 공무원이셨는데 출장 다녀오시다가 교통사고로 돌아가셨어요. 열네 살이면 중학교 1학년이거든요. 지금 기억을 해보니까 100일 정도 진짜 슬프더라고요. 100일 정도. 노무현 대통령 같은 경우는 그 슬픔의 유효 기간이 없는 것 같아요. 지금도 그래서 봉하에 가면 가급적 동영상을 안 보려고 하죠. 사진도 그냥 웃는 모습만 가끔 보고. 오래는 안 보려고 그러죠. 노사모들 대부분 그럴 거예요.

조중동에 대한 생각은요?

가짜 언론이죠. 거짓말쟁이, 친일파고. 우리나라의 사회악을 확대 재생하는 악의 무리였기 때문에 미움을 받은 거죠. 언론은 현실을 바라보는 창이지 않습니까? 어떤 사건을 경험해보지 못한 제3자가 그 사건을 바라보는 창이 언론이거든요. 창이 오염됐고 그 창을 또다른 사진으로 가려놓으면 독자라든가 국민은 잘못된 판단을 내릴 수밖에 없죠. 언론과 권력에 덤볐으니까 바보들이죠. (웃음) 순천에서 영어 학원이 망한 가장 큰 이유 중 하나가, 물론 2002년도에 노사모 하면서 본연의 업무를 안 한 것도 있었지만. 학원 홍보 활동이 여러 주류 신문에 찌라시를 넣는 거거든요. 학부모들이 그거 보고 상담도 오고 학생들도 오지 않습니까? 그런데 어느 지역이나 할 거 없이 주류 신문은 조중동 아니겠습니까? 제가 노사모 하면서 조중동에 찌라시를 안 넣었죠. 넣을 수가 없었죠. 전체적으로 홍보력이 확 떨어지고 영업이 전혀 안 되는 거죠.

왜 이렇게 고졸 대통령이라고 무시를 했을까요? 속상하지 않으셨어요?

대한민국의 주류가 아니지 않습니까. 노대통령께서는 깡시골이고 완전 시골 출신이거든요. 고졸도 또 인문계면 먹어주는데 상고잖아요. 물론 당시에는 상고가 명문이었지만. 하다못해 지방대 출신도 아니고 스카이는 더더욱 아니고 대한민국의 주류는 그때 스카이가 다 좌우했었는데 단지 하나의 능력을 인정받을 수 있는 부분은 정말 소수이고 천재들만 뽑는다는 사시, 70명 정도일 때 패스를 했다는 거, 그거 하나 정도. 변호사. 그것밖에 없으니까 인정할 게 있습니까? 그래서 무시를 많이 했겠죠.

다시 만나게 된다면 뭘 하고 싶으세요? 두 분이서 딱.

계시는 동안, 함께하는 동안 행복했고…… 안 계시는 동안…… 많이 그리웠습니다. 더 일찍 못 와서 죄송합니다.

어떤 세상을 꿈꾸십니까?

그냥 그분이 말씀하셨던 사회 그대로. 못 배웠다고 무시당하지 않고 가난하다고 소외당하지 않고. 배기량이 큰 차를 타거나 평수가 큰 아파트에 산다고 해서 성공의 척도라 여기지 않고. 정말 성실하고 남 속이지 않고 땀 흘리고 최선을 다해서 사는 사람이 존중받는 사회. 그런 사회가 됐으면 좋겠습니다. 누구나 예수처럼 살다 갈 수는 없겠지만, 누구나 노무현처럼 살다 갈 수는 없겠지만 적어도 그분이 희구했던 사회를 조금이나마 만들다가 또 저희도 100분의 1이나마 그런 사회가 만들어진 세상에서 살다 가면은 좋지 않나. 그런 세상이 되었으면 좋겠습니다. 담담하게 이야기하고 싶었거든요. 노사모 이야기하고 노무현 이야기하면서 눈물 흘리는 거 싫어해요. 〈노무현입니다〉 영화를 보면서도 형님들 나오잖아요, 누님들. 인터뷰를 왜 저렇게 했어? 짜증이 나더라고요. 왜 울어? 이렇게 짜증내고, 지금도 저는 참고 있는데. 제가 만든 유명한 말이 있어요, 노사모에서. 바람처럼 부드럽다. 풀잎처럼 강하다. 모정처럼 뜨겁다. 우리 노사모는. (웃음) 제가 항상 게시판에 글을 쓰면 말미에 그 세 말로 멘트를 달거든요.

그 시절의 자신에게 한마디 한다면?

덧붙아, 너 나름대로 기특했고 역량에 안 맞는 올바른 선택을 했다고 본다. 기왕 하려면 조금 더 일찍 하지 그랬냐. 이 정도. (웃음)

생각나시는 회원이 있으신가요, 특별히?

멀리 볼 필요도 없이 저기 오신 스나이프 형님. 거의 콤비로 전국 경선장을 같이 다니고 그러셨는데. 저는 생각하고도 안 움직이는 스타일이거든요. 그런데 스나이프 형님께서는 생각하자마자 이소룡처럼 공격과 방어가 바로 들어가시는 분이라서. (웃음) 목숨 걸고 운전하고 다녔던 기억이 납니다, 시간을 맞추려고 경선장에.

혹시 가시처럼 걸리는 안타까운 회원이 있으실까요?

많죠. 만나기가 힘들 거예요, 그런 회원들은. 그 이후에 활동 안 하는 경우가 많으니까. 결국 사업 크게 망하고, 건강 잃고, 활동하면서 교통사고 당하고, 혼기 놓쳐서 시집 장가 못 가고. 온라인 위원장은 노사모 게시판의 전권을 가지고 있거든요. 제가 노사모 온라인 위원장이 되고 가장 역점을 두고 한 사업이, 게시판 들어가셔서 보시면 메모리얼 추모관이 있습니다. 노사모 예산을 투입해서…… 적어도 같이 고생하고 희생된, 고생만 하다가 희생된 동료들을 잊지 말자 해서 추모관을 만들었죠. 그 이후로도 암 걸리고 자살하고, 희생된 분들, 아마 지금 추모관에 계신 분만도 상당히 많으실 거예요. 그리고 안 계신 분들도 있는데. 광주에 있는 제레미, 노사모의 전설적인 존재죠. 미키루크와 더불어 노사모의 최고의 스타 활동가 중 한 사람이었는데. 젊은 나이에 암으로 죽었고요. 안타까운 사연이 많이 있습니다.

마지막으로 노사모 회원들에게 한마디.

저는 회원이란 말이 싫었어요. 그래서 항상 노사모 가족 여러분, 이렇게 글도 많이 썼고요. 지금은 16년, 거의 20년이 됐어요. 그래서 항상 노사모 형님, 동생, 누나, 이렇게 호칭을 다 했습니다. 노사모 가족 여러분, 여러분들이 있어서 즐거웠고 행복했고 또 여러분들과 함께여서 기뻤습니다. 앞으로도 이 목숨이 다하는 순간까지 여러분들과 함께하겠습니다. 사랑합니다.

엘리트의 교체가 아닌, 바닥에서부터 올라갔던 힘

최문순 강원도지사

나와 비슷한 사람이 대통령 된다는 것이 반가운 일이지 않았을까요?

그렇죠. 나라의 정치 체제가 그렇게 되어야 하는 거죠. 노무현 대통령을 여러 차례 만났지만 늘 혼자 있었다는 이미지로 남아 있습니다. 늘 혼자 다니는 듯한 느낌. 대통령 자리가 불편하셨을 겁니다. 하기 싫을 때도, 도망가고 싶을 때도 많았을 거예요. 대통령이라는 자리를 누리기 위해 정치 활동 하신 분이 아니라고 생각합니다. 그런 분이라면 그렇게 행동할 수 없는 때가 많았죠. 하지만 그런 정치가 되어야 하는 거죠. 유럽에 가면 총리가 대중목욕탕에 가고 머리 깎고 돌아다니죠. 자리가 대통령인 거지, 사람이 대통령이 아닌 거죠.

모두가 권위에 눌려 있을 때 노사모와 노대통령은 무모한 도전을 했다?

맞습니다. 절대 왕정, 일제강점기, 군사 정권을 거치면서 권력과 부, 지위와 명예가 독점되고 집중됐죠. 이 그룹에 들어가려고 하면 "감히"라고 합니다. 그에 도전하는 세력으로서 노무현 대통령과 노사모가 생긴 거예요. 저는 거꾸로 보고 있습니다. 보통 노무현이라는 사람이 있어 노사모가 생겼다고 하고 이름도 그렇게 되어 있죠. 저는 노사모 위에 노무현이 얹혔다고 봅니다. 예전에는 노무현 대통령이 후보가 될 거라고 생각한 사람이 거의 없습니다. 하지만 광주에서 뒤집혔죠. 선거인단을 노사모가 설득했다고 생각합니다. 노무현 대통령이 끄는 게 아니라 줄탁동기(啐啄同機). 노사모가 주체고 노무현을 대통령까지 만든 거죠.

노무현 대통령이 없는 노사모는 앞으로 뭘 해야 할까요?

학생운동, 노동운동, 언론운동처럼 분야별로 민주화운동을 하던 그룹들과 달리 노사모는 정치권력을 통해 나라를 바꿔야겠다고 만든 최초의 결사

체입니다. 이전 운동들은 엘리트에 의해 구성되고 소수가 이끌어가는 지도부가 있습니다. 하지만 노사모는 계층과 지역, 소득을 뛰어넘은, 정치적으로 각성한 사람들입니다. 한 범주로 이름 붙이기 힘든. 그런 분들이 모였다는 점에서도 각성이라고 생각합니다.

분단 상황에서 레드 콤플렉스 겪어보신 적 있으신가요?

제가 시장 될 때도 여러 공격이 있었지만 그중 하나는 빨갱이죠. 레드 콤플렉스는 점잖게 표현하신 거고 보통 빨갱이로 낙인찍어서 대들지 못하게 하는 가장 유효한 수단이었죠. 여전히 그렇기도 하고요. 북한을 바로 보고 정확하게 보도하고 주장하면 자연스럽게 빨갱이가 됩니다. 기득권 세력들이 자기 진영을 유지하는 수단입니다. 북한이 많이 변했다는 것을 알면서도 계속 주장하는 거죠. 국민들한테 강요하고요. 강요를 통해 권력이 유지되고 지금까지 그렇게 해왔고. 분단 구조가 우리나라의 민주주의를 늦추는 중요한 요인입니다. 북한을 바로 보고 이해하기 위한 정확한 정책을 세우는 것이 필요합니다.

빨갱이와 깽깽이가 근현대사의 중요한 통치 해결문인 것 같습니다.

그랬습니다. 평생을 걸쳐서 저항하고 반대하는 중요한 포인트 하나가 '김대중'이었습니다. 당시 방송에 김대중이라는 이름 자체를 못 내게 했습니다. 이름 자체가 금기였죠. 기자가 내용을 전달하려면 사람 이름 빼고는 못하지 않습니까? 그래서 싸우니까 저를 전라도 사람으로 보는 거죠, 강원도 사람인데. MBC 있을 때 파업하니까 경찰청에서 진압하죠. 경찰청장이 기자들 모아놓고 "최문순 광주 놈" 하면서 제 욕을 하더라는 거예요. 그렇게 알고 있다가 강원도지사로 출마하니까 그제야 강원도 출신이냐고 물어요. 언론과 군사 정권 시절 만들어낸 갈라치기 수법. 국민들을 분열 통치하는 가장 유치하고 저열한, 저급한 정치 행위죠. 우리나라 정치가 가장 저급한 수준에서 벗어난 지 얼마 안 되는 겁니다. 노동조합도 그렇죠. 부정적인 프레임을 씌워서 고립시키죠.

서거 당시 많이 놀라셨죠?

많이 놀랐죠. 전날 노사모에서 정치 토론을 했습니다. 일산에서 '노사모 정치 카페'라는 걸 했는데 저도 가서 강연하고 토론했습니다. 한잔하고 새벽 3시쯤 들어갔어요. 그리고 아침에 돌아가신 거죠. 엄청난 충격이었고 자책감이었던 것 같아요. 진보까지 포함해서 노무현 대통령을 왕따시켜서 고립시켰죠. 적극적 가담자도 있고 소극적 가담자도 있고 방관자도 있었어요. 노사모조차도 언론과 검찰의 프레임에 걸려들어 방어하지 못하는 상태에 있었습니다. 충격과 함께 상황을 접했죠. 대한문 앞에 분향소가 만들어졌는데 시민들이 끊임없이 오고, 장례가 끝나고도 오고. 앞을 꽃으로 단장한다든지 촛불을 켠다든지 국화를 가져온다든지 모두 시민들이 자발적으로 하는 겁니다. 극우파에서 분향소를 철거하기 위한 움직임이 계속 있었습니다. 경찰에서도 철거하라고 하고. 저는 당시 국회의원 신분이었는데 시민들이 와서 지켜달라고 했죠. 거기서 자면서 노숙자라는 별명을 얻었죠. 노무현 대통령은 정치인으로서 거친 면이 있었고 가끔은 타협했으면 싶었죠. 하지만 돌이켜보면 이분은 통치 권력자로서가 아니라 사회 변혁을 추구하는 운동가로서 본인을 자리매김한 건데 국민들은 잘 이해 못하고 기득권의 공격에 동조한 거죠. 큰 것을 보지 못하고 작은 것을 보며 대통령을 고립시킨. 자책과 각성이 뒤늦게 일어났습니다.

경찰이 분향소를 감시하는 일이 있었잖아요.

처음에는 오래가겠냐고 하면서 모른 척했던 것 같습니다. 그런데 오래갑니다. 계속 사람들이 와서 조문하고. 항의의 뜻이기도 하고 자책의 뜻이기도 하고 슬픔의 뜻이기도 하고 복잡한 정서들이 녹아들면서 덕수궁 앞에 계속 모이니까 못마땅하고 두려워했을 겁니다. 전국에서 다 오셨습니다. 먼 땅끝마을에서 오신 분도 있고 해외에서 오신 분도 있고 나이드신 어르신도 있고 자녀들 데리고 온 분들도 많습니다. 꽃은 재활용했습니다. 시민들 돈 모아서 한 거니까 크게 할 수 없으니 조그맣게 텐트 하나로 해서 한꺼번에 들어갈 수도 없죠. 자원봉사자들 오셔서 음식 주시고 나팔 불어주시고 상당 기간 추모 행렬이 이어졌습니다. 당시에는 조문 행렬이라고 생각했지만 돌이켜보면 정치적 각성이 일어나고 정치권력을 우리가 결정해야겠다는 생각이 그때 태동했다고 생각합니다. 국민들이 스스로 권력을 행사해서 대통령을 세우거나 끌어내린 적이 몇 번 없습니다. 4·19 때 한 번 있고, 김대중과 노무현 만든 경험이 있고요. 그후 잃었다가 박근혜 때 다시 합니다. 정치적 자산으로 남았다고 생각합니다.

노무현 대통령 재임 당시 언론의 통제는 어땠나요?

노무현 대통령께서는 언론에 대한 결벽증이 있었습니다. 간섭해서 안 된다는. 제가 3년 재직하는 동안 그분한테 전화 한 통 받은 적 없고 인사 청탁 당연히 없었고요. KBS 정연주 사장님도 없었다고 말씀하셨어요. 대통령이 그런 생각을 갖고 있더라도 밑에 참모들은 부탁하거든요. 정치와 언론이 어느 정도 불편한 관계에 있기 때문에 좋지 않은 보도를 안 할 수가 없는데, 그에 대해 위에서 한 번도 연락 온 적이 없습니다. 결벽증을 당신만 갖고 있었던 게 아니라 그 밑까지 전부. 엄하게 지시를 내렸던 것 같아요. 다만 나중의 반성인데요. 언론과 검찰에 대한 민주적인 통제가 있어야 했다고 생각합니다. 그전에는 잡고 있다가 노대통령 때 이르러서 완전히 놓아주니까 방종이 됐던 겁니다. 권력을 나눠주면 겸허하게 쓰고 다시 밑으로 나눠주어야 하는데 자기들이 권력이 되어버린 거죠. 그 피해가 당신께 돌아온 거고요. 그럼에도 언론과 검찰에 대해 권력 행위, 정치 행위, 행정 행위를 한 번도 안 하셨어요. 언론과 검찰을 민주적으로 통제하긴 해야 하는데 국가권력이 해서는 안 된다. 길고 고통스럽더라도 국가권력이 해서는 안 되고 국민들을 통해 민주적으로 통제해야 한다.

당시에도 왜 저렇게 방치하느냐는 의견들이 있었지만, 노무현 대통령 돌아가시고 결과적으로 많은 국민들이 각성하게 됐죠. 노무현 대통령이 옳았던 거죠. 다만 당시에는 너무 고통스러운 과정을 거쳐 각성이 일어난 것이라고 생각합니다. 언론인들이 스스로 해야 하는 거죠. 언론인들이 양심을 똑바로 지키면 절대 강요할 수 없는 겁니다. 두 가지 문제가 있었죠. 군사 정권 시절에 권력과 언론이 한몸이 되어 권력이 시키는 대로 나팔수가 되었던 문제. 그래서 그 과정에서 자기가 권력이 되었다는 문제. 첫번째는 오히려 쉽습니다. 국민들이 만들어주었죠. 최종적으로 언론인들의 각성, 책임의식, 윤리의식이 가장 큰 과제가 되겠습니다.

노무현 대통령 이후의 노사모에 대해 평가해주실 수 있는지요?

노무현 대통령은 서민들과 같이 가고 싶었던 겁니다. 국가 체제도 그렇게 되기를 바랐을 겁니다. 오랜 역사를 통해 만들어진 체제가 완강하게 거부했던 거죠. 함께하고 싶은 것들을 위해 한나라당과 연정하자는 말까지 가게 되는 겁니다. 사람들은 이해 못하죠. 작은 행정과 작은 정치를 해보면 이해될 때가 많이 있습니다. 시스템과 체제를 국민들한테 좀더 가까이 가

게 하고 싶은데 기존 체제를 유지해오던 시스템에 있는 분들이 있으니까. 이해를 넓혀야 된다고 생각합니다.

노무현 정신이 뭘까요?

국민들과 가장 낮은 데서 같이 있고 싶어하는 정신입니다. 대통령 시절 여러 일화에 녹아 있죠. 대통령에 대해 기존에 갖고 있는 생각은 국민을 강력하게 이끌어 경제, 국방을 튼튼히 하는 신화적이고 영웅적인 리더입니다. 박정희가 그 모델이죠. 중세적이고 고대적이고 퇴행적인 사고방식이죠. 최초로 그와 반대로 했던 모임이 노사모입니다. 가장 낮은 사람들이, 그야말로 백성들이 나라와 정치, 경제를 바꿔야 한다는 것이 각성의 주 의미인 것이죠.

시민 최문순으로서 노사모에 감동받은 적이 있는지.

기존 학생운동이나 노동운동은 엘리트 중심으로 돌아가게 되어 있습니다. 하지만 노사모는 카운터 엘리트인 거죠. 생맥줏집에 모인 학생, 노동자, 아줌마 각종 사람들이 '괜찮은 사람 대통령 만들어보면 어때?' 하면서 생긴 거거든요. 발생 자체가 다르죠. 엘리트의 교체가 아니라 바닥에서부터 올라가는 힘. 그 자체로 근본적인 정치 변혁의 틀입니다.

당신은 얼마나
마음이 아팠을까

동해바다 박영길

제가 강원도 삼척 고향집에서 닉네임을 정했는데요. 노사모에서 본명보다는 '동해바다'로 통하고, 사실은 축제 때 부르는 바다와 동해라는 표현을 상징적으로 해서 동해바다를 썼고요. 노사모를 처음 하게 된 이유는 2000년 4월 13일 제16대 총선에서 노무현 대통령께서 당시에 국회의원 후보죠, 지역감정의 벽을 넘지 못하고 낙선한 이후에 노무현 후보에 대해 관심을 갖고 있었습니다. 5공 청문회를 지켜보면서 아주 절제된 언변과 원칙과 상식과 정의가 넘치는 그런 가운데서 어떤 가치에 공감하고, 저런 분이 진짜 정치에서 큰 역할을 할 수 있었으면 좋겠다는 생각에 공감했습니다. 그 당시 노사모 홈페이지는 없었고요. 노무현 홈페이지인 노하우에 접속해서 공감했고 참여했습니다. 2000년도 4월 중순 이후였나, 이럴 게 아니라 모여서 정보를 공유하고 노무현이라는 사람을 다시 키워보자는 그런 공감을 형성해서 참여하게 됐습니다.

노사모에 참여를 할 즈음에 뭐하고 계셨습니까?

2000년도는 제가 서른아홉이었는데요, 당시나 지금이나 회사원으로 있습니다. 제가 초기 노사모 지역 회장을 했고 회원 관리도 해왔는데요, 20대에서 40대 정도, 주 회원들의 성향이 20대에서 40대 회사원들이었습니다. 다양한 사람들이 참여하고 있었는데 어떤 특정 분야가 아니고 대부분 자발적으로 참여했고 그 자발성이, 노무현 대통령이 안 계셔도 지금까지 이어오고 있는 그런 자발성이 큰 추동력이 아닌가 생각합니다.

노대통령과 사적인 일화 같은 게 있으시다면?

수시로 만나서 모임 할 때마다 노무현 후보, 노무현 후보 짱, 노짱님이라고 불렀습니다. 별칭이죠. 사실 짱이라는 용어를 저희들이 사용할 당시 일본 문화가 있었고 부정적인 의미가 있었는데, 2002년 노사모가 자발적으로 구성되면서 노짱님에 대해서 오히려 긍정적인 용어로 변화되었다고 기억하고 있고요. 친근합니다. 모임 할 때마다 노짱님이 참석하시고 또 같이 번개나 모임 때에 참석하시더라고요. 일화는 수없이 많지만 그냥 편하게 만나서 대화하고 토론하고 했기 때문에 평범한 우리 동네 옆집의 푸근한 아저씨 같은 생각입니다.

지역별 노사모 강원도에서 활동을 하신 건가요?

그 당시에 저는 인천에서 살았습니다. 인천에서 초기에 가입을 하고 보니까, 수도권 모임을 결성할 때 참여해서 누군가는 일꾼이 되어야 하지 않습니까? 그래서 수도권의 다섯 권역으로 모임을 결성하자고 해서, 서울 남북부권, 그다음 경기 남북부권, 그리고 인천 경기 서부권, 이렇게 다섯 권역으로 수도권의 모임을 구성하자고 해서. 그러다보니 인천 경기 서부는 인천광역시를 포함해서 경기 서부는 김포, 부천, 광명시, 시흥시 이렇게 했고요. 제가 모임에 참석한 당시 인천은 저 혼자 있어 처음으로 그 노사모를 일구게 됐습니다. 강원도 출신이면 아무 지역감정이 없는데 영호남은 엄연히 존재하고 있지 않습니까? 회사일로 영호남 쪽에 출장을 가보면 확연히 구분되는 어떤 정서를 읽을 수가 있습니다. 그것을 갈아치우게 하는 것이 정치인이거든요. 지역감정을 치유하기 위해서 직접 몸으로 행동하는 노무현이라는 사람의 가치가 얼마나 소중한가 느꼈기 때문에 가치에 공감하고 참여하게 된 겁니다.

다시 뵐 수 없겠지만 미안한 점이 있습니까.

사실 노사모 회원이라면 지금 안 계신 노무현을…… 다시 또 마음이 울컥

합니다. 그것은 아마도 지켜주지 못한 그 마음입니다. 50 후반에 아직도 마음이 저미고 아픈 것은 지켜주지 못했다는 거. 그 마음이 제일 미안하고. (눈물) 당시에는 사랑한 사람이 대통령이 되셨으면 그다음은 당신의 몫이니까 우리는 국민의 한 사람으로 생업으로 돌아와서 감시자 역할만 해야 되겠다는 순진한 생각을 해보았습니다. 끝까지 같이 함께해서 지지하고 끝까지 보호해줬으면 아직도 살아 계시지 않았을까 하는 마음이 늘 있고요. 특히 논두렁 시계 사건 등의 얘기를 저는 믿지 않았고 비난하지 않았지만, 일반 국민들은 그런 정제되지 않은 가짜 뉴스에 더 귀를 기울이고 손가락질하고 그럴 때 노무현 당신은 얼마나 마음이 아팠을까 하는 생각이 들고요. 지금은 안 계시지만 노무현 가치를 바로 보고 그 가치를 통해서 지금 처한 환경에서 개개인들이 그 가치를 이어갔으면 하는 마음으로, 진정 마음으로 생각하고 있습니다.

보고 싶은 분들에게 한마디 해주세요.

참 반갑습니다. 2000년도 초창기부터 활동한 동해바다입니다. 저 아시죠? 다 보고 싶습니다. 그리고 누구나 일일이 나열할 수는 없지만 다 보고 싶고요. 지금 곳곳에 생업에서 노무현이라는 사람과 가치와 철학을 공유해 가면서 지금도 생활에서 구현하고 있는 모든 노사모뿐 아니라 노무현을 좋아하는 국민들한테 감사 인사 드리고요. 감사드립니다.

우리가 지금
제대로 하고 있는가

김지수 경남도의회 의장

정치 참여를 시작한 계기가 있을 거 같은데?

정치를 특별한 사람이 한다고 생각해본 적은 없습니다. 많은 사람이 노동 투쟁이라든지 학생 투쟁이라든지 이야기하는데. 제가 늘 안 하려고 하는 게 사적인 개인 인터뷰인데요, 특별한 스토리를 만들려고 하지 않습니다. 드라이하게 말씀드리면 저는 대학교 내내 학생회에 있었고요. (웃음) 약학 전공인데 단대에 있는 연극반 했고 4년 내내 등록금 투쟁했고 졸업했고요. 이후에는 속한 직능에서 직능 단체 활동을 계속했던 사람이죠. 그렇다고 열심히 하진 않았고요. 하고 싶었던 공부도 많이 하고. 경남은 수도권에 비해 인적 인프라가 얇은 지역이죠. 특히 민주당은 더. 창원은 노동운동이 활발했던 지역이기 때문에 저랑 같이 학교 다녔던 학생들은 졸업하고 대부분 진보당에 합류했죠. 진보당에 학생운동이나 노동운동 출신들이 많고요. 노사모 활동 하면서 민주당에 일부가 포함되어 있고 호남 출신 분들 중심으로 민주당이 구성되었던 거죠. 우연한 기회에 민주당 입당을 제안받았고요. 그것이 그렇게 어렵게 느껴지는 게 아니었기 때문에 입당했고. 워낙 사람이 없다보니까 저한테 하나둘 직분이 주어진 거죠. 주어진 책임을 하다보니 여기까지 오게 된 거죠. 그래서 지금도 민주당이나 노무현 정신, 노사모에 대해 아주 긍정적인 쪽으로 쏠려서 바라보고 있진 않습니다.

'민주주의의 최후의 보루는 깨어 있는 시민의 조직된 힘'이라던 노대통령의 말씀에 대해.

인터뷰를 생각하면서 노사모 생각을 많이 하게 됐어요. 과거에는 노사모에 대해 (웃음) 고민하거나 생각해본 적이 많지 않았는데. 노사모는 우리나라 최초의 자발적인 정치 팬덤이죠. 자발적으로, 특별한 목적으로 모였고. 민주당 내의 유력한 후보가 아니었음에도 경선의 승리를 이끌었던 팀이라는 거죠. 대선 본판에서의 승리는 노사모만의 힘이라고 얘기할 수 없지만 적어도 민주당 내 경선에 있어서 노사모의 위력은 대단했다고 생각합니다. 노무현 후보를 좋아했고 노무현이 지닌 여러 가치들을 공유하고 동의했다는 거죠.

노대통령님도 언론 권력의 공격을 많이 받으셨잖아요?

언론의 성향은 분명히 있습니다. 저희가 올해 지방선거를 통해서 명실공히 여당이 되었죠. 중앙 권력뿐 아니라 지방 권력까지 획득했고 경남에서는 최초로 민주당이 권력을 획득한 해인데. 지난번 의원 할 때는 민주당 의원이 두 명이었다가 나머지 한 분은 바른정당으로 가셨기 때문에 이번 민주당은 저 혼자였어요. 정의당 한 분 계셨고 나머지는 전부 한국당이었습니다. 제 의정 활동의 힘이 뭐였냐면 언론이었습니다. 공영방송인 KBS를 제외하고 나머지 방송들은 광고 수입에 의존하는 일종의 기업이기 때문에 광고 수입을 관에서 주로 해주거든요. 분명히 정도의 차이는 있죠. 진보지라고 이야기하는 지역 언론에서 저희 이슈를 많이 다뤄주었죠. 〈도민일보〉도 그랬고 〈경남신문〉도 홍준표 전 도지사와 대립하는 것이 아니면 많이 받아줬고요. 특히 감사하는 건 KBS가 많이 받아줘서. 노무현 대통령 때하고 지금은 정치 지형이 많이 바뀌었고 언론은 늘 양쪽의 논리를 담으려 하고. 그래야 스토리가 생기니까. 저는 소수였지만 양쪽의 논리를 담으려는 언론의 속성이 제게 도움이 되었죠. 노무현 대통령은 굉장히 다른 경우죠. 노무현 대통령이 그때 하려던 것은 언론 비정상의 정상화죠. 정경유착을 끊어내야 되는 거죠, 언론 고유의 소명을 다하려면.

다시 볼 수 있다면 마지막으로 무얼 여쭤보고 싶으세요?

노무현 대통령은 늘 용기 있는 사람이었잖아요. 늘 무언가를 외치는 모습으로 기억되잖아요. 기존의 정치 질서로부터 싸우셨잖아요. 지역감정으로부터 싸우고. 권양숙 여사님 관련해서는 이념 논쟁과 싸우고. 유권자, 국민을 향해서 '깨어 있어야 한다, 참여하셔야 한다'고 요구하고 언론과도 비정상의 정상을 만들려고 싸우셨고. 계속 저항했던 모습이 기억이 나는데요. 용기 있는 사람의 자세죠. 제도권에 들어와보면 매일매일 결정해야 하는 순간이 많은데 그때마다 타협해야 할 수만 가지 명분이 있어요. 결정하면서 매일 고민해요. 내가 하는 것은 타협인가, 정치적 결단인가. (웃음) 살아 계신다면 여쭤보고 싶어요. 우리가 지금 하고 있는 것이 정말 제대로 하고 있는가. 많이 헷갈리는데 계시면 여쭤보고 싶어요, 진짜. (웃음)

죽어서도
큰 힘을 발휘한다

박원순 서울시장

노무현 대통령 당선됐을 때 "이후로도 민주 정권이 두세 번 더 들어서야 우리 사회의 개인 지성이 비로소 제대로 될 것이다"라는 말에 대하여.

우리나라 제도가 대통령 단임제잖아요. 미국처럼 4년 중임제가 아니고 5년 딱 단임이니까 실제 뭘 하려고 보면 이미 레임덕이 걸리게 돼 있죠. 왜냐하면 대통령 임기가 그렇게 제한되어 있으니까. 같은 종류의, 같은 생각을 하는, 같은 당의 정권이 적어도 두 번 갖고도 부족하다는 게 우리에게 증명이 됐잖아요. 그러니까 김대중 대통령을 이어받아서 노무현 대통령이 5년, 10년을 우리 대한민국을 통치했지만 실제 뭐 하루아침에 모든 게 다 바뀌지 않아요. 그러니까 이게 좀 계속 이어져야 되겠다. 제가 오스트리아의 비엔나를 갔더니요. 비엔나는 이 공공 임대 주택이 거의 70%가 되고 그러니까 국가가 국민을 위해서 집을 다 주는 거예요. 모든 게 이렇게 잘되어 있어요. 그래서 세계 이 그 도시 중에서 가장 삶의 질이 높은 도시, 그런 국가가 오스트리아고 비엔나인데 정부를 보니까요. 1945년 2차 대전이 끝난 다음에 그 사회민주당이 지금까지 70년 동안 한 번도 집권을 놓치지 않았더라고요. 우리도 그런 나라가 좀 될 수 없을까요? (웃음) 그게 물론 독재가 되면 안 되지만 네. 뭐 물론 권력…… 계속 또 교체되는 게 바람직하지만 네. 그래도 그런 욕심이 드네요.

노무현 대통령의 권위주의적 리더십 거부를 어떻게 보시는지.

오랜 비정상적 체제 때문에 생겨난 반칙과 특권과 이런 것들이 제도로서뿐만 아니라 우리 생활 속에서도 깊숙이 뿌리박고 있었는데 그런 것을 바꾸고자 하는 운동이 사실은 여러 가지 시민운동, 사회운동에도 나타났지만 그걸 정치인으로서 그렇게 소리 높여서 그리고 그걸 자신의 삶으로 체화해낸 정치인은 저는 노무현 대통령이 뭐 유일했다 생각합니다. 그분의 삶 자체가…… 어찌 보면 이런 기득권으로부터 굉장히 멀었던, 그리고 중심에서부터 굉장히 멀었던 변방 아웃사이더로서…… 모든 게 그렇게 살아오셨기 때문에 아마 그 화두를 이렇게 몸으로 체화해낸 그런 여지가 있지 않았을까 싶습니다. 노무현 대통령이 말하자면 그 어릴 때부터 대통령이 된 그 모든 과정이 사실은 그러니까 어떤 전통적으로…… 이 중심에 있거나 또 그런 어떤 그동안 한국 사회를 지배했던 그런 지배층에 있지를 않았잖아요. 3당 합당할 때도 그냥 따라갔으면 그 당시 YS가 상당히 귀여워했을 텐데 그런 거 과감하게 버렸고 어디서나 아웃사이더였죠. 그리고 그것이 이런 어떤 지배적인 한국 사회 주류에 있던 사람들 입장에서 보면 굉장히 못마땅한 것이었죠. 그렇기 때문에 제도 권력이나 주류 정치인들은 비판을 했죠. 그 대신에 이 바닥에, 풀뿌리에서 사는 이른바 우리 민중들, 서민들은 좋아했고 그것이 또 노무현이 다시 살아나고 또 사랑을 받는 요소가 아닌가. 우리가 대통령이 이미 한국 사회에 많지만 그렇게 말하자면 서민들로부터 사랑을 받는 이유가 저는 바로 그런 점에 있다고 생각하거든요. 어떻게 모든 사람들로부터 다 존경받습니까?

검사와의 대화 어떻게 보셨어요?

좀 황당한 장면이죠, 사실. 아니 대통령이 뭐 그런 저기 검사, 더군다나 평검사들과 무슨 대화를 합니까? 그냥 한마디 하면 다 따라야 되는. 말하자면 이런 것으로 우리 국민들은 생각했는데 우리 사회의 가장 어찌 보면 기득권층이고 권력 그 자체인 그 검사들하고 대화하는 게 지배적 입장에 있는 사람들이 볼 때는 전혀 안 어울리는 장면이었죠. 그런데 이제 국민들 입장에서 볼 때는 어쨌든 그 첨예한 권력의 문제, 검찰의 문제를 그때 위태위태했잖아요. 네. 그런 것도 노무현이라는 사람이 노무현 대통령이 아니었으면 사실 상상도 할 수 없는 일이었죠. 저 같은 사람도 그런 장면은 너무 낯설었으니까, 네. 근데 그게 바로 노무현이잖아요. 저도 가끔 저런 걸 느꼈어요. 저 자신도 이미 중심부에 있는 사람이구나. 노무현 대통령은 제가 보기에도 아웃사이더인 거예요. 저도 사실은 그 당시에 권력의 입장에서 보면 저도 아웃사이더고 중심을 공격하고 뭐 그 세상을 바꾸고자 하는 사람이었잖아요. 심지어 제 눈에도 노무현 대통령은, 인간 노무현은 아웃사이더였던 거예요. 그러니까 이 제도권에 있는 사람들 사람들은 오죽했겠습니까? 보기 싫었던 거죠.

노사모에 대한 어떤 진단이나 생각들?

물론 한국 사회가 또 한편으로 보면 굉장히 역동적인 사회잖아요. 4·19혁명이나 5·18 항쟁이나 최근 광화문 촛불 광장까지 치면 사실 이게 외국에선 볼 수 없는, 때로는 혁명적인 상황을 국민 스스로 만들어내는 역동성을 보여줬다고 생각하거든요. 문성근씨가 언젠가 저를 찾아왔어요. 근데 제가 인사동에서 같이 밥을 먹으면서 이런저런 얘기를 나누는데 그때 노사모 이야기를 하더라고요. 그러니까 애초에 한 정치인에 대한 팬클럽을 만드는 일이었죠. 저는 참여연대나 시민운동을 하면서 어떤 특정 정치인을 지지하거나 비판하기보다 우리는 크게 보면 중립적 입장을 가지고 정치적으로는 어떤 특정한 당파성을 가지지 않고 초당파성으로 사회를 비판하고 권력을 견제하고 이런 걸 한다고 생각했고 그걸 쭉 해왔는데 이건 완전히 새로운 운동이잖아요. 그래서 그것에 대해서 어떨까? 잘될까? 이런 얘기를 나눴던 것 같아요.

근데 몇 달 있다보니까 노사모 활동이 막 시작되더라고요. 우리 시민운동은 사실 이게 좀 이성적 운동이니까 회원 가입시키기도 사실 쉽지가 않습니다. 참여연대 같은 경우는 한 만 명의 회원을 가지고 만 원을 내면 한 1억 되잖아요. 그걸 가지고 한 40~50명의 간사를 움직여서 체계적이고 제도적으로 운동을 하는 거거든요. 그런데 기억에 제가 그 당시에 경기도 어느 지역이었는데 노사모 집회 가서 강연을 한 번 했던 적이 있어요. 그때 보니까 야, 그 열기가 정말 만만치 않았어요. 이게 기존의 시민운동과는 또다른 운동이구나. 이런 생각을 했어요. 그리고 아니나 다를까. 대선 때는 물론 노무현 대통령의 삶 자체가 시민들에게 국민들에게 어필할 수 있는 그런 여러 감동적 요소들이 많았죠. 어쨌든 조직 아닌 조직이 바로 노사모였죠. 노사모는 그 당시에 제 주변에도 그런 사람들이 있었잖아요. 자기 사업, 어떤 한의원 원장 선생님인데 자기 한의원 문 닫고 자동차 한 대 사가지고 막 돌아댕기고. 말하자면 이게 어떤 합리적으로 설명할 수 없는 어떤 희생과 자기 헌신을 해가면서 노무현이라는 한 사람, 그 사람이 가진 가치. 그것도 참 쉽고 간명했잖아요. 특권과 반칙이 없는 세상. 상식과 원칙이 통하는 세상. 이거는 굉장한 슬로건이었던 것 같아요, 그 당시에. 그게 불을 지펴서…… 누구도 이기기 어렵다고 본 그 선거에…… 그때가 아마 울산이었나요? 울산에서 이기고 그다음에 광주에서 확실해졌죠. 그러면서 대세가 확 바뀐 거예요. 그런 분수령을 만들어냈죠.

저는 사실 참여연대 운동도 당시 대한민국을 바꾸는 데 큰 기여를 했다고 생각하거든요. 그때 낙천·낙선 운동이니 또 소액주주 운동이니 부패방지법 제정 운동이니 사실 굉장히 (웃음) 빛나는 운동들을 많이 했는데, 그런데 그거는 직접 하는 게 아니잖아요. 직접 권력을 받는 게 아니잖아요. 권력을 비판하고 권력이 이제 바로 서게 만드는 이런 운동인데 그것도 큰 의미가 있긴 하지만, 노사모는 아예 권력을, 권력의 중심으로 쳐들어가서 그 권력을 차지해서 권력을 바꾸는 일이잖아요. 사실 이게 본질적으로

더 중요한 일이기도 하죠. 시민들 중에 지식인들 중에서 정치를 '뭔가 좀 지저분하고 더럽고 그러니까 가까이할 게 아니다'라는 생각을 가진 사람들이 많아요. 사실 그러면 그렇다고 세상이 바뀝니까? 그 더러운 정치를 가서 확 깨끗한 정치로 바꿔야죠. 그러니까 그런 본질적 사고를 한 게 저는 노무현 대통령이었다고 생각합니다. 노사모를 통해서 새로운 운동, 사회운동 영역이 만들어진 거죠.

당시 재임 초기를 생각하면 흔들기와 보수, 기득권…… 공격과 여러 가지 험난했어요. 현실적인 영역에서는 또 분명히 다른 지점이 있으실 것 같은데 비슷한 고민도 많이 하셨을 것 같아요.

저도 서울시장을 지금 이미 7년을 했고 앞으로 4년을 더 할 텐데요. 생각해보면 정말 열심히 했고 나름 잘했다는 평가도 받는데요. 그렇다고 제가 정말 마음에 저 스스로 들 만큼 서울을 바꾸고 세상을 바꿨냐? 그건 아닌 것 같습니다. 왜냐하면 시민의 정치라는 게, 행정이라는 게 시민의 삶을 통째로 바꾼다는 것. 세상에 이 복잡다단한 것을 다 바꾼다는 것. 그건 사실 불가능한 거거든요. 그것은 예컨대 10년의 세월이 흘러도 저는 바꾸기 힘든 거라고 생각합니다.

저는 노무현 대통령의 역할, 그 시대의 사명은 디테일하고 실용적 어떤 천명에서 세상을 바꾸는 일은 아니었던 것 같아요. 우리가 반칙과 특권 없는 세상, 원칙과 상식이 통하는 세상이라고 하는 그 큰 비전에서 시민들을 열광시키고 또 국민들이 뭔가 '아, 우리가 저런 리더도 가질 수 있구나, 그리고 저런 세상을 우리가 만들 수 있구나'라고 하는 그런 어떤 신념, 신뢰, 희망, 그런 걸 준 것만 해도 큰 거라고 생각합니다. 이런 민주주의 사회에서의 대통령은 굉장히 다른 것이죠. 그래서 저는 노무현 대통령이 실패했다 그렇게 생각하진 않습니다. 이후에 우리가 새로운 정부를 만들어내는 데 실패했던 것은 크게 성찰해야 될 대목이지만…… 어쨌든 그 이후에 문재인 대통령이 바로 이어서 됐다 그러면 세상은 또 훨씬 달라지지 않았을까요? 한 사람한테 너무 많은 기대를 하시는 것 자체가 저는 (웃음) 과잉이라고 생각합니다.

우리가 가볍게 볼 수 없는 게 예를 들어서 언제나 노무현 대통령은 청와대에서 사람을 만날 때 혼자 만나지 않았다는 거 아닙니까? 반드시 누군가가 옆을 지켰고 그 모든 대화는 기록했고 보존했고 그게 어찌 보면 야당이 그걸 갖고 막 정치적으로 장난치게 만든 그런 요인이 되기도 했지만, 저는 그거는 위대한 업적이라고 생각합니다. 왜냐하면 그거는 상대적으로 박근혜 정부 보십시오. 청와대를 최순실 같은 사람이 드나들고 이건 대통령이라는 자리는 국가 안보 그 자체거든요. 누가 들어갔는지 통제도 안 되고…… 우리가 4월 16일 세월호가 침몰하는 순간에 대통령이 도대체 어느 자리에 있었는지 뭘 하고 있었는지가 알려지지 않는 이런 시대하고 비교해보면 저는 노무현 대통령이 권력을 행사하는 원칙, 그리고 그 과정. 이런 모든 것들이 청와대라는 곳, 권력이라는 것, 대통령의 직무라는 것, 그걸 완전히 바꾼 것이죠. 사실은 저도 지금 제가 대화하는 거 다 기록합니다. 저 만나온 사람은 힘들 거예요. (웃음) 아니 뭐 사적인 부탁을 못하잖아요. 그런 목적도 있습니다. 네. (웃음)

〈조선일보〉 투쟁에 대해 어떻게 생각하시는지.

바로 노무현이고 노무현다움이죠. 어떤 기득권, 기존의 체제에 저항하는 그게 노무현이고 노무현 정신이라고 생각하는데요. 사실은 뭐 이전에 그 왜 어디입니까? 거제도 옥포조선소에 가서 노동자 편을 들어서 연설을 했잖아요. 그게 이른바 제3자 개입이라고 하는 죄로 감옥에 갔고 그때 제가 변호인이었습니다. 김해교도소에 가서 제가 이렇게 무인도 받아오고 변호인 선임계, 이런 어떤 노동을 탄압하는 재벌 체제에 대한 저항이죠. 그리고 제3자 개입이라고 하는 그런 법을 무시하고 말하자면 행동을 한 것이고 또 그 당시에 주류 언론, 제도 언론에서 가장 큰 상징이었던 〈조선일보〉에 대해서 소송을 제기하고 그랬죠. 그때 아마 그 요트 사건인가. 보통 사람들은 손해봐도 '괜히 대들었다가 더 크게 당한다' 이런 생각을 하고 아마 포기할 수 있었지만, 이 노무현이라는 사람의 체질로는 용납이 안 되는 그런 사건이었겠죠. 그래서 3당 합당 때 반기를 들고 외로운 정치 행로를 갈 때도 그랬고 수없이 선거에서 떨어질 때도 좌절하지 않았던 것.

제가 영상을 하나 본 게 있는데요. 그게 그때 어디서 봤는지 기억은 안 나는데 왜 부산시장 나갔을 때인 걸로 아마 보이는데. 길 가는 사람들한테 "내가 노무현입니다" 이렇게 막 나눠주는데 그거 지나가는 사람들이 전혀 눈여겨보지 않고 명함 받을 생각도 안 하고 그냥 외면하면서 지나가는 그런 장면을 어디서 봤어요. (웃음) 그런 참담한 정치 환경 속에서도 자기 원칙과 상식을 지켜간다는 것, 그게 바보 노무현의 정신이 아닐까요. 우리가 모두 따라 배워야 되는 게 아닌가 싶습니다. 사실은 거기에서는 당시의 정치 지형으로 보면 바보 같은 일이지만 그게 또 국민들을 감동시키고 폭발시킨 힘이잖아요. 세상이 그렇게 또 우리 국민들이 우리 그렇게 간단치 않은 국민들이죠. 그래서 (웃음) 저는 늘 노무현 대통령도 우리 동시대의 어찌 보면 동지, 이렇게 살아오면서 참 다르다. 말하자면 저 같은 사람이 흉내내고 싶지도 않은 그런 캐릭터를 갖고 있잖아요. 말하자면 늘 용감하고 그렇죠. 그 신념이 너무 확고하죠. 그걸 확고히 행동으로 옮겨내는 이런 힘이 노무현 같았어요. 그러니까 저하고 이제 같이 TV 토론도 여러 번 했거든요. 저는 막 메모도 해 가는데 노대통령은 메모가 없어요. 그러니까 그게 자기 생각이 딱 확고하게 정리돼 있고 그런 신념의 정치를 했던 게 틀림없는 것 같습니다. 그래서 많이 배웠습니다.

이 이야기를 꼭 해주고 싶은 것은요?

제가 많이 배우게 되는 좋은 점들을 많이 갖고 계신 거예요. 저는 성격이 수줍음이 많은데 그분은 굉장히 과감하고 신념이 단순 명쾌한 것, 복잡하지 않고 옳다고 하는 것은 명쾌하잖아요. 저는 아까 특권과 반칙이 없는 세상, 상식과 정의가 통하는 세상이라는 게 사실은 내화된, 체화되어 있는 그런 신념이고 그거는 오랫동안 삶을 통해서 경험하고 느꼈고 인식한 모든 것이 응축된, 그래서 너무나 자연스럽고 단호하고 이랬던 것 같아요. 그런 걸 보면서 저도 제 생각과 신념을 또 행동을 정의하는 데 도움이 됐죠. 눈에 보이지는 않지만 우리가 서로 배우고 영향을 받잖아요. 저도 지금은 약간 단호해졌습니다.

우리는 왜 노무현을 잃었을까요?

노무현을 우리가 잃었다고 생각하지 않습니다. 노무현 대통령이 보여주신 그런 가치, 그런 행동들은 저는 여전히 우리한테 많이 남아 있다고 생각하고요. 물론 노무현에 그치지 않고 우리가 노무현이 그리던 세상을 실행할 뿐만 아니라 더 나아가야 된다고는 생각하는데요. 그래서 어찌 보면 그 당시 노무현 대통령의 죽음 앞에서 많은 사람들이 눈물 흘리고 반성하고 그랬던 힘이 결국은 촛불을 만들어내고 문재인 정부를 만들었다고 생각합니다. 사람은 이렇게 살아서도 힘을 발휘하지만 죽어서도 큰 힘을 발휘하기도 한다고 생각하거든요. 저는 그 대표적인 경우가 바로 노무현의 죽음이다. 비록 우리 앞에서 사라졌지만 더 크게 힘을 행사한, 더 큰 세상의 변화를 만들어낸 그런 게 아니었을까. 그래서 노무현을 지키지 못했다고 하는 노사모들이 너무 자책하고 눈물 흘릴 필요는 없다 이렇게 생각합니다.

노무현 대통령은 외롭지 않았을까요?

외롭고 고통스럽고 힘들죠. 말하자면 의사 결정의 정점에 있는 사람은 비난을 감수하고 심지어 실제 자기 책임이 아닌 것조차도 책임져야 되잖아요. 예컨대 '서울 하늘 아래서 벌어지는 일은 제가 다 책임져야 된다' 이런 생각을 갖고 이렇게 또 말도 하고 그러는데, 사실 엄밀히 말하면 법적으로 따지면 제 권한이 아닐 수도 있지만 그런 소리 못하죠. 그런 걸 또 마음대로 표현도 못하잖아요. 내가 외롭다는 거, 내가 고통스럽다는 거. 그래서 아마 그때 노무현 대통령께서 정말 그만두고 싶다고 얘기했다가 또 야단났잖아요. 그게 사실 굉장히 인간적인 (웃음) 표현인데 그런 얘기도 함부로 할 수 없기 때문에 더 고통스러운 거죠. 이게 무거운 짐을 짊어지고 그것도 잠깐 있는 게 아니라 뚜벅뚜벅 오랜 길을 가야 되는 심정, 그런 게 아마 분명히 계셨을 거고요.

그래서 저는 그걸 어떻게 스스로 위로하기로 결심했냐면 '내가 결정하는 이 하나하나가 얼마나 많은 시민들의 삶을 바꾸고 세상을 바꾸고 있냐? 그러니까 나머지 나한테 주어지는 그거는 거기에 비하면 작은 일이다'. 저도 언론이나 시의원에게 국감 받을 때 보셨죠? 저도 일어서서 확 뭐 하나 집어던지고 싶었어요. 그때 저는 뭘 생각했냐면 '우리 내 뒤에 있는 서울시 공무원 14,000명이 어제도 밤샘했고 그저께도 밤샘을 했는데 빨리 집에 가야 되는데 아, 내가 참지' 이랬죠. ■

역사는 사람이 만드는 것입니다.
잘난 사람들이 만드는 것이 아니라
그야말로 일상의 삶을 살면서 아이들 키우고
부부간에 지지고 볶고 사랑하고
이런 사람들이 역사를 만드는 것입니다.

길은 사라지지 않았습니다

신학림 전 미디어오늘 대표

명진스님이 그랬습니다. 의로운 길을 가면 비록 실패해도 길은 남는다. 노무현 대통령은 한국 사회가 고질적으로 수구기득권 세력, 과거에 나라를 팔아먹었던 세력, 친미세력, 반공 세력 이런 세력들이 있는 나라가 정상적으로 발전하지 못한다는 걸 알고 개혁을 해보려고 했지만, 수구기득권 세력의 벽에 막혀서 좌절은 했습니다. 길은 사라지지 않았습니다. 길은 남아있습니다. 저는 문재인 대통령한테 걸고 있는 희망은 딱 하나입니다. 임기가 절반 이상 남아있다는 사실입니다. 그거 말고는 큰 기대는 하지 않습니다. 문재인 정부가 실패한 정부로 끝나더라도 어떤 정부가 들어서든, 노무현 대통령이 걸어왔던 그 길을 가려고 시도하지 않으면 대한민국은 정상적으로 발전할 수 없다는 거죠.

정상적으로 발전하고자 하는 방향인데 이 싸움이 험난하고 힘이 드네요..

지금 우리나라는 OECD국가 중에서 양극화와 빈부격차가 가장 심한 나라입니다. 피부로 느끼는 것도 그렇고 통계수치도 다 나와있습니다. 그러면 매우 심한 빈부격차와 양극화의 원인이 어디에 있냐. 따지고 들어가보면 그 바탕에는 뭐가 깔려있냐 돈과 권력과 명예라고 하는 이 세 가지 수단들을 1%정도밖에 안 되는 수구기득권 세력들이 다 가지고 있습니다. 그 수구기득권 세력은 반공, 매카시즘, 친일 부역, 친미, 지역주의, 지역감정 이런 것을 가지고 48년 이후부터 지금까지 60~70년 이상 먹고 산 사람들입니다. 그래서 이 시스템 자체에 조금이라도 변화를 주려고 하면 자기네들의 목에 칼을 들이대는 거라고 생각합니다. 그런데 제가 볼 때는 그 칼이 위협이 되는 칼도 아니고 연필 깎는 칼 정도밖에 안 되는데도…… 노무현 대통령이나 문재인 대통령이 해줬으면 하는 바람에서 보면 그것은 연필 깎는 칼 정도 밖에 안 되는데 마치 진짜 위협이 되는 걸로 생각합니다.

조직적으로 끝까지 지휘하게 하는 게 이 수구기득권 세력들의 행태입니다. 이게 무서운 거에요. 거기에 도전을 한다는 것은 엄청난 거죠. 만약에 김영삼 대통령이 아니었으면…… 저는 김영삼 대통령이 경상도 출신이었기 때문에 역설적으로 하나회를 척결할 수 있었다고 봅니다. 전두환 노태우는 못했던 금융실명제를 한 거거든요. 그건 굉장한 겁니다. 어떤 의로운 길을 한 대통령이 가겠다고 하면 실패할 수 있고 성공할 수도 있는데 실패하더라도 가려고 했던 길은 남아있다. 이것이 노무현 대통령 10주기를 맞이해서 우리가 노무현 대통령을 다시 생각하면서 새겨야 할 가장 중요한 열쇠말이라고 생각합니다.

권투선수들은 잘 알아요. 잽잽잽, 스트레이트나 훅, 잽이 중요합니다. 견제로 잽을 날리는 거죠. 취임하면서부터. 왜냐? 문재인 대통령과 문재인 정부는 노무현이 걸었던 길을 어떤 형태로든 만족스럽진 않지만 가려고 시도하는 게 불을 보듯 뻔한 거잖아요. 정권의 어떤 아이덴티티라고 할까, 그 지향점이 명백하게 드러나있는 거잖아요. 그러니까 처음부터 잽을 날려야죠.

어쩌면 이 잽은 문재인 정부를 향하는 잽일 수도 있겠지만 문재인 정부를 지지하는 사람들을 향하는 잽일 수도 있겠네요?

그게 그거죠. 그런 잽은 5년 내내 계속 들어올 겁니다. 잽을 하다가 약점이 보이면 바로 스트레이트나 훅이 들어올 겁니다. 그럼 맞받아쳐야죠. 근데 맞받아치는 것도 처음부터 맞받아쳐야지, 나중에 잽잽을 많이 맞고 훅이나 스트레이트를 강펀치를 맞은 다음에는 힘이 빠져서 반격을 해도 그 펀치가 안 나와요. 그래서 사고 처리에도 골든타임이 중요하듯이…… 그러니까 보세요. 김영삼 대통령이 금융실명제를 임기 첫해에 했습니다. 취임하고요, 6개월이 안 되어가지고 딱 했습니다. 그걸 잘 생각하셔야 돼요.

노무현 대통령 임기 초기에 거의 엄청난 공격들을 받았던 거 같은데?

4대 개혁 가지고 정면 승부를 했다가 거기서 좌절하니까 연정 얘기가 나온 거죠. 그리고 권력은 시장에 넘어갔다고 얘기했잖아요.

그 잽이 정권은 알겠지만 사실 정권을 지지하는 사람들을 민심을 떨어트려놓는 거잖아요.

이렇게 보세요. 저는 운동을 좋아해서 운동 심리를 조금 아는 편인데 프로 권투선수가 세계적인 선수라도 계속 강펀치만 날릴 수는 없어요. 아니 그리고 강펀치만 계속 날릴 수 있으면은 다 날리죠. 안 되는 거예요. 그리고 강펀치를 날린다고 해서 반드시 모든 강펀치가 제대로 맞는다는 보장도 없고 효과도 없어요. 잽잽잽하다가 강펀치가 나가면 충격이 큰 겁니다. 그러니까 권투에서 제일 중요한 게 잽부터 배우는 겁니다. 잽잽잽 스트레이트 잽잽잽 훅. 잽이 얼마나 중요한데요.

그러고나면 지지하고 싶은 마음이 조금씩 조금씩 조금씩 떨어지겠네요?

그러니까 문재인은 대통령을 원래부터 지지했던 개혁 지향적인 사람들의 지지를 떨어트려놓겠다는 거죠. 원래 중간에 있던 분들이 문재인 대통령을 지지했던 이유가 맹목적으로 지지하는 게 아니고 노무현 대통령에게 지지해왔던 것처럼 개혁 정책을 한다고 하니까 중도에 있던 사람들도, 과거에 이명박을 찍거나 보수적인 후보를 찍었던 사람들도 '지금 노무현 문재인 정부는 나라를 제대로 정상적인 그런 나라로 한번 만들어보려고 한다 그러니까 우리가 지지하자' 한거죠. 그런데 계속 터무니없이 부정확한 사실, 왜곡된 사실, 아니면 짜깁기한 사실 이런 걸 가지고 계속 잽을 날리니까 일반 유권자들 중에서 중도에 있거나 확실하지 않은 분들은 떨어져 나가는 거죠.

지금이야 뭐 SNS라든지 집단지성도 많고 팩트 체크도 되니까. 물론 가짜 뉴스도 횡행하고 있습니다만 당시에는 언론이 그냥 프레임 짜고 덤벼들면 거의 사실로 받아들여지는 분위기였죠?

지금 우리나라 정치인들이 그러니까 여야 보수 진보할 거 없이. 저는 정치인들이 뭘 명심을 해야 한다고 보냐면 우리 유권자와 국민들의 수준. 심지어는 초등학교 학생들부터 시작해서 투표권이 있든 없든 우리 국민들이 표현을 안 할 뿐이지 수준이 대단히 높다. 그런데 우리 정치인들은 보수 진보나 여야할 거 없이 국민들의 수준을 실제보다 대단히 낮게 보고 있다.

당시에 보도가 어떤 목적을 가지고 프레임을 만들어 헤드라인도 자극적으로 뽑아 정부에 대해 흠집내기나 흔들기를 했을 때 시민 입장에서는 팩트체크가 되지 않는 상황에서 본다면 지지자들도 지지했던 마음이 좀 떨어질 거 같다는 생각이 좀 들거든요?

어떤 신문을 보느냐 라고 하는 게 그 창으로 세상을 바라보는 거잖아요. 굉장히 중요합니다. 그러니까 지금은 SNS 시대고 1인 미디어 시대고 〈오마이뉴스〉는 모든 시민이 기자라고 했지만, 지금은 모든 시민 개개인이 하나의 언론이거든요. 그래서 저는 시민들이 많이 깨어있기 때문에 그 전처럼 일부 언론이 프레임을 만들어 작동한다고 보지 않습니다. 다만 그 사람들은 그런 방법밖에 익숙한 게 없으니까 그거라도 하는 거죠. 현재의 시점 말고 20년 전에 노무현 대통령은 '조직된 시민의 힘이 있으면 뭘 할 수 있다'라는 것을 깨달은 최초의 대통령. 조직된 시민의 힘! 그 전에는 대통령들이 선거 때만 표를 구걸하는 하고 선거가 끝나면 외면했는데, 노무현 대통령은 조직된 시민의 힘이 결국에 정치를 바꾼다고 하는 걸 알고 시민들이 조직화되기를 바랬던 최초의 대통령이 아닐까 생각합니다. ■

민주주의는 아직
깨어 있지 않은 시민들을 위한
장치이자 수단

문달 문준호

2003년생이에요. 열여섯 살이에요. '문달'이요. 이름 앞글자가 문인데 문이 한국어로 달이라서 연결해서 지었어요. 노무현 대통령께서 대통령 하시던 때 저는 어려서 잘 모르지만 책을 읽으면서 노무현 대통령이라는 존재를 알게 됐고 연설, 해왔던 일을 직접 찾아보는데 큰 울림으로 다가왔거든요. 존경하는 마음을 표현할 수 있는 방법을 찾다보니 가입하게 된 것 같습니다. 처음 몇 달간은 가입만 되어 있었는데 올해 노무현 대통령 서거 9주기 추모식을 인천에서 해서 갔다 오고 봉하마을도 노사모 분들이랑 다녀왔어요.

노사모라는 건 정치 활동이잖아요. 중학교 3학년한테 정치 활동은?

투표권이 없는 나이여서 대부분의 제 또래 친구들이 정치에 대해 다 멀게 생각하고 학생들 생활에서도 밀접하게 접하기 힘든 부분이니까. 하지만 투표권이 없을수록 더 나서서 목소리를 알리고 관심을 가져야 나중에 성인이 돼서도 바람직하게 바꿔나갈 수 있다고 생각하기 때문에 이렇게 참여하고 있는 것 같습니다. 주변 애들도 제가 정치에 관심 있고 활동한다 하면 진지하게 바라보거든요. 사람이 되게 진지한 줄 아는데 그러다가 친구들도 공감할 만한 이야기를 하면 친구들도 관심을 가지고 공감할 수 있게 되는 것 같아요.

『운명이다』라는 책을 읽은 게 언제죠?

초등학교 5학년 때였던 것 같아요. 역사책을 좋아해서 하루에도 몇 권씩 읽었는데 근현대사도 읽게 되고 대통령 분들도 다 나오시잖아요. 그래서 그런 분들의 책도 관심 갖게 되면서 '이분은 어떤 분일까?' 하고 읽어봤는데 그분들 중에서 특히 노무현 대통령. 노무현 대통령이 제게는 꿈을 꾸게 해주신 분이라고 생각해서요. 영향이 컸던 것 같습니다.

민주주의가 뭐라고 생각해요?

민주주의는…… 많은 사람이 모인 사회에서 강자도 있고 약자도 있을 텐데 강자에게 유리한 구도로 가는 게 아니라 약자도 포용하고 더불어 갈 수 있는 길을 내어주는 큰 의미가 있다고 생각해요.

효율은 별로 없겠어요.

당장 내일만 보면 그럴 수 있겠지만 앞으로의 미래를 봤을 때 약자가 힘을 갖게 되면 사회는 더 강해져 있을 거라고 생각하거든요. 노무현 대통령께서도 유지처럼 깨어 있는 시민의 조직된 힘이 필요하다고 말씀하셨기 때문에 민주주의는 아직 깨어 있지 않은 시민들을 위해 있는 장치이자 수단이라고 생각합니다.

노무현 대통령의 일화 많이 접하셨을 텐데 딱 하나 꼽자면.

부산에서 계속 선거 출마를 고집하시는 것들 보면서 속으로 너무 안타깝고, 더 편하신 길 놔두고 혼자서 외로운 길을 가신 게 처음에는 공감 안 갔는데, 점차 그분의 생각을 읽어가면서 나중에는 그분이 옳으셨구나, 그분이 맞으셨고 최근 정치를 보면 결국에는 그분의 꿈이 이루어졌잖아요. 지역감정이 해소되어가고 있다고 생각해서 공감이 많이 갔어요.

노대통령이 재임하고 계실 때 일부 언론사와 관계가 불편한 적도 많았는데, 요즘 신문이나 매체를 보면 어때요?

이면적인 모습을 보여주고 있다고 생각해요. 박근혜 정부 때는 남북통일이 돼야 잘산다고, 통일 대박론을 찬양하던 언론들이 지금은 비용 부담, 지출 얘기를 하니까. 언론이라고 해서 다 믿을 거는 아니고 맞은 건 맞고 틀린 건 틀리다고 바라볼 수 있는 시각이 필요하다고 생각합니다. 저는 아직 부족하지만 그렇게 보려고 노력하고 있어요. 언론도 하나의 기득권을 갖고 있다고 생각하거든요. 기득권을 빼앗기지 않으려면 본인을 위해서 국민들에게 알리지 말아야 할 팩트도 있고 감춰야 될 진실들도 있기 때문에, 언론만 보고 사는 국민들에게 언론은 굉장히 무서운 권력이라고 생각합니다.

존경하는 정치인도 결국 목숨을 끊으셨는데, 정치는 왜 하려고 그래요?

그분이 완성하지 못한 꿈을 지금 대통령도 이어가고 계시지만 계속해서 완성도 높게 이어가려면 저도 뭔가를 해야 되지 않을까 생각했어요. 다 잃더라도, 그 꿈 하나만 보고 간다면 의미 있지 않을까 생각해서 정치가 하고 싶습니다, 지금도. 그분이 제게 주신 거는 되게 큰 의미가 있는 것들이었기 때문에 운명입니다, 제게는. 노무현 대통령도 그 힘드신 일을 하셨고 또 그분의 뜻을 이어가려는 분들도 힘을 감내하면서 하고 있기 때문에 짐을 조금이라도 나눠 지면 힘들던 일도 덜 힘들고 무겁던 짐도 덜 무겁게 들지 않을까 싶어서. 힘든 거를 나눠 지려면 (정치를) 해야 된다고 생각해요.

어떤 정치인이 되고 싶어요?

소외된 분들, 약자, 이런 분들의 목소리를 다 같이 내고 그분들의 얘기에 공감해주고 그분들의 권리가 보장되는 사회를 만드는 따뜻한 정치인이 되고 싶어요.

어떻게 사는 게 그분이 말하는 깨어 있는 시민일까요?

현실에서는 바쁜 하루를 보내면서 정치라는 것에 관심을 갖지 못하게 되고 워낙 정치인들이 한심한 집단같이 보이기 때문에 관심을 갖지 않으려고 하는 사람들이 많은데, 그분께서 말씀하신, 우리의 삶이 바뀌려면, 나아가서 대한민국이 바뀌려면 정치가 한심하고 복잡해도 관심을 가지는 것, 정치에 관심을 가지는 사람이 깨어 있는 시민이라고 생각합니다.

노사모들이 해왔던 수많은 일에 많은 분화가 있었는데 어떻게 생각해요?

그분을 생각하고 그분의 뜻을 이어가려는 것 하나만은 같은 마음이라고 생각해요. 노무현 대통령이 바보라고 불리시잖아요. 노사모들도 바보라고 불리는데 바보들도 혼자 있을 때는 힘을 잘 못 내다가 뭉치면 큰 힘이 될 수 있거든요. 실제로도 큰 힘이 되었고요. 바보라서 할 수 없다고 생각하다가도 그분이 길을 가셨기 때문에 바보들도 할 수 있다는 생각을 하게 된 것 같습니다.

5분 동안 자기 하고 싶은 말.

되게 감사해요, 노무현 대통령한테. 한 번도 뵙지 못했었는데 그분은 제게 꿈을 갖게 해주셨고 그분이란 존재를 알면서 좋은 분들도 만나게 해주셨고…… 제겐 시작할 수 있는 기회를 주신 감사한 분이기 때문에…… 정말 돌아가셨지만은 꼭 한번 뵙고 싶어요. 뵙고서 엄청 감사하고요…… 걸어가신 길이 절대 틀린 게 아니었다고, 지금도 완성되어가고 있다고 말씀드리고 싶어요.

노사모 회원님들, 동지기도 하고 편지 한번 씁시다.

안녕하세요. 문달입니다. 제가 가장 어린 회원인 것 같은데 나이도 있고 학교 다니면서 활동을 제대로 못하고 있거든요. 다른 분들께서 열심히 활동해주시고 계신데 저만 어리다고 활동 안 하고 있는 것 같아서 감사하고 죄송해요. 성인이 돼서도 계속 활동할 테니까 노사모라는 단체를 계속 지켜주시고 이렇게 키워주신 데 진짜 다시 한번 감사합니다.

강물은 바다를 포기하지 않습니다.

강물처럼!

제16대 대통령

노무현